Robert Wilson

Verborgen moordenaars

Vertaling Paul Witte

2007
DE BEZIGE BIJ
AMSTERDAM

Cargo is een imprint van uitgeverij De Bezige Bij, Amsterdam

Oorspronkelijke titel *The Hidden Assassins*
Oorspronkelijke uitgever HarperCollins*Publishers*, Londen
Omslagontwerp Studio Jan de Boer
Omslagillustratie Hollandse Hoogte / Arcangel Images
Foto auteur Jerry Bauer
Vormgeving binnenwerk Perfect Service, Schoonhoven
Druk Bariet, Ruinen
ISBN 978 90 234 2629 5
NUR 305

www.uitgeverijcargo.nl

Voor Jane en mijn moeder

en

Bindy, Simon en Abigail

Turning and turning in the widening gyre
The falcon cannot hear the falconer;
Things fall apart; the centre cannot hold;
Mere anarchy is loosed upon the world,
The blood-dimmed tide is loosed, and everywhere
The ceremony of innocence is drowned;
The best lack all conviction, while the worst
Are full of passionate intensity.

W.B. YEATS, *The Second Coming*

En wat moeten wij nu zonder de barbaren?
Die mensen waren onze oplossing.

K.P. KAVAFIS, *Wachten op de barbaren*

•

West End, Londen, donderdag 9 maart 2006

'En, hoe bevalt je nieuwe baan?' vroeg Najib.

'De vrouw voor wie ik werk, Amanda Turner,' zei Mouna, 'is nog geen dertig, en nu al account director. Weet je wat ik voor haar doe? Ik boek haar vakantie! Dat is het enige wat ik deze week heb gedaan.'

'Wordt het een leuke vakantie?'

Mouna lachte. Ze was gek op Najib. Hij bleef zo rustig, hij was niet van deze planeet. Als ze met hem afsprak, had ze het gevoel dat ze een *palmerie* in de woestijn betrad.

'Je zult het niet geloven,' zei ze, 'maar ze gaat op bedevaart.'

'Ik wist niet dat Engelsen op bedevaart gingen.'

Het moet worden gezegd dat Mouna van Amanda Turner onder de indruk was, maar Najibs goedkeuring vond ze nog veel belangrijker.

'Nee, maar het is ook niet religieus. Althans, de reden dat ze gaat niet.'

'En waar is dat pelgrimsoord?'

'In Spanje, ergens in de buurt van Sevilla,' zei Mouna. 'Het heet La Romería del Rocío. Ieder jaar komen mensen uit heel Andalucía bij elkaar in El Rocío, dat is een dorpje. Op pinkstermaandag dragen ze de Maagd de kerk uit en dan gaat iedereen uit zijn dak. Iedereen danst en feest, voor zover ik heb gegrepen.'

'Daar snap ik niets van,' zei Najib.

'Ik ook niet. Maar ik kan je wel vertellen dat Amanda niet voor de processie van de Maagd komt,' zei Mouna. 'Ze gaat ernaartoe omdat het vier dagen lang feest is – met veel drank, gedans en gezang. Je weet hoe Engelsen zijn.'

Najib knikte. Dat wist hij inderdaad.

'Maar waarom heb je daar een week over gedaan?'

'Omdat alles in Sevilla is volgeboekt en Amanda hoge eisen stelt. En dan bedoel ik echt hoge eisen. Alle vier de kamers moeten bij elkaar liggen en...'

'Vier kamers?'

Mouna antwoordde: 'Ze gaat samen met haar vriend, Jim "Fat Cat" Maitland. Verder gaan haar zus en het vriendje van haar zus en nog twee andere stellen mee. Ze werken allemaal voor het bedrijf van Jim: Kraus Maitland Powers.'

'Wat is dat voor een bedrijf?'

'Het is een hedgefonds,' zei Mona. 'Maar vraag me niet wat dat wil zeggen. Ik weet wel dat het in dat gebouw zit dat de Augurk wordt genoemd... Wat denk je dat hij vorig jaar heeft verdiend.'

Najib schudde zijn hoofd. Hij verdiende zelf erg weinig, zo weinig dat het hem niet interesseerde.

'Wat dacht je van acht miljoen pond,' zei Mouna op vragende toon.

'Hoeveel zei je?'

'Ik weet het. Ongelooflijk, toch? De man die het minst verdient in Jims bedrijf, heeft vorig jaar vijf miljoen ontvangen.'

'Dan snap ik dat ze hoge eisen stellen,' zei Najib, terwijl hij van zijn zwarte thee nipte.

'Die kamers moeten dus bij elkaar liggen. Ze willen er de avond van tevoren zijn en blijven erna nog drie nachten. Vervolgens slapen ze één nacht in Granada en gaan dan nog twee dagen naar Sevilla. En er moet een garage zijn, want Jim parkeert zijn Porsche Cayenne niet op straat. Weet je wat een Porsche Cayenne is, Najib?'

'Een auto?' vroeg Najib. Hij krabde zich in zijn baard.

'Ik zal je vertellen hoe Amanda hem noemt: Jims Grote Rot Op Met Je Klimaatverandering.'

Najib huiverde van haar grove taal, en ze wilde dat ze er niet zo op gebrand was geweest om indruk op hem te maken.

'Hij heeft vierwielaandrijving,' zei Mouna snel, 'en rijdt 251 kilometer per uur. Amanda zegt dat je de wijzer van de benzinemeter zíet zakken als Jim harder dan honderdzestig rijdt. En ze gaan met vier auto's, moet je nagaan. Ze passen gemakkelijk in twee, maar ze willen er per se vier meenemen. Ik bedoel maar, Najib, dit zijn figuren, je kunt je ze niet voorstellen.'

'O, dat kan ik best, Mouna,' zei Najib. 'Dat kan ik best.'

•

De City, Londen, donderdag 23 maart 2006

Hij stond tegenover de ingang van de ondergrondse garage, aan de andere kant van de straat. Zijn gezicht verdween in het vuile nepbont op de rand van de capuchon van zijn groene parka. Hij liep op en neer, de handen diep in de zakken weggestoken. In zijn ene sportschoen zat een scheur, en van de andere sleepte de veter achter de doorweekte, gerafelde zoom van zijn verbleekte spijkerbroek, die de regen van de straat absorbeerde. Hij mompelde in zichzelf.

Hij had heel goed een van die honderden onzichtbare mensen kunnen zijn die, aangetrokken tot de stad, op enkelhoogte in ondergrondse passages leven, die het zich in het portiek van een winkel gemakkelijk proberen te maken op lakens van karton, die als verloren zielen in het voorgeborchte van het vagevuur rondzwerven tussen de levenden, de zichtbaren, de mensen met een echt leven, met een baan en geld op de bank, met een toekomst die in alles voorziet, zelfs in tijd.

Alleen was hij wel zichtbaar, zoals wij allemaal gezien worden, omdat we figuranten zijn in de monotone film van het alledaags bestaan. Vaak was hij 's ochtends nog de ster in die grofkorrelige zwart-witdocumentaire, waarin weinig figuranten speelden en waarin alleen vroege handelaren en fondsmanagers die met het Verre Oosten handelden voor enige actie zorgden. Later, als de broodjeszaken opengingen en de straten volstroomden met bankiers, beurshandelaren en beursanalisten, ging hij op in de couleur locale en verdween maar al te vaak in de datum of de flikkerende cijfers van de tijd die voorbijgaat.

Zoals bij iedereen die voor beveiligingscamera's acteert, was zijn talent volkomen onbeduidend. Zijn potentieel voor reality-tv zou alleen ontdekt worden als hij om de een of andere reden een cruciale rol zou krijgen en de regisseur van het alledaags bestaan plotseling zou beseffen dat hij in de buurt was op het moment dat het kleine meisje voor het laatst was gezien of de jonge knul was meegevoerd, of, zoals zo vaak in films gebeurt, toen de koffers werden verwisseld.

Maar van zoiets opwindends was hier geen sprake.

De eenzame man (of vrouw, want door de capuchon was zelfs dat onduidelijk) bewoog zich op de stroom van figuranten, soms met de stroom mee, soms tegen de stroom in. Hij was een figurant in het figurantenbestaan. Hij was niet alleen overbodig, hij stond in de weg. En dat uur na uur, week na week, maand na... Hij bleef maar een maand. Vier weken lang sjokte hij mompelend heen en weer over de scheuren in het trottoir tegenover de ondergrondse parkeergarage, en toen was hij verdwenen. Reality-tv denderde voort zonder hem, zonder zich te realiseren dat een ster van het stomme scherm meer dan 360 uur in het middelpunt had gestaan.

Ook een soundtrack had geen verschil gemaakt. Zelfs een microfoon in de vettige parkacapuchon had geen opheldering verschaft. Die microfoon zou alleen wat gestamel van een randfiguur hebben geregistreerd, van een gestoorde die de kleur, het model en het nummerbord van schijnbaar willekeurige auto's en het tijdstip waarop ze zijn stukje trottoir passeerden mompelde. Het kon niet anders of dit was het bezeten werk van een gek.

Welk geavanceerd surveillance-instrument zou kunnen registreren dat die ogen, in de duisternis van de capuchon, de auto's eruit pikten die de parkeergarage aan de overkant van de straat verlieten? En als er al een instrument was dat zoiets kon, zou het er dan ook nog achterkomen dat al die onbetekenende gegevens werden vastgelegd op de harde schijf van een dictafoon in de binnenzak van de parka?

Want alleen dan zou de betekenis van dit overbodige individu zijn opgemerkt. Alleen dan zou de regisseur van het alledaags bestaan, als hij die ochtend tenminste een beetje zou hebben opgelet, rechtop in zijn stoel zijn gaan zitten en hebben gedacht: dit is een ster in de dop.

1

Sevilla, maandag 5 juni 2006, 16.00 uur

Lijken zien er nooit goed uit. Zelfs een geniale begrafenisondernemer, een meester in de maquillage, kan een lijk de gloed van het leven niet teruggeven. Maar het ene lijk is lelijker dan het andere, vooral als er nieuw leven bezit van heeft genomen, als bacteriën zijn sappen en uitscheidingen hebben omgezet in giftige gassen die in de lichaamsholtes glijden en zich onder de huid ophopen tot die zo strak als een trommel over het bederf eronder spant. Dan is de stank zo erg dat hij tot in het centrale zenuwcentrum van de levenden doordringt en de walging de grenzen van zijn wezen overschrijdt. Hij raakt geïrriteerd. Je kunt maar beter niet te dicht in de buurt komen van iemand die met zo'n opgezwollen lijk te maken heeft.

Inspector Jefe Javier Falcón had een mantra die hij, als hij met dit soort lijken werd geconfronteerd, ergens in zijn achterhoofd herhaalde. Met die mantra verdroeg hij alle uitingsvormen van lichamelijk geweld – de krater die de inslag van een riotgun achterlaat, diepe snijwonden, de afdrukken van een ploertendoder, de blauwe plekken bij wurging, de bleke kleur van iemand die is vergiftigd. Maar ondanks zijn mantra begon die transformatie door het bederf, het opzwellen en de stank, hem sinds enige tijd echt tegen te staan. Hij dacht dat het misschien door de psychologie van het verval kwam, dat zijn ziel werd getroebleerd door de onvermijdelijke neergang waarmee ieder mensenleven eindigde. Behalve dan dat dit niet het gebruikelijke verval was dat bij de dood hoorde. Dit was de verwording van een lichaam, de snelle transformatie van een slank meisje in een kloeke matrone van middelbare leeftijd, of, zoals in het geval van het lijk dat tussen de rotzooi van een vuilnisstortterrein aan de rand van de stad lag, de metamorfose van een gewone man in iemand met de omvang van een sumoworstelaar.

De rigor mortis had het lijk in de meest onterende positie tot rust laten komen. Een verslagen sumoworstelaar die uit de ring wordt gekieperd en met zijn hoofd naar voren in de eerste rij van het uitzinnige publiek belandt, heeft zijn schande tenminste nog met de dikke band van zijn *mawashi* bedekt: deze man was naakt. Als hij kleren had gedragen, zou hij een biddende moslim geweest kunnen zijn (zijn hoofd wees zelfs naar het oosten), maar die droeg hij dus niet. Daardoor zag hij er eerder uit als iemand die klaar zat om op bestiale wijze onteerd te worden, en zijn gezicht in het bed van vuilnis voor hem had gedrukt, alsof hij de schande van deze ultieme vernedering niet aankon.

Terwijl hij het tafereel in zich opnam, besefte Falcón dat hij zijn mantra niet zei. Iets anders hield hem bezig, iets wat hem was overkomen op het moment dat hij de oproep had beantwoord waarin hij van de ontdekking van het lijk op de hoogte werd gesteld. Om te ontsnappen aan het lawaai van de bar waarin hij zijn *café solo* zat te drinken, was hij naar buiten gelopen, en daar was hij tegen een vrouw aan gebotst. Ze zeiden tegelijkertijd '*Perdón*', keken elkaar aan en stonden als aan de grond genageld. De vrouw was Consuelo Jiménez. In de vier jaar na hun verhouding had Falcón vier of vijf keer een glimp van haar opgevangen, in volle straten en winkels. En nu liep hij haar tegen het lijf. Ze zeiden niets. Ze ging niet met hem mee de bar in en voor hij het wist was ze weer verdwenen in de stroom winkelende mensen. Maar ze had haar afdruk op hem achtergelaten en de tombe die hij in zijn gedachten ter ere van haar had opgericht, stond weer open.

Eerder was de Médico Forense behoedzaam door het afval gestapt om te bevestigen dat de man dood was. Nu rondde de technische recherche haar werkzaamheden af. De forensische experts stopten de laatste voorwerpen van belang in plastic zakjes en brachten die weg. De Médico Forense bekeek het lijk voor de tweede keer. Hij had zijn masker nog op en droeg een witte overall. Zijn donkere ogen speurden het lichaam af en vernauwden zich bij wat ze zagen. Hij maakte aantekeningen en liep naar Falcón en de rechter van instructie, Juez Juan Romero.

'Ik kan niet zien wat de doodsoorzaak is geweest,' zei hij. 'Hij is niet gestorven toen zijn handen werden afgehakt. Dat hebben ze erna gedaan. Er is een tourniquet gebruikt om de bloeding van de polsen tegen te gaan. Hij heeft geen kneuzingen bij zijn nek en er zijn geen schot- of snijwonden. Hij is gescalpeerd, maar ik zie geen dodelijke verwonding aan de schedel. Misschien is hij vergiftigd, maar aan het gezicht kan ik dat niet zien, want dat is met zuur weggebrand. Waarschijnlijk is de dood zo'n achtenveertig uur geleden ingetreden.'

Juez Romero's gezicht was een masker, maar zijn donkerbruine ogen knipperden bij iedere afschuwelijke revelatie. Hij had al meer dan twee jaar geen moordonderzoek meegemaakt, en met deze mate van wreedheid was hij, in de paar moordzaken die daarvoor op zijn pad waren gekomen, niet eerder geconfronteerd.

'Ze wilden niet dat hij herkend zou worden,' zei Falcón. 'Heb je op de rest van zijn lichaam typerende kenmerken gevonden?'

'Ik moet hem eerst naar het lab meenemen en schoonmaken. Hij zit onder de rotzooi.'

'Is zijn lichaam verder niet toegetakeld?' vroeg Falcón. 'Hij moet hier per vuilniswagen zijn aangekomen. Dat zal toch sporen hebben achtergelaten.'

'Ik heb niets gezien. Misschien is zijn huid onder het vuil ontveld. En als ik hem op het forensisch instituut heb opengesneden, vind ik wellicht nog breuken en inwendige scheuren.'

Falcón knikte. Juez Romero ondertekende de *levantamiento del cadavér* en het ambulancepersoneel kwam uit de ambulance en vroeg zich af hoe het dit stijve lijk in die houding in de lijkzak en op de brancard moest krijgen. Er dreigde een klucht in de tragiek van het tafereel te sluipen. Ze wilden de giftige gassen in het lijk zo min mogelijk in beroering brengen en uiteindelijk spreidden ze de lijkzak op de brancard. Daarna tilden ze hem op en legden hem, nog altijd nederig gebogen, boven op de brancard. Ze stopten de stompen van de polsen en enkels in de zak, en ritsten hem over het uitstekende achterwerk heen dicht. Zo droegen ze de tentvormige constructie naar de ambulance. Een ploeg van gemeentewerkers die het drama tot het laatste moment wilde volgen, stond toe te kijken. Toen een van hen zei dat 'zijn kont klaar was voor de eeuwigheid' lachten ze allemaal en wendden zich af.

Eerst de tragedie, dan de klucht en nu de banaliteit, dacht Falcón.

De medewerkers van de technische recherche beëindigden hun zoektocht in de directe omgeving van het lijk en brachten de in zakjes gestopte bewijsstukken naar Falcón.

'We hebben enveloppen met adressen erop gevonden,' zei Felipe. 'Ze lagen allemaal in de buurt van het lijk. Op drie staat hetzelfde adres. Dat zal wel helpen bij het uitvinden waar hij is gedumpt. We denken namelijk dat hij zo ligt omdat hij in foetushouding op de bodem van een vuilniscontainer heeft gelegen.'

'We weten ook vrij zeker dat hij hierin was verpakt,' zei Jorge. Hij hield een grote plastic zak op waar een groezelig wit laken in zat. 'Er zijn sporen van bloed van zijn afgehakte handen. We kijken later wel of ze bij elkaar passen...'

'Hij was naakt toen ik hem hier aantrof,' zei Falcón.

'Er zat los stiksel bij dat er waarschijnlijk in de vuilniswagen vanaf is gescheurd,' zei Jorge. 'Het laken was aan een van de stompen van zijn polsen blijven haken.'

'Volgens de Médico Forense waren zijn polsen afgekneld en zijn handen na de dood verwijderd.'

'En netjes ook,' zei Jorge. 'Geen hakwerk – eerder met chirurgische precisie.'

'Dat had iedere fatsoenlijke slager kunnen doen,' zei Felipe. 'Maar een weggebrand gezicht én een verwijderde hoofdhuid... Wat denkt u, Jefe?'

'Hij moet een speciaal geval zijn geweest, als ze zo veel moeite doen,' zei Falcón. 'Wat zat er verder in de container?'

'Tuinafval,' zei Jorge. 'We denken dat het in de container is gestopt om het lijk te bedekken.'

'We gaan een groter deel van dit terrein onderzoeken,' zei Felipe. 'Pérez heeft de man gesproken die op de graafmachine werkt en het lijk heeft gevonden. Hij had het over een zwart plastic zeil. Wellicht hebben ze daar hun postmortale operatie op uitgevoerd en hem vervolgens in zijn doodskleed genaaid, in de lijkzak gestopt en gedumpt.'

'En je weet hoe fijn het is om op zwart plastic vingerafdrukken te vinden,' zei Jorge.

Falcón noteerde de adressen van de enveloppen en ze gingen uit elkaar. Hij liep naar zijn auto en trok zijn masker van zijn hoofd. Zijn reukorgaan was de stank van het stadsafval dan wel beu, toch had zijn strot er onderdak aan verleend. Het onophoudelijke knarsen van de graafmachines overstemde het krassen van de vogels die het afval doorzochten en donker in de witte lucht cirkelden. Het was een trieste plek om te eindigen, zelfs voor een lijk.

Sub-Inspector Emilio Pérez zat op de achterbank van een patrouillewagen en praatte met een andere rechercheur van moordzaken, de ex-non Cristina Ferrera. Pérez was goedgebouwd en had het knappe uiterlijk van een matinee-idool uit de jaren dertig. Eigenlijk was het net alsof hij niet tot dezelfde soort behoorde als de kleine, blonde, weinig attractieve vrouw die vier jaar geleden vanuit Cádiz bij hun afdeling was gekomen. Maar waar Pérez zowel in doen en laten als in denken naar het trage neigde, was

Ferrera snel, intuïtief en onverbiddelijk. Toen Falcón hun de adressen van de enveloppen gaf en opsomde wat hij gevraagd wilde hebben, herhaalde Ferrera alles nog een keer voor hij was uitgesproken.

'Ze hebben hem in een doodskleed genaaid,' zei hij tegen Cristina Ferrera toen ze naar de auto liep. 'Zijn handen zijn zorgvuldig verwijderd, zijn gezicht is weggebrand en zijn hoofdhuid is verwijderd. Maar ze hebben hem wel in een doodskleed genaaid.'

'Misschien dachten ze hem zo toch nog op de een of andere manier een eerbetoon te geven,' zei Ferrera. 'Zoals ze dat op zee doen, of bij een begrafenis in een massagraf na een ramp.'

'Eerbetoon,' zei Falcón. 'Nadat ze hem eerst het ultieme bewijs van hun minachting hebben geleverd door hem van zijn leven en zijn identiteit te beroven. Dat is wel erg ritualistisch en wreed, vind je niet?'

'Misschien waren ze religieus,' zei Ferrera terwijl ze één wenkbrauw ironisch optrok. 'In naam van God zijn verschrikkelijke dingen gedaan, Inspector Jefe.'

Falcón reed terug naar het centrum van Sevilla. Een enorme stormwolk die boven de Sierra de Aracena was samengepakt en nu vanuit het noordwesten naar de stad oprukte, verspreidde een vreemd geel licht. Het weerbericht op de radio voorspelde voor die avond hevige regenbuien. Dat zou weleens de laatste regen voor de lange, hete zomer kunnen zijn.

Eerst dacht hij dat de fysieke en mentale schok van de botsing die ochtend met Consuelo hem gespannen hadden gemaakt. Of was het de verandering in atmosferische druk? Of een staartje nervositeit na het zien van dat opgezwollen lijk op de vuilnisstortplaats? Maar toen hij voor een stoplicht wachtte, besefte hij dat het dieper zat. Zijn intuïtie vertelde hem dat dit het einde van een oude orde was, het begin van iets nieuws. Het onidentificeerbare lijk was als een neurose: iets lelijks dat vanuit een grote, diepliggende verschrikking in het bewustzijn van de stad prikte. Het was het vage besef van die grote verschrikking, die het vermogen had geesten en zielen in beweging te brengen en levens te veranderen, dat hem zo verontrustte.

Tegen de tijd dat hij, na een serie afspraken met rechters in het Edificio de los Juzgados, terug was op de Jefatura, liep het al tegen zevenen. De avond viel vroeger dan gebruikelijk en de geur van regen in de geïoniseerde lucht was zo zwaar als metaal. Het onweer leek nog ver weg, maar de hemel verduisterde alsof het nacht was, en lichtflitsen joegen je de stuipen op het lijf, als de dood die je rakelings passeert.

Pérez en Ferrera zaten in zijn kamer op hem te wachten. Hun blik volgde hem terwijl hij naar het raam liep en de eerste dikke regendruppels tegen het glas tikten. Tevredenheid is een zeldzame gemoedstoestand, dacht hij, terwijl van de parkeerplaats een lichte damp opsteeg. Juist op het moment dat je leven saai leek te worden en het verlangen naar verandering als een briljant idee uit de dagelijkse sleur verrees, dook er een nieuwe, sinistere dynamiek op en verlangde je alweer terug naar wat plotseling op het gelukzalige bestaan van vóór de zondeval leek.

'Wat hebben jullie gevonden?' vroeg hij terwijl hij van het raam naar zijn bureau liep en in zijn stoel zakte.

'U heeft ons niet verteld hoe lang hij dood was,' zei Ferrera.

'Sorry. Achtenveertig uur, was de schatting.'

'We hebben de containers gevonden waar de enveloppen uit komen. Ze staan in het oude centrum, op de hoek van een doodlopend straatje en de Calle Boteros, tussen Plaza de la Alfalfa en Plaza Cristo de Burgos.'

'Wanneer worden die containers geleegd?'

'Iedere avond tussen elf en twaalf,' zei Pérez.

'Als de Médico Forense gelijk heeft en hij is op de avond van zaterdag 3 juni overleden,' zei Ferrera, 'dan hebben ze het lijk waarschijnlijk niet vóór zondagochtend drie uur kunnen dumpen.'

'Waar zijn die containers nu?'

'We hebben ze naar de technische recherche laten brengen om ze op bloedsporen te laten onderzoeken.'

'Maar het zou tegen kunnen zitten,' zei Pérez. 'Felipe en Jorge hebben zwart plastic zeil gevonden, en ze denken dat het lichaam daar in was gewikkeld.'

'Waren er bewoners van de adressen op de enveloppen die zich zwart plastic op de bodem van een van de containers konden herinneren?'

'Toen we hen ondervroegen, wisten we nog niets van dat zwarte plastic.'

'Natuurlijk niet,' zei Falcón. Zijn gedachten waren niet bij de details, maar bij de eerder gevoelde onrust. 'Waarom denk je dat het lijk om drie uur 's ochtends is gedumpt?'

'U weet hoe het op zaterdagavonden in de buurt van het Alfalfa is... De barretjes en de straten zijn vol jongelui.'

'Als het daar zo druk is, waarom zouden ze dan die containers hebben uitgezocht?'

'Misschien kenden ze die containers,' zei Pérez. 'Ze wisten dat ze in een donker, stil, doodlopend straatje konden parkeren en ze wisten hoe laat het vuilnis werd opgehaald. Dus konden ze een planning maken. Het lijk dumpen is dan zo gebeurd.'

'Zijn er woningen met uitzicht op de containers?'

'We gaan morgen langs alle huizen in het doodlopende straatje,' zei Pérez. 'Het appartement met het beste uitzicht ligt aan het eind, maar er was niemand thuis.'

Een lange, sidderende lichtflits ging vergezeld van zo'n harde donderslag dat het leek alsof de hemel boven hun hoofd openbrak. Ze doken alle drie instinctief ineen en de Jefatura werd in duisternis gedompeld. Ze zochten op de tast naar een zaklamp, terwijl de regen tegen het gebouw sloeg en in golven over de parkeerplaats wegspoelde.

Ferrera zette een zaklamp tegen een stapel dossiers en ze gingen weer zitten. Nieuwe lichtflitsen deden hen met de ogen knipperen en lieten het raamkozijn op hun netvlies achter. In de kelder sloegen de noodgeneratoren aan. De lampen flikkerden en sprongen weer aan. Falcóns mobieltje trilde op zijn bureaublad. Het was een sms'je van de Médico Forense: de autopsie was afgerond en hij had om halfnegen tijd om erover te praten. Falcón sms'te terug dat hij er direct aan kwam. Hij legde het mobieltje terug op het bureau en staarde naar de muur.

'Het lijkt alsof u niet helemaal in goede doen bent, Inspector Jefe,' zei Pérez. Het was zijn gewoonte open deuren in te trappen terwijl Falcón de gewoonte had hem te negeren.

'We hebben een niet-geïdentificeerd lijk, dat weleens onidentificeerbaar zou kunnen zijn,' zei Falcón, die zijn gedachten rangschikte in een poging Pérez en Ferrera een richting voor hun onderzoek te geven. 'Hoeveel mensen zouden er volgens jullie bij de moord betrokken kunnen zijn?'

'Minimaal twee,' zei Ferrera.

'Hem vermoorden, scalperen, de handen verwijderen, de gelaatstrekken met zuur wegbranden... Waarom hebben ze zijn handen er eigenlijk afgehakt? Het was veel eenvoudiger geweest om zijn vingers met zuur te bewerken.'

'Misschien hadden de handen typische kenmerken,' zei Pérez.

Falcón en Ferrera wisselden een blik.

'Blijf denken, Emilio,' zei Falcón. 'Hoe dan ook, het was gepland en voorbereid en het was belangrijk dat zijn identiteit onbekend zou blijven. Waarom?'

'Omdat de identiteit van het lijk de moordenaars kan aanwijzen,' zei

Pérez. 'De meeste slachtoffers worden vermoord door mensen...'

'Of?' vroeg Falcon. 'Als ze nou eens níet op een voor de hand liggende manier met elkaar in verband stonden?'

'Misschien dat de identiteit of het beroep van het slachtoffer een toekomstig plan in gevaar zou kunnen brengen,' zei Ferrera.

'Heel goed. Vertel nu eens hoeveel mensen je volgens jou minimaal nodig hebt om het lijk in een van die containers te dumpen,' zei Falcón. 'Bij een normaal persoon komt zo'n container tot de borst, en de klus moet snel geklaard zijn.'

'Drie voor het lijk en twee om op de uitkijk te staan,' zei Pérez.

'Als je de container kantelt zodat de opening bij de achterbak is, kan het door twee man gedaan worden,' zei Ferrera. 'Iedereen die op dat tijdstip door de Calle Boteros loopt, is dronken. Misschien heb je nog een chauffeur nodig. Minimaal drie.'

'Drie of vijf, wat maken jullie daaruit op?'

'Het is een bende,' zei Pérez.

'Wat voor bende?'

'Een drugsbende?' vroeg hij. 'Als je iemands handen afhakt en zijn gezicht wegbrandt...'

'Drugsdealers naaien hun slachtoffers niet in een lijkkleed,' zei Falcón. 'Bovendien schieten ze hen meestal dood, en er was geen kogelgat... Zelfs geen messteek.'

'Het zag er niet uit als een executie,' zei Ferrera. 'Eerder als een spijtige noodzaak.'

Falcón droeg hen op de volgende ochtend vroeg opnieuw langs alle appartementen met uitzicht op de containers te gaan, nog voordat iemand naar zijn werk was gegaan. Ze moesten vaststellen of iemand zwart plastic zeil in een van de containers had zien liggen en of iemand rond drie uur zondagochtend een auto had gezien of gehoord.

In het lab van de technische recherche hadden Jorge en Felipe de tafels opzijgeschoven en het zwarte plastic zeil op de vloer uitgespreid. De twee grote vuilnisbakken uit de Calle Boteros stonden al in een hoek. Ze waren met tape dichtgeplakt. Jorge zat achter een microscoop, Felipe zat op handen en voeten op het plastic zeil en had zijn op maat gemaakte vergrootglazen op.

'De bloedgroep van het slachtoffer komt overeen met het bloed op het lijkkleed en het plastic. We hopen morgenochtend zijn DNA te hebben,' zei Jorge. 'Ik denk dat ze hem met zijn gezicht naar beneden op het plastic hebben gelegd om de operatie uit te voeren.' Hij vertelde verder dat de afmeting van het gebied met een speekselvlek, bloedvlekken en twee schaamharen overeenkwam met de lengte van het slachtoffer.

'We onderzoeken deze ook op DNA,' zei hij.

'En het zuur op zijn gezicht?'

'Dat moet ergens anders gedaan zijn. Vervolgens is zijn gezicht schoongespoeld. Er zijn geen sporen van het zuur.'

'Zijn er vingerafdrukken?'

'Nee. Er is wel een schoenafdruk, in de linkerbovenhoek,' zei Felipe. 'Jorge heeft achterhaald dat hij van een Nike komt. Het is een type dat door duizenden mensen wordt gedragen.'

'Lukt het jullie om vanavond nog naar die containers te kijken?'

'Dat zal wel gaan, maar aangezien hij goed was ingepakt, koester ik weinig hoop op bloed of speeksel,' zei Felipe.

'Hebben jullie de vermiste personen al gecheckt?' vroeg Jorge.

'We weten nog niet eens of het wel een Spanjaard was,' zei Falcón. 'Ik zie de Médico Forense morgenochtend. Laten we hopen dat zijn lichaam onderscheidende kenmerken heeft.'

'Zijn schaamhaar was donker,' zei Jorge met een grijns. 'En zijn bloedgroep was O-positief... Heb je daar wat aan?'

'Jullie zijn briljant,' zei Falcón.

Het regende nog steeds, maar vergeleken met de woeste onstuimigheid van de stortbui, vielen de druppels nu met ontmoedigende redelijkheid. Falcón handelde afwezig wat papierwerk af. Hij draaide zich van zijn computer af en staarde naar de weerspiegeling van zijn kamer in de donkere ruit. Het tl-licht trilde. De regendruppels trommelden op het glas, als een gek die aandacht wilde trekken. Falcón was over zichzelf verbaasd. Hij was een vakkundig onderzoeker en maakte, als het even kon, gebruik van autopsierapporten en forensische bewijzen. Maar tegenwoordig ging hij op zijn intuïtie af. Hij probeerde zichzelf ervan te overtuigen dat het met ervaring had te maken, maar soms had hij het gevoel dat het uit luiheid voortkwam. Het zoemen van zijn mobieltje schudde hem wakker. Het was een sms'je van zijn vriendin, Laura, die hem voor het avondeten uitnodigde. Hij keek naar het schermpje en besefte dat hij onbewust over de arm wreef die bij de ingang van de bar contact had gemaakt met het lichaam van Consuelo. Hij wilde zijn telefoon pakken om het sms'je te beantwoorden, maar aarzelde. Waarom was alles plotseling zo gecompliceerd? Hij wachtte wel tot hij thuis was.

Het verkeer stond vast, door de regen. Op het radiojournaal werd vermeld dat de processie van de Maagd van Rocío, die die dag had plaatsgevonden, succesvol was verlopen. Falcón reed de rivier over en sloot zich aan bij de blikken slang die naar het noorden kroop. Hij moest voor het stoplicht wachten en krabbelde, voordat hij afsloeg en de Calle Reyes Católicos in reed, gedachteloos een notitie in zijn opschrijfboekje. Hij sloeg opnieuw af en reed via een doolhof van straatjes naar het enorme, onsamenhangend gebouwde huis dat hij zes jaar geleden had geërfd. Hij parkeerde tussen de sinaasappelbomen voor de ingang aan de Calle Bailén, maar hij stapte niet uit. Hij werd opnieuw door onrust geplaagd. Dit keer had het met Consuelo te maken – met wat hij die ochtend in haar blik had gezien. Ze waren allebei geschrokken, maar hij had niet alleen schrik in haar ogen gezien. Het was angst.

Hij stapte uit, opende de kleine deur in de met koper beslagen eikenhouten toegangspoort en liep naar de patio. De marmeren tegels glinsterden van de regen. Het lichtje achter de glazen deur naar zijn werkkamer knipperde: er waren twee voicemailtjes. Hij drukte de toets in en keek vanuit de duisternis door de kloostergang naar het bronzen beeld van het rennende jongetje in de fontein. De stem van zijn Marokkaanse vriend Yacoub Diouri vulde de kamer. Hij begroette Javier in het Arabisch en ging over in vlekkeloos Spaans. Hij vloog het komende weekend via Madrid naar Parijs en vroeg zich af of ze elkaar konden ontmoeten. Toeval of synchroniciteit? Yacoub Diouri was een van de weinige mannen met wie hij een hechte vriendschap had, en dat hij hem had leren kennen, had hij volledig aan Consuelo te danken. Dat was het probleem met intuïtie: je begon te geloven dat alles betekenis had.

Het tweede bericht was van Laura, die nog steeds wilde weten of hij kwam eten; ze zouden met zijn tweeën zijn. Daar glimlachte hij om. Zijn relatie met Laura was niet exclusief. Er waren andere mannen die ze regelmatig zag, en dat had hij prima gevonden... Tot op dat moment. Hoewel er geen aanwijsbare reden was, leek het alsof er iets was veranderd. Paella en een nacht met Laura, het kwam hem plotseling ridicuul voor.

Hij belde haar op en zei dat hij niet op tijd zou zijn voor het eten, maar later iets zou komen drinken.

Er was niets te eten in huis. Zijn huishoudster was ervan uitgegaan dat hij buitenshuis zou eten. Hij had de hele dag niets gegeten. Het lijk op de vuilstortplaats had hem de eetlust benomen. Nu had hij honger. Hij liep de deur uit. De regen had de straten schoongespoeld, en ze waren vol mensen. Hij dacht er niet over na waar hij naartoe ging, tot hij merkte dat hij achter de Omnium Sanctorum-kerk wandelde. Pas op dat moment besefte hij dat hij in Consuelo's nieuwe restaurant ging eten.

De kelner bracht hem een menu, en hij bestelde meteen. Het *pan de casa* kwam snel: dun gesneden ham op een bedje van *salmorejo* op toast. Hij dronk er een biertje bij. Na een tijdje had hij voldoende moed verzameld om op de achterkant van zijn visitekaartje te schrijven: 'Ik eet hier en vroeg me af of je een glas wijn met me wilt drinken. Javier.' De kelner bracht de *revuelto de setas*, roereieren met paddestoelen, en schonk hem een glas rode rioja in. Javier gaf hem het kaartje.

Even later kwam de kelner terug met een paar minuscule lamskoteletjes. Hij schonk meteen zijn glas bij.

'Ze is er niet,' zei hij. 'Ik heb uw kaartje op haar bureau gelegd, zodat ze weet dat u hier bent geweest.'

Falcón wist dat hij loog. Dat was een van de weinige voordelen die je als rechercheur had. Hij at de koteletjes en voelde zich in stilte belachelijk omdat hij in de synchroniciteit van het moment had geloofd. Hij dronk nog een derde glas wijn en bestelde koffie. Om tien over halfelf stond hij weer op straat. Hij leunde tegen de muur tegenover de ingang van het restaurant en besloot dat hij zou wachten tot ze naar buiten kwam.

Terwijl hij stond te wachten, gingen er allerlei gedachten door zijn hoofd. Het was verbazingwekkend hoe weinig aandacht hij aan zijn gemoedsleven had besteed sinds hij vier jaar daarvoor was gestopt met het bezoeken van zijn zielknijper.

Toen hij zijn nachtwake een uur later opgaf, wist hij precies wat hem te doen stond. Hij zou zijn oppervlakkige relatie met Laura beëindigen en, voorzover zijn werk hem dat zou toestaan, er alles aan doen om Consuelo in zijn leven terug te krijgen.

2

Sevilla, dinsdag 6 juni 2006, 02.00 uur

Consuelo Jiménez zat in het kantoor van het restaurant dat haar vlaggenschip was, midden in La Macarena, de oude arbeiderswijk van Sevilla. Ze bevond zich in een staat van toenemende bezorgdheid, en de drie stevige glazen The Macallan waar ze op dit late uur naar had gegrepen, brachten geen verlichting. Haar gemoed was er al niet beter op geworden toen ze Javier die ochtend tegen het lijf was gelopen, en was nog verder verslechterd door de wetenschap dat hij op nog geen tien meter afstand van waar ze nu zat de avondmaaltijd had gebruikt. Zijn kaartje lag voor haar op het bureau.

Ze was zich volkomen bewust van haar mentale en fysieke gesteldheid. Ze was niet het type dat bij tegenslag de controle over zijn leven verliest en zonder het te beseffen in een orgie van zelfdestructie duikt. Daar was ze te berekenend voor, te koel. Zo koel zelfs dat ze soms merkte dat ze van boven af op haar eigen blonde hoofd neerkeek terwijl het wezen daar beneden door de puinhopen van haar zielenleven voortstrompelde. Het was een vreemde toestand om in te verkeren. Fysiek zag ze er, zeker voor haar leeftijd, goed uit. Mentaal was ze voornamelijk op haar zaken gericht, en ook die zagen er goed uit. Maar toch... Hoe moest ze het zeggen? Ze had geen woorden voor wat zich in haar afspeelde. Ze kon het alleen beschrijven met een beeld uit een televisiedocumentaire over de opwarming van de aarde. Vitale elementen van een oeroude gletsjer waren tijdens een zomer met ongebruikelijk hoge temperaturen gesmolten, waardoor een brok van vele duizenden kilo's ijs zonder waarschuwing was afgebroken en met lang aanhoudend gebulder in het meer eronder was gestort. De vreselijke druk op haar buik maakte haar duidelijk dat haar iets soortgelijks wachtte als ze niet snel in actie kwam.

Het whiskyglas legde het traject af van het bureau naar haar mond en weer terug, vervoerd door een hand waarvan ze niet het gevoel had dat hij bij haar hoorde. Ze was de etherische tinteling van de alcohol dankbaar, omdat het haar eraan herinnerde dat ze nog gevoel had. Ze speelde met het visitekaartje, draaide het steeds opnieuw om en wreef met haar duim over de gebosseleerde naam en functie. De bedrijfsleider klopte en kwam binnen.

'We zijn klaar,' zei hij. 'We sluiten over vijf minuten. Er is hier niets meer te doen. Het is beter om naar huis te gaan.'

'Die man die hier vanavond was... Een van de kelners zei dat hij buiten stond. Weet je zeker dat hij weg is gegaan?'

'Dat weet ik zeker,' zei de bedrijfsleider.

'Ik ga wel door de zijdeur naar buiten,' zei ze, en ze wierp een van haar koele, zakelijke blikken op hem.

Hij trok zich terug. Consuelo had met hem te doen. Hij was een goed mens, die niet alleen wist wanneer iemand hulp nodig had, maar ook begreep wanneer iemand die hulp niet kon aanvaarden. Wat er in Consuelo omging was te persoonlijk om na het werk even door de eigenaar met de bedrijfsleider doorgenomen te worden. Dit ging niet om onbetaalde rekeningen of lastige klanten. Dit ging om... zoveel.

Ze richtte haar blik weer op het kaartje. Het was het visitekaartje van een klinisch psycholoog, Alicia Aguado. In het voorbije anderhalve jaar had Consuelo zes keer een afspraak met deze vrouw gemaakt, en even vaak was ze er niet in geslaagd om de afspraak na te komen. Iedere keer dat ze een afspraak maakte, gebruikte ze een andere naam, maar Alicia Aguado herkende haar stem al na de eerste keer. Nogal wiedes. Ze was blind. Iemand die blind is, ontwikkelt zijn andere zintuigen beter. De laatste twee keer zei Alicia Aguado: 'Bel me gerust als je ooit een keer echt bij me langs wilt komen. Dan maak ik tijd voor je vrij, of het nou 's ochtends vroeg of 's avonds laat is. Weet dat ik altijd voor je klaar sta.' Daar was Consuelo van geschrokken. Alicia Aguado had haar door. Zelfs haar ijzigste zakelijke toon had verraden hoe groot haar behoefte aan hulp was.

De hand ging naar de fles en vulde het glas. De whisky verdampte in haar hoofd. Ze wist ook waarom ze juist deze psycholoog wilde. Alicia Aguado had Javier Falcón behandeld. De ontmoeting op straat had haar geheugen geactiveerd. Maar wat viel er te herinneren? De affaire die ze met hem had gehad? Ze noemde het een affaire omdat het er vanbuiten zo had uitgezien – een paar dagen van etentjes en heftige seks. Maar ze had het afgebroken, omdat... Bij de herinnering trok er een rilling door haar heen. Welke reden had ze hem gegeven? Dat ze, eenmaal verliefd, reddeloos verloren was? Dat ze, als ze een relatie had, een ander persoon werd? Wat de ware reden ook geweest mocht zijn, ze had een smoesje verzonnen waar hij niets mee kon en geweigerd hem nog te zien of zijn telefoontjes te beantwoorden. En nu was hij terug, als extra motivatie.

Maar er was een nieuwe psychologische ontwikkeling die haar meer zorgen baarde en die ze niet had weten te negeren. Ze was zich ervan bewust geworden gedurende de korte momenten waarin ze niet met de haar gewone, bijna maniakale toewijding werkte. Was ze afgeleid, of aan het eind van de dag moe, dan drong de gedachte aan seks zich aan haar op. Dan fantaseerde ze over nieuwe, hevige affaires met vreemden. Haar fantasieën neigden naar ruige, mogelijkerwijs gevaarlijke mannen en namen pornografische dimensies aan, met zichzelf als middelpunt van nauwelijks denkbare taferelen. Ze had altijd een hekel aan porno gehad en het tegelijkertijd weerzinwekkend biologisch en saai gevonden. Maar hoe ze ook haar best deed er met haar verstand tegen te strijden, ze besefte dat het haar opwond: het speeksel liep haar in de mond en haar keel trok samen. En het gebeurde weer, zelfs nu ze met haar gedachten elders was. Ze trapte haar stoel naar achteren, smeet Aguado's kaartje in het gapende gat van haar handtas, griste haar sigaretten van tafel, stak er een op en ijsbeerde door haar kantoor, terwijl ze te snel achter elkaar te diep inhaleerde.

Ze walgde van die fantasieën. Waarom dacht ze aan zulke smeerlapperij? Waarom dacht ze niet aan haar kinderen? Haar drie schatten van zonen – Ricardo, Matías en Darío – lagen thuis te slapen, onder de hoede van een kindermeisje. Van een kindermeisje! Ze had gezworen dat nooit te doen. Toen Raúl, hun vader, was vermoord, was ze vastbesloten hen zo veel liefde te geven dat ze nooit het gevoel zouden hebben een ouder tekort te komen. En moest je haar nu zien. Zij dacht aan neuken en haar kinderen waren thuis en werden verzorgd door een ander. Ze verdiende het niet moeder te zijn. Ze graaide haar handtas van tafel. Javiers kaartje dwarrelde naar de grond.

Ze had behoefte buiten te zijn en de schoongeregende lucht in te ademen. Ze had vijf of zes glazen The Macallan gedronken, dus ze moest naar de Basilica Macarena lopen om een taxi te pakken. Om daar te komen moest ze Plaza del Pumarejo over, waar altijd tot diep in de nacht alcoholisten en junks rondhingen. Het plein lag onder een baldakijn van bomen die nog nadropen van de regen die eerder die avond was gevallen. Er was een verhoogd terras, met aan de ene kant een kiosk en aan de andere kant, bij de

Bodega de Gamacho waarvan de luiken waren gesloten, een stuk of tien van die uitgebluste figuren.

Consuelo had blote benen en het was afgekoeld, maar door de whisky's merkte ze daar niet veel van. Het was niet in haar opgekomen dat haar perzikkleurige satijnen mantelpakje er onder de straatverlichting opzichtig zou kunnen uitzien. Ze liep achter de kiosk langs over het trottoir voor het oude Palacio del Pumarejo. Een paar mensen stonden te drinken rondom een man die het woord voerde. De rest zat bedwelmd en in elkaar gezakt op bankjes.

De pezige centrale figuur, wiens zwarte overhemd tot aan zijn middel openstond, kwam Consuelo bekend voor. Zijn gepraat tegen zijn onsmakelijke toehoorders had iets weg van een redevoering, want hij sprak als een politicus. Zijn haar was lang en zwart en zijn wenkbrauwen kwamen boven de neus samen in een scherpe hoek. Hij had een smal, hard, pokdalig gezicht. Ze wist waarom het groepje om hem heen aan zijn lippen hing. Het had niets met de inhoud van zijn woorden te maken, maar des te meer met de felgroene ogen, die onder die satanische wenkbrauwen in het donkere gezicht fonkelden en die iedereen op wie hij zijn blik vestigde, schrik aanjoegen. De blik gaf je het gevoel dat deze man snel een mes kon trekken. Zijn wijsvinger stak in de hals van een fles goedkope wijn, die ter hoogte van zijn dijbeen bungelde. Hij bracht hem naar zijn mond en dronk eruit.

Een maand eerder had Consuelo bij een stoplicht staan wachten tot ze kon oversteken; toen was deze man vanachter op haar afgelopen en had dingen tegen haar gemompeld die zo obsceen waren dat ze als een mes door haar ziel sneden. Consuelo had luid geprotesteerd. Maar deze man maakte zich niet, zoals in zulke gevallen gebruikelijk, stil uit de voeten om in de stroom winkelende mensen op te gaan. Hij negeerde haar geschreeuw, bracht zijn gezicht vlak bij dat van haar en legde haar het zwijgen op, met die groene ogen en met een snelle knipoog die de indruk wekte dat hij iets van haar wist wat zijzelf niet wist.

'Ik ken jouw soort,' had hij gezegd, en hij had het puntje van zijn tong over zijn mondhoek laten glijden.

Zijn bravade, en de handkus die als een strontvlieg in haar nek terecht was gekomen, hadden haar stembanden verlamd.

Consuelo was, afgeleid door de herinnering, blijven staan. Een van de mannen merkte haar op en maakte een hoofdbeweging in haar richting. De redenaar liep naar de reling van het terras, bracht de wijsvinger met de fles eraan omhoog en liet hem heen en weer bungelen.

'Zin in een slok?' vroeg hij. 'We hebben geen glazen, maar jij mag het van mijn vinger zuigen.'

Uit de groep, waarvan ook een paar vrouwen deel uitmaakten, klonk zacht, kirrend gelach. Consuelo schrok en versnelde haar pas. De man sprong van het terras. Hij blokkeerde haar de weg en begon een suggestieve Sevillana voor haar te dansen, waarbij hij veelvuldig met zijn bekken naar voren stootte. Het groepje steunde hem met flamencogeklap.

'Vooruit, doña Consuelo,' zei hij. 'Laat eens zien hoe je beweegt. Zo te zien is er niets mis met die benen.'

Het was verschrikkelijk om hem haar naam te horen uitspreken. De angst sneed door haar buik en raakte iets wat op een vreemde manier spannend was. De spieren aan de achterkant van haar bovenbenen trilden. Wanhopige gedachten tuimelden over elkaar heen. Waarom had ze zich in deze situatie gebracht? Ze vroeg zich af hoe ruw zijn handen zouden zijn. Hij zag er sterk uit... en gewelddadig.

De gedachte was zo pervers dat die haar in de realiteit terugbracht. Ze moest maken dat ze wegkwam. Ze liep om hem heen, ze liep zo snel als haar hakken haar op de kasseien toestonden. Hij liep achter haar. De stalen neuzen van zijn schoenen klikten ontspannen.

'Jezus Christus, doña Consuelo, ik vroeg je alleen maar ten dans,' schreeuwde hij achter haar, met een spottende nadruk op de aanspreektitel. 'En jij leidt me meteen naar dit donkere steegje. In godsnaam, vrouw, heb een beetje zelfrespect. Loop niet zo met je verlangens te koop. We kennen elkaar nauwelijks. We hebben nog niet eens gedanst.'

Consuelo liep hijgend door. Ze hoefde alleen maar te zorgen dat ze het einde van de straat bereikte. Als ze daar links afsloeg, kwam ze bij de oude stadsmuur, daar waren mensen en verkeer... en een taxi die haar naar de werkelijkheid van haar huis in Santa Clara zou brengen. Links van haar was het zijsteegje, ze zag het licht van de hoofdstraat tussen de naar elkaar overhellende huizen door schijnen. Ze schoot het steegje in. De kasseien waren nat, het was donker, haar hakken gleden weg. Ze wilde gillen maar hij legde zijn hand op haar schouder, het was net een nachtmerrie, ze wilde de buurtbewoners wakker gillen maar er kwam alleen wat vreemd gejammer uit haar mond. Hij duwde haar tegen de muur, de witkalk schilferde en brak af toen haar wang er contact mee maakte. Haar hart bonkte in haar borst.

'Stond je naar mij te kijken, doña Consuelo?' vroeg hij, terwijl ze zag dat hij zijn hoofd over haar schouder stak en ze zijn zure, naar wijn stinkende adem rook. 'Stond je op me te wachten? Misschien... is je bed 's nachts een beetje koud sinds je man is overleden.'

Hij stak zijn hand tussen haar blote benen. Ze snakte naar adem. Zijn hand was inderdaad ruw. In een reflex klemde ze haar benen tegen elkaar. Hij bewoog zijn hand heen en weer, omhoog, naar haar kruis. Een stemmetje in haar hoofd beklaagde zich erover dat ze zo stom was. Haar hart klopte in haar keel en haar hersens gilden tegen haar dat ze iets moest zeggen.

'Als je geld wilt...' fluisterde ze tegen de afbrokkelende witkalk.

'Nou...' zei hij terwijl hij zijn hand tussen haar benen uit trok. 'Hoeveel heb je? Ik ben niet goedkoop, weet je. Zeker niet als je de dingen wilt die jij lekker vindt.'

Hij trok de handtas van haar schouder, maakte hem open en vond haar portemonnee.

'Honderdtwintig euro!' zei hij vol afkeer.

'Neem het,' zei ze met een stem die nog altijd in haar schildklier bleef steken.

'Dank je. Dank je hartelijk,' zei hij. Hij liet de handtas aan zijn voeten vallen. 'Maar voor wat jij wilt, is het niet genoeg. Breng de rest morgen maar.'

Hij duwde zijn lichaam tegen haar aan. Ze voelde zijn weerzinwekkende hardheid tegen haar achterwerk. Hij duwde zijn gezicht opnieuw over haar schouder en kuste haar op haar mondhoek en zijn bittere korte tong, die naar wijn en tabak smaakte, gleed tussen haar lippen.

Toen duwde hij zich van haar af. De gouden ring aan zijn vinger flitste in haar ooghoek voorbij. Hij deed een stap achteruit en trapte de handtas de steeg in.

'Sodemieter op, hoer,' zei hij. 'Je maakt me kotsmisselijk.'

De stalen schoenneuzen verwijderden zich. Consuelo's keel klopte nog zo hard dat ademen meer op slikken leek, terwijl het een noch het ander gebeurde. Ze keek om in de richting waarin hij was verdwenen, verward over haar ontsnapping. De verlaten kasseien glinsterden in het gele licht. Ze maakte zich los van de muur, pakte haar handtas en rende glibberend en zich verstappend door het steegje naar de straat, waar ze een taxi aanhield. Ze ging op de achterbank zitten en de stad gleed langs haar bleke gezicht. Haar handen trilden zo erg dat ze er niet in slaagde de sigaret die ze met veel moeite in haar mond had gekregen, aan te steken. De chauffeur stak hem voor haar aan.

Thuis vond ze geld in haar bureau om de taxichauffeur te betalen. Ze rende naar boven en keek naar de jongens die in hun bed lagen te slapen. Daarna liep ze naar haar eigen slaapkamer, trok haar kleren uit en bekeek zichzelf in de spiegel. Hij had geen sporen op haar achtergelaten. Ze douchte eindeloos, zeepte zich keer op keer in en spoelde zich keer op keer af.

Daarna ging ze in het donker in haar nachtjapon aan haar bureau zitten. Misselijk en geplaagd door hoofdpijn wachtte ze tot de zon opkwam. Op het vroegste tijdstip dat mogelijkerwijs acceptabel was, belde ze Alicia Aguado en vroeg een spoedafspraak aan.

3

Sevilla, dinsdag 6 juni 2006, 02.00 uur

Juez Esteban Calderón had geen dienst. De galante, zeer succesvolle rechter had tegen zijn vrouw Inés gezegd dat hij moest overwerken en daarna met een aantal jonge rechters zou dineren. De jonge rechters werkten voor de centrale overheid en waren uit Madrid overgekomen om een cursus te volgen. Hij had inderdaad overgewerkt, en hij was inderdaad naar het diner gegaan, maar hij had zich vroeg geëxcuseerd en maakte nu zijn favoriete wandeling langs de San Marcoskerk. Hij was op weg naar het 'huis van de hunkering', het penthouse met uitzicht op de Santa Isabelkerk. Meestal ging hij even op een bankje aan de rand van de kleine, met schijnwerpers verlichte plaza zitten om een sigaret te roken en vanuit het halfduister naar de fontein en de enorme toegangspoort van de kerk te kijken. Dat bracht hem, na een lange dag met openbare aanklagers en politieagenten, enigszins tot rust, en het hield hem weg uit de cafés om de hoek, waar veel collega's kwamen. Als ze hem daar zagen, zou Inés ervan horen, en dat zou tot lastige vragen leiden. Hij verlangde er ook naar even stil te staan bij de trillende seksuele spanning die hij iedere ochtend voelde als hij bij het wakker worden aan het lange koperkleurige haar en de mulathuid van zijn Cubaanse vriendin Marisa Moreno dacht. Zij woonde in het penthouse dat vanaf het bankje waarop hij zat net zichtbaar was.

Toen hij zijn sigaret voor de helft had opgerookt, gooide hij hem in een plas, waarin hij sissend doofde. Hij stond op en trok zijn jasje uit. Juist op dat moment stak er een briesje op, en uit de sinaasappelboom boven zijn hoofd vielen regendruppels op zijn rug. Het was net een zweepslagje, zijn adem stokte. Hij liep langs de kerkmuur en ging de donkere steeg in. Een opeenstapeling van gedachten deden hem aarzelen, zijn vinger talmde bij het bovenste knopje van de intercom: uitvluchten, angst, seks, duizeligheid en dood. Zijn vinger tastte even in de lucht boven het knopje: de ongebruikelijke gedachten gaven hem het gevoel dat er een grote verandering voor de deur stond. Wat moest hij doen? Over de drempel stappen of weglopen? Hij slikte, zijn speeksel was dik en bitter van het snelle roken. Het sensuele effect van de regendruppels op zijn rug bereikte de zenuwen onder in zijn rug en het gevoel van onrust verdween. Zijn roekeloosheid gaf hem het gevoel dat hij leefde en zijn pik steigerde in zijn broek. Hij drukte de zoemer in.

'Ik ben het,' zei hij tegen de krakende stem van Marisa.

'Je klinkt dorstig.'

'Niet dorstig,' zei hij. Hij schraapte zijn keel.

De tweepersoonslift gaf hem het gevoel dat er niet genoeg zuurstof was, en hij ademde jachtig. De roestvrijstalen panelen reflecteerden de absurde vorm van zijn opwinding. Hij bracht zijn kleren in orde en haalde zijn hand door zijn haar, dat dunner werd. Daarna maakte hij zijn flamboyante stropdas los en klopte op haar deur. Die ging op een kier. Marisa kneep haar amberkleurige ogen samen en deed open. Ze droeg een oranje, zijden hemdjurk die bijna tot de vloer kwam. Hij sloot alleen met een barnstenen speld tussen haar borsten. Ze kuste hem en liet een ijsklontje in zijn verbaasde mond glijden. Hij had het gevoel dat er in zijn achterhoofd vuurwerk werd afgestoken.

Ze hield hem met één vinger op zijn borstbeen op afstand. Het ijs verdoofde zijn tong. Ze nam hem van top tot teen op, knikte goedkeurend, trok een wenkbrauw op en keek hem vermanend aan. Daarna pakte ze zijn jasje en smeet het door de kamer. Hij was gek op dat hoerige gedoe van haar, en dat wist ze. Ze ging op haar hurken zitten, maakte zijn riem los en trok zijn broek en onderbroek omlaag. Toen nam ze hem langzaam tot diep in haar koele mond. Calderón greep zich vast aan de deurpost en beet zijn tanden op elkaar. Ze keek met grote ogen op naar zijn worsteling. Hij hield het nog geen minuut vol.

Ze kwam overeind, draaide zich om en liep met grote passen haar appartement in. Calderón kwam weer enigszins tot zichzelf. Hij hoorde niet dat ze in de badkamer haar keel schraapte en spuugde. Ze kwam weer tevoorschijn vanuit de keuken, twee glazen gekoelde cava in haar handen.

'Ik dacht dat je niet meer kwam,' zei ze met een blik op het dunne gouden horloge om haar pols. 'Tot ik me herinnerde dat een Sevillano volgens mijn moeder alleen op tijd komt voor de stieren.'

Calderón was nog zo bedwelmd dat hij niet reageerde. Marisa dronk uit haar flûte. De twintig zilveren en gouden armbanden om haar onderarm rinkelden. Ze stak een sigaret op en sloeg haar benen over elkaar, waarbij ze een lang, slank been, een oranje slipje en een platte bruine buik liet zien. Calderón kende haar buik, de zachte huid, de harde, geribbelde spieren en het donsachtige koperkleurige haar daaronder. Hij had er zijn hoofd op neergevleid en streelde de dichte, koperen krullen van haar schaamhaar.

'Esteban!'

Hij werd ruw losgemaakt uit de natuurlijke revolutie die zich in zijn gedachten afspeelde.

'Heb je al gegeten?' vroeg hij. Er kwam zo snel geen andere vraag in hem op. Een gesprek voeren was niet het sterkste punt van hun verhouding.

'Ik hoef niet te eten,' zei ze. Ze pakte een gepelde paranoot van een schaal en stak hem tussen haar sterke witte tanden. 'Ik heb liever dat je me neukt.'

Ze beet de noot stuk met het geluid van een schot uit een gedempt pistool. Calderón reageerde als een sprinter in de startblokken. Hij stortte zich in haar slangachtige armen en beet in haar nek, die zeer lang was, alsof hij was opgerekt zoals ze dat bij sommige Afrikaanse stammen doen. Eigenlijk vond hij dat het aantrekkelijkst aan haar: ze was deels mondain, deels wild. Ze had in Parijs gewoond, waar ze model was geweest voor Givenchy; maar ze was ook met een Tuareg-karavaan door de Sahara getrokken. Ze was in Los Angelos met een beroemde regisseur naar bed geweest en had bij een visser op het strand van Mozambique gewoond. Ze was de assistent van een kunstenaar in New York geweest, maar ze had ook zes maanden in Kongo gewoond om te leren hoe je hout bewerkt.

Calderón wist dit allemaal en hij geloofde het omdat Marisa zo'n buitengewoon schepsel was – maar van wat zich in haar hoofd afspeelde had hij geen flauw idee. Dus klampte hij zich, zoals het een goed jurist betaamt, vast aan dit kleine aantal verbijsterende feiten.

Na de seks gingen ze naar bed, een plek die Marisa voor gesprekken en slaap, maar niet voor de sidderingen en sappen van het liefdesspel geschikt achtte. Ze lagen naakt onder een laken, met het licht van de straat als een parallellogram op de muren en het plafond. De cava schuimde in de glazen die op hun borst balanceerden. Ze deelden een asbak die tussen hen in stond.

'Had je niet allang weg moeten zijn?' vroeg Marisa.

'Nog even,' antwoordde Calderón soezerig.

'Wat denkt Inés eigenlijk dat je nu aan het doen bent?' vroeg Marisa om maar wat te zeggen.

'Dat ik een etentje heb... Voor werk.'

'Jij bent zo ongeveer de laatste persoon die getrouwd zou moeten zijn,' zei ze.

'Waarom zeg je dat?'

'Nou ja, misschien is het ook wel niet zo. Sevillanos zijn tenslotte erg conservatief. Ben je daarom getrouwd?'

'Ten dele.'

'Wat was het andere deel?' vroeg ze terwijl ze met de punt van haar sigaret op zijn borstkas wees. 'Het interessantere deel?'

Ze brandde een haar van zijn tepel. De geur ervan vulde zijn neusgaten.

Hij voelde de steek. 'Voorzichtig,' zei hij. 'Anders komen je lakens onder de as.'

Ze rolde van hem weg en schoot haar peuk het balkon op.

'Ik luister graag naar de verhalen die mensen liever niet vertellen,' zei ze.

Haar koperkleurige haar waaierde uit op het witte kussen. Hij was nooit in staat naar haar haar te kijken zonder aan een andere vrouw met die kleur haar te denken. De enige keer dat hij over wijlen Maddy Krugman had gesproken, was toen hij een verklaring aan de politie aflegde. Hij had zelfs Inés niets over die nacht verteld. Ze kende het verhaal alleen uit de krant – wat wil zeggen, het oppervlakkige verhaal. Meer had ze er niet over willen weten.

Marisa tilde haar hoofd op en nam een slok uit haar flûte. Dat hij zich tot haar aangetrokken voelde, had dezelfde reden als bij Maddy: ze was sexy en beeldschoon en ze werd omgeven door glamour en raadselachtigheid. Maar wat betekende hij voor haar? Wat had hij voor Maddy Krugman betekend? Die vraag hield hem in zijn schaarse vrije tijd vaak bezig. Vooral 's ochtends vroeg, als hij naast Inés wakker werd, en het gevoel had dat hij dood was.

'Het kan me eigenlijk geen bal schelen waarom je met haar bent getrouwd,' probeerde Marisa volgens beproefd recept.

'Dát is ook helemaal niet interessant.'

'Ik weet niet of ik wil weten wat wél interessant is,' zei Marisa. 'De meeste mannen die denken dat ze boeiend zijn, praten alleen maar over zichzelf... Over hun successen.'

'Dit was niet echt een succes,' zei Calderón. 'Het was een van mijn grootste vergissingen.'

Hij had in een fractie van een seconde besloten het haar te vertellen. Openhartigheid was niet zijn sterkste eigenschap: het kon zich in zijn milieu tegen je keren. Maar Marisa was een buitenstaander. Bovendien wilde hij dat ze hem fascinerend zou vinden. Hij was gewend dat vrouwen die hij volledig doorzag, hem fascinerend vonden. Ten overstaan van exotische creaturen als Maddy Krugman en Marisa Moreno had hij het ongemakkelijke gevoel gewoon te zijn. Dit was, dacht hij, zijn kans om de intrigant te intrigeren.

'Ongeveer vier jaar geleden, ik had mijn verloving met Inés net bekend gemaakt, kreeg ik een oproep voor iets wat zowel moord als zelfmoord kon zijn,' vertelde hij. 'Er waren vreemde kanten aan die zaak, en daarom wilde de rechercheur in kwestie, toevalligerwijs de ex-man van Inés, hem als een dubbele moord behandelen. De buren van het slachtoffer waren Amerikaans. De vrouw was kunstenaar en adembenemend mooi. De foto's die ze maakte waren vreemd. Ze heette Maddy Krugman en ik werd verliefd op haar. We hadden een korte, heftige affaire, tot haar gestoorde man erachter kwam en ons op een avond in een appartement verraste. Om een lang en pijnlijk verhaal kort te houden, hij schoot eerst haar en toen zichzelf dood. Ik had geluk dat ík geen kogel in mijn hoofd kreeg.'

Ze zwegen. Het geluid van stemmen op straat kwam door de open balkondeuren binnen. Een warm briesje bolde de vitrage de kamer in. De wind droeg de geur van regen en de belofte van een hete ochtend met zich mee.

'En daarom ben je met Inés getrouwd.'

'Maddy was dood. Ik was er kapot van. Inés gaf me rust.'

'Heb je haar verteld dat je verliefd was op die vrouw?'

'We hebben het er nooit over gehad.'

'En nu? Vier jaar later?'

'Ik voel niets voor Inés,' zei Calderón. Dat was niet helemaal waar. Hij voelde wel iets voor haar: haat. Hij verdroeg het nauwelijks om zijn bed met haar te delen. Hij moest zich wapenen om haar aanraking te verdragen. En hij had geen idee waarom. Zij was niet veranderd. Ze had hem na die toestand met Maddy goed behandeld. Ze was lief voor hem geweest. Dat hij het gevoel had dat hij dood was als hij 's ochtends met haar naast zich wakker werd, was een symptoom. Alleen wist hij niet waarvan.

'Zo zo, Esteban. Dan ben je lid van een grote club.'

'Ben jij nooit getrouwd geweest?'

'Ben je mal?' vroeg Marisa. 'Ik heb vijftien jaar lang naar de soap van het huwelijk van mijn ouders moeten kijken. Lang genoeg om me de rest van mijn leven verre van dat instituut van kleinburgerdom te houden.'

'En wat doe je dan met mij?' vroeg Calderón. Hij wilde een compliment van haar, al wist hij niet waarvoor. 'Veel burgerlijker dan een affaire met een rechter kan het niet worden.'

'Burgerlijkheid is een gemoedstoestand,' zei ze. 'Wat jij voor de kost doet, betekent niets voor mij. Het heeft geen belang voor ons. Wij hebben een affaire en die duurt voort tot hij is opgebrand. Maar ik ga niet trouwen, en jij bent getrouwd.'

'Jij zei dat ik de laatste persoon was die getrouwd zou moeten zijn,' zei Calderón.

'Mensen trouwen als ze kinderen willen en in de maatschappij willen passen. Of ze trouwen, als het echt sukkels zijn, met hun droom.'

'Ik ben in ieder geval niet met mijn droom getrouwd,' zei Calderón. 'Ik trouwde met de droom van de rest. Ik was de briljante jonge rechter en Inés was de aantrekkelijke jonge aanklaagster. Op de televisie werden we het gouden paar genoemd.'

'Jullie hebben geen kinderen,' zei Marisa. 'Ga scheiden.'

'Zo simpel is dat niet.'

'Waarom niet? Jullie hebben er vier jaar over gedaan om erachter te komen dat jullie niet bij elkaar passen. Stap eruit nu je nog jong bent.'

'Jij hebt een heleboel geliefden gehad.'

'Ik ben misschien met veel mannen naar bed geweest, maar ik heb maar vier geliefden gehad.'

'Hoe definieer je een geliefde dan?' vroeg Calderón, die nog steeds aan het vissen was.

'Als iemand van wie ik hou en die van mij houdt.'

'Dat klinkt eenvoudig.'

'Dat kan het zijn... Zolang je niet toestaat dat het leven alles verziekt.'

De vraag lag Calderón voor op de tong. Hield ze van hem? Aan die mogelijkheid had hij nog niet eerder gedacht, en bovendien moest hij eerst zichzelf de vraag stellen of hij wel van haar hield. Ze hieven elkaar op. Hij had negen maanden met haar geneukt. Dat kon je gerust een verhouding noemen, of niet soms? Marisa hoorde zijn hersens kraken. Ze herkende het geluid. Mannen dachten altijd dat hun hersens geluidloos functioneerden en niet knarsten als een gesaboteerde machine.

'Dus nu ga je me vertellen,' zei Marisa, 'dat je niet kunt scheiden vanwege burgerlijke redenen: je carrière, je status, je omgeving, je bezit en geld.'

Dat klopt, dacht Calderón. Zijn gezicht verslapte in de duisternis. Dat waren precies de redenen waarom hij niet kon scheiden. Hij zou alles verliezen. Zijn carrière was, na het echec met Maddy, eindelijk weer op orde. Het had geholpen dat de Magistrado Juez Decano de Sevilla familie van hem was, maar ook dat hij met Inés was getrouwd. Als hij nu van haar zou scheiden, zou zijn carrière op drift raken. Zijn vrienden zouden hem laten vallen, hij zou zijn appartement kwijtraken en veel minder geld hebben. Daar zou Inés wel voor zorgen.

'Er is natuurlijk ook een burgerlijke oplossing voor dat probleem,' zei Marisa.

'O ja?' vroeg Calderón. Hij draaide zich om en keek, plotseling hoopvol, tussen haar opstaande tepels door naar haar gezicht.

'Je kunt haar vermoorden,' zei ze terwijl ze haar handen opende. Zo eenvoudig was dat.

Eerst, toen hij nog niet helemaal besefte wat ze had gezegd, glimlachte Calderón nog. Daarna werd zijn glimlach een grijns en begon hij te lachen. Terwijl hij lachte stuiterde zijn hoofd op de aangetrokken spieren van haar buik; ook zij was in lachen uitgebarsten. Hij kwam proestend overeind. Het idee was zo absurd dat het briljant was.

'Ik, de hoogste Juez de Instrucción van Sevilla, mijn vrouw vermoorden?'

'Vraag haar ex om advies,' zei Marisa, nog steeds schuddend van het lachen. 'Hij weet vast wel hoe je de perfecte moord pleegt.'

4

Sevilla, dinsdag 6 juni 2006, 05.30 uur

Manuela Falcón lag in bed, maar ze sliep niet. Het was halfzes in de ochtend. Het bedlampje scheen en ze lag met opgetrokken knieën in de *Vogue* te bladeren – ze las niet, ze keek niet eens naar de foto's. Ze had te veel aan haar hoofd: het beheer van de huizen, het geld dat ze aan de bank verschuldigd was, de afbetaling van de hypotheken, de gebrekkige inkomsten uit rente en de honoraria van de advocaten. En de twee overdrachtsakten die die ochtend ondertekend moesten worden. Als dat was gebeurd, kwam haar geld vrij en kon het naar een prachtige rekening courant worden overgemaakt.

'In godsnaam, ontspan je een beetje,' zei Angel, die naast haar lag en wakker was geworden. Hij was suf van de slaap en had bovendien een lichte, door brandy veroorzaakte kater. 'Waar maak je je zo druk over?'

'Ik snap niet dat je me dat nog vraagt,' zei Manuela. 'Wat dacht je van de transportakten? Deze ochtend?'

Angel Zarrías, zijn hoofd in het kussen, knipperde met zijn ogen. Hij was het vergeten.

'Moet je horen, schat,' zei hij. Hij draaide zich naar haar toe. 'Je weet dat het niets uitmaakt of je er de hele tijd aan denkt of niet. Het gebeurt alleen...'

'Ja, ik weet het, Angel. Het gebeurt alleen als het gebeurt. Maar zelfs jij moet kunnen begrijpen dat het pas helemaal goed zit áls het is gebeurd.'

'Maar door niet te slapen en er eindeloos in vicieuze cirkels over te piekeren, oefen je geen invloed op het resultaat uit. Dus je kunt het net zo goed uit je hoofd zetten. Je hoeft je pas zorgen te gaan maken als het misgaat. Het heeft geen zin je zorgen te maken over de mógelijkheid dat het misgaat.'

Manuela bladerde nog bezetener door de *Vogue*, maar ze voelde zich wel beter. Angel had een goede invloed op haar. Hij was ouder. Hij had overwicht op haar. Hij had ervaring.

'Jij hebt gemakkelijk praten,' zei ze, gekalmeerd. 'Jij bent de bank geen zes ton verschuldigd.'

'Maar ik heb ook niet voor twee miljoen aan onroerend goed.'

'Mijn onroerend goed is 1,8 miljoen waard. En ik moet zes ton aan de bank betalen. De honoraria van de advocaten zijn... Laat ook maar zitten. Laten we het niet over bedragen hebben. Ik word er doodziek van. Het heeft pas waarde op het moment dat het is verkocht.'

'En dat staat op het punt te gebeuren,' zei Angel met zijn geloofwaardigste stem van gewapend beton.

'Er kan nog van alles tussen komen,' zei ze, terwijl ze een bladzijde zo woest omsloeg dat die scheurde.

'Daar ziet het niet naar uit.'

'De markt is nerveus.'

'Daarom verkoop je ook. De komende dagen trekt niemand zich terug.' Hij kwam met enige moeite overeind. 'De meeste mensen zouden een moord plegen om in jouw positie te verkeren.'

'Met twee panden die leegstaan, geen huuropbrengst en kosten van vierduizend euro per maand?'

'Ik geloof dat ik er vanuit een gunstiger perspectief naar kijk.'

Dat vond Manuela fijn. Wat ze ook probeerde, ze kon rampscenario's verzinnen zo veel ze wilde, Angel ging er niet in mee. Bij zijn objectieve autoriteit voelde ze zich een meisje. Ze was er nog niet helemaal achter wat hun relatie precies voorstelde, of hij tegemoetkwam aan haar enorme behoeften. Maar ze wist wel dat Angel een grote steun voor haar was.

'Je moet je niet zo druk maken,' zei Angel. Hij trok haar tegen zich aan en kuste haar boven op haar hoofd.

'Zou het niet heerlijk zijn als je de klok vooruit kon zetten, zodat het nu morgenavond was?' vroeg ze. Ze kroop lekker tegen hem aan. 'Met het geld op de bank en de hele vrije zomer voor ons?'

'Laten we het vieren met een etentje in de Salvador Rojo.'

'Daar dacht ik zelf ook aan,' zei ze. 'Maar ik was te bijgelovig om te reserveren. We kunnen vragen of Javier ook komt. Dan kan hij Laura meenemen en heb jij iemand om mee te flirten.'

'Dat is heel attent van je,' zei hij. Hij drukte een nieuwe kus in haar haar.

Toen Angel Manuela leerde kennen, leek haar hele leven te zijn gebaseerd op het juridische gevecht dat draaide om de vraag of Javier het huis waarin hij woonde rechtsgeldig had geërfd. Ze hadden elkaar ontmoet op het kantoor van haar advocaat, waar Angel de nalatenschap van wijlen zijn vrouw afhandelde. Toen ze elkaar een hand gaven, voelde ze ter hoogte van haar maag iets wegzakken en dat had geen man ooit bij haar teweeggebracht. Ze verlieten het advocatenkantoor en gingen wat drinken. Manuela had nooit naar oudere mannen omgekeken, ze was altijd voor jongensachtige types gegaan, maar nu begreep ze waar het om ging: oudere mannen zorgden voor je. Je hoefde niet voor hen te zorgen.

Hoe meer ze over Angel te weten kwam, hoe meer ze op hem viel. Hij was fenomenaal charmant, hij was een toegewijde politicus (soms een beetje té toegewijd), hij was rechts, conservatief en katholiek, hij hield van stierenvechten en hij kwam van een gegoede familie. In de politiek was hij erin geslaagd twee concurrerende partijen bij elkaar te brengen, en dat was hem gelukt omdat geen van beide partijen bij hem uit de gratie wilde raken. Hij was een factor van belang in de Partido Popular in Andalucía geweest, maar toen hij merkte dat hij daar niets mee kon veranderen, was hij in woede ontstoken en had de partij vaarwel gezegd. Onlangs was hij in de hoedanigheid van PR-man toegetreden tot een kleine rechtse partij, de Fuerza Andalucía, die werd geleid door zijn oude vriend Eduardo Rivero. Hij was politiek columnist en een zeer gerespecteerd stierengevechtverslaggever voor de *ABC*. Behept met al dat talent had het hem weinig moeite gekost Javier en Manuela weer bij elkaar te brengen.

'Alle energie die je in die rechtszaken van je stopt, is negatieve energie,' had Angel haar verteld. 'Je laat je leven door negatieve energie beheersen, en daardoor sta je verder stil. De enige manier waarop je je leven weer op gang kunt brengen, is er positieve energie in terug te brengen.'

'En hoe zou ik dat dan moeten doen?' vroeg ze terwijl haar grote bruine ogen op die bron vol positieve energie voor haar waren gericht.

'Rechtszaken kosten veel: niet alleen financieel, maar ook fysiek en emotioneel. Je kunt beter productief zijn. Wat wil je op dit moment in je leven?'

'Dat huis!' had ze geantwoord, al was ze toen inmiddels erg op Angel gesteld.

'Dat is van jou. Javier heeft het je aangeboden.'

'Dan moet alleen die miljoen euro nog even geregeld worden.'

'Maar hij heeft niet gezegd dat je het niet mag hebben,' zei Angel. 'En het is veel productiever om geld te verdienen dat je ergens voor wilt gebruiken dan geld te verdienen dat je vervolgens aan nutteloze advocaten uitgeeft.'

'Hij is niet nutteloos,' zei ze. Meer kon ze er niet tegen inbrengen.

Er waren nog een paar duizend andere redenen waarom ze niet tegen Angels verbazingwekkend simpele logica opkon. Maar in de kern kwam het erop neer dat ze zich miserabel voelde. En dat was iets waarvan ze niet wilde dat hij dat kon zien. Daarom stemde ze begin 2003 met hem in. Ze verkocht haar veeartsenpraktijk, nam een hypotheek op het huis in El Puerto de Santa Maria dat ze had geërfd en investeerde in de bloeiende Sevilliaanse onroerendgoedmarkt. Na drie jaar van kopen, renoveren en verkopen was ze het huis van Javier, de rechtszaak en het lege gevoel in haar maag vergeten. Ze woonde met Angel in een penthouse met uitzicht op het majestueuze, door bomen omzoomde Plaza Cristo de Burgos, midden in het oude centrum. Haar leven was interessant en stond op het punt nog veel fijner te worden.

'Hoe was het gisteravond?' vroeg Manuela. 'Zo te ruiken ben je met brandy geëindigd.'

Angel kreunde en kromp ineen. Hij had kramp in zijn buik.

'Je rookt vanmorgen niet voordat je koffie hebt gedronken.'

'Misschien kan mijn adem worden gebruikt als goedkope grondstof voor gerecyclede energie,' zei hij. Hij wreef de slaap uit zijn oog. 'Eigenlijk zou al onze adem daarvoor gebruikt moeten worden, want we stoten allemaal warme, alcoholhoudende adem uit.'

'Raakt de meester van de positieve energie op zijn makkers uitgekeken?'

'Uitgekeken niet,' zei Angel. 'Ze zijn mijn vrienden.' Hij haalde zijn schouders op. 'Het is een van de voordelen van ouder worden dat we elkaar eindeloos hetzelfde verhaal kunnen vertellen en er toch om blijven lachen.'

'Je leeftijd is een gemoedstoestand, en jij bent nog jong,' zei Manuela. 'Misschien moet je de commerciële kant van je PR-werk weer oppakken. Vergeet de politiek en al die zelfgenoegzame dwazen.'

'En toen onthulde ze hoe ze over mijn beste vrienden denkt.'

'Ik mag je vrienden graag. Het is alleen... de politiek,' zei Manuela. 'Er wordt eindeloos gepraat, maar er verandert nooit iets.'

'Misschien heb je gelijk,' zei Angel knikkend. 'De laatste gebeurtenis in dit land was de verschrikking van 11 maart 2004. En zie: het land trekt één lijn en stuurt op volstrekt democratische wijze een goede regering naar huis. De nieuwe regering buigt het hoofd voor terroristen en trekt ons leger terug uit Irak. En daarna? Daarna zakken we weer in ons comfortabele bestaan weg.'

'En dronken we te veel brandy.'

'Precies,' zei Angel. Hij keek haar aan. Zijn haar stond alle kanten op. 'Weet je wat ik gisteravond hoorde?'

'Hebben we het interessantste deel nu al gehad?' vroeg ze plagerig.

'We moeten terug naar een welwillende dictatuur,' zei Angel, terwijl hij zijn handen zogenaamd kwaad in de lucht stak.

'Voor die gedachte zal je niet heel veel medestanders vinden,' zei Manuela. 'De mensen houden er niet van als het land in staat van beroering wordt gebracht en er tanks en troepen in de straten verschijnen. Ze willen een koud biertje met een tapa en iets debiels op de tv.'

'Precies,' zei Angel, terwijl hij op zijn buik sloeg. 'Niemand luisterde. Ons volk gaat aan decadentie ten onder en is moreel zo verzwakt dat het niet meer weet wat het wil, afgezien van eeuwig consumeren. Mijn "makkers" denken dat ze, als ze zo goed zijn een coup te plegen, op handen zullen worden gedragen.'

'Ik zit er niet op te wachten jou op de televisie met een geweer in de aanslag op een tafel in het parlement te zien staan.'

'Dan zou ik ook wel eerst wat gewicht moeten kwijtraken,' zei Angel.

Calderón ontwaakte met een schok en een gevoel van paniek uit een droom die hij zich niet kon herinneren. Tot zijn stomme verbazing zag hij Marisa's lange bruine haar, en niet Inés' witte nachtjapon naast zich in bed. Hij had zich verslapen. Het was zes uur 's ochtends. Er zat maar één ding op: naar huis gaan en een aantal zeer lastige vragen van Inés beantwoorden.

Hij sprong zo onbesuisd uit bed dat Marisa wakker werd. Hij kleedde zich aan en schudde zijn hoofd toen hij de slakachtige spoortjes opgedroogde sperma op zijn bovenbeen zag.

'Ga even douchen,' zei Marisa.

'Geen tijd.'

'Ze is niet op haar achterhoofd gevallen – als ik jou mag geloven.'

'Nee, dat klopt,' zei Calderón terwijl hij zijn schoen zocht. 'Maar zolang bepaalde regels niet worden overtreden kan de hele situatie verbloemd worden.'

'Dit is zeker het burgerprotocol voor buitenechtelijke verhoudingen?'

'Inderdaad,' zei Calderón geïrriteerd. 'Je kunt niet de hele nacht wegblijven omdat je daarmee het hele instituut belachelijk maakt.'

'Waar ligt de grens tussen een "serieus" huwelijk en een "belachelijk" huwelijk?' vroeg Marisa. 'Bij drie uur of bij halfvier? Nee, dat kan nog wel. Ik denk dat het om vier uur ridicuul wordt. En om halfvijf is het volkomen belachelijk. Om zes uur, halfzeven is het... een klucht.'

'Om zes uur is het een tragedie,' zei Calderón. Hij zocht als een gek naar zijn schoen. 'Waar is die kloteschoen?'

'Onder de stoel,' zei Marisa. 'En vergeet je camera niet. Hij ligt op de salontafel. Er zitten een paar cadeautjes voor je in.'

Hij schoot in zijn jas, stak de camera in zijn zak en trok zijn schoen aan.

'Hoe kom je aan mijn camera?' vroeg hij terwijl hij bij het bed neerknielde.

'Toen jij lag te slapen, heb ik je jas doorzocht,' zei ze. 'Ik kom uit een burgerlijk gezin. Ik trap ertegenaan, maar ik ken alle trucjes. Maak je geen zorgen, die stomme foto's van je etentje met die rechters staan er nog op, dus je kunt je superintelligente vrouwtje gewoon laten zien dat je niet de hele nacht met je minnares hebt liggen neuken.'

'Je wordt hartelijk bedankt.'

'En ik ben niet ondeugend geweest.'

'Nee?'

'Ik zei dat ik een paar cadeautjes op je camera heb gezet. Zorg gewoon dat zij ze niet ziet.'

Hij knikte, plotseling weer gehaast. Ze kusten elkaar. In de lift naar beneden knoopte hij zijn stropdas, bracht zijn kleding op orde en wreef, terwijl hij zich voorbereidde op de leugen die hij wilde gebruiken, over zijn gezicht. Zelfs hij zag de twee microscopische beweginkjes van zijn wenkbrauw die volgens Javier Falcón het eerste en meest overtuigende teken van een leugen waren. Als hij dat wist, wist Inés het helemaal.

Zo vroeg in de morgen waren er geen taxi's. Hij had er een moeten bellen. Hij zette er stevig de pas in. Allerlei herinneringen speelden door zijn hoofd, ergens in het schemergebied van zijn bewustzijn. De leugen. De waarheid. De realiteit. De droom. En hij voelde dezelfde paniek als toen hij naast Marisa wakker werd: zijn handen lagen op Inés' slanke hals. Hij wurgde haar, maar ze werd niet blauw of paars en haar tong puilde niet dik van het bloed uit haar mond. Ze keek hem liefdevol aan. Ze streelde zijn onderarmen zelfs. Ze spoorde hem aan. De burgerlijke oplossing voor een scheiding die ongelegen kwam: moord. Het was absurd. Hij wist beroepshalve dat de echtgenoot bij een moordzaak hoofdverdachte was.

De straten waren nog steeds nat van de regen van de vorige avond, de keien waren glibberig. Hij transpireerde, en zijn overhemd rook naar Marisa. Het schoot hem te binnen dat hij zich nooit schuldig had gevoeld. Het enige wat hij erover kon zeggen, was van toepassing op de wet. Sinds hij met Inés was getrouwd, had hij vier verhoudingen gehad, waarvan die met Marisa het langst had geduurd. Met twee andere vrouwen had hij het één keer gedaan. En er was nog een prostitué in Barcelona, maar daar dacht hij liever niet aan. Hij had zelfs met een van deze vrouwen seks gehad terwijl hij er met een andere vrouw een buitenechtelijke verhouding op nahield. Waarschijnlijk maakte dat hem tot een casanova. Alleen had hij zelf niet het gevoel dat hij een casanova was. Een casanova zou het leuk moeten vinden, het was romantisch, in de achttiende-eeuwse zin van het woord. Maar wat hij had gedaan was niet leuk. Hij was alleen maar bezig geweest een gat te vullen, maar dat gat werd met iedere nieuwe affaire groter. Waar kwam die uitdijende leegte vandaan? Op die vraag zou hij het antwoord moeten zoeken – als hij tijd vond om erover na te denken.

Hij gleed uit op een kassei, struikelde en schaafde zijn handen op de bestrating. Dat bracht hem terug in de werkelijkheid. Er waren praktische zaken die om een oplossing vroegen. Zodra hij thuis was, moest hij gaan douchen. Marisa kwam uit al zijn poriën. Misschien had hij beter bij Marisa kunnen douchen, maar dan had hij weer naar haar zeep geroken. Opeens bedacht hij zich. Wat kon het hem schelen? Waartoe die valse voorwendselen? Inés wist het allang. Ze hadden geruzied – niet over zijn verhoudingen, maar over banaliteiten, waardoor het onzegbare ongezegd kon blijven. Ze had eruit kunnen stappen. Ze had hem al jaren geleden kunnen verlaten. Maar ze was gebleven. Dat zei veel.

De schaafwond op zijn hand prikte. Zijn gedachten sterkten hem. Hij was niet bang voor Inés. Ze kon anderen angst aanjagen. Hij had haar in de rechtszaal gezien. Maar hem niet. Hij had de overhand. Hij ging vreemd en zij bleef. Hij kwam bij het appartementenblok aan de Calle San Vicente en opende met een zwierig gebaar de deur. Waardoor het precies werd veroorzaakt, wist hij niet. Door de conclusie die hij had getrokken? Door de prikkende schaafwond op zijn hand? Of door het feit dat hij op de trap struikelde over stoflakens die de schilders daar in een hoek hadden gepropt in plaats van ze gewoon op te ruimen? Hoe dan ook, toen hij op de eerste verdieping was en de voordeur van zijn appartement opendeed, was hij in een hardvochtige stemming.

Het was halfzeven en het was stil in huis. Calderón liep naar zijn studeerkamer en leegde de zakken van zijn pak op zijn bureau. Hij trok zijn jasje en broek uit en hing ze over een stoel. Daarna liep hij naar de badkamer. Inés sliep. Hij deed zijn onderbroek en sokken uit, gooide ze in de wasmand en stapte onder de douche.

Inés sliep helemaal niet. Ze keek met haar glanzende, donkere ogen half toegeknepen naar het sepia ochtendlicht dat door de jaloezieën van de luiken scheen. Ze was wakker sinds ze om halfvijf had gemerkt dat het bed aan de kant van haar man leeg was. Sindsdien zat ze rechtop in bed, de armen voor haar platte borst gevouwen, kokend van woede. Ze lag al twee uur te malen, en in die twee uur lag ze zich op te vreten van woede en vernedering, om het lege kussen naast haar. En af en toe, als ze aan de confrontatie met deze meest recente demonstratie van zijn ontrouw dacht, voelde ze zich zwak. Want dat was het: een demonstratie.

Tijdens die uren besefte ze dat haar werk het enige in haar leven was wat goed functioneerde, en haar werk begon haar te vervelen. Niet omdat haar werk was veranderd; ze had er alleen een andere kijk op gekregen. Ze wilde echtgenoot en moeder zijn. Ze wilde in een groot ouderwets huis met een patio wonen, in het oude stadscentrum. Ze wilde in het park wandelen, met vriendinnen lunchen, met haar kinderen bij haar ouders langsgaan.

Niets van dat alles was gebeurd. Nadat die Amerikaanse sloerie van het toneel was verdwenen, waren zij en Esteban nader tot elkaar gekomen. Hun band was, vond zij, hechter geworden. Ze was met de pil gestopt, zonder het tegen hem te zeggen, want ze wilde hem verrassen. Maar ze bleef menstrueren. Ze liet zich onderzoeken: ze bleek een pracht en kerngezond exemplaar van de vrouwelijke sekse te zijn. Op een ochtend bewaarde ze, nadat ze de liefde hadden bedreven, een monster van zijn sperma en liet ze het op vruchtbaarheid testen. Volgens de uitslag was hij buitengewoon viriel. Als hij het had geweten, dan zou hij de testuitslag in een lijstje naast hun trouwfoto hebben gehangen.

Haar appartement was vlot verkocht. Ze had het geld op de bank gezet en keek uit naar haar droomhuis. Maar Esteban moest niets hebben van de huizen waarin zij wilde wonen. Hij weigerde zelfs maar te gaan kijken. De huizenmarkt was booming. Het bedrag dat ze voor haar appartement had gekregen, begon er steeds armzaliger uit te zien. Haar droom werd een onmogelijkheid. Ze woonden in zijn manlijke, agressief moderne appartement in de Calle San Vicente, en als ze er ook maar een detail aan veranderde, ontstak hij in woede. Hij wilde zelfs niet dat ze een ketting op de deur liet zetten, maar dat was omdat hij niet door haar binnengelaten wilde worden als hij na een avondje uit naar seks rook.

Hun seksleven haperde. Ze wist dat hij verhoudingen had, want hij vree alsof de liefdesdaad een lastig karwei was en zijn ejaculaties waren pover. Ze probeerde uitdagender te zijn, maar hij gaf haar een rotgevoel, alsof de spelletjes die ze voorstelde te gek voor woorden waren. Tot hij haar aanbod om 'spelletjes te spelen' plotseling alsnog aannam, met dien verstande dat hij, schijnbaar geïnspireerd door internet, haar een vernederende rol toebedeelde. Ze onderwierp zich aan zijn fantasieën en verborg haar pijn en schaamte in het kussen.

Hoe dan ook, ze was in ieder geval niet dik. Ze inspecteerde zichzelf dagelijks voor de spiegel. De aanblik van het leeglopen van haar borstkast, de afzonderlijke ribben en de holte in haar dijen gaven haar voldoening. Soms werd ze in de rechtszaal duizelig. Haar vriendinnen zeiden dat ze op die manier nooit zwanger zou worden. Dan glimlachte ze naar hen en werd haar bleke huid strak over haar prachtige gezicht getrokken, zodat ze een angstaanjagende gelukzaligheid uitstraalde.

Op het moment dat Esteban de sleutel in de voordeur omdraaide, speelde Inés net met het idee hem met zijn neus op de feiten te drukken. Ze dacht dat er meer haren op haar dunne armen groeiden dan vroeger, en dat gaf haar een vreemd gevoel van zwakheid. Ze ging liggen en deed alsof ze sliep.

Ze hoorde dat hij in de studeerkamer zijn zakken leegde. De douche werd aangezet. Ze rende op blote voeten naar zijn studeerkamer. Ze zag zijn pak hangen en besnuffelde het als een hond: sigaretten, parfum, oude seks. Haar ogen klonken zich vast aan de camera. Ze voelde eraan met de bovenkant van haar hand. Hij was nog warm. Ze brandde van nieuwsgierigheid om te zien wat er in het geheugen stond, maar de douchecabinedeuren gingen open. Ze rende terug naar de slaapkamer en ging met bonkend hart in bed liggen.

Toen zijn gewicht op het matras neerkwam, rolde haar vederlichte lichaam om. Ze wachtte tot hij ademde in het rustige ritme van zijn slaap. Haar hartslag kalmeerde en haar gedachten kwamen tot bedaren. Ze gleed uit bed. Hij bewoog niet. In de studeerkamer drukte ze op het quick-viewknopje. Toen het miniatuurbeeld van Marisa op het schermpje verscheen, stokte haar adem. Ze lag naakt op de bank, de benen uit elkaar, de handen voor haar schaamstreek. Inés drukte weer op het knopje. Marisa, naakt, op haar knieën, keek over haar schouder in de lens. De hoer. Ze drukte opnieuw en opnieuw, maar vond verder alleen bewijzen van het alibi van haar man, het diner met de rechters. Ze klikte terug naar de hoer. Wie was ze? De zwarte hoer. Ze moest het weten.

Inés' laptop stond in de gang. Ze nam hem mee naar de keuken en startte hem op. Terwijl ze wachtte, liep ze weer naar de studeerkamer en zocht op de planken naar het snoertje om de foto's te downloaden. Terug naar de keuken. Ze zette de camera aan, plugde het snoertje erin en sloot hem aan op haar laptop. Opperste concentratie.

Het icoon verscheen in beeld. De software werd automatisch geladen. Ze klikte op invoeren en balde haar vuisten toen ze zag dat ze alle vierenvijftig foto's moest downloaden om bij de gewenste foto's te komen. Ze staarde naar het scherm en wenste dat het sneller ging. Het enige wat ze hoorde was de ventilator van de computer en het ratelen van de harde schijf. Het geritsel van het beddengoed hoorde ze niet. Zijn blote voeten op de houten vloer evenmin. Zelfs zijn vraag hoorde ze niet echt.

Ze hoorde zijn stem, daarom draaide ze zich om. Ze nam de naaktheid van haar man in de keukendeur in zich op en was zich bewust van het katoenen nachthemd om haar schouders, van de zoom die over haar dijbeen viel.

'Wat ben je aan het doen?' vroeg hij.

'Wat?' vroeg Inés. Ze kon haar blik niet van zijn onbetrouwbare genitaliën afhouden.

Hij herhaalde zijn vraag.

De stoot adrenaline was zo heftig dat ze zich afvroeg of haar hart de golf wel aan zou kunnen.

Na bijna twintig jaar ervaring met het criminele element herkende Calderón de angst. De opengesperde ogen, de mond die niet open en niet dicht was, de verlamde gezichtsspieren.

'Wat ben jij aan het doen?' vroeg hij voor de derde keer. Zijn stem klonk niet slaperig, eerder autoritair.

'Niets,' zei ze. Ze had haar rug naar de laptop gekeerd en was niet in staat haar armen, die ze in een reflex had uitgestoken om te voorkomen dat hij de laptop kon zien, in te trekken.

Calderón duwde haar opzij – niet eens ruw, maar ze was zo licht dat het niet veel scheelde of de klap tegen het granieten aanrecht had haar fragiele ribben gebroken. Hij zag de camera, het snoer en de kleine afbeeldingen van het juristendiner, die juist in de fotogalerij verschenen. Daarna, *plink*,

plink, twee foto's van Marisa. *Een cadeautje voor je*. Het was beschamend, incriminerend en, wat erger was, het gaf hem het gevoel als een kwajongen betrapt te worden.

'Wie is dat?' vroeg Inés, haar vingertoppen wit op het zwarte graniet.

De moordzucht in zijn blik werd op geen enkele manier door de bespottelijkheid van zijn naakte lichaam afgezwakt.

'Wie is dat, dat je de hele nacht wegblijft en je vrouw in haar eentje in het huwelijksbed laat liggen?'

De woorden maakten hem razend, maar daar rekende Inés ook op. Haar angst was verdwenen. Ze wilde iets van hem – zijn volle aandacht.

'Wie is dat, dat je tot zes uur 's ochtends met haar ligt te sloeren, tegen je huwelijksbelofte in?'

Nog zo'n berekende zin. Ze bediende zich van de retoriek die ze in de rechtszaal had ontwikkeld.

Hij keerde zich van haar af, traag en alert als een dier dat een rivaal op zijn territorium tegenkomt. Het vet rondom zijn middel, de verschrompelde penis en de magere bovenbenen zouden hem lachwekkend hebben moeten maken, maar hij had zijn hoofd laten zakken en hij nam haar van onder zijn wenkbrauwen op. Zijn woede was tastbaar. Toch kon Inés zich nog steeds niet inhouden. De hoon spatte van haar lippen.

'Neuk je met haar net zo als met mij? Laat je het haar ook uitschreeuwen van pijn?'

Inés sprak niet verder, want ze was op onverklaarbare wijze op de grond terechtgekomen. Ze trappelde met haar voeten op de witte marmeren tegels en probeerde uit alle macht lucht in haar longen te krijgen. Ze concentreerde zich op zijn tenen, waarvan de huid rimpelde als hij ze samentrok. Hij trapte haar. Zijn grote teen verdween in haar nier. Ze hapte naar adem, ze wist niet wat haar overkwam. Hij had haar nooit eerder geslagen. Ze had hem uitgedaagd, ze had om een reactie gevraagd. Zijn gereserveerde houding had haar geschokt. Ze had er rekening mee gehouden dat hij zou uithalen, dat hij haar met de vlakke hand een tik in het gezicht zou geven, die honende mond dicht zou meppen, de lippen zou laten opzwellen of haar een blauwe plek op haar wang zou bezorgen. Ze wilde een teken van zijn geweld dragen, opdat iedereen kon zien wie hij werkelijk was. Hij zou er dagelijks mee geconfronteerd worden en haar, tot de kwetsuren waren vervaagd, spijt moeten betuigen. Maar hij had haar onder de ribben geslagen en in haar zij getrapt.

Toen ze haar motorische geheugen terug had en weer begon te ademen, kraakte haar borstkas. Ze voelde de hand van haar man op haar achterhoofd. Hij streelde haar. Zie je wel, hij hield van haar. Nu kwamen het berouw en de tederheid. Dat met die ander was gewoon weer zo'n kortstondige affaire geweest. Alleen... Hij streelde haar niet. Hij tastte in haar haar. Hij bond het bij elkaar. Zijn nagels drongen in haar hoofdhuid. Hij schudde haar hoofd heen en weer, alsof ze een hond was. Hij greep haar bij haar nekvel en kwam overeind vanuit zijn hurkzit. Ze stond niet op haar voeten, ze hing aan zijn hand. Hij sleurde haar de keuken uit, sleepte haar door de gang en smeet haar op het bed. Ze stuiterde weer omhoog en rolde er aan de andere kant vanaf. Drie grote passen en hij was weer bij haar. Ze probeerde onder het bed te kruipen.

Dit liep anders dan ze had gedacht. Zijn hand graaide onder het bed en kreeg haar nachtjapon te pakken. Ze kroop verder naar achteren. Zijn gezicht verscheen, van woede verwrongen. Hij stond op. Zijn voeten bewogen. Ze keek ernaar alsof het geladen pistolen waren. Ze verlieten de kamer. Hij vloekte en smeet met de deur. Haar hoofdhuid brandde. Angst overheerste al haar andere gevoelens. Schreeuwen kon ze niet. Huilen evenmin.

Onder het bed was het goed. Het bed herinnerde haar aan de veiligheid uit haar jeugd, en aan heimelijke observaties. Maar die herinneringen hielden haar verwarring niet in toom. Haar hersens zochten houvast bij wat ze zekerheden wilde laten zijn, maar ze waren haar niet behulpzaam. Ze merkte dat ze zijn gedrag probeerde goed te praten. Ze had hem het bewijs van zijn ontrouw geleverd. Ze had hem vernederd. Hij was kwaad omdat hij zich schuldig voelde. Dat was een natuurlijke reactie. *Was sich liebt, das neckt sich*. Zo was het toch? Hij wilde helemaal niet met die zwarte sloerie vreemdgaan. Het was sterker dan hij. Hij was een alfamannetje, een viriele performer met een hoog octaangehalte. Ze moest hem niet te streng beoordelen. Ze bleef op haar zij liggen en kneep haar ogen samen bij een nieuwe pijnscheut in haar nier.

De deur zwaaide open, de voeten waren weer in de kamer. Ze kromp ineen. Hij haalde een onderbroek en sokken uit de la en trok ze aan. Hij deed een broek aan en trok een knisperend wit overhemd tevoorschijn, gewassen en gestreken door de stomerij waar hij nog steeds al zijn kleren bracht. Hij stak zijn armen in de mouwen en maakte de manchetten dicht. Zijn karmozijnrode stropdas zat in een mum van tijd in een perfecte knoop. Hij was efficiënt, vitaal en nauwgezet. Hij stak zijn wrede voeten in schoenen en trok een jasje aan – zijn barbaarsheid was nu perfect verhuld.

'Ik werk vanavond tot laat door,' zei hij, nu met zijn normale stem.

De voordeur van het appartement ging met een klik dicht. Inés kroop onder het bed vandaan en zakte tegen de muur. Ze zat met haar benen voor zich uit en haar handen hulpeloos naast haar. Bij de eerste snik kwam ze met een schokje van de muur af.

5

Sevilla, dinsdag 6 juni 2006, 06.30 uur

Falcón kwam bij zijn positieven in het pikdonker van zijn slaapkamer, waarvan de luiken dicht waren. Daar, in zijn privé-universum, overdacht hij de gebeurtenissen van de vorige avond. Na de teleurstelling in Consuelo's restaurant was hij bij Laura langsgegaan, wat beter was verlopen dan hij had verwacht. Ze hadden afgesproken elkaar voortaan als vrienden te zien. Ze was alleen een beetje beledigd dat hij hun verhouding verbrak terwijl er, zoals hij tegen haar had gezegd, geen andere vrouw in beeld was.

Hij nam een douche, trok een donker pak en een wit overhemd aan en stak een opgevouwen das in zijn zak. Hij moest eerst bij de Médico Forense langs, voor de rest van de ochtend stonden vergaderingen gepland. Het beloofde een schitterende dag te worden, er was geen wolkje aan de lucht. De regen had de atmosfeer gereinigd en van haar bevreemdende elektriciteit ontdaan.

Op een thermometer buiten op straat zag hij dat het zestien graden Celsius was. Intussen werd op de autoradio gewaarschuwd dat een grote hitte op Sevilla neer zou dalen en dat tegen de avond temperaturen van boven de zesendertig graden verwacht mochten worden.

Het forensisch instituut lag nog net binnen de oude stadsmuren, naast het Hospital de la Macarena en achter het Andalusische parlement, dat uitkeek op de Basilica de la Macarena aan de overkant van de straat. Falcón was er vroeg, om kwart over acht, maar de Médico Forense was al aan het werk.

Het dossier lag opengeslagen op het bureau van de arts, Dr. Pintado, die de autopsie in gedachten nog eens doornam. Ze gaven elkaar een hand en gingen zitten. Pintado gaf een samenvatting van zijn lezing.

'Ik heb me niet alleen geconcentreerd op het vaststellen van de doodsoorzaak – dat was zonneklaar, hij is met kaliumcyanide vergiftigd – maar vooral ook op het mogelijk maken van de identificatie van het lijk,' zei Pintado, terwijl hij nog steeds door het dossier bladerde.

'Kaliumcyanide?' vroeg Falcón. 'Dat is subtieler dan wat hem na zijn dood is aangedaan. Is het geïnjecteerd?'

'Nee, hij heeft het met voedsel binnengekregen,' zei Pintado, met zijn gedachten elders. 'Het gezicht... Misschien kan ik u helpen. Of eigenlijk heb ik een vriend die u kan helpen. Herinnert u zich het verhaal dat ik over een zaak in Bilbao vertelde? Ze hadden in een ondiep graf een doodshoofd gevonden en daar hebben ze het gezicht van gereconstrueerd.'

'Dat kost een fortuin.'

'Inderdaad, en daar krijg je in het geval van een oude moord de middelen niet voor.'

'Wat kost die vriend van u?'

'Hij is gratis.'

'Wie is dat dan?'

'Hij is een soort beeldhouwer. Lichamen interesseren hem niet, alleen gezichten.'

'Moet ik hem kennen?'

'Nee,' zei Pintado. 'Hij is amateur. Hij heet Miguel Covo. Hij is vierenzeventig en gepensioneerd. Maar hij werkt al bijna zestig jaar met gezichten. Hij maakt ze van klei, hij maakt er mallen van was van en hij beeldhouwt ze uit steen, maar die richting is hij pas onlangs ingeslagen.'

'Waarom biedt hij het aan, en waarom kost het niets?'

'Nou, hij heeft zoiets nooit eerder gedaan, maar hij wil het proberen,' zei Pintado. 'Ik heb hem vannacht een gipsafdruk van het hoofd laten maken.'

'De beslissing is dus al genomen,' zei Falcón.

'Hij maakt een stuk of zes afdrukken en een aantal schetsen en werkt die uit tot een gezicht. Dat beschildert hij in de juiste kleuren, en plakt er haar op – echt haar. Als u in zijn werkplaats komt, krijgt u misschien de kriebels, vooral als hij u mag en u aan zijn moeder voorstelt.'

'Ik heb het altijd goed met moeders kunnen vinden.'

'Hij bewaart haar in een kast,' zei dokter Pintado. 'Een beeld van haar, bedoel ik.'

'Dat snap ik. Het zou een beetje gek zijn om een vrouw van in de negentig in een kast te bewaren.'

'Ze is overleden toen hij jong was. Daar is zijn fascinatie voor gezichten uit voortgekomen. Hij vond de foto's van haar niet realistisch genoeg. Dus herschiep hij haar. Dat is de enige keer dat hij een lichaam heeft gemaakt. Ze staat daar in die kast met echt haar en make-up, en haar eigen kleren en schoenen aan.'

'Dus hij is flink gestoord?'

'Natuurlijk,' zei Pintado. 'Maar préttig gestoord. Wat niet meteen wil zeggen dat u hem zult uitnodigen voor een etentje met de Comisario en zijn vrouw.'

'Waarom niet?' vroeg Falcón. 'Het zou weer eens wat anders zijn dan de opera.'

'Hoe dan ook, hij belt u als hij iets heeft. Maar reken er niet op dat dat morgen is.'

'Wat heeft u nog meer voor me?'

'Van alles, maar niets wat in de buurt komt van een fysieke beeltenis,' zei Pintado. 'Ik heb met een kerel gewerkt die de identificatie bij massagraven in Bosnië had gedaan. Hij heeft me het een en ander geleerd. Je begint met het gebit. Ik heb een uitgebreide serie digitale röntgenfoto's genomen en bij elke tand en kies aantekeningen gemaakt. Hij is door een orthodontist behandeld om zijn tanden recht te zetten en ze er perfect te laten uitzien.'

'Hoe oud is hij?'

'Halverwege de veertig.'

'Normaal gesproken laat je zoiets doen als je zo rond de twaalf, dertien bent.'

'Precies.'

'Er waren, halverwege de jaren zeventig, in Spanje niet veel orthodontisten werkzaam.'

'Waarschijnlijk is het in Amerika gedaan,' zei Pintado. 'Afgezien daarvan biedt het gebit weinig aanknopingspunten. Er is niet veel werk aan verricht. Er ontbreekt één kies, rechtsonder.'

'Heeft u verder iets op zijn lichaam gevonden – sproeten, moedervlekken?'

'Nee, maar zijn handen hebben wel iets interessants opgeleverd.'

'Neem me niet kwalijk, dokter, maar...'

'Natuurlijk,' zei Pintado, 'die waren verwijderd. Maar ik heb de lymfklieren bekeken om te zien wat daarin is achtergebleven. Ik weet zeker dat onze vriend op beide handen een kleine tatoeage had.'

'Maar daarvan zat toch geen kiekje in die lymfklieren?' vroeg Falcón.

'Lymfklieren zijn tamelijk goed in het doden van bacteriën en het neutraliseren van giftige stoffen, maar ze hebben geen talent voor het herscheppen van afbeeldingen op basis van de tatoeage-inkt die via de hand in de bloedsomloop is terechtgekomen.'

'En is hij weleens geopereerd?'

'Daar heb ik goed en slecht nieuws over,' zei Pintado. 'Het goede nieuws is dat hij inderdaad is geopereerd. Het slechte nieuws is dat het een liesbreukoperatie was, en dat is zo'n beetje de meest voorkomende operatie ter wereld. Zijn liesbreuk was de meest voorkomende vorm van *hernia inguinalis*, daarom heeft hij rechts van zijn schaambeen een litteken. Ik schat dat hij zo'n drie jaar oud is, maar ik laat een vasculair chirurg komen om dat te bevestigen. Als hij er is kijken we meteen even naar de *mesh*, het hechtmateriaal waarmee ze de liesbreuk hebben opgekalefaterd. Hopelijk kan hij me vertellen wie dat spul levert. Dan kunt u uitzoeken aan welke ziekenhuizen zij hebben geleverd en... Ik weet het, dat zal veel werk en een hoop tijd kosten.'

'Misschien is dat ook in Amerika gedaan,' zei Falcón.

'Zoals ik al zei, het is goed én slecht nieuws.'

'En zijn haar?' vroeg Falcón. 'Ze hebben hem gescalpeerd.'

'Zijn haar was in ieder geval zo lang dat het over zijn boord viel.'

'Hoe weet u dat?'

'Hij is op het strand geweest,' zei Pintado. Hij draaide een paar foto's om, zodat Falcón ze kon bekijken. 'Je kunt zien tot waar zijn armen en benen gebruind zijn. Maar als je hem omdraait, zie je geen rand op de achterkant van zijn nek. Sterker nog, als je goed kijkt, zie je dat dat deel, vergeleken met de rest van zijn rug, tamelijk wit is. Dus is het zelden in de zon geweest.'

'Zou u hem als "blank" omschrijven?' vroeg Falcón. 'Ik had niet het idee dat hij uit Noord-Europa komt.'

'Nee. Zijn huid is olijfkleurig.'

'Denkt u dat hij Spaans is?'

'Zonder genetisch onderzoek te hebben gedaan, zou ik zeggen dat hij mediterraan is.'

'Zijn er littekens?'

'Geen die van belang zijn,' zei Pintado. 'Hij heeft een schedelbreuk gehad, maar dat is jaren geleden.'

'Biedt zijn lichaamsbouw aanknopingspunten voor wat hij deed?'

'Nou, hij was bepaald geen bodybuilder,' zei Pintado. 'De ruggengraat, schouders en ellebogen wijzen op een leven waarin veel is gezeten, waarschijnlijk achter een bureau. Ik zou zeggen dat zijn voeten niet vaak in schoenen staken. De hielen van zijn voeten zijn breed en plat en staan naar buiten. Bovendien zit er veel eelt op.'

'Zoals u al zei, hij hield van de zon,' zei Falcón.

'Hij rookte hasj, ik denk regelmatig. Dat is voor iemand van halverwege de veertig ongebruikelijk. Jongelui roken hasj, maar als je dat halverwege de veertig nog doet, zegt het iets over je achtergrond... Dan ben je kunstenaar of muzikant, of je gaat met dat soort mensen om.'

'Dus hij is een man met lang haar die achter een bureau zit, vaak in de zon komt, geen schoenen draagt en dope rookt.'

'Een hard werkende hippie.'

'Zo ging het misschien in de jaren zeventig,' zei Falcón, 'maar het past niet in het profiel van de hedendaagse drugssmokkelaar. En voor mensen die met 9 mm wapens onder hun broeksband rondlopen, is het toedienen van kaliumcyanide een ongebruikelijke executiemethode.'

De twee mannen schoven hun stoel van het bureau. Falcón bladerde door de foto's in het dossier, in de hoop dat hem nog iets op zou vallen. Zijn gedachten waren al bij de universiteit en de Bellas Artes, maar hij wilde zichzelf in zo'n vroeg stadium niet begrenzen.

In de stilte van dat moment keken de twee mannen elkaar plotseling aan, alsof ze tegelijkertijd hetzelfde dachten. Vanachter de muren van de Facultad de Medicina, niet ver van hen vandaan, was onmiskenbaar de knal van een zware explosie hoorbaar.

Gloria Alanis stond op het punt naar haar werk te gaan. Rond dit tijdstip was ze normaal gesproken op weg naar haar eerst klant. Dan had ze het kleurloze appartementencomplex uit de jaren zeventig in de wijk El Cerezo, waar ze woonde, al in haar achteruitkijkspiegel zien verdwijnen. Ze was vertegenwoordigster van een bedrijf dat in kantoorbenodigdheden handelde, in de regio Huelva. Maar op de eerste dinsdag van de maand kwamen alle vertegenwoordigers bij elkaar op het hoofdkantoor in Sevilla. Dan hadden ze een vergadering, gevolgd door een oefening in teambuilding, een lunch en een miniconferentie waarin nieuwe producten en promotieartikelen werden getoond.

Dat betekende dat er iedere maand één dag was waarop ze het ontbijt voor haar man en twee kinderen op tafel kon zetten. Bovendien kon ze hun achtjarige dochter Lourdes dan naar school brengen. Haar man bracht hun drie jaar oude zoon Pedro naar de kleuterschool die je door het raam aan de achterkant van hun appartement op de vierde verdieping kon zien.

Op die ochtenden haatte ze hun appartement niet. Ze keek neer op de hoofden van haar kinderen en haar man en werd zo vroeg in de week vervuld van een zeldzaam gevoel van warmte en affectie. Haar man voelde dat aan, pakte haar vast en trok haar op schoot.

'Fernando!' zei ze, als waarschuwing voor het geval hij in het bijzijn van de kinderen iets obsceens zou proberen te doen.

'Ik zat te denken...' fluisterde hij in haar oor, terwijl zijn lippen aan haar oorlelletje knabbelden.

'Het is altijd gevaarlijk als je daarmee begint,' zei ze. Ze glimlachte naar de kinderen, bij wie de belangstelling was gewekt.

'Ik zat te denken dat we er misschien nog eentje bij konden nemen,' fluisterde hij. 'Gloria, Fernando, Lourdes, Pedro en...'

'Je bent niet goed bij je hoofd,' zei ze. Ze vond het heerlijk, die lippen bij haar oor, de woorden die hij fluisterde.

'We hadden het er toch altijd over dat we er vier wilden?'

'Dat was voordat we wisten hoeveel twee er kosten,' zei ze. 'Nu werken we de hele dag, en we hebben nog niet genoeg geld om ergens anders te wonen of op vakantie te gaan.'

'Ik heb een geheimpje.'

Ze wist dat dat niet waar was.

'Als het een lot van de loterij is, wil ik het niet weten.'

'Het is geen lot van de loterij.'

Ze wist wat het was: ijdele hoop.

'God nog aan toe,' zei hij, terwijl hij plotseling op zijn horloge keek. 'Hé, Pedro, we moeten ervandoor, man.'

'Vertel ons het geheimpje,' zeiden de kinderen.

Hij tilde Gloria op en zette haar op de grond.

'Als ik het vertel, is het geen geheimpje meer,' zei hij. 'Jullie moeten wachten tot ik het onthul.'

'Vertel het ons nou!'

'Vanavond,' zei hij. Hij zoende Lourdes op haar hoofd en nam Pedro bij zijn kleine hand.

Gloria liep mee naar de deur. Ze gaf Pedro een kus, maar die staarde naar zijn voeten en was er niet in geïnteresseerd. Ze kuste haar man op zijn mond en fluisterde op zijn lippen: 'Ik haat je.'

'Tegen de avond hou je weer van me.'

Ze liep terug naar de ontbijttafel en ging tegenover Lourdes zitten. Over een kwartier moesten zij ook gaan. Ze bekeken tekeningen die Lourdes had gemaakt en liepen naar het raam. Beneden, op de parkeerplaats tegenover de kleuterschool, liepen Fernando en Pedro. Ze zwaaiden. Fernando hield Pedro boven zijn hoofd, en hij zwaaide terug.

Nadat hij zijn zoon op de kleuterschool had achtergelaten, liep Fernando tussen de appartementencomplexen door naar de drukke straat waar de bus naar zijn werk stopte. Gloria liep de kamer in. Lourdes zat alweer aan tafel een nieuwe tekening te maken. Gloria nam een slok van haar koffie en speelde met het zijdezachte haar van haar dochter. Fernando en zijn geheimpjes. Hij speelde die spelletjes om hen te amuseren en ervoor te zorgen dat ze zouden blijven hopen dat ze op een dag hun eigen appartement konden kopen. Maar de huizenprijzen waren geëxplodeerd en ze wisten dat ze de rest van hun leven in een huurhuis zouden wonen. Gloria zou nooit iets anders worden dan vertegenwoordigster en Fernando bleef zeggen dat hij een cursus loodgieten zou gaan volgen, maar ze hadden het geld dat hij in de bouw verdiende veel te hard nodig. Ze hadden geluk dat ze een appartement met zo'n lage huur hadden gevonden. Ze hadden geluk dat ze twee gezonde kinderen hadden gekregen. Of, zoals Fernando altijd zei: 'Misschien zijn we dan niet rijk, we zijn wel gelukkig en aan geluk hebben we meer dan aan al het geld van de wereld.'

Ze associeerde de trilling onder haar voeten niet meteen met de doffe dreun buiten. De knal was zo hard dat het leek alsof haar ribbenkast naar haar ruggengraat werd geduwd en de lucht uit haar longen werd geperst. Het koffiekopje vloog uit haar hand en viel in stukken op de vloer.

'Mamá!' schreeuwde Lourdes. Maar Gloria hoorde niets – ze zag alleen de angst in haar opengesperde ogen en greep haar vast.

Er gebeurden allerlei verschrikkelijke dingen tegelijkertijd. Het glas vloog uit de ramen, in de muur verschenen gigantische scheuren en barsten. Er scheen daglicht op plekken waar geen daglicht zou moeten schijnen. Horizontale lijnen kantelden. Deurposten stortten in. Dik beton boog door. Het plafond kwam naar beneden. Muren braken in tweeën. Uit het niets begon water te spuiten. Onder gebroken tegels knetterde en vonkte elektriciteit. Een kledingkast schoot uit het zicht. De zwaartekracht manifesteerde zich zonder genade. Moeder en dochter vielen. Hun kleine, fragiele lichamen kletterden naar beneden in een miasma van baksteen, staal, beton, bedrading, buizen, meubels en stof. Er was geen tijd om iets te zeggen. Er was geen geluid, want er was zo veel geluid dat alles in stilte veranderde. Er was zelfs geen angst, want alles was volkomen onbegrijpelijk. Er was alleen het ziekmakende, pijlsnelle vallen, de klap van het neerkomen en de daaropvolgende immense duisternis, als van een enorm, inkrimpend universum.

'Wat was dat in godsnaam?' vroeg Pintado.

Falcón wist precies wat het was. Hij had, toen hij in Barcelona werkte, een autobom van de ETA horen ontploffen. Dit klonk als een zware explosie. Hij trapte zijn stoel naar achteren en rende naar buiten zonder Pintado's vraag te beantwoorden. Ondertussen drukte hij het nummer van de Jefatura in. Eerst dacht hij dat de knal van station Santa Justa was gekomen, waar de hogesnelheidstrein uit Madrid aankwam. Het station lag op nog geen kilometer ten zuidoosten van het ziekenhuis.

'*Diga*,' zei Ramírez.

'Er is een bom ontploft, José Luis...'

'Ik heb het hier zelfs kunnen horen,' zei Ramírez.

'Ik ben op het instituut. Het klonk hier niet ver vandaan. Zoek eens uit wat er is gebeurd.'

'Blijf aan de lijn.'

Falcón rende met zijn mobieltje aan zijn oor langs de receptioniste. Hij hoorde Ramírez' voeten door de gang stampen en de trap op gaan, en hij hoorde geschreeuw in de Jefatura. Het verkeer was overal tot stilstand gekomen. Mensen kwamen uit hun auto en keken naar een zwarte rookpluim in het noordoosten.

'De berichten die hier binnenkomen,' zei Ramírez, 'wijzen erop dat er een explosie is geweest in een appartementencomplex op de hoek van de Calle Blanca Paloma en de Calle Los Romeros, in El Cerezo.'

'Waar is dat? Ik ken die plek niet. Het moet hier vlakbij zijn, want ik zie de rook.'

Ramírez vond een plattegrond aan een muur en legde Falcón snel uit waar het was.

'Zijn er aanwijzingen dat het een gaslek was?' vroeg Falcón. Maar hij besefte meteen dat die suggestie net zo optimistisch was als die dat de ontploffingen in de Londense metro door een piek op het elektriciteitsnetwerk waren veroorzaakt.

'Ik bel het gasbedrijf.'

Falcón sprintte door het ziekenhuis. Iedereen rende, maar er was geen paniek, er werd niet geschreeuwd. Ze waren voor zulke momenten getraind. Iedereen in een witte jas begaf zich naar de eerste hulp. Ziekenbroeders snelden met lege ziekenhuisbedden door de gangen. Verpleegsters renden met dozen zoutoplossingen. Er werd plasma aangevoerd. Falcón werkte zich door eindeloze hoeveelheden klapdeuren, tot hij op de straat was en tegen een muur van lawaai opliep: een kakofonie van sirenes van ambulances die de hoek om zwaaiden.

Op straat was verbazingwekkend genoeg nauwelijks verkeer. Hij stak de verlaten rijbanen over. Bestuurders zetten hun auto op de stoep. Het waren geen politiewagens. Het waren gewone burgers, die begrepen dat de straat vrij moest blijven voor het vervoer van gewonden. Ambulances raasden zij aan zij door de straat, een en al lawaai, dolzinnig, met gekmakende witte flitslichten. De lucht vulde zich met grijsroze stof en rook, die vanachter het appartementencomplex de straat in dreef.

Op de kruising strompelden mensen rond die onder het bloed zaten, alleen of door anderen ondersteund. Andere mensen liepen naar het ziekenhuis, zakdoeken, tissues of keukenpapier tegen het voorhoofd, het oor of de wang gedrukt. Dit waren de lichtgewonden. Zij waren door rondvliegend glas en metaal geraakt, ze hadden zich niet in het epicentrum van de explosie bevonden. Ze zouden niet in de top van de rampstatistieken voorkomen, maar misschien wel aan één oog blind worden of het gehoor verliezen omdat hun trommelvliezen waren geperforeerd. Anderen zouden de rest van hun leven door littekens in het gezicht zijn getekend, of een vinger of een hand niet meer kunnen gebruiken. Weer anderen zouden voortaan mank lopen. Deze lichtgewonden werden geholpen door de mensen die geluk hadden gehad. Hoewel het glas ook hen om de oren was gevlogen, hadden ze zelfs geen schrammetje. Maar op hun netvlies gebrand stonden beelden van mensen die ze kenden of liefhadden en die het ene moment heel waren geweest en het andere moment volledig open lagen en uiteengereten, vermorzeld of gebroken waren.

De politie evacueerde alle gebouwen tot aan de hoek met de Calle Los Romeros. Een oude man in een met bloed doordrenkte pyjama werd begeleid door een jongen die besefte hoe belangrijk hij was. Een jongeman drukte een karmozijnrood gevlekte handdoek tegen zijn slaap en staarde dwars door Falcón heen. Het stof plakte op de stroompjes bloed die zijn gezicht op afschuwelijke wijze in kleine stukjes opdeelden. Hij had zijn arm om zijn vriendin geslagen, die niet gewond was en druk in haar mobiele telefoon sprak.

Het werd steeds stoffiger en er klonk nog altijd gerinkel van brekend glas dat uit gebarsten ramen viel. Falcón belde Ramírez weer en gaf hem opdracht drie of vier politiebussen als ambulance in te zetten, zodat lichtgewonden uit de appartementencomplexen naar het ziekenhuis aan het einde van de straat vervoerd konden worden.

'Het gasbedrijf heeft bevestigd dat ze gebouwen in die wijk van gas voorzien,' zei Ramírez, 'maar er zijn geen berichten over een lek en ze hebben vorige maand in die straat nog een routinecontrole gehouden.'

'Om de een of andere reden geloof ik ook niet dat dit een gasexplosie was,' zei Falcón.

'We hebben berichten binnengekregen dat een kleuterschool achter het vernielde gebouw zwaar is beschadigd door rondvliegend puin. Er zouden veel slachtoffers zijn.'

Falcón baande zich een weg tussen de rondlopende gewonden door. Hij zag nog steeds geen zware schade aan gebouwen, maar de met stof bedekte mensen die tussen de leegstromende gebouwen dwaalden en naar familieleden zochten, zagen er spookachtig uit, buiten zichzelf. Het licht was vreemd geworden; de zon ging schuil achter een sluier van rook en mist, die bijna rood leek. Er hing een geur in de lucht die je alleen herkende als je een oorlog had meegemaakt. De neusgaten raakten verstopt met stof van steen en beton, rioolwater en water uit afvoerpijpen, en met iets walgelijk vleesachtigs. De lucht vibreerde, maar niet van geluiden die categoriseerbaar waren, hoewel ze van mensen kwamen – er werd geschreeuwd, gehoest, gebraakt en gekermd. Het was een ruis die leek te worden voortgebracht door het gemeenschappelijke, alarmerende besef dat de dood nabij was.

Brandweerauto's met flitsende waarschuwingslichten vormden een rij tot aan de Avenida San Lorenzo. In de woningen tegenover de Calle Los Romeros was geen ruit meer heel. In een van de muren van een huis stak een glasbak, alsof het een enorme groene plug was. Een muur langs de straat tegenover het getroffen gebouw was weggeblazen en in een parkje lagen auto's op elkaar, als op een autokerkhof. Langs de weg stonden de stronken van vier afgerukte bomen. De auto's op de Calle Los Romeros waren bedolven onder het puin: de daken waren verfrommeld, de ruiten verbrijzeld, de banden lek, de wieldoppen weg. Overal lagen kledingstukken, alsof er wasgoed uit de hemel was gevallen. Van een balkon op de vierde verdieping bungelde het hek naar beneden.

Brandweerlieden waren op de dichtstbijzijnde puinhoop geklauterd en richtten hun brandslangen op de twee overgebleven delen van het ooit L-vormige gebouw: in het midden was een gat van zo'n vijfentwintig meter breed geslagen. De gigantische explosie had alle acht verdiepingen van het gebouw neergehaald. Wat ervan over was had nog het meest weg van een zes meter hoge stapel pannenkoeken van gewapend beton. Het dak van de deels ingestorte kleuterschool en de appartementencomplexen daarachter, waarvan in de voorgevel geen ruit meer heel was, waren in de mist van neerdalend stof nauwelijks zichtbaar. Er verscheen een brandweerman op de rand van een afgebroken kamer op de achtste verdieping, die in de door geweld verscheurde lucht gebaarde dat er geen mensen meer in het gebouw waren. Er viel een bed van de zesde verdieping. Het frame stortte knarsend in de puinhoop, terwijl het matras met woeste sprongen in de richting van de kleuterschool stuiterde.

Aan de andere kant van de puinhoop, een stukje verderop in de Calle Los Romeros, stond de auto van de brandweercommandant, maar van hooggeplaatste brandweerlieden was geen spoor te bekennen. Falcón liep langs de ingestorte muur en baande zich een weg om het appartementencomplex heen om te zien hoe het met de kleuterschool was. Van het gebouw naast het door de explosie getroffen appartementencomplex waren twee muren verdwenen en was een deel van het dak ingestort; de rest hing naar beneden, klaar om te vallen. Brandweermannen en burgers brachten steunbalken aan, terwijl vrouwen zonder met hun ogen te knipperen ontzet voor zich uit staarden, de handen voor het gezicht alsof ze niet geloofden wat ze zagen.

Aan de andere kant, bij de ingang van de school, was de situatie slechter. Er lagen vier kleine lijkjes naast elkaar, de gezichtjes bedekt met een kinderschortje. Een grote groep mannen en vrouwen probeerde twee moeders van overleden kinderen in bedwang te houden. Ze zaten onder het stof en zagen eruit als spoken die vochten om bij de levenden te kunnen horen. De ene vrouw gilde hysterisch en klauwde naar de handen van de mensen die haar ervan wilden weerhouden naar de levenloze lichaampjes toe te gaan. De andere vrouw viel flauw en werd omringd door mensen die haar tegen de heen en weer deinende meute probeerden te beschermen. Falcón was op zoek naar een kleuterleidster en zag een jonge vrouw tussen de glasscherven zitten. Er stroomde bloed uit een wond aan de zijkant van haar gezicht en ze huilde ongecontroleerd. Een vriendin probeerde de ontroostbare te troosten. Er verscheen een verpleger die een noodverband aanlegde.

'Bent u kleuterleidster?' vroeg Falcón aan de vriendin van de vrouw. 'Weet u waar de moeder van het vierde kind is?'

De vrouw staarde hem als verdoofd aan en keek in de richting van de puinhoop.

'Daar ergens,' zei ze.

In de kleuterschool liepen alleen brandweermannen rond. Het glas en puin knarsten onder hun laarzen. Er werden meer steunbalken onder het halfingestorte dak geplaatst. De brandweercommandant stond in een onbeschadigd klaslokaal en rapporteerde via zijn mobiele telefoon aan de burgemeester.

'De gas- en elektriciteitstoevoer naar het gebied is stilgelegd en het beschadigde gebouw is ontruimd. Twee branden zijn onder controle,' zei hij. 'We hebben vier dode kinderen uit de kleuterschool gehaald. Hun klaslokaal lag in de baan van de explosie, waardoor zij de volle laag hebben gekregen. Tot zover weten we dat er drie andere doden zijn: twee mannen en een vrouw die tijdens de explosie in de Calle Los Romeros liepen. Mijn mannen hebben ook nog een vrouw gevonden die in een van de appartementen tegenover het getroffen gebouw aan een hartaanval lijkt te zijn overleden. Het is op dit moment onmogelijk te zeggen hoeveel gewonden er zijn.'

Hij luisterde nog even en verbrak toen de verbinding.

Falcón liet zijn identiteitsbewijs zien.

'U bent hier snel, Inspector Jefe,' zei de brandweercommandant.

'Ik was in het forensisch instituut. Vandaar klonk het als een bom. Wat denkt u?'

'Bij zo veel schade twijfel ik er geen seconde aan dat het een bom was. En een krachtige ook.'

'Heeft u enig idee hoeveel mensen er in dat gebouw waren?'

'Daar probeert een van mijn mannen nu achter te komen,' zei hij. 'Maar het waren er tenminste zeven. We weten alleen niet hoeveel mensen in de moskee in de kelder aanwezig waren.'

'De moskee?'

'Daarom ben ik ervan overtuigd dat het een bom was. Er zat een moskee in de kelder, met de ingang aan de Calle Los Romeros. We denken dat het ochtendgebed net was afgelopen, maar we weten niet of er al iemand naar buiten was gekomen. Daar hebben we tegenstrijdige berichten over ontvangen.'

6

Sevilla, dinsdag 6 juni 2006, 08.25 uur

Aan het feit dat Consuelo al zo vroeg in de Calle Vidrio was, lag wanhoop ten grondslag. Haar buurman zou de kinderen naar school brengen. Zij zat voor de praktijk van Alicia Aguado in haar auto zenuwachtig te worden voor de spoedsafspraak die ze slechts vijfentwintig minuten eerder had gemaakt. Om een beetje te kalmeren liep ze een paar keer op en neer door de straat. Ze was niet het type vrouw met wie het slecht ging.

Ze keek net zolang naar de grote wijzer van haar horloge tot die tot op de seconde precies op halfnegen stond (wat wel bewees hoe obsessief ze begon te worden) en drukte op de deurbel. Dokter Aguado wachtte op haar – dat deed ze al maanden. Ze verheugde zich erop deze nieuwe patiënt te behandelen. Consuelo liep de smalle trap op naar de behandelkamer, die bleekblauw was geschilderd en permanent op tweeëntwintig graden Celsius werd gehouden.

Hoewel Consuelo alles over Alicia Aguado wist wat er over haar te weten viel, liet ze de klinisch psychologe vertellen dat ze blind was geworden door de degeneratieve ziekte *retinitis pigmentosa* en dat ze ten gevolge van haar handicap een unieke techniek had ontwikkeld waarbij ze de pols van de patiënt leest.

'Waarom doet u dat?' vroeg Consuelo. Ze kende het antwoord, maar wilde het moment waarop ze aan de slag zouden gaan nog even uitstellen.

'Doordat ik blind ben, mis ik de belangrijkste indicator van het menselijk lichaam: de fysionomie. We communiceren meer via gelaatstrekken en andere lichaamstaal dan met onze mond. Bedenk maar eens hoe weinig er van een gesprek overblijft als je alleen woorden hoort. Alleen als iemand in een extreme gemoedstoestand zoals angst verkeert, begrijp je wat hij voelt. Als je een gezicht en een lichaam voor je hebt, zie je het hele scala aan subtiliteiten. Je ziet dat iemand liegt of overdrijft, dat iemand zich verveelt of met je naar bed wilt. Door de pols van de patiënt te lezen, wat ik van een Chinese arts heb geleerd en vervolgens aan mijn individuele behoeften heb aangepast, krijg ik toch allerlei nuances mee.'

'Het klinkt alsof u op een intelligente manier wilt zeggen dat u een menselijke leugendetector bent.'

'Ik detecteer niet alleen leugens,' zei Aguado. 'Het heeft meer met onderstromen te maken. Zelfs de beste schrijvers slagen er niet altijd in gevoelens in taal om te zetten, dus waarom zou het voor een gewoon individu niet moeilijk zijn om over zijn emoties te praten? Vooral als die emoties verward zijn.'

'Deze kamer is prachtig,' zei Consuelo, die nu al terugschrok voor sommige woorden die Aguado in haar uitleg had gebruikt. Onderstromen associeerde ze met angst, met de oceaan in getrokken worden en eenzaam en van uitputting sterven in een eindeloze, rijzende en dalende watermassa.

'Er was te veel lawaai,' zei Aguado. 'U weet hoe het is in Sevilla. Al dat lawaai leidde me zo af dat ik dubbelglas heb genomen en de kamer geluiddicht heb laten maken. Hij was eerst wit, maar wit leek me net zo intimiderend voor mijn patiënten als zwart. Dus koos ik een rustgevende kleur blauw. Zullen we gaan zitten?'

Ze namen tegenover elkaar plaats op de lovers' seat, een S-vormige tweezitter. Ze wees Consuelo op de taperecorder in haar armleuning en legde uit dat zij sessies alleen op die manier kon bestuderen. Aguado vroeg haar zich voor te stellen, te vertellen hoe oud ze was en welke medicijnen ze gebruikte, zodat ze kon controleren of het apparaat werkte.

'Kunt u me een korte medische geschiedenis geven?'

'Vanaf wanneer?'

'Vertel alles maar wat vanaf uw geboorte van belang is – operaties, ernstige ziekten, kinderen... Dat soort dingen.'

Consuelo probeerde de rust van de bleekblauwe muren op haar gedachten te laten inwerken. Ze had gehoopt dat haar mentale verwarring met een of andere miraculeuze operatie kon worden weggenomen. Ze had gehoopt dat er een fabuleuze techniek zou bestaan waarmee de gecompliceerde knoop losgerukt kon worden en tot hanteerbare draadjes kon worden teruggebracht. In haar verwarring had ze zich niet gerealiseerd dat het een proces zou zijn, een proces dat in alle lagen van haar bestaan zou doordringen.

'Ik geloof dat u ergens mee zit,' zei Aguado.

'Ik moet nog even wennen aan het idee dat u me binnenstebuiten gaat keren.'

'Alles wat hier gezegd wordt, blijft onder ons,' zei Aguado. 'En niemand kan ons horen. De opnames bewaar ik in een kluis in mijn kantoor.'

'Daar gaat het niet om,' zei Consuelo. 'Ik hou er niet van om te braken. Ik zweet mijn misselijkheid liever uit dan dat ik de oorzaak ervan uitbraak. En dit wordt toch een soort mentaal braken.'

'De meeste mensen komen vanwege zeer persoonlijke kwesties bij me,' zei Aguado. 'Vaak is het zo persoonlijk dat ze het ook voor zichzelf geheimhouden. Psychische gezondheid en fysieke gezondheid zijn twee verschillende dingen. Een wond die niet wordt verzorgd, kan gaan zweren en het hele lichaam besmetten. Met beschadigingen van de ziel is het net zo. Het is alleen lastig dat u me niet gewoon kunt laten zien waar de geïnfecteerde snee zit. Misschien weet u niet eens wat het is of waar hij zit. Daar kunnen we alleen achterkomen door het onderbewuste aan het oppervlak van de bewuste ziel te brengen. Dat is geen braken. U stoot geen giffen uit. Misschien brengt u iets pijnlijks naar boven, zodat we het kunnen bekijken, maar het blijft van u. Als u het al ergens mee wilt vergelijken, vergelijk het dan met uitzweten, niet met uitbraken.'

'Ik heb twee abortussen gehad,' zei Consuelo gedecideerd. 'De eerste in 1980, de tweede in 1984. Beide vonden plaats in een kliniek in Londen. Ik heb drie kinderen gekregen. Ricardo in 1992, Matías in 1994 en Darío in 1998. Dat zijn de enige vijf keer dat ik in een ziekenhuis ben geweest.'

'Bent u getrouwd?'

'Niet meer. Mijn man is overleden,' zei Consuelo. Ze was al bijna over dit eerste obstakel gestruikeld. Ze was gewend aan verduistering, niet aan openheid. 'Hij is in 2001 vermoord.'

'Was het een gelukkig huwelijk?'

'Hij was vierendertig jaar ouder dan ik. Toentertijd wist ik niet dat hij alleen maar met me wilde trouwen omdat ik hem qua uiterlijk aan zijn eerste vrouw deed denken. Zij had zelfmoord gepleegd. Ik wilde niet trouwen, maar hij was koppig. Ik stemde in toen hij had beloofd dat hij me kinderen zou schenken. Niet lang nadat we getrouwd waren, ontdekte hij, of stond hij zich toe te beseffen, dat de gelijkenis tussen mij en zijn vrouw louter fysiek was. Toch bleven we bij elkaar. We respecteerden elkaar, vooral in zaken. En hij was een toegewijde vader. Maar of hij van me hield, en me gelukkig maakte... Nee, dat niet.'

'Hoorde u dat?' vroeg Aguado. 'Het kwam van buiten. Een hard geluid, het leek wel een explosie.'

'Ik heb niets gehoord.'

'Ik weet natuurlijk wat er met uw man is gebeurd,' zei Aguado. 'Het was meer dan verschrikkelijk. Het moet voor u en uw kinderen een traumatische ervaring zijn geweest.'

'Dat was het inderdaad. Maar het is niet direct de reden dat ik hier nu zit,' zei Consuelo. 'Het politieonderzoek was natuurlijk noodzakelijk, maar maakte een grote inbreuk op mijn privacy. Ik was een van de hoofdverdachten. Hij was een rijke, invloedrijke man. Ik had een minnaar. De politie vond dat ik een motief had. Het onderzoek haalde mijn hele leven overhoop. Er kwamen onaangename details uit mijn verleden aan het licht.'

'Wat voor details?'

'Op mijn zeventiende heb ik in een pornofilm gespeeld om mijn eerste abortus te kunnen betalen.'

Aguado dwong Consuelo die nare episode opnieuw te beleven en liet haar doorgaan tot ze had uitgelegd in welke omstandigheden ze voor de tweede keer zwanger werd, van de zoon van een hertog, en voor de tweede keer abortus liet plegen.

'Hoe staat u tegenover pornografie?' vroeg Alicia.

'Ik gruw ervan,' zei Consuelo. 'Maar ik gruwde er nog meer van dat ik me ermee moest inlaten om aan geld te komen voor het beëindigen van een zwangerschap.'

'Wat verstaat u onder pornografie?'

'Het filmen van de biologische handeling die seks heet.'

'Is dat alles?'

'Het is seks zonder emotie.'

'Maar u toonde wel sterke emoties toen u me vertelde...'

'Van weerzin en walging, ja.'

'Voor de mensen met wie u in de film speelde?'

'Nee, nee, helemaal niet,' zei Consuelo. 'Wij meiden zaten met z'n allen in hetzelfde schuitje. En om te presteren hadden de mannen ons nodig. De atmosfeer op een pornofilmset staat niet bol van de spanning. We stonden allemaal stijf van de dope, die hielp ons bij wat we moesten doen.'

Consuelo vertelde haar relaas met steeds minder enthousiasme. Ze kwamen niet ter zake.

'Op wie waren die sterke gevoelens van woede dan wel gericht?' vroeg Aguado.

'Op mijzelf,' zei Consuelo, in de hoop dat deze opmerking, die ten dele waar was, voldoende zou zijn.

'Toen ik u vroeg wat u onder pornografie verstaat, vertelde u me volgens mij niet wat u er zelf van vond,' zei Aguado. 'U gaf me het sociaal wenselijke antwoord. Probeert u die vraag nog eens te beantwoorden.'

'Het is seks zonder liefde,' zei Consuelo, terwijl ze op de stoel sloeg. 'Het is de antithese van liefde.'

'De antithese van liefde is haat.'

'Het is zelfhaat.'

'En wat nog meer?'

'Het is de ontheiliging van seks.'

'Hoe denkt u over het filmen van mannen en vrouwen die met meerdere partners tegelijk seks hebben?'

'Dat is pervers.'

'En wat nog meer?'

'Hoe bedoelt u, "en wat nog meer"? Ik weet niet wat u nog meer wilt horen.'

'Hoe vaak heeft u, sinds het in het onderzoek naar de moord op uw man aan het licht kwam, nog aan die film gedacht?'

'Ik ben hem vergeten.'

'Tot vandaag?'

'Hoe bedoelt u dat?'

'Dit is geen beleefdheidsgesprek, mevrouw Jiménez.'

'Dat besef ik maar al te goed.'

'U maakt zich zorgen over wat ik in dat opzicht van u denk,' zei Aguado.

'Maar ik weet helemaal niet wat u van me wilt horen.'

'Waarom hebben we het over pornografie?'

'Het kwam ter sprake in verband met het onderzoek naar de moord op mijn man.'

'Ik vroeg u of de moord op uw man traumatisch voor u was,' zei Aguado.

'Ik begrijp het.'

'Wat begrijpt u?'

'Dat de film aan het licht kwam, was traumatischer dan dat mijn man was vermoord.'

'Dat hoeft niet per se zo te zijn. Het stond in verband met een traumatische gebeurtenis, en in die emotioneel zware tijd heeft het zijn sporen op u achtergelaten.'

Consuelo worstelde in stilte. De knoop werd niet losgemaakt, maar raakte verder in de war.

'U heeft in de afgelopen tijd verschillende afspraken met me gemaakt die u niet bent nagekomen,' zei Aguado. 'Waarom bent u vanmorgen wel gekomen?'

'Ik hou van mijn kinderen,' zei Consuelo. 'Ik hou zo veel van hen dat het pijn doet.'

'Waar doet het pijn?' vroeg Aguado, die zich meteen op deze nieuwe ontboezeming stortte.

'Heeft u geen kinderen?'

Alicia Aguado haalde haar schouders op.

'Ik voel het boven mijn maag, bij mijn middenrif.'

'Waarom doet het pijn?'

'Kunt u niet gewoon iets aannemen?' vroeg Consuelo. 'Ik hou van hen. Het doet pijn.'

'We zitten hier om uw innerlijke leven te onderzoeken. Dat is iets wat ik niet kan zien en niet kan voelen. Het enige wat mij een indruk geeft, is hoe u zich uitdrukt.'

'En mijn pols dan?'

'Dat is het 'm juist,' zei Aguado. 'Wat u zegt en wat ik in uw bloed voel, stemt soms niet met elkaar overeen.'

'Wilt u me soms vertellen dat ik níet van mijn kinderen houdt?'

'Nee. Ik vroeg u waarom u zegt dat het pijn doet. Wat veroorzaakt uw pijn?'

'*Joder!* De godvergeten liefde doet pijn, stom wijf,' zei Consuelo. Ze trok haar vuist weg, zodat die onderzoekende vingertoppen niet langer op haar loslippige pols lagen. 'Sorry,' zei ze. 'Dat spijt me heel erg. Dat was onvergeeflijk.'

'U hoeft zich niet te verontschuldigen,' zei Aguado. 'Dit is geen cocktailparty.'

'Nee, zeker niet,' zei Consuelo. 'Weet u, ik heb altijd sterk aan de waarheid gehecht. Dat kunnen mijn kinderen bevestigen.'

'Dit is een ander soort waarheid.'

'Er is maar één waarheid,' zei Consuelo vol overtuiging.

'Je hebt de echte waarheid en je hebt de toonbare waarheid,' zei Aguado. 'Meestal liggen ze dicht bij elkaar. En meestal zijn er een paar uitzonderingen op het emotionele vlak.'

'U vergist zich, dokter. Zo zit ik niet in elkaar. Ik heb het een en ander gezien en het een en ander gedaan, en dat ben ik allemaal onder ogen gekomen.'

'Daarom bent u hier.'

'U maakt me voor leugenaar en lafaard uit. U vertelt me dat ik niet weet wie ik ben.'

'Ik stel vragen en u doet uw best daar antwoorden op te geven.'

'Maar u heeft me net verteld dat ik antwoorden geef die niet overeenstemmen met wat u in mijn pols voelt. Dus noemt u mij een leugenaar.'

'Ik wou het hier voor vandaag bij laten,' zei Aguado. 'Voor een eerste sessie hebben we nogal veel besproken. Ik wil u graag snel terugzien. Is dit een goed moment van de dag voor u? Ik neem aan dat voor een restaurateur de ochtend en de namiddag het best uitkomen.'

'Denkt u nou echt dat ik voor dit soort onzin terugkom?' vroeg Consuelo. Ze liep naar de deur en zwaaide de tas om haar schouder. 'Denk na... blinde teef!'

Ze sloeg de deur achter zich dicht. Op de kasseien van de straat ging ze bijna door haar enkel. Ze stapte in haar auto en stak de sleutel in het contact. Maar ze startte de motor niet. Ze greep zich vast aan het stuur, alsof alleen het stuur kon voorkomen dat ze over de rand van haar geestelijke gezondheid zou vallen. Ze huilde. Ze huilde tot het pijn deed op precies dezelfde plek als waar het pijn deed als ze naar haar slapende kinderen keek.

Angel en Manuela zaten in de vroege ochtendzon op het dakterras te ontbijten. Manuela droeg een witte badjas en bestudeerde haar tenen. Angel knipperde geïrriteerd met zijn ogen terwijl hij een van zijn artikelen in de ABC las.

'Ze hebben er een hele alinea uitgeknipt,' zei Angel. 'Een of ander stom redacteurtje maakt mijn journalistiek tot het werk van een idioot.'

'Ik kan mezelf dik hóren worden,' zei Manuela. Ze dacht nauwelijks na bij wat ze zei; haar hele wezen werd in beslag genomen door de transactie die later die ochtend gesloten zou worden. 'Ik zal de rest van mijn leven in een trainingspak moeten rondlopen.'

'Ik verdoe mijn tijd,' zei Angel. 'Ik doe maar wat, ik schrijf onzin voor sukkels. Nogal logisch dat ze erin schrappen.'

'Ik ga mijn nagels lakken,' zei Manuela. 'Wat vind je mooier, roze of rood? Of iets heftigs, om mensen af te leiden van mijn dikke reet?'

'Nu is het genoeg,' zei Angel. Hij smeet de krant over het terras. 'Ik heb het gehad met die troep.'

En op dat moment hoorden ze het: de klap die van ver kwam maar toch zwaar klonk. Ze keken elkaar aan, de dagelijkse zorgen direct vergetend. Manuela moest het wel vragen, al lag het nog zo voor de hand: 'Wat was dat in godsnaam?'

'Dat,' zei Angel, die zo snel opstond dat zijn stoel onder hem in elkaar zakte, 'was een grote explosie.'

'Maar waar?'

'Het geluid kwam uit het noorden.'

'Shit, Angel! Shit, shit, shit!'

'Wat is er?' vroeg Angel, die dacht dat ze nagellak over haar voet had geknoeid.'

'Je bent het toch niet nu al vergeten?' vroeg Manuela. 'We hebben er de halve nacht over liggen praten. Die twee huizen op Plaza Moravia? Die liggen precies ten noorden van waar we nu zijn.'

'Zo dichtbij was het niet,' zei Angel. 'Deze explosie was buiten de stadsmuren.'

'Dat is het probleem met journalisten,' zei Manuela. 'Ze zijn er zo aan gewend de vinger aan de pols te hebben dat ze alles denken te weten – zelfs op welke afstand er een explosie is.'

'Ik zei... O, god. Denk je dat het in het Estación de Santa Justa was?'

'Dat ligt oostelijker,' zei ze met vaag gebaar naar de daken.

'Het parlementsgebouw ligt in het noorden,' zei hij terwijl hij op zijn horloge keek. 'Daar is op dit tijdstip niemand aanwezig.'

'Behalve een paar vervangbare schoonmakers dan,' zei Manuela.

Angel was naar de tv gelopen en zapte van de ene naar de andere zender, tot hij Canal Sur had gevonden.

'We onderbreken de uitzending voor een grote explosie in het noorden van Sevilla, ergens in de wijk El Cerezo. Ooggetuigen zeggen dat een heel appartementencomplex is weggevaagd en dat een nabijgelegen kleuterschool zwaar is beschadigd. Er zijn geen berichten over de oorzaak van de explosie of het aantal slachtoffers.'

'El Cerezo?' vroeg Angel. 'Wat staat er in El Cerezo?'

'Niets,' zei Manuela. 'Goedkope flats. Het zal wel een gasexplosie zijn geweest.'

'Klopt. Het is een woonwijk.'

'Niet iedere harde klap wordt door een bom veroorzaakt.'

'Na de aanslagen in Madrid en Londen denkt iedereen daar natuurlijk automatisch aan,' zei Angel. Hij sloeg een plattegrond van Sevilla open.

'Jij wilt toch altijd dat er iets gebeurt? Nu gebeurt er iets. Zoek maar gauw uit of het gas of terrorisme is. Maar wat je ook gaat doen, Angel, ik wil niet dat...'

'El Cerezo ligt hier twee kilometer vandaan,' zei Angel, door haar groeiende hysterie heen brekend. 'Je zei het zelf al, het is een goedkope woonwijk. Het heeft niets te maken met wat jij op Plaza Moravia probeert te verkopen.'

'Als dat een terroristische aanslag was, maakt het niet uit waar die bom afging... Dan is de hele stad nerveus. Een van mijn kopers komt uit het buitenland, die ziet het als een investering. Investeerders reageren op dat soort dingen. Ik kan het weten – ik bén er een.'

'Is de onroerendgoedmarkt in Madrid na 11 maart ingestort?' vroeg Angel. 'Wind je niet zo op, Manuela. Waarschijnlijk was het gas.'

'Misschien is de bom per ongeluk afgegaan toen ze hem in elkaar wilden zetten,' zei ze. 'Of ze hebben zichzelf opgeblazen omdat ze hadden ontdekt dat de politie een inval ging doen.'

'Bel Javier,' zei Angel terwijl hij haar nek streelde. 'Hij zal wel meer weten.'

Falcón belde zijn directe baas, de Jefe de Brigada de Policía Judicial, Comisario Pedro Elvira, en vertelde hem dat de brandweercommandant zo goed als zeker wist dat deze mate van verwoesting alleen door een zware bom kon worden veroorzaakt. Daarna gaf hij het aantal slachtoffers dat op dat moment bekend was door.

Elvira kwam net uit een vergadering met zíjn baas, de hoogste politieman van Sevilla, de Jefe Superior de la Policía de Sevilla, Comisario Andrés Lobo, die de leiding van het onderzoek meteen aan Elvira had toegewezen. De Jefe Superior had bovendien tegen Elvira gezegd dat Esteban Calderón door de Magistrado Juez Decano de Sevilla was aangewezen om in het onderzoek als rechter van instructie op te treden. Er waren drie sloopbedrijven ingehuurd om het puin af te voeren en samen te werken met de reddingsteams, die onderweg waren om zo snel mogelijk naar overlevenden te gaan zoeken.

Falcón diende een aantal verzoeken in. Om te beginnen wilde hij dat er luchtfoto's zouden worden gemaakt voordat de plaats delict door de reddingsoperatie en de sloopwerkzaamheden zou zijn vervuild. Verder vroeg hij een grote politiemacht om een kordon van ongeveer één vierkante kilometer rondom het ingestorte gebouw te leggen, zodat alle voertuigen in de directe omgeving onderzocht konden worden. Als het een bom was geweest, moest hij vervoerd zijn, en de wagen waarmee dat was gebeurd, kon nog in de buurt staan. Zodra ze naar verdachte voertuigen gingen zoeken, hadden ze ook een team van de technische recherche en een eenheid van de explosievenopruimingsdienst nodig. Elvira liet hem weten dat aan zijn verzoeken zou worden voldaan en hing op.

De brandweercommandant stond in het brandpunt van de gebeurtenissen. Hij was op deze verschrikkelijke dag voorbereid en kreeg de eerste paniek in minder dan anderhalf uur onder controle. Hij nam Falcón mee naar de rand van de puinhoop. Onderweg beval hij een ploeg brandweermannen te stoppen met het ondersteunen van het dak van het ingestorte peuterklaslokaal, zodat de explosievenopruimingsdienst kon zien hoe de bom het gebouw had beschadigd. Hij lichtte Falcón in over de constructie van het vernietigde appartementencomplex en over de enorme omvang van de bom. Dat de bom groot was geweest, concludeerde hij uit het feit dat vier enorme steunpilaren volledig waren weggeblazen. Hierdoor moest het gigantische gewicht van de vloeren van gewapend beton in één keer op de dunne buitenmuren zijn terechtgekomen. Bij iedere verdieping die instortte, namen het gewicht en de snelheid van de vallende massa accumulatief toe.

‘Dat overleeft niemand,’ zei hij. ‘We kunnen alleen bidden dat er tussen het puin nog mensen leven.’

‘Waarom bent u er zo zeker van dat dit geen gasexplosie kan zijn geweest?’

‘Afgezien van het feit dat er geen berichten over een gaslek zijn binnengekomen en er maar twee kleinere branden zijn geweest, wordt de moskee in de kelder dagelijks gebruikt. Gas is zwaarder dan lucht en stroomt naar het laagste punt. De hoeveelheid gas die voor zo’n zware explosie nodig is, zou geroken zijn. Daar komt bij dat het gas zich voor de explosie verzameld zou moeten hebben in een ruimte die daar groot genoeg voor was. Op het moment van de explosie zou het gas een uitweg zoeken. Dat zou vooral vuur veroorzaken; er zou meer brand dan explosie zijn. De enorme vuurbal die dan ontstaat, zou de directe omgeving verschroeien. Veel mensen zouden brandwonden hebben. Een bom explodeert vanuit een kleine, afgesloten bron. Daardoor is zijn destructieve kracht veel geconcentreerder. Om die vier enorme pilaren van gewapend beton weg te slaan, heb je één heel zware bom of meerdere kleinere bommen nodig. De meeste slachtoffers die we tot nog toe hebben gezien, zijn door rondvliegend puin en glas geraakt. De ruiten zijn tot in de verre omtrek uit hun sponningen geblazen. Dat alles wijst op de explosie van één zware bom.'

Aan de rand van de rampplek was het licht vaal en ziekelijk geel. Een fijn stof van verpulverd beton en steen verstopte de keel en de neusgaten en verspreidde de stank van bederf. Tussen de op elkaar gestapelde verdiepingen klonk het herhaalde en steeds wanhopiger klinkende geluid van mobiele telefoons, steeds dezelfde standaardtunes die erom smeekten beantwoord te worden. Hier waren ze niet langer irritant; hier kregen ze persoonlijkheid. De brandweercommandant schudde zijn hoofd.

'Dat is het ergste van alles,' zei hij. 'Te moeten aanhoren hoe iemand langzaam de hoop verliest.'

Toen zijn eigen telefoon tegen zijn heup trilde, maakte Falcón van schrik bijna een sprongetje.

'Manuela,' zei hij terwijl hij een paar passen van de brandweercommandant wegliep.

'Ben je in orde, broertje?' vroeg ze.

'Ja, maar ik heb het druk.'

'Dat snap ik,' zei ze. 'Eén ding: was het een bom?'

'Er is nog geen bevestiging...'

'Ik heb het niet over het officiële persbericht,' zei ze. 'Ik ben je zus.'

'Ik wil niet dat Angel met een citaat van de Inspector Jefe die ter plekke is naar de ABC rent.'

'Dit is alleen voor mijn oren bestemd.'

'Geloof je het zelf?'

'Zeg het nou, Javier.'

'We denken dat het een bom was.'

'Verdomme.'

Falcón hing zonder gedag te zeggen op. Hij was woedend. Er waren doden en gewonden gevallen. Gezinnen waren met woning en al weggevaagd. En Manuela wilde weten of de onroerendgoedmarkt zou instorten.

7

Sevilla, dinsdag 6 juni 2006, 09.45 uur

Op het moment dat Falcón de verbinding met zijn zus verbrak, rende een man tussen hem en de brandweercommandant door. Hij struikelde over het eerste puin aan de rand van het ingestorte gebouw, krabbelde overeind en rende naar de op elkaar gestapelde betonnen verdiepingen. De verhouding tussen zijn lichaam en de enorme berg puin had een vervreemdend effect. Hij leek wel een pop, zoals hij van links naar rechts ging, op zoek naar een ingang in de warboel van beton, staven, wapeningsnetten en brokken baksteen.

De brandweercommandant riep hem, maar hij hoorde het niet. Hij stak zijn handen in het puin, sprong ergens overheen en slingerde zich over een dikke stalen pijp: het was één brok ongeremde kracht die uit waanzin voortkwam.

Tegen de tijd dat ze bij hem waren, was hij hulpeloos in het puin verstrikt. Zijn handen zaten onder de wonden en het bloed, en zijn gezicht was door verdriet verwrongen. Ze bevrijdden hem zoals soldaten aan het front een kameraad uit het prikkeldraad halen. Maar ze hadden hem nog niet teruggebracht of hij hervond zijn krachten en stormde weer op de puinhoop af. Falcón moest hem met zijn armen om zijn benen tackelen om hem tegen te houden. Ze worstelden als een prehistorisch insect tussen de brokken steen, tot Falcón erin slaagde boven op hem te komen en zijn armen om zijn borstkas heen te slaan.

'Je kunt er niet in,' hijgde hij, zijn stem schor van het stof.

De man gromde en probeerde zich uit Falcóns omhelzing te bevrijden. Hij staarde met zijn mond wijd open naar de overblijfselen van het gebouw, terwijl het zweet van zijn vuile gezicht droop.

'Wie liggen daar?' vroeg Falcón.

De man gromde weer iets en vormde twee woorden: vrouw, dochter.

'Welke verdieping?' vroeg de brandweercommandant.

De man keek naar hem op en knipperde met zijn ogen alsof er voor het beantwoorden van die vraag een ingewikkelde differentiële berekening gemaakt moest worden.

'Gloria,' zei de man. 'Lourdes.'

'Maar welke verdieping?' vroeg de brandweercommandant.

De man verslapte, alle strijdlust vloeide uit hem weg. Falcón liet hem los en rolde hem op zijn rug.

'Weet je of er, behalve Gloria en Lourdes, nog meer mensen waren?' vroeg Falcón.

Het hoofd van de man zakte naar één kant en zijn donkere ogen staarden naar de beschadigde achterkant van de kleuterschool. Hij ging zitten, krabbelde overeind en liep als een robot door het puin en de restanten van interieurs die tussen het appartementencomplex en de kleuterschool lagen. Falcón volgde hem. De man bereikte de plek waar een muur had moeten staan. Het klaslokaal was één grote chaos, vol kapotte meubels en glasscherven. Op de muur aan de andere kant van het lokaal hingen kindertekeningen die in de wind heen en weer bewogen. Er stonden grote zonnen op, en breed lachende poppetjes met rechtopstaand haar.

Het glas knerpte onder de voeten van de man. Hij struikelde en viel hard tegen een verwrongen bureau, maar hij stond meteen op en haastte zich om bij de tekeningen te komen. Toen hij bij de muur was, trok hij er één tekening af en keek ernaar met de intensiteit van een verzamelaar die een meesterwerk herkent. Er stonden een boom, een zon, een hoog gebouw en vier mensen op – twee volwassenen en twee kinderen. Rechts onder stond een naam in een volwassen handschrift: Pedro. De man vouwde de tekening zorgvuldig op en stak hem in zijn overhemd.

De drie mannen liepen via de gang naar de ingang van de kleuterschool. Inmiddels was de politie van het buurtbureau gearriveerd. De agenten probeerden de weg vrij te maken voor de ambulance, zodat de lichamen van de vier dode kinderen uit het getroffen klaslokaal konden worden afgevoerd. Twee moeders, die geknield aan de voeten van hun kind zaten, krijsten hysterisch bij het zien van deze laatste ontwikkeling. De derde moeder was al meegenomen.

Een vrouw, met om haar hoofd een dik wit verband waar het bloed doorheen begon te komen, herkende de man.

'Fernando,' zei ze.

De man draaide zich om, maar herkende haar niet.

'Ik ben Marta, de leidster van Pedro,' zei ze.

Fernando was zijn spraakvermogen kwijt. Hij haalde de tekening uit zijn overhemd en wees het kleinste figuurtje aan. Marta's motoriek leek evenmin te gehoorzamen; ze kon niet wegslikken wat in haar keel bleef steken en niet uitspreken wat in haar hoofd zat. De huid van haar gezicht leek naar binnen getrokken te worden en ze perste er een geluid uit dat zo onmenselijk en akelig klonk dat Fernando's borstkas begon te trillen. Haar oerkreet ontsteeg elke vorm van beschaving. Het was de zuiverste vorm van leed, niet minder intens geworden door het verstrijken van tijd of ontroerender gemaakt door poëzie. Deze duistere brok emotie kwam van achter uit haar keel.

Fernando vertrok geen spier. Hij vouwde de tekening op en stak hem weer in zijn overhemd. Falcón nam hem bij zijn arm mee naar de vier lijkjes. De ambulance reed achteruit, de menigte was opzij geduwd. Er kwamen twee verplegers met ieder twee lijkzakken uit de ambulance. Ze werkten snel omdat ze wisten dat het beter zou zijn als deze deerniswekkende klus geklaard zou zijn. Toen de verplegers de schortjes een voor een van de lijkjes afhaalden en de lichamen in een lijkzak schoven, sloeg Falcón zijn arm om Fernando's schouders. Hij moest Fernando eraan herinneren te ademen. Bij het derde lijkje begonnen Fernando's knieën te trillen. Falcón begeleidde hem naar de grond. Hij zakte op handen en voeten en kroop rond als een hond die vergiftigd is en een plek zoekt om te sterven. Een van de verplegers riep en wees. Een televisiecameraman was de kleuterschool via de achterkant binnengekomen en filmde de lijkjes. Hij draaide zich om en rende voordat iemand had kunnen reageren weg.

De ambulance vertrok. De spookachtige menigte liep erachteraan en gaf de achtervolging met een laatste uitbarsting van verdriet op, om vervolgens in groepjes uiteen te vallen, de diepbedroefde moeders van alle kanten gesteund. Televisieverslaggevers en hun cameramensen probeerden dichterbij te komen om met de vrouwen te praten. Ze werden teruggedreven. Falcón trok Fernando overeind en duwde hem terug de kleuterschool in, uit het zicht. Daarna ging hij op zoek naar een agent die de journalisten op afstand kon houden.

Buiten interviewde een journalist een jongeman van in de twintig met een paar bloedende schrammen op zijn wang; hij was tijdens de explosie ter plekke geweest. De camera stond vol op zijn gezicht gericht, op misschien tien centimeter afstand – de nabijheid maakte de beelden nog doordringender.

'... vlak nadat het was gebeurd, ik bedoel, het geluid... De klap was ongelooflijk hard, ik kreeg bijna geen adem meer. Het was...'

'Hoe was het?' vroeg jonge verslaggeefster gretig. Ze stak de microfoon weer naar zijn gezicht. 'Vertel het ons. Vertel Spanje hoe het was.'

'Het was alsof het kabaal alle lucht wegzoog.'

'Wat viel je als eerste op na de explosie, na het lawaai?'

'De stilte,' zei hij. 'Het was doodstil. En ik weet niet of ik het me verbeeldde of dat het echt was, maar ik hoorde klokken luiden...'

'Kerkklokken?'

'Kerkklokken, ja. Maar ze waren op hol geslagen, het was alsof ze door de schokgolf van de explosie werden geluid, begrijpt u, naar willekeur. Ik werd er misselijk van. Het was alsof alles in de wereld fout was gelopen, en niets ooit nog hetzelfde zou zijn.'

De rest ging verloren in het razen en dreunen van de rotoren van de helikopter, die het stof door de lucht joegen. Hij steeg op om een overzicht van de rampplek te krijgen; de luchtfoto's waar Falcón om had gevraagd werden gemaakt.

Hij zette een agent bij de ingang van de school, maar zag dat Fernando was verdwenen. Hij liep door de hal naar het ingestorte klaslokaal. Leeg. Terwijl hij zich een weg baande door het kapotte meubilair, belde hij Ramírez.

'Waar ben je?' vroeg Falcón.

'We zijn net aangekomen. We zitten op de Calle Los Romeros.'

'Is Cristina bij je?'

'We zijn hier allemaal. De hele afdeling.'

'Kom allemaal naar de kleuterschool.'

Fernando was weer naar de berg van puin en in elkaar gezakte verdiepingen gerend en stortte zich er als een bezetene op. Hij trok aan stukken beton, bakstenen en raamkozijnen, en smeet ze naar achteren.

'...reddingsteams die aan deze kant werken,' brulde Ramírez boven het lawaai van de helikopter uit. 'Hun honden zoeken in het puin.'

'Kom hierheen.'

Fernando trok aan een stalen wapeningsnet van een betonnen vloer. Hij zette zich schrap tegen een brokstuk. De spieren in zijn nek puilden uit en zijn halsslagader zwol op tot hij zo dik als een kabel was. Falcón trok hem los en er volgde weer een worsteling, waarbij ze door het stof en puin ploeterden en struikelden tot ze eruitzagen als geesten van zichzelf.

'Heb je Gloria's telefoonnummer niet?' schreeuwde Falcón.

Ze bleven hijgend in de verstikkende atmosfeer liggen. Zweet en rondwervelend grijs, wit en bruin stof vormde een dikke koek op hun gezicht.

De vraag had een verlammende uitwerking op Fernando. Om hen heen waren voortdurend mobiele telefoons gegaan, maar hij bevond zich in een dusdanige shocktoestand dat hij niet aan bellen had gedacht. Toen trok hij plotseling zijn telefoon uit zijn zak en drukte hem in alsof zijn leven ervan afhing. De helikopter vertrok en liet een enorme stilte achter.

Fernando knipperde met zijn ogen. Hij probeerde zich zijn persoonlijke toegangscode te herinneren, maar zijn hersens klapperden als een vlag in de wind. Plotseling schoot hij hem te binnen. Hij toetste hem in en belde Gloria. Hij krabbelde overeind, deed een paar stappen de puinhoop in en stak zijn hand op, alsof hij de wereld het zwijgen wilde opleggen. Links van hem klonk, zwak en dunnetjes, een Cubaans pianomelodietje.

'Dat is 'r!' brulde hij. Hij liep naar links. 'Ze was aan deze kant van het gebouw toen ik haar... voor het laatst zag.'

Ook Falcón kwam overeind. Hij deed een zinloze poging het vuil van zich af te slaan en zag de agenten van zijn afdeling aankomen. Hij gebaarde met zijn hand en liep naar de tingelende piano, die *Lágrimas Negras* – 'Zwarte tranen' – speelde.

'Dat is die van haar,' riep Fernando. 'Daar is ze.'

Baena, een jonge rechercheur uit Falcóns afdeling, rende terug en haalde een reddingsteam met een hond. Het team lokaliseerde de plek waar het geluid vandaan kwam en slaagde erin uit Fernando los te krijgen dat zijn vrouw en dochter zich op de vierde verdieping hadden bevonden. Ze keken hem zonder te reageren aan; bij de aanblik van zijn oplevende hoop had geen van hen het hart om hem te vertellen dat ze met zo'n val en de drie daar bovenop gestorte verdiepingen, voorlopig niets anders konden doen dan bidden.

'Ze is daar,' zei hij tegen hun zwijgende, uitdrukkingsloze gezichten. 'Ze heeft haar mobieltje altijd bij zich. Ze zit in de verkoop. *Lágrimas Negras* is haar lievelingsliedje.'

Falcón knikte naar Cristina Ferrera en ze begeleidden Fernando terug naar de kleuterschool. Daar regelden ze een verpleegster om hem op te frissen en zijn verwondingen te verzorgen. Falcón liet zijn agenten bij de toiletten verzamelen. Terwijl hij ze toesprak, waste hij zijn handen en gezicht en keek hen via de spiegel aan.

'We hebben nog nooit zo'n ingewikkeld onderzoek gedaan,' zei Falcón. 'Ik ook niet. Bij een terroristische aanslag is niets wat het lijkt te zijn. Dat heeft 11 maart ons wel geleerd. Bovendien zullen bij dit onderzoek heel veel mensen betrokken zijn: van de inlichtingendienst CNI, van de antiterreurafdeling van de CGI en van de explosievenopruimingsdienst. En van onszelf. En dat zijn dan alleen nog maar onderzoekers. Wij, van de afdeling moordzaken, moeten ons concentreren op onze taak. Ik heb om een politiekordon gevraagd om te vermijden dat onbevoegden op de plaats delict komen.'

'Dat is geregeld,' zei Ramírez. 'Ze zijn al bezig de journalisten weg te werken.'

Falcón draaide zich om en gaf hem een natte hand.

'Inmiddels weten jullie allemaal dat er een moskee in de kelder van het gebouw zat. Het is niet aan ons om te speculeren over wat waarom is gebeurd. Ons werk is uit te zoeken wie er in die moskee waren, wie er uit zijn gekomen, wat zich er de afgelopen vierentwintig uur heeft afgespeeld, en daarna wat er zich de afgelopen achtenveertig uur heeft afgespeeld, enzovoort. Dat doen we door met iedere potentiële getuige te praten die er is. Een ander cruciaal punt is dat we ieder voertuig in de buurt moeten onderzoeken. Het was een zware bom. Om zo'n bom hier te krijgen, heb je vervoer nodig. Als dat voertuig nog hier is, moeten wij het vinden.

Op dit moment zal het moeilijk zijn de eerste taak uit te voeren, want de bewoners van de omliggende appartementen zijn geëvacueerd. Onze prioriteit ligt nu dus bij het onderzoeken van de voertuigen en het achterhalen van de eigenaren. José Luis deelt jullie op en zorgt ervoor dat de hele sector wordt uitgekamd. We beginnen met de voertuigen die het dichtst bij het getroffen gebouw staan. Cristina, jij blijft voorlopig even bij mij.

En vergeet niet dat iedereen hier slachtoffer is. Of ze nou iemand hebben verloren, gezien hebben hoe mensen gewond raakten, hun huis kwijt zijn of met gesprongen ramen zitten. De media zullen jullie op de huid zitten. Er wacht jullie een zware taak die veel stress met zich meebrengt. Je zult merken dat je meer informatie krijgt als je je gevoelig en begripvol opstelt dan als je dit als een gewoon onderzoek behandelt. Jullie deugen stuk voor stuk, daarom zitten jullie in mijn afdeling. En nu eropaf. Zoek uit wat er is gebeurd.'

Ze liepen achter elkaar naar buiten. Ferrera bleef achter. Falcón spoelde zijn haar uit onder de kraan en veegde zijn gezicht en handen droog.

'Hij heet Fernando. Zijn vrouw en dochter zaten in het ingestorte gebouw, zijn zoon is een van de kleuters die omkwam in de luchtstroom die op de explosie volgde. Zoek uit of hij nog familie heeft en zo niet, een goede vriend. En dan ook een echt goede vriend. Na zijn ontbijt is hij van huis gegaan en een halfuur later was hij alles kwijt. Als hij dat beseft, wordt hij gek.'

'Wil je dat ik bij hem blijf?'

'Dat kunnen we ons niet veroorloven. Ik wil zeker weten dat hij bij een traumateam wordt afgeleverd. Dat kan hier overigens ieder moment zijn. Vertel ze wat zijn situatie is, want hij kan geen woord uitbrengen. Waarschijnlijk wil hij hier blijven tot de lichamen zijn gevonden. Zorg ervoor dat je weet waar hij terechtkomt; ik wil weten wat er met hem gebeurt.'

Ze liepen de toiletten uit. Een team van de explosievenopruimingsdienst schuifelde door het zwaar beschadigde klaslokaal, als amateurgeologen die kostbare stenen zoeken. Alles wat van belang kon zijn werd in een plastic zak gestopt. Buiten waren twee andere teams bezig, gehaast, zodat de graafmachines het terrein op konden om puin te gaan verwijderen; pas dan kon er naar overlevenden gezocht worden.

Cristina Ferrera liep het klaslokaal in, waar de verpleegster net de laatste hand legde aan de verzorging van Fernando's verwondingen. Ze wist waarom Falcón haar dit had opgedragen. De verpleegster deed haar best, maar hij reageerde niet op haar; zijn gedachten waren bij grotere, donkerdere zaken. De verpleegster maakte haar werk af en pakte haar spullen. Cristina vroeg haar zo snel mogelijk iemand van het traumateam te sturen en ging bij het schoolbord zitten, op enige afstand van Fernando. Ook al sloot de intensiteit van zijn gedachten ieder contact met de buitenwereld uit, ze wilde zich niet aan hem opdringen. Zo snel als zijn gezicht door hoop was verlicht, werd het nu door verdriet verduisterd, zoals een wolk over een landschap kan trekken.

'Wie bent ú?' vroeg hij na enige tijd, alsof hij haar net zag.

'Ik ben agent. Mijn naam is Cristina Ferrera.'

'Zonet was er een man. Wie was dat?'

'Dat was mijn baas, Javier Falcón. Hij is de Inspector Jefe van moordzaken.'

'Dan zal hij het wel druk hebben.'

'Hij is een goed mens,' zei Ferrera. 'Een buitengewoon mens. Hij zal het tot op de bodem uitzoeken.'

'We weten toch allemaal wie erachter zitten?'

'Nee.'
'De Marokkanen.'
'Het is te vroeg om dat te zeggen.'
'Vraag maar rond. Iedereen heeft aan de mogelijkheid gedacht. Sinds 11 maart hebben we ze daar naar binnen zien gaan. We hebben gewacht.'
'Bedoelt u dat u ze de moskee binnen heeft zien gaan? De moskee in de kelder?'
'Precies.'
'Niet iedereen die naar een moskee gaat is Marokkaans. Veel Spanjaarden hebben zich tot de islam bekeerd.'
'Ik werk in de bouw,' zei hij, ongeïnteresseerd in haar genuanceerde mening. 'Ik zet dit soort gebouwen in elkaar. Veel betere gebouwen. Ik werk met staal.'
'In Sevilla?'
'Ja. Ik bouw appartementen voor yuppies. Tenminste, dat zeggen ze.'
Fernando's wereld was op zijn kop gezet en nu probeerde hij de meubels weer op zijn plaats te zetten. Alleen viel het hem af en toe op dat de meubels leeg waren. Dan stortte hij weer in de afgrond van het verlies en het verdriet. Hij probeerde over de bouw te praten maar raakte de weg kwijt zodra hij eraan dacht dat zijn vrouw en dochter tussen al dat staal en beton naar beneden waren gestort. Hij zou uit zichzelf, uit zijn lijf en uit zijn hoofd, willen treden, maar waar moest hij dan naartoe? Waar zou zijn ziel respijt kunnen krijgen? Een laag overvliegende helikopter zette zijn gedachten op een ander spoor.
'Heeft u kinderen?' vroeg hij.
'Een zoon en een dochter.'
'Hoe oud?'
'Mijn zoon is zestien. Mijn dochter veertien.'
'Lieve kinderen,' zei hij. Het was niet zo zeer een vraag, eerder een uitdrukking van hoop.
'Op het moment hebben ze kuren,' zei ze. 'Hun vader is drie jaar geleden overleden. Ze hebben het niet gemakkelijk gehad.'
'Wat naar,' zei hij, zijn eigen tragedie even onder die van haar begravend. 'Waaraan is hij overleden?'
'Hij had een zeldzame soort kanker.'
'Dat is zwaar voor uw kinderen. Vaders zijn op die leeftijd erg belangrijk. Dan proberen ze hun moeder uit, zodat ze genoeg vertrouwen krijgen om tegen de wereld te rebelleren. Tenminste, dat heeft Gloria me

verteld. Ze hebben de vader nodig omdat hij hen duidelijk maakt dat het minder eenvoudig is dan ze denken.'

'Dat zou best kunnen.'

'Volgens Gloria ben ik een goede vader.'

'Uw vrouw...'

'Mijn vrouw, ja.'

'Vertelt u eens over uw kinderen?' vroeg ze.

Dat kon hij niet. Er waren geen woorden voor hen. Hij gaf met zijn hand aan hoe lang ze waren, wees door het raam naar de puinhoop en haalde ten slotte de tekening uit zijn overhemd. Die vertelde het hele verhaal – driehoekjes met stokjes, een grote rechthoek met ramen, een ronde groene boom en een enorme oranje zon tegen een blauwe hemel.

Er arriveerde een gigantische hijskraan, voorafgegaan door een bulldozer die het terrein tussen het opgeblazen appartementencomplex en de kleuterschool schoonveegde. Twee kiepauto's manoeuvreerden achter de hijskraan, en een graafmachine begon het puin en de brokstukken in de kiepauto's te storten. De kraanwagen zette op het schoongeveegde terrein zijn poten uit en een team van mannen met gele helmen op maakte de hijsinstallatie gebruiksklaar.

Langs de voorgevel van het gebouw, aan de Calle Los Romeros, verscheen een verse ploeg agenten van de Jefatura. Ze kwamen voor Falcón. De rest van de afdeling moordzaken werkte samen met de plaatselijke politie; ze waren druk bezig te achterhalen wie de eigenaren van de auto's waren. Comisario Elvira was in vol ornaat verschenen. Hij werd door de brandweercommandant over de plek des onheils rondgeleid. Terwijl hij rondliep, belde zijn assistent alle teamleiders die bij de operatie waren betrokken en gaf hun opdracht voor een vergadering naar een van de lokalen van de kleuterschool te komen. Toen het gevolg koers zette naar de kleuterschool, liep een vrouw naar Elvira. Ze gaf hem een lijst waarop twaalf namen stonden.

'En wie zijn die mensen?' vroeg Elvira.

'Dit zijn de namen van alle mannen die op het moment van de explosie in de moskee waren. Alleen die van de imam, Abdelkrim Benaboura, staat er niet op,' zei ze. 'Mijn naam is Esperanza. Ik ben Spaans. Mijn partner, die ook Spaans is, was in de moskee. Ik vertegenwoordig de vrouwen, moeders en vriendinnen van deze mannen. Wij houden ons schuil. De vrouwen, vooral de Marokkaanse vrouwen, zijn bang dat de mensen zullen denken dat hun mannen en zonen op de een of andere manier verantwoordelijk zijn voor wat hier gebeurd is. Op de achterkant van het papier staat het nummer van mijn mobiele telefoon. We zouden u willen vragen ons te bellen als u meer weet over hun... Over wat dan ook.'

Ze maakte zich uit de voeten, en Elvira had tijd noch personeel om haar te laten volgen. Calderón baande zich een weg door de menigte naar Falcón.

'Ik herkende je niet, Javier,' zei hij, terwijl hij hem de hand schudde. 'Wat heb je gedaan?'

'Ik moest een man tegenhouden die zichzelf op de puinhopen wierp om zijn vrouw en dochter te redden.'

'Dus dit was de grote klap,' zei Calderón zonder op Falcóns woorden in te gaan. 'Is het ons uiteindelijk toch nog overkomen.'

Ze liepen verder naar de school waar inmiddels van alle groeperingen een vertegenwoordiging aanwezig was: van de politie, van de rechterlijke macht, van de explosievenopruimingsdienst, van de reddingsploegen, van de traumadiensten, van de medische dienstverleners en van de sloopploeg. Elvira maakte duidelijk dat iedereen zijn mond moest houden tot hij het plan van aanpak had ontvouwd. Om hun volle aandacht te krijgen, vroeg hij de leider van de explosievenopruimingsdienst kort verslag te doen van de eerste analyses van de brokstukken van de explosie. Daaruit bleek dat het appartementencomplex was opgeblazen met een buitengewoon krachtige bom die waarschijnlijk in de kelder tot ontploffing was gekomen, en waarvan de springstof vermoedelijk eerder van een militaire dan van een commerciële kwaliteit was. Dit deskundigenverslag legde de samengekomen groep het zwijgen op en stelde Elvira in staat er in veertig minuten een gecoördineerd plan door te jagen.

Aan het eind van de bijeenkomst hield Ramírez Falcón tegen toen hij op weg was naar de toiletten, waar hij schone kleren wilde gaan aantrekken.

'We hebben iets,' zei hij.

'Vertel het me maar terwijl ik me omkleed.'

Zodra hij zich had aangekleed, ging Falcón op zoek naar Comisario Elvira en Juez Calderón en verzocht hij Ramírez om te herhalen wat hij net tegen hem had gezegd.

'Afgezien van de voertuigen die onder het puin zijn bedolven, hebben we in de directe nabijheid van het gebouw drie gestolen auto's en een busje gevonden,' zei hij. 'Het busje staat vlak bij de kleuterschool. Het is een Peugeot Partner, en het is in Madrid geregistreerd. Op de passagiersstoel lag een koran. We kunnen niet in de laadruimte kijken, want die heeft geen zijramen en de achterruiten zijn gebarsten. Maar het busje staat op naam van ene Mohammed Soumaya.'

8

Sevilla, dinsdag 6 juni 2006, 11.35 uur

De parkeerplaats lag direct achter het vernietigde gebouw, naast de kleuterschool. Een paar bomen vormden een baldakijn boven wat bankjes, met de Calle Blanca Paloma aan de ene en een vijf verdiepingen tellend appartementencomplex aan de andere kant. Je kon de parkeerplaats maar via één straat bereiken. Calderón, Elvira, Falcón en Ramírez liepen naar de Peugeot Partner. De assistent van Elvira logde in in de politielijst met terreurverdachten en voerde Mohammed Soumaya in. Hij stond in de categorie waarvan de risicofactor laag werd ingeschat, wat inhield dat hij voorzover bekend geen banden had met een persoon of een organisatie met een terroristische of islamfundamentalistische achtergrond. De enige reden dat hij op de lijst voorkwam, was dat hij aan het laagste terroristenprofiel voldeed: hij was jonger dan veertig, toegewijd moslim en alleenstaand. Elvira's assistent voerde de namen in van de twaalf mannen die op het moment van de explosie in de moskee aanwezig waren geweest. Mohammed Soumaya stond niet op die lijst. Hij gaf de namen door aan het CNI – de Spaanse inlichtingendienst.

Op de parkeerplaats waren twee takelwagens bezig met het afvoeren van de auto's waarvan de eigenaren waren vastgesteld en gescreend. Van de meeste van deze auto's waren de ruiten gebarsten en was de carrosserie door rondvliegend puin beschadigd. Ook de twee achterruiten van de Peugeot Partner waren gebarsten, waardoor je er niet doorheen kon kijken. De achterdeuren waren gebutst. De zijramen waren onbeschadigd, en ook de voorruit, die van de explosie af had gestaan, was intact. Je kon de koran, een nieuwe, Spaanstalige editie, op de passagiersstoel zien liggen. Twee mannen van de technische recherche, in witte overalls met beschermende kappen voor hun gezicht en rubber handschoenen aan, stonden gereed. Er werd gediscussieerd over boobytraps, en ze belden de explosievenopruimingsdienst en een agent van de hondenbrigade. De hond vond niets. De onderkant en het motorblok werden geïnspecteerd en veilig bevonden. De man van de explosievenopruimingsdienst verwijderde het glas uit een van de twee gebarsten achterruiten. De achterdeuren werden geopend en de lege binnenkant en de gestoffeerde vloer werden gefotografeerd. Op een vlak van zo'n twintig bij dertig centimeter was een fijn, kristalachtig, wit poeder geknoeid. De opgewonden speurhond sprong naar binnen en ging onmiddellijk bij het poeder zitten. Een van de mannen van de technische recherche pakte een soort kruimeldief met een doorzichtige plastic flacon eraan en zoog het poeder op. De flacon werd er afgehaald en voorzien van een dop en een bewijsnummer.

De mannen van de technische recherche liepen naar de voorkant van het busje en stopten de nieuwe koran, waarvan de rug helemaal gaaf was, in een zak. In het handschoenenkastje vonden ze nog een koran. Deze Spaanstalige editie was intensief gebruikt en stond vol aantekeningen in de marges; het bleek precies dezelfde uitgave te zijn als het exemplaar dat op de passagiersstoel was gevonden. Ook deze werd in een zak gestopt, net als de autopapieren. Falcón noteerde het ISBN en de barcode van beide boeken. Onder de passagiersstoel lagen een leeg mineraalwaterflesje en een zwarte katoenen tas. In de tas zat een zorgvuldig opgevouwen groen-witte sjerp waarop in de lengte Arabische tekens stonden. Er lag ook nog een zwarte hoofdkap met gaten voor de ogen en de mond.

'Laten we onze opwinding temperen zolang we geen analyse van het poeder uit de laadbak hebben,' zei Calderón. 'Hij heeft een winkel. Voor hetzelfde geld is het gewoon suiker.'

'Niet als mijn hond ernaast gaat zitten,' zei de man van de explosievenopruimingsdienst. 'Hij heeft zich nog nooit vergist.'

'Het lijkt me verstandig om contact met Madrid op te nemen en ervoor te zorgen dat iemand bij het huis en de winkel van Mohammed Soumaya langsgaat,' zei Falcón. Ramírez ging iets verderop staan om te bellen. 'En we moeten tot in detail weten wat hij de afgelopen achtenveertig uur heeft uitgespookt.'

Calderón zei: 'Jullie zullen er nog een hoop werk aan hebben om alle mensen te vinden die op de parkeerplaats en op de voor- en de achterkant van het vernielde gebouw uitkijken. De man van de explosievenopruimingsdienst zei dat het een zware bom was. Dat betekent dat hier een grote hoeveelheid springstof is gebracht, misschien in kleinere ladingen per keer, door meerdere mensen op verschillende tijdstippen.'

'We moeten weten of de moskee, of de mensen die in de moskee aanwezig waren, door de antiterreurafdeling van de CGI of door het CNI in de gaten werden gehouden,' zei Falcón. 'Als dat het geval is, hebben we die informatie nodig. Waar zijn die lui trouwens? Ik heb bij die bijeenkomst niemand van de CGI gezien.'

'Het CNI is nu naar ons onderweg,' zei Elvira.

'En de CGI?' vroeg Calderón.

'Zij zijn ingesloten,' zei Elvira kalm.

'Wat wil dat zeggen?' vroeg Calderón.

'Dat wordt ons uitgelegd zodra het CNI hier is,' zei Elvira.

'Hoe lang duurt het nog voordat de brandweer en de explosievenopruimingsdienst het sein kunnen geven dat de appartementencomplexen direct rondom het vernielde gebouw veilig zijn?' vroeg Falcón. 'Als de bewoners naar binnen mogen, is er tenminste een kans dat we snel informatie kunnen inwinnen.'

'Dat realiseren ze zich,' zei Elvira. 'Ze hebben tegen me gezegd dat de mensen, als ze verder niets tegenkomen, binnen een paar uur kunnen terugkeren. Ondertussen is er een telefoonnummer aan de pers gegeven waar burgers met informatie naar kunnen bellen.'

'Maar ze weten nog niet hoe belangrijk de Peugeot Partner is,' zei Falcón. 'Zolang de mensen niet in hun appartementen zijn teruggekeerd, komen we geen steek verder.'

De burgemeester, die op het moment dat de stad met een klap tot stilstand kwam in het verkeer vast was komen te zitten, was eindelijk op de parkeerplaats aangekomen. Hij werd vergezeld door ministers van de Andalusische regering. Die kwamen net uit het ziekenhuis, waar ze waren gefilmd terwijl ze met enkele slachtoffers spraken. Een stel opgewonden journalisten had toestemming gekregen het politiekordon te passeren en bewoog zich in een groepje rondom de functionarissen, terwijl cameraploegen hun apparatuur zo opstelden dat de catastrofe een hartverscheurende achtergrond vormde. Elvira liep naar de burgemeester om verslag te doen van de situatie. Hij werd door zijn eigen assistent onderbroken. Ze overlegden, en Elvira wees naar Falcón.

'Maar drie van de twaalf namen die op die lijst stonden, komen voor op de database van terrorismeverdachten,' zei de assistent. 'En die drie zitten allemaal in de categorie met de laagste risicofactor. Vijf van de twaalf waren ouder dan vijfenzestig. Het ochtendgebed is niet erg populair onder jongeren, omdat de meesten dan naar hun werk moeten.'

'Niet echt een standaardprofiel van een terreurcel,' zei Falcón. 'Maar goed, we weten dan ook niet wie er nog meer binnen waren.'

'Hoeveel van hen waren jonger dan vijfendertig?' vroeg Calderón.

'Vier,' zei de assistent. 'Waaronder twee broers waarvan er een zwaar gehandicapt is en in een rolstoel zit. De andere is een bekeerde Spanjaard. Hij heet Miguel Botín.'

'En de overige drie?'

'Overige vier, als je de imam meetelt. Hij staat alleen niet op de lijst die die vrouw ons heeft gegeven. Hij is vijfenvijftig, de andere drie zijn in de veertig. Twee van hen hebben een uitkering; zij hebben een bedrijfsongeval gehad en zijn arbeidsongeschikt. De derde is ook een bekeerde Spanjaard.'

'Dat klinkt niet alsof we het over een eenheid van een elitecorps hebben,' zei Calderón.

'Er is nog een interessant punt. De imam staat wel op de database van terreurverdachten. Hij is in september 2004 vanuit Tunesië naar Spanje gekomen.'

'En daarvoor?'

'Dat is het 'm. Ik ben niet gemachtigd om die informatie op te vragen. De Comisario misschien wel.' Hij liep weg en voegde zich bij het groepje rond de burgemeester.

'Hoe kan de informatie over iemands achtergrond een hoger niveau van geheimhouding hebben terwijl hem een lager risicofactor is toebedeeld?' vroeg Ramírez.

'Laten we ons concentreren op de dingen die we zeker weten,' zei Juez Calderón. 'Of bijna zeker. We hebben een bomexplosie waarvan het epicentrum in een moskee in de kelder van het gebouw lijkt te liggen. We hebben een busje dat eigendom is van Mohammed Soumaya, een moslim met een laag terrorismerisico van wie we niet weten of hij op het moment van de explosie in het gebouw was. In zijn busje lagen, volgens de hond van de explosievenopruimingsdienst, explosieven. We hebben een lijst met twaalf mensen die op dat moment in de moskee waren, exclusief de imam. Drie van die twaalf plus de imam komen voor op de lijst van terreurverdachten, allen in de categorie met het laagste risico. We onderzoeken de dood van vier kinderen in de kleuterschool en drie mensen die tijdens de explosie voor het appartementencomplex liepen. Verder nog iets?'

'De hoofdkap, de sjerp en de twee korans,' zei Ramírez.

'We moeten een deskundige naar de aantekeningen in de marges van die gebruikte koran laten kijken,' zei Calderón. 'Goed, op welke vragen willen we antwoord hebben?'

'Is dit busje hier door Mohammed Soumaya naartoe gereden?' begon Falcón. 'En zo nee, door wie dan wel? Als wordt bevestigd dat het poeder explosief is, wat voor explosief is het dan? Waarom lag het hier en hoe is het tot ontploffing gebracht? Terwijl we wachten tot we uit Madrid meer over Soumaya horen, maken wij een plaatje van wat er de afgelopen week in en in de omgeving van deze moskee is gebeurd. Om te beginnen kunnen we mensen vragen of ze zich herinneren dat dit busje hier is geparkeerd, hoeveel mensen erin zaten, of ze hebben gezien dat er iets werd uitgeladen, enzovoorts. Kunnen we een foto van Soumaya krijgen?'

Ramírez, die weer stond te bellen, dit keer om uit te zoeken of iemand naar de gebruikte koran kon kijken, knikte en gebaarde met zijn wijsvinger dat hij daar al mee bezig was. Een politievrouw kwam uit de richting van de puinhoop en liet Calderón weten dat het eerste lijk – een oude vrouw die op de achtste verdieping had gewoond – uit het verwoeste appartementencomplex was gehaald. Ze spraken af over een paar uur weer bijeen te komen. Ramírez beëindigde zijn telefoongesprek op het moment dat Cristina Ferrera uit de kleuterschool kwam.

Ze spraken af dat Ramírez, Sub-Inspector Pérez, Serrano en Baena zich met de identificatie van de voertuigen zouden blijven bezighouden. Falcón en Cristina Ferrera gingen op zoek naar de bewoners van het vijf verdiepingen tellende appartementencomplex die het beste uitzicht hadden op de parkeerplaats waar de Peugeot Partner was achtergelaten. Ze liepen door de straat naar het politiekordon, waar zich een groep bewoners had verzameld; zij wachtten tot ze hun appartement weer in mochten.

'Hoe ging het met Fernando toen je hem achterliet?' vroeg Falcón. 'Ik verstond zijn achternaam niet goed.'

'Fernando Alanis,' zei ze. 'Hij had zichzelf redelijk in de hand, gezien de omstandigheden. We hebben telefoonnummers uitgewisseld.'

'Heeft hij iemand naar wie hij toe kan?'

'Niet in Sevilla,' zei ze. 'Zijn ouders wonen in het noorden en zijn te oud en ziek. Zijn zus woont in Argentinië. De familie van zijn vrouw keurde hun huwelijk af.'

'Vrienden?'

'Zijn gezin was zijn leven,' zei ze.

'Heeft hij enig idee wat hij nu moet doen?'

'Ik heb tegen hem gezegd dat hij bij mij kan logeren.'

'Dat had je niet hoeven doen, Cristina. Je bent niet verantwoordelijk voor hem.'

'Maar u wist dat ik het hem zou aanbieden, of niet soms, Inspector Jefe?' vroeg ze. 'Als de situatie erom zou vragen.'

'Ik wilde hem bij mij in huis nemen,' zei Falcón. 'Jij moet naar je werk, en je hebt je kinderen... Je hebt niet genoeg ruimte.'

'Hij zal behoefte hebben aan wat hij heeft verloren,' zei ze. 'En wie zou er bij u thuis op hem moeten letten?'

'Mijn huishoudster,' zei Falcón. 'Je zult me misschien niet geloven, maar dit was echt niet mijn bedoeling.'

'We moeten één lijn trekken, want als we niet voor elkaar zorgen, laten we ze winnen,' zei ze. 'En u heeft dit soort klusjes altijd aan mij toegewezen – eens een non, altijd een non.'

'Ik kan me niet herinneren dat ik dat gezegd heb.'

'Maar u herinnert zich vast wel dat u het heeft gedacht,' zei Ferrera. 'En heeft u niet gezegd dat we in de strijd tegen de misdaad meer dan alleen maar voetvolk zijn? Dat we er ook zijn om te helpen? De rechercheurs bij de afdeling moordzaken van Sevilla zijn de kruisvaarders van Andalucía.'

'Als José Luis je dat hoorde zeggen, zou hij je in je gezicht uitlachen,' zei Falcón. 'En met dergelijke woorden zou je in dit onderzoek voorzichtig moeten zijn.'

'Fernando beschuldigde "de Marokkanen" al,' zei ze. 'Sinds 11 maart zien ze hen die moskee binnengaan en vragen ze zich af wat daar gebeurt.'

'Het ligt voor de hand dat het menselijke brein nu zo werkt, en iedereen ziet graag dat zijn vooroordelen worden bevestigd,' zei Falcón. 'Maar we mogen hun vooroordelen niet in ons onderzoek toelaten. Wij onderzoeken de feiten en houden die strikt gescheiden van aannames die voor de hand lijken te liggen. Doen we dat niet, dan begaan we dezelfde fouten als ze in Madrid na de aanslag hebben gemaakt, toen ze de ETA onmiddellijk de schuld gaven. Er werden nu al vergissingen gemaakt met sommige aspecten van bewijzen die in de Peugeot Partner zijn gevonden.'

'Explosieven, twee korans en een groenwitte sjerp en een zwarte hoofdkap klinken niet echt als een vergissing,' zei Ferrera.

'Waarom twee korans? Eén gloednieuwe goedkope Spaanse editie, en één die intensief is gebruikt en vol aantekeningen staat, maar die verder precies hetzelfde is?'

'Misschien was de tweede een cadeau.'

'En waarom zou je die vol in het zicht op de passagiersstoel laten liggen?' vroeg Falcón. 'Dit is Sevilla. Mensen laten normaalgesproken niets in hun auto achter. We hebben meer informatie over deze boeken nodig. Ik wil dat je uitzoekt waar ze zijn gekocht en of er bij de aankoop een creditcard of een pasje is gebruikt.'

Hij scheurde de bladzijde met de ISBN's en de barcodes uit zijn notitieboekje, schreef ze over en gaf Ferrera het blaadje dat hij eruit had gescheurd.

'Wat willen we van de bewoners van dit appartementencomplex weten?'

'Hou het eenvoudig. Iedereen is van streek. Als we getuigen vinden, nemen we ze mee naar de parkeerplaats en vragen we of ze de Peugeot hebben zien aankomen en of ze de inzittenden hebben zien uitstappen. Als dat het geval is, kunnen ze misschien zeggen hoe oud ze waren en of ze iets uit de laadruimte hebben gehaald.'

Bij het politiekordon riep Falcón het adres van het appartementencomplex. Er kwamen twee mensen naar voren: een oude man van in de zeventig en een vrouw van in de veertig met verwondingen aan het gezicht en een arm in het gips, die in een mitella zat. Falcón nam de oude man, Ferrera de vrouw. Bij de ingang van hun gebouw bevestigden een lid van de explosievenopruimingsdienst en een brandweerman dat het gebouw veilig was. Falcón liet de oude man de Peugeot Partner zien en nam hem mee naar zijn appartement op de derde verdieping. De woonkamer en de keuken lagen onder het glas. Jaloezieën hingen in flarden naar beneden, stoelen waren omgevallen en foto's lagen op de grond. De zachte zittingen van de fauteuils waren opengereten, er stak bruin schuim uit de gaten.

De oude man had aan de achterkant van het appartement in bed gelegen. Zijn zoon en schoondochter waren al naar hun werk vertrokken, met hun kinderen, die te oud waren voor de kleuterschool: niemand was gewond geraakt. Hij stond midden in zijn geruïneerde huis en schudde zijn linkervuist terwijl zijn oude, tranende ogen de ravage opnamen.

'Dus u bent overdag alleen?' vroeg Falcón.

'Mijn vrouw is afgelopen november overleden,' zei hij.

'En hoe brengt u de dag door?'

'Zoals oude kerels dat doen. Ik lees de krant, maak koffie en kijk naar de spelende kinderen bij de kleuterschool. Ik zwerf wat rond, maak een praatje en kies het beste moment voor het roken van een van de drie sigaretten die ik per dag van mezelf mag roken.'

Falcón liep naar het raam en trok de vernielde jaloezieën weg.

'Herinnert u zich dat busje?'

'De wereld is tegenwoordig vergeven van de witte busjes,' zei de oude man. 'Dus ik weet niet zeker of ik twee keer hetzelfde busje of twee keer verschillende busjes heb gezien. Toen ik naar de apotheek liep, zag ik het busje voor het eerst. Het reed van links naar rechts door de Calle Los Romeros, met twee mensen erin. Het parkeerde langs de stoeprand voor de moskee – meer heb ik niet gezien.'

'Hoe laat was dat?'

'Om een uur of tien gisterenmorgen.'

'En de tweede keer?'

'Ongeveer een kwartier later, toen ik terug kwam van de apotheek, zag ik een wit busje op de parkeerplaats stoppen, maar niet op die plek. Het was aan de andere kant, vanaf hier gezien, en er stapte maar één man uit.'

'Heeft u hem goed gezien?'

'Hij was donker. Ik zou zeggen dat hij Marokkaans was. Daar zijn er hier veel van. Hij had een rond hoofd, kortgeknipt haar en flaporen.'

'Leeftijd?'

'Rond de dertig. Een gespierde vent. Dat kon je zien omdat hij een strak zwart T-shirt droeg. Verder had hij geloof ik een spijkerbroek en sportschoenen aan. Hij deed de auto op slot en liep tussen de bomen door naar de Calle Blanca Paloma.'

'Heeft u gezien dat het busje op de plek aankwam waar het nu staat?'

'Nee. Ik kan u alleen vertellen dat het er om halfzeven 's avonds nog stond. Mijn schoondochter parkeerde haar auto ernaast. Ik herinner me ook dat het busje niet meer aan de overkant stond toen ik na de lunch koffie ging drinken. Overdag zijn er niet zo veel auto's. Alleen voor de kleuterschool staan er een hoop, van de leidsters. Ik weet ook niet waarom het me opviel. Oude kerels zien niet dezelfde dingen als andere mensen.'

'En toen het busje over de Calle Los Romeros reed, zaten er twee mannen in?'

'Daarom weet ik niet zeker of het wel hetzelfde busje was.'

'Aan welke kant van het busje parkeerde uw schoondochter haar auto?'

'Gezien vanaf waar wij nu staan, aan de linkerkant,' zei de oude man. 'Haar portier werd door de wind gegrepen en stootte ertegenaan.'

'Is het busje daarna nog weggeweest?'

'Geen idee. Als ik eenmaal mensen om me heen heb, let ik verder nergens meer op.'

Falcón noteerde de naam en het telefoonnummer van de schoondochter en belde terwijl hij de trap op liep. Hij vertelde haar over het gesprek dat hij net met haar schoonvader had gevoerd en vroeg of ze het busje had bekeken toen haar portier ertegenaan was gekomen.

'Ik heb gekeken of er geen deuk in zat.'

'Heeft u door het raampje gekeken?'

'Waarschijnlijk wel, ja.'

'Heeft u iets op de passagiersstoel zien liggen?'

'Nee, niets.'

'Er lag geen boek?'

'Beslist niet. Ik zag alleen de donkere stof van de zitting.'

Toen hij ophing, kwam Ferrera uit het appartement op de vierde verdieping. Ze liepen zwijgend naar beneden.

'Heeft jouw getuige die verwondingen bij de explosie opgelopen?' vroeg Falcón.

'Ze zéi dat ze vannacht van de trap is gevallen, maar ze heeft geen blauwe plekken op haar armen of benen, alleen op haar gezicht,' zei Ferrera kwaad. 'En ze was bang.'

'Niet voor jou.'

'Jawel, voor mij. Omdat ik vragen stel, en de ene vraag tot de volgende leidt. Als haar man daar om de een of andere reden iets over opvangt, kan dat weer een reden zijn om haar te slaan.'

'Je kunt alleen diegenen helpen die geholpen willen worden,' zei Falcón.

'Het lijkt wel alsof het tegenwoordig steeds vaker voorkomt,' zei Ferrera geërgerd. 'Hoe dan ook, ze heeft het busje gezien op de plek waar het nu nog staat. Een vrouw die dezelfde diensten draait in de fabriek waar zij werkt, woont in een appartementencomplex verderop in de straat. Ze zien elkaar onder de bomen op de Calle Blanca Paloma, voor een praatje. Gisteravond om zes uur liepen ze langs het busje dat daar toen net geparkeerd werd. Er kwamen twee mannen uit. Ze spraken Arabisch. Ze haalden niets uit de laadruimte. Ze liepen naar de Calle Los Romeros en sloegen rechts af.'

'Kon ze ze beschrijven?'

'Ze waren allebei achter in de twintig. De een had een kaalgeschoren hoofd en droeg een zwart T-shirt. De andere had een beetje een vierkante kop, met zwart haar, dat aan de zijkanten kort was en bovenop naar achteren zat. Ze zei dat hij er goed uitzag, maar een slecht gebit had. Hij droeg een verschoten spijkerjasje en een wit T-shirt. Verder herinnert ze zich dat hij erg opvallende sportschoenen droeg.'

'Heeft ze gezien of het busje daarna nog weggeweest is?'

'Ze houdt deze parkeerplaats in de gaten, ze kijkt of haar man al thuiskomt. Ze zei dat het busje niet van zijn plaats was geweest toen hij om kwart over negen binnenkwam.'

De politie liet mensen door het kordon, zodat ze hun huis in konden en de chaos konden opruimen. Voor de apotheker op de hoek van de Calle Blanca Paloma en de Calle Los Romeros stond een grote groep mensen. Ze waren kwaad op de politie omdat ze om veiligheidsredenen hun woningen, die aan het ingestorte gebouw grensden, niet in mochten. Falcón probeerde met ze te praten, maar de Peugeot Partner kon ze geen bal schelen.

Aan de andere kant van het appartementencomplex werden drilboren aangezet. Falcón en Ferrera staken de Calle Los Romeros over naar een ander appartementencomplex, waarvan de meeste ruiten heel waren gebleven. De appartementen op de eerste twee verdiepingen waren nog steeds leeg. Op de derde verdieping bracht een kind Falcón naar een woonkamer waar een vrouw glasscherven rondom een stapel kartonnen dozen stond op te vegen. Ze was in het weekend verhuisd, maar de verhuizers hadden gisteren pas de spullen gebracht. Hij stelde zijn vraag over het witte busje en de twee mannen.

'Denkt u soms dat ik op het balkon naar het verkeer ga zitten kijken als ik zo veel dozen moet uitpakken?' vroeg ze. 'Ik heb twee dagen vrij moeten nemen omdat die lui mijn spullen niet op tijd konden brengen.'

'Weet u wie hier voor u woonde?'

'Het stond leeg,' zei ze. 'De afgelopen drie maanden heeft hier niemand gewoond. De makelaar op de Avenida San Lazaro zei dat wij de eerste waren die hier gingen kijken.'

'Stond hier nog iets toen jullie hier voor het eerst kwamen?' vroeg Falcón die vanaf het balkon naar de Calle Los Romeros en het verwoeste gebouw keek.

'Geen meubels, als u dat bedoelt,' zei ze. 'Er stond wel een zak met vuilnis in de keuken.'

'Wat voor vuilnis?'

'Er zijn mensen vermoord. Er zijn *kinderen* vermoord,' zei ze verbijsterd, terwijl ze haar kind naar zich toe trok. 'En dan vraagt u me wat voor vuilnis hier stond toen ik hier kwam wonen?'

‘Het werk van de politie kan een raadselachtige indruk maken,’ zei Falcón. ‘Alles wat u zich kunt herinneren, kan ons verder helpen.’

‘Toevallig moest ik de zak dichtbinden en weggooien, daardoor weet ik wat erin zat: pizzadozen, bierblikjes, sigarettenpeuken, as, lege pakjes en een krant, de ABC geloof ik. Verder nog iets?’

‘Dat is heel goed, want nu weten we dat iemand hier nogal wat tijd heeft doorgebracht terwijl het appartement drie maanden leeg stond. Dat kan heel interessant voor ons zijn.’

Hij stak de overloop over naar het appartement dat ertegenover lag. Er woonde een vrouw van in de zestig.

‘Uw nieuwe buurvrouw vertelt me net dat haar appartement de afgelopen drie maanden leeg heeft gestaan,’ zei hij.

‘Niet echt leeg,’ zei ze. ‘Toen het vorige gezin net was vertrokken, een maand of vier geleden, zijn er een paar keer keurige zakenlui komen kijken. Drie of vier keer, misschien. Vervolgens is er, drie maanden geleden, een busje gekomen en zijn er een bed, twee stoelen en een tafel uitgeladen. Verder niets. Daarna verschenen er overdag mannen, altijd in koppels, die drie of vier uur bleven. God weet wat ze daar deden. Ze bleven nooit slapen, maar van zonsopgang tot zonsondergang was er altijd iemand in dat appartement.’

‘Kwamen dezelfde mannen terug, of waren het steeds anderen?’

‘Ik denk dat ze met een stuk of twintig waren.’

‘Namen ze iets mee?’

‘Diplomatenkoffertjes, de krant, boodschappen.’

‘Heeft u ze weleens gesproken?’

‘Natuurlijk,’ zei ze. ‘Ik vroeg waar ze mee bezig waren en ze antwoordden dat ze afspraken hadden. Maar ik maakte me geen zorgen. Ze zagen er niet uit als verslaafden. Ze draaiden geen harde muziek en ze gaven geen feestjes. Ik moet zelfs zeggen: integendeel.’

‘Veranderde er in de loop der maanden iets aan hun gewoontes?’

‘Tijdens de Semana Santa en de Feria kwam er niemand.’

‘Bent u in het appartement geweest toen zij er waren?’

‘In het begin heb ik ze weleens iets te eten aangeboden, maar dat sloegen ze altijd beleefd af. Ze hebben me nooit binnengelaten.’

‘En ze hebben nooit verteld waar die afspraken over gingen?’

‘Het waren zulke nette, conservatieve jongemannen dat ik dacht dat het misschien een religieuze groepering was.’

‘Wat gebeurde er toen ze vertrokken?’

'Op een dag kwam er een busje en werden de meubels weer ingeladen. Dat was alles.'

'Wanneer was dat?'

'Afgelopen vrijdag... Twee juni.'

Falcón belde Ferrera en zei haar door te gaan terwijl hij naar een makelaar op de Avenida San Lazaro ging.

De vrouw in het makelaarskantoor had het appartement drie maanden geleden verkocht, en het vorige week verhuurd. Het was niet door een particulier gekocht, maar door computerbedrijf Informáticalidad. De transactie was afgehandeld door de financieel directeur, ene Pedro Plata.

Falcón noteerde het adres. Terwijl hij door de Calle Los Romeros naar het verwoeste gebouw terugliep, belde Ramírez.

'Comisario Elvira vertelde me net dat de politie in Madrid Mohammed Soumaya in zijn winkel heeft opgepakt. Hij had het busje aan zijn neef uitgeleend. Hij was stomverbaasd dat het nu in Sevilla stond. Zijn neef had tegen hem gezegd dat hij het nodig had om spullen in de buurt af te leveren. Ze nemen nu passende maatregelen met betrekking tot de neef. Die heet Trabelsi Amar.'

'Sturen ze foto's van hem naar ons toe?'

'Daar hebben we wel om gevraagd,' zei Ramírez. 'Trouwens, ze hebben net iemand in de Jefatura neergezet die Arabisch spreekt, nadat ze meer dan tien telefoontjes van onze vrienden aan de andere kant van de zee hadden ontvangen. Ze zeggen allemaal hetzelfde en de vertaling luidt: "We rusten niet voor dat Andalucía in de boezem van de islam is teruggekeerd." '

'Heb je ooit van het bedrijf Informáticalidad gehoord?' vroeg Falcón.

'Nee,' antwoordde Ramírez zonder een spoor van belangstelling. 'Ik heb nog een nieuwtje. Ze hebben het poeder geanalyseerd dat achter in de Peugeot Partner lag. Het heet cyclotrimethyleentrinitramine.'

'En dat is?'

'Het is bekend als RDX, Research and Development Explosive,' zei Ramírez in krakkemikkig Engels. 'Het wordt ook cycloniet of hexogeen genoemd. Het is een eersteklas militair explosief – het zit ook in artilleriegranaten.'

9

Sevilla, dinsdag 6 juni 2006, 12.45 uur

Ferrera had één bewoner gevonden die de Peugeot Partner de vorige dag, maandag, in de namiddag had gezien. Het busje was tegenover de moskee op de Calle Los Romeros gestopt en twee mannen hadden vier kartonnen dozen en een paar blauwe plastic tassen uitgeladen. De enige beschrijving die ze van de mannen kon geven was dat ze jong en goed gebouwd waren en dat ze een T-shirt en een spijkerbroek droegen. De dozen waren zo zwaar dat ze er maar één per keer konden tillen. Alles werd de moskee binnen gebracht. Daarna kwamen de mannen naar buiten en vertrokken met het busje. Falcón zei haar getuigen te blijven zoeken en indien nodig naar het ziekenhuis te gaan.

De burgemeester en de afgevaardigden van het Andalusische parlement hadden de parkeerplaats verlaten en Comisario Elvira en Juez Calderón waren bezig een geïmproviseerde persconferentie af te ronden. Tussen de brokstukken van de zevende verdieping was nog een lijk gevonden. De reddingswerkers hadden geen enkel teken van overlevenden in de puinhoop ontvangen. Met drilboren werd de stalen wapening van de betonnen vloeren blootgelegd. Die werd vervolgens met lasbranders en motorzagen in repen opgedeeld en de repen werden met de hijskraan in de kiepwagens gedeponeerd.

Hoe meer informatie er vrijkwam, hoe meer nieuwe vragen er rezen. Elvira raakte er zichtbaar door geïrriteerd, maar Calderón speelde het spel op de toppen van zijn kunnen en de journalisten waren erg van hem gecharmeerd. Na een tijdje vertrok Elvira naar de kleuterschool, waar in de onbeschadigde klaslokalen aan de achterkant een tijdelijk hoofdkwartier was ingericht. De journalisten waren maar al te blij dat ze zich geheel op de knappe, charismatische Calderón konden richten.

Toen Falcón eraan kwam, werd hij door de journalisten herkend en ze achtervolgden hem om te voorkomen dat hij het voorbeeld van Elvira zou volgen. Er stootten microfoons tegen zijn gezicht en er werden camera's tussen hoofden door gewurmd. Hoe heette dat explosief? Waar kwam het vandaan? Leven de terroristen nog? Is er nóg een cel actief in Sevilla? Wat kunt u zeggen over de evacuaties in het centrum van de stad? Is er sprake van een tweede bom? Heeft iemand de verantwoordelijkheid voor de aanslag opgeëist?

Falcón baande zich een weg uit het groepje dat hem omringde, en er waren drie politieagenten nodig om de journalisten bij de ingang van de kleuterschool weg te duwen. Hij stond net bij te komen in de gang, toen Calderón door de rumoerige menigte voor de ingang heen brak.

'*Joder*,' zei hij, terwijl hij zijn stropdas opnieuw knoopte. 'Wat een jakhalzen.'

'Ramírez heeft me net over de explosieven ingelicht.'

'Daar blijven ze me maar naar vragen. Ik weet nergens van.'

'Het wordt meestal RDX of hexogeen genoemd.'

'Hexogeen?' vroeg Calderón. 'Was dat niet dat spul waarmee de Tsjetsjeense rebellen in 1999 die flatgebouwen in Moskou hebben opgeblazen?'

'Het zit in de granaten van het leger.'

'Ik kan me herinneren dat er een schandaal was omdat de Tsjetsjenen explosieven van een wetenschappelijk instituut van de overheid hergebruikten. Ze waren gekocht door de maffia en doorverkocht aan de rebellen. Zo werden Russen met Russisch militair materiaal opgeblazen.'

'Het klinkt Russisch.'

'Je staat voor een lastige taak,' zei Calderón. 'Hexogeen kan overal vandaan komen – uit Rusland, uit een islamitische Tsjetsjeense terreurbeweging, uit een legerdump in Irak, uit een derdewereldland waar een conflict is geweest en oorlogstuig achter is gebleven. Dat spul kan zelfs Amerikaans zijn.'

Falcóns mobieltje trilde. Het was Elvira, die hem bij een vergadering met het Centro Nacional de Inteligencia en de antiterreurafdeling van de Comisaría General de Información wilde hebben.

Er waren drie mannen van het CNI. Een man van in de zestig was de baas. Hij had grijs haar, donkere wenkbrauwen en het knappe gezicht van iemand die veel aan sport heeft gedaan. Hij stelde zich kortweg voor als Juan. Zijn twee medewerkers, Pablo en Gregorio, waren jonger en hadden het nietszeggende uiterlijk van middenkadermanagers. Ze waren in hun donkere pakken nauwelijks van elkaar te onderscheiden, hoewel Pablo een litteken had dat van zijn haargrens naar zijn linker wenkbrauw liep. Falcón was zich er tot zijn ongenoegen van bewust dat Pablo's blik hem niet had losgelaten sinds hij het lokaal binnen was gelopen. Hij vroeg zich af of ze elkaar misschien eerder hadden ontmoet.

Er was maar één persoon van de antiterreurafdeling van de CGI. Dat was Inspector Jefe Ramón Barros, een kleine, stevig gebouwde man met kortgeknipt grijs haar en een perfect gebit, wat zijn meedogenloze, furieuze uiterlijk een sinister element gaf.

Comisario Elvira vroeg Falcón om een korte samenvatting van zijn bevindingen tot zo ver. Hij begon met de onmiddellijke gevolgen van de bom en ging al snel verder met de ontdekking van de Peugeot Partner, de inhoud ervan en het aantal keren dat hij door getuigen op de parkeerplaats was gezien.

'Uit onderzoek is gebleken dat het fijne witte poeder uit de laadruimte van het busje een militair explosief is dat bekend staat als hexogeen. Mijn collega Juez Calderón vertelde me dat hetzelfde soort explosief in 1999 door de Tsjetsjeense rebellen werd gebruikt om twee flats in Moskou op te blazen.'

'Je kunt niet alles geloven wat je in de krant leest,' zei Juan. 'Er is inmiddels gerede twijfel of het wel Tsjetsjeense rebellen waren. We geloven niet zo snel in complottheorieën in onze eigen achtertuin, maar als het om Russen gaat, lijkt alles mogelijk. Na een catastrofale aanslag zoals deze heeft men een natuurlijke neiging vergelijkingen te maken met andere terroristische aanslagen en naar patronen te zoeken. Van de fouten die we na 11 maart hebben gemaakt, hebben we geleerd dat er helemaal geen patronen zijn. Het is de taak van de overheid paniek de kop in te drukken door het angstige publiek een bepaalde orde voor te houden. Het is onze taak iedere situatie te behandelen alsof zij uniek is. Ga verder, Inspector Jefe.'

Geen van de Sevillanos waardeerde dit neerbuigende toespraakje. Ze keken naar de CNI-man, met zijn dure mocassins, lichtgewicht pak en gesteven, dikke, zilverkleurige das en besloten dat het enige wat hem niet onmiddellijk als typische Madrileño buitenstaander typeerde, was dat hij een fout had erkend.

'Als het geen Tsjetsjeense rebellen waren, wie waren het dan wel?' vroeg Calderón.

'Dat is niet relevant, Juez Calderón,' zie Juan. 'Gaat u verder, Inspector Jefe.'

'Het kan van belang zijn in verband met de herkomst van het hexogeen,' zei Calderón, die zich niet graag liet afpoeieren. 'We hebben een busje met daarin sporen van explosieven en islamitische parafernalia gevonden. De Tsjetsjenen staan bekend om hun toegang tot Russisch wapentuig en om de sympathie van de islamitische wereld. De meeste mensen denken dat deze rebellen verantwoordelijk waren voor de vernietiging van de flatgebouwen in Moskou. Als de veiligheidsdienst heeft aangetoond dat deze verbanden er niet zijn, zou de Inspector Jefe dat nu misschien moeten weten. De herkomst van de explosieven zal een belangrijk deel van zijn onderzoek in beslag nemen.'

'Zíjn onderzoek?' vroeg Juan. 'Ons onderzoek. Deze klus moeten we gezamenlijk klaren. De Grupo de Homicidios kan deze noot niet in zijn eentje kraken. Het hexogeen is waarschijnlijk geïmporteerd. Het CNI heeft de internationale contacten om uit te zoeken waar het vandaan is gekomen.'

'Dat neemt niet weg,' zei Calderón, die zich nu door zijn eigen gewichtigdoenerij liet meeslepen, 'dat het onderzoek hiermee begint. Als het onderzoek van de Inspector Jefe op basis van incorrecte of misleidende informatie een verkeerde richting inslaat, is het beter om het wél te vertellen.'

Calderón was zich er heel goed van bewust dat dit alles voor het onderzoek irrelevant was, maar hij wist ook dat het van belang was nu zijn macht te demonstreren, om Juan op zijn plek te zetten. Calderón was de leidinggevende Juez de Instrucción en hij was niet van plan zijn autoriteit door een buitenstaander te laten ondermijnen, laat staan door een Madrileño.

'We weten het niet zeker,' zei Juan, geërgerd door die ijdelheid, 'maar er wordt geloof gehecht aan de theorie dat de Russische veiligheidsdienst, de FSB, zelf voor de wandaad verantwoordelijk was en dat zij de Tsjetsjenen met succes de schuld in de schoenen hebben geschoven. Poetin was kort voor de explosie hoofd van de FSB geworden. Het land was in een staat van beroering, en dit was een uitstekende kans om hun macht te tonen. De FSB lokte een oorlog in Tsjetsjenië en Dagastan uit. De minister-president verloor zijn baan en Poetin nam begin 1999 de macht over. De ontploffing in de flats in Moskou gaven hem de kans een patriottische campagne te beginnen. Hij was de onverschrokken leider die de rebellen het hoofd bood. Begin 2000 was Poetin waarnemend president van Rusland. Het hexogeen dat de FSB gebruikte zou uit een wetenschappelijk onderzoeksinstituut in Lubyanka komen, waar ook het hoofdkwartier van de FSB staat. Zoals u merkt, Juez Calderón, helpt mijn uitleg ons hier niet verder. Maar hij illustreert wel hoe snel de wereld in een gevaarlijke en verwarrende plek verandert.'

Er viel een stilte waarin de Sevillanos nadachten over de echo van de explosie in hun eigen stad in plaatsen als Tsjetsjenië en Moskou. Falcón zette zijn briefing over de Peugeot Partner voort. Hij vertelde dat er twee mannen waren gezien die goederen voor de moskee hadden uitgeladen, dat deze mannen tijdens de explosie in de moskee zouden hebben gezeten en dat er nieuws was over de eigenaar van het voertuig en zijn neef, Trabelsi Amar, die het busje had geleend.

'Verder nog iets?' vroeg Juan, terwijl Elvira's assistent de naam Trabelsi Amar in de database met terreurverdachten invoerde.

'Eén vraag ter verheldering voordat ik verderga met het onderzoek,' zei Falcón. 'Stond de moskee onder surveillance van het CNI of de CGI?'

'Waarom zouden we dat gedaan hebben?' vroeg Juan.

Falcón informeerde het gezelschap over de mysterieuze, goedgeklede jongemannen van Informáticalidad die de afgelopen drie maanden het nabijgelegen appartement hadden bezocht.

'Dat is niet de manier waarop wíj een surveillance zouden uitvoeren en ik heb nooit van Informáticalidad gehoord.'

'En de antiterreurafdeling, Inspector Jefe Barros?' vroeg Elvira.

'Wij hielden de moskee niet actief in de gaten,' zei Barros, die grote ergernis op bewonderenswaardige wijze in bedwang leek te houden. 'Maar Informáticalidad ken ik wel. Ze zijn de grootste leverancier van computersoftware in Sevilla. Ze bevoorraden zelfs ons.'

'Nog één allerlaatste vraag over de imam,' zei Falcón. 'We hebben gehoord dat hij hier in september 2004 vanuit Tunesië is aangekomen en dat hij zich in de laagste categorie terreurverdachten bevindt. Toch kregen we geen toestemming om zijn levensloop op te vragen.'

'Zijn dossier is incompleet,' zei Juan.

'Wat houdt dat in?'

'Voorzover we weten, is hij schoon,' zei Juan. 'We hebben gehoord dat hij zich tegen de meedogenloze, willekeurige aard van de aanslagen in Madrid heeft uitgesproken. Op zijn visumaanvraag stond dat hij onder meer naar Sevilla is gekomen om te proberen de kloof tussen de katholieke en de islamitische gemeenschappen te overbruggen. Dat zag hij als zijn plicht. We waren alleen enigszins bezorgd over gaten in zijn verleden die we niet konden opvullen. Deze gaten zaten in de jaren tachtig, en in die tijd gingen veel moslims naar Afghanistan om met de *mujahedeen* tegen de Russen te vechten. Sommige van hen keerden in de jaren negentig geradicaliseerd terug naar huis, anderen sloten zich aan bij de Taliban. De imam was in die periode in de dertig en komt er dus voor in aanmerking. Uiteindelijk stonden de Amerikanen voor hem in en kreeg hij zijn visum.'

'Dus deze bom heeft de volgende slachtoffers gemaakt,' zei Elvira. 'Eén mogelijke sympathisant, vijf mannen van boven de vijfenzestig, één man van onder de vijfendertig die in een rolstoel zat, twee Spaanse bekeerlingen en twee mannen van in de veertig die van een arbeidsongeschiktheidsuitkering leefden. Dan blijven er maar twee mannen van onder de vijfendertig over die van Noord-Afrikaanse afkomst en niet gehandicapt zijn. Heeft het CNI een theorie die verklaart waarom dit vreemde allegaartje van mensen die, zoals we net hebben gehoord, niet onder actieve surveillance stonden, militaire explosieven van hoge kwaliteit zou inslaan en tot ontploffing brengen?'

Iedereen zweeg. Ze hoorden het knarsen van de machines buiten. Het puin werd met donderend geraas in lege kiepauto's gestort, hydraulische machines sisten en gierden, de hijskraan liet met een laag gegrom de kabel zakken en de drilboren dreunden daar staccato doorheen. Het lawaai herinnerde de mannen weer aan het doel van hun vergadering, en aan de ramp die de stad had getroffen.

De assistent van Elvira verbrak de stilte. 'Trabelsi Amar komt op geen enkele database van terreurverdachten voor,' zei hij. 'Hij is hier illegaal.'

'Denkt u dat de explosieven in de moskee kunnen zijn opgeslagen zonder dat de imam daarvan op de hoogte was?' vroeg Calderón.

'Er is een minieme kans dat hij ze niet heeft herkend,' zei Juan. 'Zoals u weet, lijkt hexogeen op suiker. Uit het spoor dat op de bodem van het busje lag, blijkt dat de verpakking niet bepaald hermetisch was afgesloten. Het is mogelijk dat de springstof werd vervoerd in de kartonnen dozen waarvan de Inspector Jefe ons vertelde dat getuigen gezien hebben dat ze gisteren werden uitgeladen.'

'Maar om ervoor te zorgen dat het hexogeen ook daadwerkelijk ontploft, heb je een ontsteker nodig,' zei Falcón. 'Gezien de manier waarop ze het vervoerden, moet het stabiel zijn geweest.'

'Dat is het ook,' zei Juan.

'Dat zou dan kunnen betekenen dat ze bezig waren bommen te maken en dat die per ongeluk tot ontsteking zijn gekomen,' zei Falcón. 'Ik betwijfel of ze dat stiekem hebben kunnen doen in een moskee van die grootte met dertien andere mensen erin. Ik heb de plattegrond nog niet gezien, maar groter dan tien bij twintig meter kan ze niet zijn geweest.'

'Dus in dat scenario is de imam medeplichtig,' zei Juan. 'We zullen de Amerikanen naar Abdelkrim Benaboura vragen. En we hebben een foto en een cv van Trabelsi Amar nodig.'

'Soumaya heeft Amar als zijn neef geïdentificeerd,' zei Falcón. 'Dan denk je niet meteen aan een serieuze dekmantel voor een terrorist. Waarschijnlijk heeft hij foto's. We moeten de mogelijkheid openhouden dat het busje niet door hem werd bestuurd. Het kan gestolen zijn of om een of andere reden aan een andere partij zijn gegeven om spullen naar Sevilla te brengen. Dan was Trabelsi Amars taak misschien alleen voor een busje te zorgen dat niet als gestolen zou worden opgegeven.'

'We zullen ervoor zorgen dat de CGI in Canillas contact opneemt met de lokale politie in Madrid, die Mohammed Soumaya ondervraagt,' zei Juan. Het had er alle schijn van dat hij de autoriteit van Inspector Jefe Barros moedwillig ondermijnde. Die kookte van woede en zei geen woord. 'Een van de complicaties bij dit soort terroristische aanslagen is dat wij alleen iets van de betrokken mensen afweten voorzover hun activiteiten beslag leggen op onze tijd en middelen. Dat was ook het probleem bij 11 maart. Geen van de uitvoerenden stond bekend als terrorist of had banden met ons bekende radicaal islamitische organisaties. Ze kwamen uit het niets en volbrachten hun missie.'

'Maar u staat er nu beter voor dan toen,' zei Elvira.

'Sinds 9/11 en het bewijs van banden tussen leden van islamitische terreurcellen in Spanje...'

'Heeft u het over leden van al-Qaeda?'

'We geven er de voorkeur aan de naam al-Qaeda te vermijden omdat die een organisatie met een hiërarchie naar westerse begrippen impliceert,' zei Juan. 'En daarvan is geen sprake. De media vinden het handig om die naam op islamitisch terrorisme te plakken, maar bij de veiligheidsdienst gebruiken we hem niet. Wij moeten erop blijven letten dat we niet zelfgenoegzaam worden. Zoals ik net wilde zeggen, sinds 9/11 en het bewijs van banden tussen leden van islamitische terreurcellen in Spanje enerzijds en de daders van de aanslagen op de Twin Towers en Washington DC anderzijds, is er een aanzienlijke toename van activiteiten waargenomen.'

'Maar het lijkt er dus op, dat zegt u zelf, dat er een eindeloze stroom jonge uitvoerenden is van wie u het bestaan niet kent en die op afstand bij elkaar worden gebracht met het doel terroristische aanslagen te plegen,' zei Calderón. 'Ik neem aan dat dat het probleem is?'

'Zoals u heeft gezien bij het onderzoek naar de aanslagen in Londen is er buitengewoon veel samenwerking tussen de verschillende veiligheidsdiensten,' zei Juan. 'Het feit dat we dicht bij Afrika liggen maakt ons kwetsbaar, maar biedt ook mogelijkheden. In de twee jaar na de aanslagen in de treinen in Madrid, zijn we erin geslaagd behoorlijk diep in Marokko, Tunesië en Algerije door te dringen. We hopen ons vermogen om slapende cellen te ontmantelen groter te maken door de signalen die hen uiteindelijk zouden kunnen activeren, te onderscheppen. Wij maken fouten, maar zij ook. Over onze successen hoort niemand iets, en het is te vroeg om te zeggen of we hier met een van onze missers te maken hebben.'

'U zei dat de imam in dit scenario medeplichtig is,' zei Falcón. 'Betekent dat dat u ook naar andere scenario's kijkt?'

'We moeten met alle mogelijkheden rekening houden,' zei Juan. 'In de afgelopen twee jaar hebben we een binnenlands fenomeen onderzocht dat voor het eerst via internet aan het licht kwam. Ik betwijfel of ik dit fenomeen een groep kan noemen, want we hebben geen bewijs van een organisatie of communicatiesysteem gevonden. We hebben een nieuwsbrief op de website *www.vomit.org* aangetroffen. In eerste instantie dachten we dat het een Amerikaanse site was, want in het begin waren de teksten in het Engels geschreven. Maar de CIA en MI5 hebben ons onlangs verteld dat VOMIT volgens hen staat voor Victimas del Odio de Musulmanos, Islamistas y Terroristas.'

'Wat staat er in die nieuwsbrief?'

'Het is een lijst van terroristische aanslagen die sinds het begin van de jaren negentig door moslimextremisten zijn gepleegd. De lijst is zeer recent. Er staat een kort verslag van de aanslag in. Het aantal doden en gewonden staat erop, en het aantal mensen van wie een naaste is gestorven of gewond geraakt.'

'Betekent dat ook dat ze contact opnemen met familieleden van slachtoffers?' vroeg Elvira.

'Als dat al zo is, lijken de slachtoffers daar zelf niets van te weten,' zei Juan. 'Mensen die gewond zijn geraakt, worden benaderd door de media, de regering, hulpdiensten, de politie... Tot op heden hebben we niemand gevonden die ons kon vertellen dat ook VOMIT contact met hen had gezocht.'

'En dit is begonnen na de aanslagen in Madrid?' vroeg Elvira.

'De Engelsen zagen de site in juni 2004 voor het eerst. Vanaf september 2004 worden ook islamitische slachtoffers van islamitische aanslagen vermeld, zoals de doden en gewonden van zelfmoordaanslagen op rekruteringsbureaus van de politie in Irak. Sinds begin 2005 is er een lijst bijgekomen van islamitische vrouwen die slachtoffer zijn geworden van eerwraak of groepsverkrachting. In deze gevallen wordt het soort geweldpleging en het aantal slachtoffers vermeld.'

'Ik neem aan dat deze nieuwsbrieven anoniem op het net worden gezet?' vroeg Calderón zonder het antwoord af te wachten. 'Er is toch wel een reactie van moslims op gekomen?'

'De nieuwsuitzending van Al Jazeera heeft er in augustus 2004 aandacht aan besteed en er kwamen enorm veel reacties op internet toen een aantal door Arabieren gesponsorde websites de Arabische slachtoffers van agressie van Israël, Amerika, Europa, Rusland, het Verre Oosten en Australië opsomde. Sommige daarvan waren erg extreem en gingen terug tot de kruistochten, de verdrijving van de Moren uit Spanje en de nederlaag van het Ottomaanse rijk. Geen van die websites had zo'n opvallende banner als VOMIT, en veel van hen konden de verleiding niet weerstaan met een agenda naar buiten te komen. Uiteindelijk werden ze weliswaar gretig gelezen in de Arabische wereld, maar drongen ze absoluut niet tot het Westen door.'

'Waarom denkt u dan dat VOMIT van een passief, ongeorganiseerd internetfenomeen tot een actieve, operationele entiteit is geworden?' vroeg Falcón.

'Dat denken we niet,' zei Juan. 'We kijken iedere dag opnieuw naar de webpagina's om te zien of er tot geweld wordt aangezet, of de islam wordt beledigd en of er pogingen worden ondernomen om mensen te rekruteren. Maar ze houden alleen het geweld en de slachtoffers bij.'

'Heeft u slachtoffers van de aanslagen in Madrid gesproken?' vroeg Falcón.

'Ze hebben geen gemeenschappelijke wraakgevoelens. De woede die er was richtte zich op onze eigen politici, en niet tegen Noord-Afrikanen in het algemeen of moslimfundamentalisten in het bijzonder. De meeste slachtoffers onderkenden dat er ook veel moslims bij de aanslagen waren omgekomen. Ze zagen het als een willekeurige daad van terreur, met een politieke doelstelling.'

'Kende een van hen VOMIT?'

'Ja, maar geen van hen zei dat hij er, als dat kon, lid van zou worden,' zei Juan. 'Maar we weten wel dat er woede is onder rechts-extremistische groeperingen met sterk racistische ideeën en tegen immigratie gekante opvattingen. We houden hen in de gaten. De politie handelt gewelddadigheden van hun kant op lokaal niveau af. Het is niet bekend dat ze nationaal zijn georganiseerd of aanslagen van deze omvang zouden hebben gepland en uitgevoerd.'

'En religieuze groeperingen?'

'Sommige van deze extreem rechtse groepen hebben religieuze elementen. Als ze op wat voor manier ook publiciteit zoeken, kennen wij ze. We vrezen dat ze lering zouden kunnen trekken uit de acties van hun vermeende vijanden.'

'Waarop is het scenario van een georganiseerde aanval op een islamitische gemeenschap dan gebaseerd?' vroeg Calderón. 'Dat het tijd werd om op het moslimterrorisme te reageren?'

'Iedere terroristische gruweldaad is uniek,' zei Juan. 'Daar zorgen de omstandigheden van het moment voor. Ten tijde van de aanslag van 11 maart verwachtte de regering van Aznar dat de ETA zou proberen de aankomende verkiezingen te ontwrichten. Een paar maanden eerder, op de kerstavond van 2003, zijn in de intercity van Irún naar Madrid twee bommen van elk vijfentwintig kilo gevonden. Beide bommen waren van klassieke ETA-makelij. Ze waren zo afgesteld dat ze twee minuten voor aankomst op station Chamartín zouden ontploffen. Een andere ETA-bom werd op het traject Zaragoza-Caspe-Barcelona gevonden. Deze zou op oudejaarsavond van 2003 afgaan. Op 29 februari 2004 onderschepte de Guardia Civil, zoals iedereen hier weet, twee ETA-leden in een busje met een lading van 536 kilo titadine. Bestemming: Madrid. Alles wees erop dat de ETA vóór de verkiezingen van 14 maart 2004 een grote aanslag op de spoorwegen wilde plegen.'

'En het CNI stuurde de conclusies die het op grond van die informatie had getrokken meteen naar de regering,' zei Calderón, die niet naliet het er nog eens in te wrijven.

'En we zaten er naast, Juez Calderón,' zei Juan. 'Wij zaten er naast. We konden ons gewoon niet voorstellen dat de ETA er níet achter zat. Zelfs niet toen we de cassettebandjes van de koran uit de Renault Kangoo, die in de buurt van station Alcalá de Henares was gevonden, hadden afgeluisterd. Zelfs niet toen we de ontstekingsmechanismen hadden gevonden van een type dat de ETA nog nooit had gebruikt. En zelfs niet toen was gebleken dat de springstof geen titadine was, zoals tot dan toe altijd door de ETA was gebruikt, maar Goma 2 ECO. En dat is dan ook precies het punt dat ik probeer te maken. Dat is de reden dat we alle scenario's voor deze aanslag in overweging moeten nemen, en niet moeten toestaan dat ons brein stolt rondom de kern van de publieke opinie. Wij moeten behoedzaam werken tot we een onbreekbare ketting van logica hebben die ons naar de daders leidt.'

'Maar tot het zover is, kunnen we de mensen niet in het duister laten tasten,' zei Calderón. 'De media, de politici en het publiek moeten weten dat er iets gedaan wordt, dat hun veiligheid is gewaarborgd. Terreur leidt tot onrust, en...'

'Die verantwoordelijkheid ligt bij Comisario Elvira, als leider van dit onderzoek, en bij de politici. Het is ons werk hen van de juiste informatie te voorzien,' zei Juan. 'We hebben deze aanslag al vanuit een historisch perspectief bekeken – de aanslag op de flats in Moskou, de vondst van islamitische parafernalia in een wit busje – en dat kunnen we ons niet permitteren.'

'De media weten wat we in de Peugeot Partner hebben gevonden,' zei Calderón. 'We kunnen niet voorkomen dat ze daar hun eigen conclusies uit trekken.'

'Hoe zijn ze daarachter gekomen?' vroeg Juan. 'Er was een politiekordon.'

'Geen idee,' zei Calderón. 'Maar zodra het voertuig was verplaatst en journalisten het parkeerterrein op mochten, kregen Comisario Elvira en ik vragen over hexogeen, over de twee korans, over een hoofdkap, over de islamitische sjerp en zelfs over spullen die helemaal niet in het busje lagen.'

'Er waren veel mensen op dat parkeerterrein,' zei Falcón. 'Mijn agenten, de technische recherche, de explosievenopruimingsdienst, de mannen van de bergingswerkzaamheden... Iedereen was bij de eerste inspectie van het busje. Journalisten doen hun werk. We wilden de camera's weghouden van de lichaampjes van de kinderen in de kleuterschool, maar één vent wist er toch bij te komen.'

'Zoals we eerder al hebben gemerkt,' zei Juan, die diep zuchtte om zijn irritatie meester te worden, 'is het heel lastig om ervoor te zorgen dat het publiek zijn eerste indruk loslaat. Miljoenen Amerikanen denken nog steeds dat Saddam Hoessein op de een of andere manier voor 9/11 verantwoordelijk was. Het grootste deel van Sevilla denkt nu dat het slachtoffer is geworden van een islamitische terreuraanval, en het is heel goed denkbaar dat we pas in de buurt van de waarheid komen als we de moskee in kunnen. Dat kan nog dagen duren, want dan is het puin pas weggeruimd.'

'Misschien is het goed om eens te kijken naar de unieke omstandigheden die tot deze gebeurtenis hebben geleid,' zei Falcón. 'En naar de toekomst, om te zien of de plegers van deze aanslag iets willen beïnvloeden. Vanuit mijzelf bekeken, ik was hier zo snel omdat ik op het forensisch instituut was om de autopsie van een lijk te bespreken. Dat lijk is gevonden op de grootste vuilnisberg van Sevilla, aan de rand van de stad.'

Falcón vertelde de details van het niet te identificeren lijk dat de vorige dag was aangetroffen.

'Het kan natuurlijk zijn dat deze moord er niets mee te maken heeft,' zei Falcón. 'Maar hij is uniek in de misdaadgeschiedenis van Sevilla en het ziet ernaar uit dat hij niet is gepleegd door één persoon, maar door een groep moordenaars, die zich veel moeite heeft getroost om identificatie te voorkomen.'

'Zijn er eerder moorden geweest waarbij op vergelijkbare wijze is geprobeerd identificatie te voorkomen?' vroeg Juan.

'Niet in Spanje in dit jaar, volgens de politiecomputer,' zei Falcón. 'We hebben nog geen contact gehad met Interpol. Ons onderzoek is nog maar net begonnen.'

'Zijn hier binnenkort verkiezingen?'

'De laatste verkiezingen voor het Andalusische parlement waren in maart 2004,' zei Calderón. 'En in 2003 zijn er gemeenteverkiezingen geweest, dus die worden volgend jaar maart weer gehouden. Op dit moment zijn de socialisten aan de macht.'

Juan haalde een vel papier uit zijn zak.

'Vlak voordat we Madrid verlieten, kregen we een telefoontje van de CGI. Zij hadden van de hoofdredacteur van de *ABC* had gehoord dat die een brief had ontvangen, en dat het stempel op de envelop uit Sevilla komt. De brief bestaat uit één vel papier en een uitgeprinte tekst in het Spaans. We hebben inmiddels achterhaald dat de tekst uit het werk van Abdullah Azzam komt. Dat is een prediker die bekend staat als de belangrijkste ideoloog van het Afghaanse verzet tegen de Russische invasie. Er staat het volgende in: "Deze taak is niet beëindigd met de overwinning in Afghanistan; de jihad blijft een individuele verplichting, net zolang tot alle landen die islamitisch waren in onze schoot zijn teruggekeerd, zodat

de islam weer zal heersen. Voor ons liggen Palestina, Buchara, Libanon, Tsjaad, Eritrea, Somalië, de Filippijnen, Birma, Zuid-Jemen, Tasjkent..." '
Hij liet een stilte vallen en keek naar de aanwezigen.

'"En Andalucía." '

10

Sevilla, dinsdag 6 juni 2006, 13.45 uur

De vergadering werd opgeschort toen werd meegedeeld dat er nog een lijk in het puin was gevonden. Calderón vertrok onmiddellijk. De drie mannen van het CNI voerden een gesprek waar ze volkomen in opgingen, en Falcón en Elvira bespraken hoe ze het onderzoek verder moesten aanpakken. Inspector Jefe Barros van de CGI staarde naar de vloer. Zijn kaakspieren herkauwden deze nieuwe vernedering. Na tien minuten wilde het CNI met Elvira overleggen. Falcón en Barros werden gevraagd het lokaal te verlaten. Barros ijsbeerde door de gang. Hij meed Falcóns blik. Even later riep Elvira Falcón weer binnen. De mannen van het CNI liepen naar de deur en zeiden dat ze het appartement van imam Abdelkrim Benaboura grondig zouden doorzoeken.

'Wordt ons het resultaat daarvan bekendgemaakt?' vroeg Falcón.

'Natuurlijk,' zei Juan. 'Tenzij het de nationale veiligheid in gevaar brengt.'

'Ik zou graag willen dat er een agent van mij bij de huiszoeking aanwezig is.'

'In het licht van wat er zojuist gezegd is, moet het meteen gebeuren en jullie hebben het nu te druk.'

Ze vertrokken. Falcón wendde zich tot Elvira, de handen geopend, de gang van zaken in twijfel trekkend.

'Ze zijn vastbesloten dit keer geen fout te maken,' zei Elvira. 'En ze willen de eer opstrijken. Hier staan toekomsten op het spel.'

'En in hoeverre kun jij controleren wat zij doen?'

'Het probleem zit 'm in de woorden "nationale veiligheid",' zei Elvira. 'Ze willen met jou over iets praten wat de "nationale veiligheid" aangaat, en ik krijg alleen te horen dat het een vertrouwelijk en uitvoerig gesprek zal zijn.'

'Daar komt vandaag niets van.'

'Ze maken wel tijd voor je. Desnoods vanavond.'

'En de enige hint die ze gaven was dat het de "nationale veiligheid" aanging?'

'Ze zijn in je Marokkaanse connecties geïnteresseerd,' zei Elvira. 'Ze hebben gevraagd of ze een onderhoud met je kunnen hebben.'

'Een onderhoud?' vroeg Falcón. 'Het lijkt wel alsof ze me een baan willen aanbieden. Ik heb al een baan van het soort waar nogal veel tijd in gaat zitten.'

'Waar ga je nu naar toe?'

'Ik zou wel bij de huiszoeking van het appartement van de imam aanwezig willen zijn,' zei Falcón. 'Maar ik denk dat ik het spoor van Informáticalidad ga volgen. Ik zou weleens willen weten waar ze dat appartement die drie maanden voor hebben gebruikt.'

'Dus je blijft, in tegenstelling tot onze vrienden van het CNI, voor alle mogelijkheden open staan,' zei Elvira met een knikje naar de deur.

'Ik vond het heel goed wat Juan daarover zei.'

'Ze willen graag dat anderen zo denken, zodat alle terreinen zijn gedekt,' zei Elvira. 'Maar ik weet zeker dat ze ervan overtuigd zijn dat dit het begin van een grote golf van moslimterreur is.'

'Om Andalucía terug te brengen in de islamitische schoot?'

'Waarom zouden ze anders met jou over je Marokkaanse connecties willen praten?'

'Wij weten niet wat zíj weten.'

'Ik denk dat zij op eerherstel en meerdere glorie uit zijn,' zei Elvira. 'En daar maak ik me zorgen over.'

'En wat was er met Inspector Jefe Barros aan de hand?' vroeg Falcón. 'Hij was aanwezig, maar daar hield het ook mee op. Alsof hij er alleen bij mocht zijn als hij zijn mond zou houden.'

'Er is een probleem waar je later meer over krijgt te horen. Het hoofd van de CGI in Madrid heeft mij alleen verteld dat de antiterreurafdeling van Sevilla op dit moment geen bijdrage aan het onderzoek kan leveren.'

Consuelo zat in het kantoor van haar restaurant in la Macarena. Ze had haar schoenen uitgetrapt en zat in foetushouding op de dure, nieuwe leren bureaustoel, die haar zacht heen en weer wiegde. Ze hield een verfrommelde tissue in haar hand, die ze tegen haar mond gedrukt hield. Ze beet erin als de fysieke pijn haar te veel werd. Haar keel probeerde haar gevoelens onder woorden te brengen, maar had geen referentiepunten. Haar lichaam voelde aan als opengescheurde aarde waar scherpe brokken magma uit werden gespuwd.

De televisie stond aan. Ze verdroeg de stilte van het restaurant niet. De koks zouden niet voor elf uur met de voorbereidingen van de lunch beginnen. Ze had geprobeerd haar extreme onrust eruit te lopen, maar het rondje door de smetteloze keuken met de glanzende RVS werkbladen en al die messen die aanmoedigend naar haar knipoogden, had haar eerder bang gemaakt dan gekalmeerd. Ze was door het restaurant en de patio gelopen, maar ook de geuren, de oppervlakken die ze aanraakte en de obsessieve orde van de gedekte tafels konden de pijnlijke leegte die tegen haar ribben drukte niet opvullen.

Ze had zich in haar kantoor teruggetrokken en zich ingesloten. De televisie stond zacht, zodat ze niet verstond wat er werd gezegd, maar het menselijke gemurmel stelde haar een beetje gerust. Ze keek vanuit haar ooghoeken naar de beelden van de verwoesting op het scherm. Er hing een scherpe lucht van braaksel in de kamer; ze had overgegeven toen ze de lijfjes onder de kinderschorten voor de kleuterschool had zien liggen. Tranen trokken mascarasporen over haar wangen. De kant van de tissueprop die tegen haar mond aan zat, was slijmerig van het speeksel. Er was iets opengetrokken; het deksel zat niet langer op dat wat er in haar zat, en Consuelo, die er altijd trots op was geweest dat ze moedig genoeg was om dingen onder ogen te komen, kon het niet aan om er ook maar voorzichtig naar te kijken. Ze voelde een nieuwe pijnscheut en kneep haar ogen dicht. De stoel versterkte de huivering die door haar lichaam trok. Er kwam een snerpende gil uit haar keel, alsof er een scherp voorwerp op was gezet.

Het verwoeste appartementencomplex flikkerde op het scherm in haar ooghoeken. Ze kon de televisie niet uitzetten en alleen zijn met die andere bewoner van de stilte, ook al was het instorten van het gebouw een ontstellende replica van haar gemoedstoestand. Ook zij was nog maar een paar uur geleden min of meer heel geweest. Ze had altijd gedacht dat het gat tussen geestelijke gezondheid en waanzin zo breed was als een kloof. Nu wist ze dat het meer leek op een landsgrens in een woestijn: je wist niet of je hem al was gepasseerd of niet.

De televisiebeelden gingen van de stapels puin naar een lijkzak die op een brancard werd getild en langs gewonden werd gedragen, zigzaggend over de stoep, langs de gekartelde randen van kapotte ramen, langs de bomen waar alle bladeren af waren, langs auto's die ondersteboven in tuintjes lagen, langs een verkeersbord dat als een speer in de aarde stond. De redacteuren van het televisiejournaal gingen heel professioneel met verschrikking om; ieder beeld was een klap in het gezicht waarmee een zelfgenoegzaam publiek de nieuwe realiteit in werd geslagen.

De rust keerde terug. Een presentator stond voor de San Hermenegildo-kerk. Hij had een vriendelijk gezicht. Consuelo zette de tv harder, in de hoop op goed nieuws. De camera zoemde in op de gedenkplaat en keerde terug naar de presentator, die al lopend een korte beschrijving van de geschiedenis van de kerk gaf. De camera bleef op het gezicht van de presentator gericht. Er zat een onverklaarbare spanning in de scène. Er hing iets in de lucht. De spanning verlamde Consuelo. De presentator vertelde dat op deze plek een oude moskee had gestaan en de camera zwenkte naar het hoogste punt van een klassieke Arabische boog. De cameraman zoemde uit om de nieuwe verschrikking te onthullen. Over de breedte van de deuren was in rood geschreven: AHORRA ES NUESTRA – nu is hij van ons.

Het scherm werd gevuld door weer andere gemonteerde gruwelijkheden. Vrouwen schreeuwden het uit zonder dat duidelijk werd waarom. Bloed op het trottoir, in de goot, in het stof. Een lichaam, afschuwelijk slap van levenloosheid, werd uit de ruïnes gedragen.

Ze verdroeg de aanblik niet meer. Deze cameramensen moesten robotten zijn om zo met de verschrikkingen om te kunnen gaan. Ze zette de tv uit en bleef in het stille kantoor zitten.

De beelden hadden voor een schokeffect gezorgd. Het deksel leek weer op de donkere put in haar borstkas te zijn teruggeschoven. Haar handen trilden nog, maar ze beet niet meer op de tissueprop. De schaamte over haar eerste consult bij Alicia Aguado keerde terug. Toen ze in gedachten weer hoorde hoe ze 'blinde teef' tegen haar had gezegd, drukte Consuelo haar handen tegen haar jukbeenderen. Hoe had ze zoiets kunnen zeggen? Ze pakte de telefoon.

Alicia Aguado was opgelucht dat ze Consuelo's stem hoorde. Haar bezorgdheid maakte Consuelo's keel dik van ontroering. Niemand maakte zich zorgen om haar. Ze stamelde een excuus.

'Er zijn wel ergere verwensingen naar mijn hoofd geslingerd,' zei Aguado. 'Geen volk is zo vindingrijk in het beledigen als het Spaanse, dus u kunt zich voorstellen welke arsenalen worden aangeboord als het om een psycholoog gaat.'

'Het was onvergeeflijk.'

'Ik vergeef het u op voorwaarde dat u weer bij me langskomt, señora Jiménez.'

'Noemt u me Consuelo. Na wat we hebben meegemaakt, kunnen we formaliteiten wel achterwege laten,' zei ze. 'Wanneer kunt u me ontvangen?'

'Ik wil je graag vanavond zien, maar het kan niet voor negen uur.'

'Vanavond?'

'Ik maak me zorgen om je. Ik zou het normaal gesproken niet vragen, maar...'

'Maar wat?'

'Ik denk dat je op een gevaarlijk punt bent aangekomen.'

'Gevaarlijk? Gevaarlijk voor wie?'

'Je moet me iets beloven, Consuelo,' zei Aguado. 'Ik wil dat je direct na je werk naar me toe komt en dat je, na het consult, linea recta naar huis gaat. Thuis moet er iemand voor je zijn, een familielid of vriend, die bij je blijft.'

Consuelo zweeg.

'Ik kan mijn zus wel vragen, denk ik,' zei ze toen.

'Het is erg belangrijk,' zei Aguado. 'Ik denk dat je wel beseft hoe kwetsbaar je momenteel bent. Daarom raad ik je aan je tot je werk, je gezin en mijn behandelkamer te beperken.'

'Kunt u me dat uitleggen?'

'Niet nu, niet door de telefoon,' zei ze. 'Vanavond, als we elkaar zien. En vergeet niet rechtstreeks naar me toe te komen. Je moet elke afleiding weerstaan, hoe groot de verleiding ook is.'

Manuela Falcón zat in Angels grote, comfortabele stoel voor de tv. Ze was niet in staat te bewegen; ze had zelfs niet de kracht de afstandsbediening te pakken en de tv, die de afschuwelijke beelden direct naar haar ziel zond, uit te zetten. De politie evacueerde El Corte Inglés op Plaza del Duque nadat er vier meldingen van verdachte pakjes op verschillende verdiepingen van het warenhuis waren binnengekomen. Er verschenen twee speurhonden met hun begeleider om het gebouw te onderzoeken. Het beeld sneed naar een verlaten kruising in het centrum van de stad. Er lagen schoenen op de kasseien en mensen renden naar Plaza Nueva. Manuela voelde dat ze bleek werd, dat er niet meer bloed naar haar hoofd en gezicht stroomde dan nodig was om ze van de minimum hoeveelheid zuurstof te voorzien en haar hersens te laten functioneren. Haar handen en voeten waren ijskoud, terwijl de terrasdeuren openstonden en de temperatuur buiten gestaag steeg.

De telefoon was een keer overgegaan sinds Angel naar de ABC was gegaan om zijn vinger op de zwakke polsslag van de in beroering gebrachte stad te leggen. Toen had ze nog genoeg kracht gehad om op te nemen. Haar advocaat had haar gevraagd of ze tv had gekeken en haar daarna verteld dat de Sevilliaanse koopster zich had teruggetrokken met het smoesje dat ze niet bij haar 'zwarte' geld kon komen en dat ze het ondertekenen van de transportakte moest uitstellen.

'Dat zal niet voorkomen dat ze naar haar aanbetaling kan fluiten,' zei Manuela, die toen nog in staat was enige agressie op te brengen.

'Heb je die reportage op Canal Sur gezien?' vroeg haar advocaat. 'Ze hebben een busje met sporen van een militair explosief in de laadruimte gevonden. De hoofdredacteur van de ABC in Madrid heeft een brief van al-Qaeda ontvangen waarin staat dat ze niet zullen rusten voordat Andalucía is teruggekeerd in de schoot van de islam. Volgens een of andere veiligheidsdeskundige is dit het begin van een grote terreurcampagne en zullen er de komende dagen meer aanslagen volgen.'

'Jezus Christus,' zei Manuela. Ze pakte een sigaret en stak hem op.

'Dus het lijkt erop dat die twintigduizend euro die de koper misschien kwijtraakt een goedkope manier is om eronderuit te komen.'

'En de advocaat van die Duitser, heeft die al gebeld?'

'Nee, maar dat komt nog wel.'

Manuela had de telefoon uitgedrukt en in haar schoot laten vallen. Ze rookte driftig en werktuiglijk, en de nicotine stelde haar in staat Angel te bellen, maar zijn mobiele telefoon stond uit. Op de burelen van de ABC, waar het klonk als op de beursvloer tijdens de eerste minuten van een krach, konden ze hem niet vinden.

Daarna had haar advocaat nog een keer gebeld.

'De Duitser heeft zich teruggetrokken. Ik heb het notariskantoor gebeld. Alle overdrachtsakten zijn voor vandaag uitgesteld. De Jefe Superior de la Policía en het hoofd van de reddingsteams hebben op de radio en televisie een oproep gedaan mobiele telefoons alleen te gebruiken als het strikt noodzakelijk is.'

Het atelier lag aan een binnenplaats in een oud steegje met grote grijze kasseien, dat op de Calle Bustos Tavera uitkwam. Marisa Moreno had het alleen vanwege het steegje gehuurd. Op heldere, zonnige dagen, zoals vandaag, was het licht op de binnenplaats zo intens dat je vanuit de donkere, vijfentwintig meter lange steeg niets kon onderscheiden. De kasseien leken wel van tin te zijn. Dat was het aantrekkelijke: het steegje kwam overeen met het beeld dat ze van de dood had. Het gewelfde interieur was verre van mooi: de muren waren slecht en de stoppenkasten en elektriciteitskabels op het afbrokkelende witte pleisterwerk waren niet weggewerkt. Maar daar ging het juist om. Het was de overgang van die rommelige materiële wereld naar het louterende, witte licht erachter. Helaas stelde de binnenplaats teleur: het paradijs bestond uit een bouwvallige verzameling armoedige ateliers en opslagplaatsen met afbladderende verf, smeedijzeren traliewerk en verroeste assen.

Het atelier lag op maar vijf minuten lopen van haar appartement aan de Calle Hiniesta – dat was nog een reden waarom ze een ruimte had gehuurd die veel groter was dan wat ze nodig had. Zij had de eerste verdieping, die je via een ijzeren trap aan de zijkant bereikte. Er was een enorm raam dat op de binnenplaats uitkeek en dat in de zomer voor veel licht en hitte zorgde. Marisa vond het lekker om te zweten; dat was de Cubaanse in haar. Ze werkte vaak in bikini en vond het prettig om de stukjes hout die ze wegbeitelde tegen haar huid te voelen springen.

Die ochtend was ze van huis gegaan en had ze koffie gedronken in een van de barretjes aan de Calle Vergara. Het was veel drukker dan anders in de bar, en alle hoofden waren naar de televisie gedraaid. Ze bestelde koffie verkeerd, dronk hem op en vertrok; ze had alle pogingen van de vaste klanten om haar bij een gesprek te betrekken weten af te slaan. Ze was niet in politiek geïnteresseerd, ze geloofde niet in de katholieke kerk of in een ander georganiseerd geloof en wat haar betrof had je alleen last van terrorisme als je je op het verkeerde moment op de verkeerde plaats bevond.

In haar atelier beitste ze twee sculpturen en polijstte ze twee andere die bijna klaar waren om te worden afgeleverd. Tegen de middag wikkelde ze ze in bubbeltjesplastic en liep ze naar beneden om op de binnenplaats op een taxi te wachten.

De twee beelden waren gekocht door een jonge Mexicaanse kunsthandelaar met een galerie in de Calle Zaragoza, in het centrum. Hij was deels Azteek, en Marisa had een paar maanden, voor ze Esteban Calderón tegenkwam, een verhouding met hem gehad. Hij kocht nog steeds ieder beeld dat ze maakte en betaalde altijd contant bij levering. Als je zag hoe ze elkaar begroetten, zou je denken dat ze nog steeds iets met elkaar hadden, maar dat had meer met zijn begrip voor haar Afrikaanse en haar begrip voor zijn Azteekse afstamming te maken.

Esteban Calderón wist hier niets van. Hij had haar atelier nooit gezien. Ze had geen werk van zichzelf in haar appartement. Hij wist dat ze beelden van hout maakte, maar zoals ze erover sprak dacht hij dat het om iets uit het verleden ging. Dat wilde zij ook. Ze had er een hekel aan naar westerlingen te moeten luisteren als ze over kunst spraken. Die leken niet te begrijpen dat het bij waardering precies andersom werkte: je moest het werk tot jou laten spreken.

Marisa leverde de twee voltooide beelden af en inde haar geld. Ze ging naar de tabakszaak en trakteerde zichzelf op een Cubaanse sigaar – een Churchill van Romeo y Julia. Ze liep langs het Archivo de las Indias en het Alcázar. Er waren minder toeristen dan normaal, maar het waren er toch nog veel, en ze leken zich niet bewust van de bom die aan de andere kant van de stad was ontploft. Dat onderschreef haar opvatting dat terrorisme alleen van belang is als het jou direct raakt.

Via de Barrio Santa Cruz liep ze naar het Murillopark om zich aan het ritueel te wijden dat ze volgde als ze werk had verkocht. Ze ging op een bankje zitten, draaide de aluminium dop van de koker en liet de sigaar in haar handpalm glijden. Daar, onder de palmbomen, rookte ze, terwijl ze dagdroomde dat ze weer in Havana was.

Inés was na een kwartier huilen weer enigszins tot zichzelf gekomen. Haar maag verdroeg het niet langer. De kramp in haar onderbuik was een foltering. Ze was naar de douche gekropen, had haar nachtjapon uitgetrokken en was op de bodem van de douchecabine in elkaar gezakt, waarbij ze ervoor zorgde dat haar brandende hoofdhuid niet onder de straal van fijne waternaalden kwam.

Na nog een kwartier was ze in staat te staan, maar niet rechtop, vanwege de pijn in haar zij. Ze trok een zwart pak en een crèmekleurige blouse met een hoge kraag aan en deed veel make-up op. Ze hoefde geen kneuzingen in haar gezicht weg te werken, maar ze had een masker nodig om de ochtend door te kunnen komen. Ze nam een paar aspirientjes die de scherpe kantjes van de pijn wegnamen, zodat ze kon lopen zonder naar één kant over te hellen. Normaliter ging ze lopend naar haar werk, maar dat was die ochtend uitgesloten: ze nam een taxi. Daar hoorde ze het nieuws over de aanslag. Op de radio ging het over niets anders. De chauffeur sprak onophoudelijk. Zij zat achterin te zwijgen achter haar zonnebril, totdat de chauffeur, die zich door het gebrek aan respons niet van zijn stuk liet brengen, vroeg of ze ziek was. Ze zei dat ze veel aan haar hoofd had. Dat was voldoende. Nu wist hij in ieder geval dat ze hem hoorde. Hij begon aan een lange monoloog over terrorisme waaruit bleek dat er maar één medicijn tegen deze ziekte was, namelijk door van het hele zootje af te zien komen.

'Van wie?' vroeg Inés.

'Van de moslims, de Afrikanen, de Arabieren... het hele zootje. Dissen, die handel. Spanje moet voor de Spanjaarden zijn. Weet u wie we nodig hebben? De oude katholieke koningen. Zij begrepen de noodzaak puur te zijn. Zij wisten wat hen te doen stond...'

'Dus u wilt ook de joden verbannen?' vroeg ze.

'*No, no, no, que no*, met de joden is niets mis. Het gaat om de Marokkanen, Algerijnen en Tunesiërs. Dat zijn allemaal fanatiekelingen. Ze hebben hun religieuze hartstocht niet onder controle. Waar zijn die lui mee bezig? Ze blazen een appartementencomplex op. Wat heb je daar nou aan?'

'Wat je daar aan hebt is dat je laat zien hoe willekeurig terreur is,' zei ze. Ze had het gevoel dat haar borstkas ieder moment kon openbarsten. 'We zijn niet meer veilig in ons eigen huis.'

In het Palacio de Justícia was het niet hectischer dan anders. Ze liep langzaam naar haar kamer op de tweede verdieping, die ze deelde met twee andere *fiscales*, openbare aanklagers. Ze was vastbesloten de pijn die bij iedere stap in haar zij stak, te verbijten. Ze mocht het teken van zijn geweld dan hebben willen dragen, nu wilde ze haar pijn verbergen.

Het make-upmasker hielp haar door de eerste opgewonden minuten bij haar collega's, die waren vervuld van de laatste geruchten en theorieën, waar nauwelijks een hard feit in voorkwam. Niemand merkte dat Inés een emotioneel wrak was, dus na een zweefvlucht over de oppervlakte gingen ze, zonder zich van Inés' situatie bewust te zijn, weer aan het werk.

Ze moest zaken voorbereiden en vergaderingen bijwonen en ze sloeg zich erdoorheen, tot het begin van de middag, toen ze een halfuur vrij had. Ze besloot een wandelingetje te gaan maken in het Murillopark, dat aan de andere kant van de avenue lag. In het park zou ze kalmeren, en ze zou niet meer naar de speculaties over de bom hoeven te luisteren: zij had de kleine granaatexplosie in haar huwelijk om over na te denken. Ze begreep natuurlijk zelf ook wel dat een adempauze in het park haar probleem niet zou oplossen, maar ze zou er misschien wel in slagen iets te vinden waarmee ze haar ingestorte huwelijk opnieuw kon opbouwen.

In de voorbije vier uur, waarin het met haar huwelijk de verkeerde kant op was gegaan, had Inés steeds opnieuw dezelfde film voor zichzelf afgespeeld. Het was de gemonteerde versie van haar leven met Esteban. Die begon nooit met hun ontmoeting en de daaruit volgende affaire, want dat zou betekenen dat de film met haar overspel zou beginnen, en zij zag zichzelf niet als iemand die haar huwelijkse beloften brak. In háár film was haar gedrag smetteloos. Ze had haar privégeschiedenis herschreven en alle beelden die haar goedkeuring niet konden wegdragen eruit geknipt. Dat had ze niet bewust gedaan. Ze ging haar ongelukkige episodes en persoonlijke problemen niet uit de weg; ze vergat ze gewoon.

Dit filmpje zou voor iemand anders dan Inés zelf weleens oervervelend kunnen zijn. Het was je reinste propaganda. Geen haar beter dan de glorieuze filmbiografie van een dictator. Inés was de moedige verloofde die haar toekomstige echtgenoot na een vervelend voorvalletje, waar nooit meer over werd gesproken, had opgeraapt en hem de zorg en aandacht had gegeven die hij nodig had om zijn carrière weer op de rails te krijgen... En zo waren ze op de been gebleven. En het werkte. Voor haar. Elke keer dat ze ontdekte dat hij haar ontrouw was geweest, draaide ze de film af, en dat gaf haar kracht, althans, het gaf haar iets waardoor ze zich over Estebans laatste misstap kon zetten, zodat ze maar één overspel per keer hoefde te ondergaan, en niet de geschiedenis in zijn geheel.

Maar deze keer, op het bankje in het park, ging er iets mis bij het afdraaien van haar film. Ze had de beelden niet in bedwang. Het leek wel alsof de film van de spoel was gevlogen en een bizar beeld haar privébioscoop binnenkwam: het beeld van een vrouw met lang, koperkleurig haar, een donkere huid en gespreide benen. Deze visuele interventie brak haar innerlijke troostfilm af. Inés drukte haar handen tegen de zijkanten van haar hoofd en kneep haar ogen dicht om alle krachten van haar niet geringe intellect te verzamelen die haar in staat konden stellen te vergeten. Maar op dat moment besefte ze dat het beeld van buiten kwam en zich een weg naar haar innerlijk baande. De realiteit drong zich op. Die hoer met het koperkleurig haar en de donkere huid die ze die ochtend naakt op de digitale camera van haar man had gezien, zat onbekommerd tegenover haar een sigaar te roken.

Marisa vond het niet prettig dat de vrouw op het bankje aan de andere kant van het lommerrijke pad haar zo zat aan te kijken. Ze had iets van de intensiteit van een gestoorde; niet van een gestoorde die in het gekkenhuis tekeergaat, maar van het gevaarlijkere soort: te dun, te chic en te oppervlakkig. Ze kende haar type van vernissages in de galerie van de Mexicaan. Die figuren balanceerden voortdurend op de rand van een zenuwinzinking. In een poging te voorkomen dat de echte wereld door de opgeworpen dam zou breken, vulden ze de atmosfeer met schel gekakel, alsof ze met het scanderen van hun consumentenmantra het grote niets in hun leven op afstand konden houden. In de galerie tolereerde ze hun aanwezigheid omdat er een kans was dat ze haar werk zouden kopen. Maar in het openbaar liet ze niet toe dat zo'n *cabra rica* haar dure sigaar verpestte.

'Waar kijk je naar?' vroeg Marisa. 'Je verpest mijn sigaar, weet je dat?'

Het duurde even voordat Inés, die van verbazing met haar ogen knipperde, doorhad dat de opmerking tot haar was gericht. Toen begon de adrenaline te werken en schoot ze in haar rol van openbaar aanklager. Dit was een confrontatie. Daar was ze goed in.

'Ik kijk naar jou. *La puta con el puro*,' zei Inés. De hoer met de sigaar.

Marisa deed haar benen van elkaar en leunde naar voren om haar zwaar opgemaakte tegenstander met de ellebogen op de knieën eens goed op te nemen. Veel tijd had ze daar niet voor nodig.

'Moet je horen, gratenkut, het spijt me als ik je zaken in gevaar breng, maar ík ben niet aan het werk. Ik zit hier alleen maar van mijn sigaar te genieten.'

De belediging was een klap in Inés' gezicht en ze werd rood van woede. Het bloed vertroebelde de periferie van haar gezichtsveld en ontregelde de koppeling met de spraakfunctie van haar hersens.

'Ik ben verdomme jurist,' brulde ze. Mensen in het park bleven staan om te kijken.

'Juristen zijn de grootste hoeren die er bestaan,' zei Marisa. 'Heb je je gezicht daarom zo beschilderd? Om te voorkomen dat we de sief zien?'

Inés vergat haar kneuzingen en sprong overeind. Ondanks haar woede voelde ze de pijnscheut in haar zij en het kloppen in haar buik. Dat weerhield haar er nog net van fysiek tot de aanval over te gaan. Dat, en het krachtveld van Marisa's languissante spierbundels en koele verbale wreedheid.

'Jíj bent hier de hoer,' zei ze. Ze wees met een spichtige witte vinger naar Marisa's prachtige mulattinnen gezicht. 'Jij neukt met mijn man.'

De schok die op het gezicht van Marisa te zien was, moedigde Inés aan – ze interpreteerde het ten onrechte als schrik.

'Hoeveel betaalt hij je?' vroeg Inés. 'Zo te zien niet meer dan vijftien euro per nacht. Dat is schandalig. Dat is minder dan het minimumloon. Of geeft hij je alleen die koperpruik en een dikke sigaar om je tevreden te houden als hij er niet is?'

Marisa herstelde zich razendsnel van de ontdekking dat dit het bleke, pathetische, magere vrouwtje was naar wie Esteban steeds niet terug wilde. Ze had bovendien gezien dat Inés ineenkromp toen ze overeind kwam en onmiddellijk geraden dat de oorzaak van de pijn onder de clowneske pancake schuilging. In het straatarme Havana had ze genoeg vrouwen gezien die thuis klappen kregen. Ze herkende kwetsbaarheid op honderd meter afstand en ze was wreed genoeg om haar bloot te leggen en aan de eigenaresse en de rest van de wereld te laten zien.

'Onthoud goed, Inés,' zei ze, 'dat hij je slaat omdat hij de hele nacht heerlijk met mij heeft liggen neuken en hij de ochtend daarna de aanblik van jouw teleurgestelde gezichtje niet verdraagt.'

Toen Inés haar naam uit de mond van de mulattin hoorde komen, stokte haar adem met een hard, klokkend geluid. Meteen daarna sneden de woorden met de gewelddadigheid van geëxplodeerd glas door haar heen. De arrogantie van haar eigen woede ebde weg. Ze schaamde zich dood voor deze openbare afstraffing, terwijl alle ogen op haar gericht waren.

Marisa zag de vechtlust uit haar wegvloeien en keek met een zeker plezier naar haar neerhangende schouders. Ze had geen medelijden met Inés; toen ze nog in Amerika woonde had ze veel grotere ellende doorstaan. Sterker nog, de magere witte hand die Inés, niet langer in staat de pijn te verhullen, op haar zij had gelegd, bood Marisa nieuwe mogelijkheden. Het noodlot had hen samengebracht, en nu was het aan de een het lot van de ander vorm te geven.

11

Sevilla, dinsdag 6 juni 2006, 14.15 uur

Bij het deel van het gebouw dat Fernando, op grond van het geluid van de mobiele telefoon, had aangewezen als de plek waar zijn vrouw lag, was een groep werklui samengekomen. Fernando zat op zijn hurken en had zijn handen boven zijn hoofd ineengevouwen, alsof hij de zwaartekracht wilde opheffen om weg te kunnen zweven als een met helium gevulde ballon die door een kind is losgelaten.

De hijskraan met de krakende, vuistdikke kabel zwaaide spookachtig over de locatie. Werklui op ladders stonden met motorzagen stukken beton en staal door te zagen, wat een geluid gaf dat Falcón door merg en been ging. Om te voorkomen dat de ingestorte etages bij het graven van de tunnel verder zouden inzakken, waren er hydraulische stutten en dikke steigerplanken geplaatst. Stukken beton werden te midden van stofwolken uit het gat gespuugd, en als de zaag zijn tanden in het staal zette, spoot er een regen van vonken naar buiten. Mannen met stofbrillen, grijs als geesten, groeven verder tot het ondraaglijke geluid stopte en er om nieuwe stutten en planken werd geroepen. De zon brandde. Het zweet trok donkere sporen in het stof op het gezicht van de mannen. Zodra de stutten en planken waren geplaatst, startten de werklui de motorzagen, die ieder menselijk wezen ervan doordrongen hoe angstaanjagend hun metalen tanden waren. De werklui stonden nu niet meer op de ladders, maar zaten geknield op hun kniebeschermers en tuurden in het verwrongen geraamte van het gebouw, omhelsd door de stalen klauwen die uit de betonbrokken staken.

Falcón wist dat hij verder moest, dat de aanblik van de verwarde ingewanden van het gebouw geen goede voorbereiding was op de taak die voor hem lag. Maar het drama greep hem aan, de ramp maakte hem woedend. Pas toen Ramírez belde, wist hij zich ervan los te rukken.

‘We hebben informatie gekregen over een blauw busje dat gistermorgen voor het gebouw stond geparkeerd,' zei Ramírez. 'Het is onduidelijk hoeveel inzittenden er waren. Sommigen zeggen twee, anderen drie en weer anderen vier. Ze brachten gereedschapskisten naar binnen, en een plastic kistje met elektriciteitsspullen en geïsoleerde buizen, die ze in rollen over hun schouder droegen. Niemand herinnert zich de naam van een bedrijf op de zijkant van het busje gezien te hebben.'

'En al dat materiaal is de moskee in gegaan?'

'Dat is ook niet helemaal duidelijk,' zei Ramírez. 'De meeste mensen die we hebben gesproken, wonen niet in het gebouw maar liepen toevallig langs. Sommigen wisten niet eens dat er een moskee in de kelder zat. We krijgen momentopnames van wat er is gebeurd. Ik heb Pérez op de lijst met bewoners gezet. Hij is nu in het ziekenhuis. Serrano en Baena doen de omliggende huizenblokken en de mensen op straat. Waar is Cristina?'

'Als het goed is, is zij nog steeds met de gebouwen aan de Calle Los Romeros bezig,' zei Falcón. 'We hebben iemand nodig die in de afgelopen achtenveertig uur ín de moskee is geweest, zodat we kunnen bevestigen wat we van buiten horen. Hoe zit het met die vrouw, Esperanza, die Comisario Elvira die lijst heeft gegeven – had zij geen nummer achtergelaten? Bel haar en zorg dat je de namen en adressen krijgt. Die vrouwen weten het wel.'

'Is de Comisario nog niet door iemand van de Marokkaanse gemeenschap benaderd?'

'Er is wel iemand verschenen, in het gezelschap van de Mayor,' zei Falcón. 'Je weet hoe het gaat. Eerst moeten ze de media in toom houden, daarna helpen ze ons.'

'Herinner je je nog dat ze in Los Bermejales een moskee wilden bouwen?' vroeg Ramírez. 'Een enorm ding, groot genoeg voor zevenhonderd gelovigen. De plaatselijke bevolking zette een protestbeweging op, Los Vicinos de Los Bermejales.'

'Dat klopt, ze hadden ook een website, *www.mezquitanogracias.com*. De beschuldigingen van xenofobie, racisme en anti-islamitisch sentiment waren niet van de lucht, vooral na 11 maart.'

'Misschien moeten we eens kijken wie er aan die discussie deelnamen,' zei Ramírez. 'Of is dat te simpel?'

'Ga maar gewoon verder met uitzoeken wat er de afgelopen achtenveertig uur binnen en buiten het gebouw is gebeurd,' zei Falcón. 'Uiteindelijk zijn er twee mogelijkheden: de explosieven zijn door terroristen binnengebracht en per ongeluk ontploft, of een anti-islamitische organisatie heeft de bom geplaatst en tot explosie gebracht. Binnen deze scenario's zijn er nog een heleboel complicaties, maar dit zijn de twee basisconcepten. We moeten werken met de informatie die we verzamelen, en ons niet laten afleiden door eventualiteiten.'

Falcón verbrak de verbinding. De zagen waren uitgezet. De werklui schepten het puin nu met de hand weg. Er werd om twee nieuwe stutten, planken en lampen geroepen. Mannen renden met benodigdheden de ladders op. De stempels werden geplaatst. Er werden schijnwerpers op het gat gezet. Eén zaag scheurde door een stuk staal en werd weer uitgezet. Er werd een stuk van een stalen pijp naar buiten gegooid, gevolgd door meer puin. Vier verpleegkundigen stonden tegen hun ambulance geleund te wachten tot hun rol in het drama zou beginnen. Het reddingsteam zette twee draagbare brancards met riemen eraan bij de voet van de ladder. Fernando concentreerde zich op zijn ademhaling, in opdracht van de traumatoloog. Er werd om een arts geroepen. Een Médico Forense klom met zijn tas de ladder op en kroop de tunnel in. Op het gebrom van de geïsoleerde dieselgenerator na was het stil. De mannen met de schoppen waren opgehouden met graven. De kiepwagenchauffeurs hingen uit hun cabine om te zien wat er gebeurde. Er was op deze rampzalige dag een collectieve behoefte aan een beetje hoop.

Er werd opnieuw geroepen, deze keer om een brancard. De arts kroop op handen en voeten achteruit naar buiten en kwam de ladder af, terwijl twee mannen van het reddingsteam via een andere ladder de brancard omhoog zeulden. Fernando veerde overeind, was in een mum van tijd bij de arts en greep hem bij zijn revers. De arts pakte Fernando bij de schouders en keek hem tijdens het spreken recht in de ogen. Ze hielden elkaar zo gespannen vast dat ze er in hun vreemde houding uitzagen als judoka's die proberen elkaar eronder te krijgen. Fernando's armen zakten langs zijn lichaam. De arts legde zijn arm om zijn schouder en wenkte de traumatoloog. Fernando hing als een verdwaald kind tegen hem aan. De arts sprak over Fernando's schouder tegen de traumatoloog.

Daarna rende de arts naar de verplegers, die radiocontact met het ziekenhuis maakten. De arts sprak direct met de eerste hulp. De verplegers reden de auto in z'n achteruit naar de ladders, openden de dubbele achterdeur, plaatsten de hoofd-, nek- en ruggenwervelstabilisator op de brancard, zetten de zuurstof open en laadden de defibrillator op.

De werklui die weer in het gat waren gedoken toen de arts eruit tevoorschijn was gekomen, riepen naar de reddingswerkers dat ze met de brancard moesten komen. De Médico Forense kwam bij Falcón staan op het moment dat Calderón de hoek van het gebouw om kwam.

'Komt er een overlevende uit?' vroeg Calderón.

'De vrouw is dood,' zei de arts, 'maar het kind leeft nog. Het ademt en heeft een regelmatige pols. Het lijkt erop dat de moeder heeft geprobeerd haar dochter bij haar val zoveel mogelijk met haar lichaam tegen het puin dat op hen viel te beschermen. Het probleem is nu het meisje eruit te krijgen. De moeder ligt met haar rug naar de reddingswerkers toe, daarom moeten ze het meisje optillen en over haar lichaam heen tillen, en er is daar weinig ruimte. Als het kind letsel aan haar wervelkolom heeft, kan die beweging al tot permanente verlamming leiden. Maar als ze daar nog langer blijft liggen, sterft ze.'

De werklui schreeuwden iets vanuit de mond van het gat en staken hun duim op. De reddingswerkers schoven de stalen brancard naar buiten, bevestigden hem aan de rails op de ladder en lieten hem zakken tot de verplegers erbij konden. Ze telden tot drie, tilden het meisje op en legden haar in de stabilisator. Er kwamen twee televisieploegen aangerend, achtervolgd door de lokale politie. De Médico Forense deed volledig verslag aan Calderón. De drilboren, motorzagen en graafmachines begonnen weer, alsof ze van dit sprankje hoop nieuwe energie hadden gekregen. Falcón stapte voor in de ambulance. De brancard werd de laadruimte in getild. Ook Fernando stapte achterin. Een cameraman werd ruw weggeduwd door een van de werklieden. De deur werd dichtgeslagen terwijl er nog een microfoon naar binnen werd gestoken. De bestuurder sprong in zijn stoel en zette de sirene aan. Hij reed langzaam op de oneffen ondergrond, tot hij weer op het asfalt was. Fotografen stormden op de zij- en achterkant van de ambulance af, hielden hun camera ter hoogte van de ramen en flitsten erop los. De schrille kleuren, de hysterische sirene en de sprintende fotografen lieten de voetgangers verbijsterd achter.

Het nieuws dat er een overlevende was gevonden reisde sneller dan de ambulance en bij de ingang van het ziekenhuis stond dan ook een klein mediagroepje dat debatteerde met een stuk of tien agenten en beveiligingsmedewerkers van het ziekenhuis. De ingang voor ambulances was vrij, en ze haalden het meisje uit de ambulance en reden haar door de openzwaaiende deuren voordat de journalisten bij haar konden komen. Fernando werd achter haar aan naar binnen gezogen. De journalisten vormden een cirkel rondom Falcón, die ze in de ambulance hadden zien zitten. Hij bracht hun hysterie tot bedaren door hen te vertellen dat het meisje tekenen van leven vertoonde. Een arts zou een volledige verklaring geven zodra hij zijn onderzoek had afgerond. Falcón stak zijn handen op om een volgende stroom vragen tegen te houden.

Tien minuten later had hij zijn auto bij het forensisch instituut opgehaald en reed hij voorzichtig door de groep opgewonden journalisten, die belust waren op een laatste reactie. Hij reed de rivier over naar het oude Expo-terrein en vond het kantoor van Informáticalidad tegenover een groot pakhuis op de Calle Albert Einstein. Hij liet de vrouw achter de receptie zijn politiebadge zien en zei dat hij in verband met een moordonderzoek met Pedro Plata wilde spreken. Hij keek haar aan met de blik van een bikkelharde politieman en ze pakte de telefoon. Meneer Plata zat in een directievergadering, maar zou over een paar minuten beschikbaar zijn. Ze liet hem door het beveiligingspoortje gaan en nam hem mee naar een kamer waarvan alle wanden van glas waren. Hij zag nog altijd niemand anders dan de receptioniste. Er was geen spoor van activiteiten, alsof er weinig of geen zaken werden gedaan.

Pedro Plata kwam aanlopen in het gezelschap van de receptioniste, die twee kopjes koffie neerzette en weer vertrok. Plata was alleen verantwoordelijk geweest voor de aanschaf van het appartement. Over de manier waarop er gebruik van was gemaakt, kon hij niets vertellen.

'Was er een reden waarom u het niet heeft gehuurd maar gekocht?'

'Alleen als u me verzekert dat dit niet bij de belastingdienst terechtkomt of op een andere manier tegen dit bedrijf gebruikt wordt.'

'Mijn werk is het opsporen van moordenaars.'

'We moesten zwart geld kwijt.'

'En het is niet tijdens een stafvergadering aan de orde geweest waar dat appartement voor gebruikt zou worden?'

'Niet waar ik bij was,' zei Plata. 'Het idee kwam van Diego Torres. Hij is hoofd P&O. U kunt het best even met hem gaan praten.'

Er verstreek opnieuw tijd. De kou van de airconditioning en de glazen kooi waarin hij te kijk zat, gaven hem het gevoel een pooldier in een dierentuin te zijn. Diego Torres kwam binnen en nog voordat hij was gaan zitten vroeg Falcón hem wat ze met het appartement gedaan hadden.

'We proberen het creatieve proces van onze werknemers te stimuleren,' zei Torres. 'Niet alleen in verband met onze eigen zaken, maar in verband met zakendoen in het algemeen. Waar liggen mogelijkheden? Zijn er elementen die we aan onze kernactiviteiten moeten toevoegen? Is er een bedrijf dat ons beter kan laten functioneren of helpen te groeien? Is er een volkomen afwijkend project dat een investering waard zou kunnen zijn? Dat soort dingen.'

'En u denkt dat te bereiken door in een appartement in een anoniem gebouw in een arme Sevilliaanse wijk te investeren?'

'Dat was een bewuste keuze,' zei Torres. 'Onze werknemers klaagden dat ze geen tijd hadden voor creatieve gedachten, ze hadden het altijd te druk. Ze vroegen ons tijd om te brainstormen. Veel bedrijven bieden zoiets aan. Normaalgesproken stuurt zo'n bedrijf zijn werknemers dan naar een dure country club. Ze vergaderen, wonen een seminar bij, luisteren naar een goeroe die tegen vergoeding van een fortuin gezond verstand predikt, tennissen, zwemmen en vieren tot vijf uur 's ochtends feest.'

'Dan zal uw oplossing ze wel teleurgesteld hebben,' zei Falcón. 'Hoeveel werknemers bent u kwijtgeraakt?'

'Met dat project geen enkele, maar er zit altijd een zeker verloop in een verkoopteam. Het werk is zwaar en de lat ligt hoog. We betalen goed, maar we verwachten resultaten. Veel jongelui denken dat ze wel met de hoge werkdruk kunnen omgaan, maar ze werken zich over de kop of verliezen hun elan. In deze bedrijfstak werken jonge mensen. Er zijn geen vertegenwoordigers van boven de dertig.'

'Wilt u zeggen dat niemand vertrok toen u ze het appartement in El Cerezo liet zien?'

'We zijn niet op ons achterhoofd gevallen, Inspector Jefe,' zei Torres. 'We hebben de pil verguld. Het idee was dat ze het brainstormen serieus zouden nemen. We hebben ze op een plek buiten hun normale omgeving gezet, zonder afleiding. Er is zelfs geen fatsoenlijk café in de buurt. Op die manier konden ze zich concentreren op hun taak. Ze gingen in groepjes van twee en we wisselden de mensen eromheen af. Ze kregen te horen dat het een tijdelijk project was, van hooguit drie maanden, en ze hoefden niet meer dan vier uur achter elkaar in het appartement door te brengen. We zeiden bovendien dat het er gedurende die drie maanden bij alle projecten die door de directie waren goedgekeurd, bij zou horen.'

'En wat was het verguldsel?'

'Zo streng zijn we niet voor ze,' zei Torres. 'Het verguldsel was een volledig betaald uitstapje naar een hotel aan het strand, met golf en tennis, tijdens de Feria – en dan hoefden ze niet te werken. Ze mochten zelfs hun vriendin meenemen.'

'En hun vriend?'

Torres knipperde met zijn ogen, alsof dat commentaar ergens in zijn hersens voor kortsluiting zorgde. Falcón dacht even dat Torres zijn opmerking misplaatst vond, maar herinnerde zich toen dat het appartement volgens de getuigen alleen door mannen werd bezocht.

'U heeft toch wel vrouwen in dienst, señor Torres?'

'De receptioniste die u hier heeft gebracht, is...'

'Hoe werft u, señor Torres?'

'We adverteren op economische hogescholen en faculteiten, en we gebruiken wervingsbureaus.'

'Geeft u me wat namen en telefoonnummers,' zei Falcón, terwijl hij hem zijn notitieboekje gaf. 'Hoeveel mensen heeft u in het afgelopen jaar ontslagen?'

'Geen enkele.'

'En het jaar daarvoor?'

'Ook geen enkele. Wij ontslaan geen mensen. Ze vertrekken.'

'Dat is goedkoper,' zei Falcón. 'Ik wil graag een lijst van alle mensen die uw bedrijf het afgelopen jaar hebben verlaten en ik wil graag de namen en adressen van alle mánnen die in dat appartement in de Calle Los Romeros zijn geweest.'

'Waarom?'

'We moeten weten of ze iets hebben gezien toen ze daar waren. Vooral afgelopen week.'

'Het zou kunnen dat het lastig voor u is om mijn vertegenwoordigers te ondervragen.'

'U zult het me gemakkelijk moeten maken. We zoeken de mensen die verantwoordelijk zijn voor de dood van vier kinderen en vijf volwassenen... Tot nog toe. En de eerste achtenveertig uur van een onderzoek zijn cruciaal.'

'Wanneer wilt u beginnen?'

'Zodra u me hun namen en telefoonnummers heeft gegeven, nemen twee mensen van mijn eenheid contact op met uw vertegenwoordigers,' zei Falcón. 'Waarom stond u er trouwens op dat uw werknemers er bij daglicht waren?'

'Dat zijn de uren waarop ze werken. Ze verkopen van negen uur 's ochtends tot acht uur 's avonds, zolang bedrijven open zijn. Daarna is er papierwerk en zijn er vergaderingen, cursussen, productinformatielessen. Dagen van meer dan twaalf uur zijn geen uitzondering.'

'Geeft u me ook maar een lijst met de namen en telefoonnummers van de directieleden.'

'Nu meteen?'

'Gelijk met de andere lijsten waar ik om vroeg,' zei Falcón. 'Ik heb het druk, señor Torres. Het zou fijn zijn als ik ze binnen tien minuten heb.'

Torres stond op en gaf Falcón een hand.

'Ik wil graag dat u me de lijsten brengt, señor Torres,' zei Falcón. 'Tegen die tijd heb ik nog meer vragen voor u.'

Torres vertrok. Falcón ging naar het toilet. Op elektronische tekstbalken die boven ieder urinoir hingen, kwamen citaten uit de bijbel en inspirerende zakenspreuken voorbij. Informáticalidad haalde het beste uit zijn werknemers door hen op te nemen in een cultuur die veel van een religieuze sekte weg had.

De receptioniste stond voor de toiletdeur op hem te wachten. Het leek erop dat ze erop toezag dat hij niet al te vrij door de gangen rondzwierf, terwijl de kamers allemaal met een *keypad* beveiligd waren. Ze bracht hem terug naar Torres, die klaarstond met de lijsten.

'Is Informáticalidad onderdeel van een holding company?' vroeg Falcón.

'We zijn de hightech-divisie van het Spaanse bedrijf Horizonte. Dat zit in Madrid. Zij zijn op hun beurt eigendom van het Amerikaanse investeringsbedrijf I4IT.'

'Wie zijn dat?'

'Wie zal het zeggen?' vroeg Torres. 'I4 staat voor Indianapolis Investment Interests Incorporated, en IT staat voor Information Technology. Ik denk dat ze zijn begonnen met investeringen in hightech, maar inmiddels hebben ze een bredere basis.'

Torres liep met hem mee terug naar de receptie.

'Hoeveel ideeën en projecten hebben uw vertegenwoordigers bedacht in de tijd dat ze in de Calle Los Romeros zaten?'

'Vijftien ideeën die al in praktijk zijn gebracht, en vier projecten die nog in de ontwikkelingsfase zijn.'

'Heeft u weleens van de website *www.vomit.org* gehoord?'

'Nee,' zei Torres, en hij liet de deur zacht achter Falcón dichtgaan.

In zijn auto keek Falcón op zijn mobiele telefoons of hij berichten had. Het gebouw van Informáticalidad, een stalen raamwerk met getint glas, weerspiegelde zijn omgeving. Boven op het gebouw wapperden vier vlaggen met bedrijfslogo's: Informáticalidad, Quirúrcalidad, Ecográficalidad en, als laatste, een iets grotere vlag met een enorme bril waar een horizon in te zien was en daarboven Optivisión. Hightech, robotoperatietechniek, ultrasone apparatuur en lasertechnologie voor het corrigeren van visuele handicaps. Dit bedrijf had toegang tot de interne functies van het lichaam. Ze konden bij je naar binnen kijken, dingen verwijderen en implanteren, en ervoor zorgen dat je de wereld net zo zag als zij. Het verontrustte Falcón.

12

Sevilla, dinsdag 6 juni 2006, 15.45 uur

Toen Falcón wegreed, golfde zijn auto langs de glazen façade van het gebouw. Hij liet zich doorverbinden met Mark Flowers, een werknemer van het Amerikaanse consulaat in Sevilla met de eufemistische functie van communicatiedeskundige. Na 9/11 was het pensioen van deze CIA-agent voor onbeperkte tijd ingetrokken; ze hadden hem eerst in Madrid gestationeerd en later naar Sevilla overgeplaatst. Falcón had hem in 2002 bij een moordonderzoek leren kennen en sindsdien hadden ze contact gehouden. Dat hield in dat Falcón, in ruil voor inlichtingen en een directere, proactieve verbinding met de FBI, een van Flowers bronnen was geworden.

'Mark, je had gebeld,' zei Falcón.

'We moeten praten.'

'Heb je iets voor me?'

'Niets. Dit was een donderslag bij heldere hemel. Maar ik werk wel ergens aan.'

'Kun je inlichtingen voor me inwinnen over een bedrijf met de naam I4IT? Dat staat voor Indianapolis Investment Interests Incorporated en Information Technology.'

'Doe ik,' zei Flowers. 'Wanneer kunnen we elkaar zien?'

'Vanavond,' zei Falcón. 'Laat. Onze eigen inlichtingendienst wil een "onderhoud" met me. Als je daarna langskomt, kun je me misschien advies geven.'

Falcón hing op. Het radiojournaal deed verslag van de jongste ontwikkelingen: een groepering met de naam Mártires Islámicos para la Liberación de Andalucía had zowel TVE als RNE gebeld om de verantwoordelijkheid voor de aanslag op te eisen. El Corte Inglés was geëvacueerd en in de Calle Tetuán was na een bommelding paniek uitgebroken. Er stonden lange files op de wegen die Sevilla uitgingen, en dan vooral op de snelweg naar het zuidelijk gelegen Jerez de la Frontera.

Falcón verdrong het beeld van een op hol geslagen kudde vee die een grote stofwolk boven de buitenwijken van Sevilla veroorzaakte.

Hij reed terug over de rivier en voelde zijn mobieltje trillen. Ramírez wilde weten waar hij was.

'We hebben een vaste bezoeker van de moskee gevonden,' zei hij. 'Hij kwam er iedere avond na het werk, om te bidden. We zien je in de kleuterschool.'

Falcón reed de wijk El Cerezo vanuit het noorden in om het verkeer bij het ziekenhuis te mijden. In de kleuterschool maakte hij fotokopieën van de lijsten met personeel van Informáticalidad. Hij gaf ze aan Ramírez en droeg hem op twee mensen van de eenheid aan te wijzen om de vertegenwoordigers te vragen of hen iets was opgevallen. Ramírez stelde Falcón voor aan een Marokkaanse man. Zijn naam was Said Harrouch. Hij werkte als kok en was in 1958 in het Noord-Marokkaanse Larache geboren.

Geen enkel klaslokaal had nog glas in de ramen en de opruimwerkzaamheden veroorzaakten zo veel lawaai dat ze elkaar nauwelijks konden verstaan. Daarom gingen ze naar het appartement van de man, dat vlakbij was. De vrouw van Harrouch zette muntthee en ze gingen in een kamer zitten die niet op het vernielde gebouw uitkeek.

'U bent kok voor een productiebedrijf in de Poígono Industrial Calonge,' zei Ramírez. 'Wat zijn uw werktijden?'

'Van zeven uur 's ochtends tot vijf uur 's middags,' zei hij. 'Ze lieten me naar huis gaan toen ze hadden gehoord dat er een bom was ontploft.'

'Komt u altijd op dezelfde tijd in de moskee?'

'Ik ben er meestal tussen halfzes en kwart voor zes.'

'Elke dag?

'In de weekeinden ga ik vijf keer per dag.'

'Gaat u alleen om te bidden, of blijft u er ook weleens wat langer?'

'In de weekeinden is er thee en blijf ik hangen om een praatje te maken.'

De man was rustig. Hij leunde achteruit en vouwde zijn handen voor zijn buik. Hij knipperde langzaam met zijn lange wimpers. Van een politieman werd hij niet nerveus.

'Hoe lang woont u al in Sevilla?'

'Bijna zestien jaar,' zei hij. 'Ik ben in 1990 gekomen, om op de Expo te werken. Ik ben nooit meer teruggegaan.'

'Woont u graag in deze buurt?'

'Ik vond het in de oude stad prettiger,' zei hij. 'Daar is het meer zoals thuis.'

'Hoe zijn de mensen hier?'

'Bedoelt u de Spanjaarden?' vroeg hij. 'De meesten zijn oké. Maar niet iedereen vindt het even prettig dat hier zo veel Marokkanen zijn.'

'U hoeft niet diplomatiek te zijn,' zei Ramírez. 'Vertel maar hoe het echt is.'

'Na de aanslagen in Madrid koesteren veel mensen argwaan tegen ons,' zei Harrouch. 'Ze hebben misschien wel te horen gekregen dat niet iedere Noord-Afrikaan een terrorist is, maar dat helpt niet, omdat er zoveel van ons zijn. De imam heeft geprobeerd de plaatselijke bevolking uit te leggen dat de terroristen een kleine minderheid vormen, en dat hij het zelf niet met hun radicale interpretatie van de islam eens is en het niet in de moskee accepteert. Het heeft niet geholpen. Ze zijn nog steeds wantrouwend. Ik vertel ze dat je zelfs in Marokko goed moet zoeken om iemand te vinden die goedkeurt wat deze extremisten doen. Maar ze geloven ons niet. Natuurlijk, als je naar een theehuis in Tanger gaat, hoor je dat mensen kwaad zijn op de Amerikanen en de Israëliërs. Je zult demonstraties tegen de benarde situatie van de Palestijnen zien. Maar dat zijn woorden en demonstraties. Dat wil niet zeggen dat wij allemaal bommen aan ons lijf hangen en erop uitgaan om te moorden. Bij de zelfmoordaanslagen van mei 2003 in Casablanca zijn onze eigen mensen omgekomen. In de treinen in Madrid in 2004 en in Londen in 2005 zaten ook moslims. Maar dat zijn ze vergeten.'

'Zo werkt terrorisme toch, señor Harrouch?' vroeg Falcón. 'De terrorist wil de mensen laten weten dat het overal kan gebeuren, en dat het iedereen kan overkomen – of je nou een christen, een moslim, een hindoe of een boeddhist bent. Zover is het nu dus blijkbaar ook in Sevilla gekomen. Mensen zijn niet langer veilig in hun eigen huis. Wij willen weten, en wel zo snel mogelijk, wie ons bang willen maken. En als dat niet lukt, willen we weten waarom ze ons bang willen maken.'

'Maar iedereen gaat er natuurlijk vanuit dat wij het hebben gedaan,' zei Harrouch terwijl hij met zijn vinger tegen zijn borst tikte. 'Toen ik vanochtend van mijn werk vertrok, werd ik op straat beledigd door mensen die maar één ding kunnen denken als er een bom afgaat.'

'Op 11 maart dacht de regering automatisch dat het de ETA was,' zei Ramírez.

'We weten dat er anti-islamitische groeperingen zijn,' zei Falcón.

'We hebben bijvoorbeeld allemaal van VOMIT gehoord,' zei Harrouch. Hij zag de verbazing op het gezicht van de agenten. 'We brengen veel tijd door op internet. Op die manier houden we contact met onze families in Marokko.'

'Wij kwamen er vanmorgen pas achter,' zei Falcón.

'Maar het is ook niet voor jullie bedoeld, nietwaar?' vroeg Harrouch. 'De site is opgericht om te laten zien dat de islam een religie van haat is, wat niet klopt. Wij zien VOMIT als een van de vele verzinsels waarmee het Westen ons probeert te vernederen.'

'Maar het Westen heeft die website niet gemaakt,' zei Ramírez. 'Daar is weer een kleine minderheid verantwoordelijk voor.'

'Het gaat erom, señor Harrouch, dat we nog wel even bezig zijn voordat we bij de kelder met de moskee kunnen,' zei Falcón, die het gesprek zakelijk wilde houden. 'Het zal nog dagen duren voordat de technische recherche informatie kan geven over de plek waar de bom is ontploft. Tot die tijd zullen we op getuigenverklaringen moeten afgaan. Wie heeft men het gebouw de afgelopen drie dagen in en uit zien gaan? Tot nog toe zijn er twee bestelwagens gezien: een witte Peugeot Partner met twee Marokkanen die kartonnen dozen naar binnen brachten...'

'Of suiker,' zei Harrouch opeens levendig. 'Ik was er gisteren, toen die dozen binnen werden gebracht. Er zat suiker in. Dat stond duidelijk op de zijkant. En ze hadden plastic zakken met munt. Voor de thee.'

'Kende u die twee mannen?' vroeg Ramírez. 'Had u ze eerder gezien?'

'Nee, ik kende ze niet,' zei hij. 'Ik had ze nog nooit gezien.'

'Wie kende ze dan wel? Wie voerde het woord met hen?'

'Imam Abdelkrim Benaboura.'

'En wat deden ze met die suiker en munt?'

'Ze brachten de dozen naar de voorraadkamer achter in de moskee.'

'Werden de mannen aan iemand voorgesteld?'

'Nee.'

'Weet u toevallig waar ze vandaan kwamen?'

'Iemand zei uit Madrid.'

'Hoelang bleven ze in de moskee met de imam praten?'

'Toen ik om zeven uur vertrok, waren ze er nog.'

'Kunnen ze de nacht in de moskee doorgebracht hebben?'

'Dat kan. Er hebben wel eerder mensen in de moskee geslapen.'

'Herinnert u zich hoe laat ze aankwamen?' vroeg Ramírez.

'Een minuut of tien nadat ik van mijn werk was gekomen, dus rond kwart voor zes.'

'Kunt u ons zo nauwkeurig mogelijk vertellen wat ze deden?'

'Ze kwamen binnen, elk met een doos waar een tas met munt op lag. Ze vroegen naar de imam. Die kwam uit zijn kantoortje en ging hen voor naar de voorraadkamer. Ze zetten de dozen weg, liepen weer naar buiten en kwamen terug met nog twee dozen.'

'En toen?'

'Toen gingen ze weg.'

'Met lege handen?'

'Volgens mij wel,' zei Harrouch. 'Maar even later kwamen ze weer terug. Ik denk dat ze hun busje hadden geparkeerd. Toen ze terugkwamen, liepen ze het kantoortje van de imam binnen. Daar zaten ze tegen de tijd dat ik vertrok nog steeds.'

'Heeft u iets van hun gesprek opgevangen?'

Harrouch schudde zijn hoofd. Falcón besefte dat de man niet goed werd van al die vragen naar schijnbaar onbelangrijke details. Harrouch had het gevoel dat hij de twee mannen, die volgens hem alleen suiker hadden afgeleverd, compromitteerde. Falcón zei dat hij zich geen zorgen moest maken over de vragen; ze werden alleen gesteld om te zien of de antwoorden klopten met andere getuigenverslagen.

'Heeft u gehoord of er die ochtend andere buitenstaanders waren?' vroeg Ramírez.

'Buitenstaanders?'

'Werklui, bezorgers... Dat soort mensen.'

'Op een bepaald moment is er een elektricien langsgekomen. Er waren zaterdagavond problemen met de elektriciteit geweest. We zaten de hele zondag in het donker, met alleen kaarsen, maar toen ik gisteren na het werk langsging, deden de lampen het weer. Ik weet niet wat er aan gedaan is, dat zullen jullie moeten vragen aan iemand die er 's ochtends is geweest.'

Ramírez vroeg hem om een paar namen en keek of ze voorkwamen op de lijst die Elvira van Esperanza, de Spaanse vrouw, had gekregen. De eerste drie mannen die Harrouch noemde, stonden op de lijst en lagen dus waarschijnlijk dood in de moskee. De vierde man woonde in de buurt.

'Hoe goed kende u de imam?'

'Hij is nu twee jaar bij ons,' zei Harrouch. 'Hij leest veel. Ik heb gehoord dat zijn appartement vol boeken staat. Maar dat neemt niet weg dat hij zoveel mogelijk tijd in de moskee steekt. Ik zei al dat hij niet radicaal is. Hij heeft nooit iets gezegd wat als extreem kan worden uitgelegd, en hij heeft zelfs nadrukkelijk verklaard dat volgens zijn interpretatie van de koran het plegen van aanslagen niet toelaatbaar was. En vergeet niet dat de moskee ook werd bezocht door Spanjaarden die zich tot de islam hadden bekeerd. Zij zouden extremistische opvattingen niet tolereren...'

'Denkt u dat u het zou weten als hij jongeren wel een radicalere islam voorhield?' vroeg Ramírez.

'In een buurt als die van ons is het onmogelijk om zoiets geheim te houden.'

'Heeft u de imam vaker met vreemden om zien gaan, afgezien van de twee mannen die suiker en munt bezorgden? Ik bedoel, mensen van buiten de stad, of uit het buitenland?'

'Ik heb hem wel met Spanjaarden gezien. Hij was zich erg bewust van het imago van de islam in het licht van de ontwikkelingen van de afgelopen paar jaar. Hij deed pogingen in gesprek te komen met katholieke priesters en sprak hen op vergaderingen toe om hen op het hart te drukken dat niet alle Noord-Afrikanen terroristen zijn.'

'Weet u iets van zijn verleden?'

'Hij is van origine Algerijn. Hij is hier vanuit Tunesië aangekomen. Ik denk dat hij ook een tijdje in Egypte heeft gewoond, want daar sprak hij veel over en hij heeft weleens gezegd dat hij in Khartoum heeft gestudeerd.'

'Hoe heeft hij Spaans geleerd?' vroeg Falcón. 'In de landen die u noemt wordt, naast Arabisch, Frans of Engels gesproken.'

'Hij heeft het hier geleerd,' zei Harrouch. 'De bekeerlingen gaven hem les. Hij had een talenknobbel, hij sprak...'

'Welke talen nog meer?' vroeg Ramírez.

'Duits,' zei Harrouch, die weer in de verdediging ging. 'Hij sprak Duits.'

'Wil dat zeggen dat hij ook in Duitsland heeft gewoond?' vroeg Ramírez.

'Ik denk het wel, maar dat zegt niets,' zei Harrouch. 'Dat de daders van 9/11 uit Hamburg kwamen, betekent niet dat elke moslim die in Duitsland is geweest een radicaal is. Hopelijk vergeet u niet dat de aanslag in een moskee is gepleegd en dat er meer dan tien mensen binnen waren. De meeste van hen zijn oude mannen, met vrouwen en kinderen, en geen jonge, radicale, fundamentalistische bommenmakers. Ik zou denken dat wij slåchtoffer van een aanslag zijn...'

'Goed, señor Harrouch,' zei Falcón op kalmerende toon. 'U begrijpt toch wel dat we alle mogelijkheden onderzoeken? U noemde VOMIT al. Kent u nog andere antimoslimgroeperingen die zover zouden gaan?'

'Er is een aantal heel vervelende demonstraties tegen de bouw van onze moskee in Los Bermejales geweest,' zei Harrouch. 'Misschien herinneren jullie je het niet – ze hebben vorig jaar in mei een varken geslacht op de plek waar de moskee gebouwd zou worden. Er is een erg luidruchtige protestbeweging.'

'Die kennen we,' zei Ramírez. 'We zullen hun activiteiten onder de loep nemen.'

'Heeft u weleens het gevoel gehad dat u werd bekeken, of dat iemand u in de gaten hield?' vroeg Falcón. 'Zijn er onlangs mensen in de moskee gekomen die u niet kende of die zich naar uw mening vreemd gedroegen?'

'We worden gewantrouwd, maar ik geloof niet dat we in de gaten worden gehouden.'

Ramírez vergeleek de beschrijving van de twee mannen uit de Peugeot Partner met de beschrijving die Harrouch had gegeven van de mannen die de dozen de moskee binnen hadden gedragen. Harrouch antwoordde nog wel, maar was er met zijn gedachten niet bij. Ze stonden op om te vertrekken.

'Ik herinner me nog wel iets van een week geleden,' zei Harrouch. 'Iemand vertelde me dat de moskee door de gemeente is geïnspecteerd. Omdat het technisch gesproken een openbare ruimte is, moeten we aan bepaalde veiligheidsnormen voldoen. Vorige week kwamen twee mannen onaangekondigd langs. Ze controleerden alles: het riool, het sanitair, de elektriciteit, alles.'

13

Sevilla, dinsdag 6 juni 2006, 16.55 uur

'Wat vond je van hem?' vroeg Falcón aan Ramírez terwijl ze voor een overleg met Comisario Elvira en Juez Calderón naar de kleuterschool teruggingen.

'Het probleem met deze mensen is niet zozeer dat je de waarheid van de leugens moet scheiden,' zei Ramírez. 'Ik denk niet dat señor Harrouch een leugenaar is. Maar hij is hier al zestien jaar, en hij heeft de gave ontwikkeld om het verhaal te vertellen dat hem zo min mogelijk problemen oplevert en zijn mensen in een zo gunstig mogelijk daglicht stelt. Hij zegt dat de imam nooit radicale woorden heeft gepredikt. Maar toen de talenknobbel van de imam ter sprake kwam, haperde hij. Waarom wilde hij liever niet vertellen welke talen de imam sprak? Omdat het Duits was. Niet alleen vanwege Hamburg, maar ook omdat het betekent dat hij door Europa reisde. Dat maakt de imam verdacht.'

'Hij was openhartig over de twee mannen met hun kartonnen dozen.'

'Met súiker,' zei Ramírez. 'Dat benadrukte hij steeds. En verder heeft hij niet veel over hen losgelaten. Hij had graag willen zeggen dat hij ze kende, maar dat was niet zo. Hij had voor ze willen opkomen. Waarom zou hij dat doen als ze alleen maar suiker bezorgen? Waarom denkt hij dat hij ze moet beschermen?'

'Loyaliteit aan andere moslims,' zei Falcón.

'Of angst voor repercussies?' vroeg Ramírez.

'Zelfs als ze elkaar niet kennen hebben ze een gevoel van verbondenheid,' zei Falcón. 'Señor Harrouch is een nette, hardwerkende man, en hij wil graag dat wij denken dat alle Arabieren zo zijn. Als zich zoiets als deze aanslag voordoet, heeft hij het gevoel dat hij wordt aangevallen en trekt hij instinctmatig een muur op. Ook al heeft dat tot gevolg dat hij ook mensen verdedigt die hij verafschuwt.'

Elvira en Calderón bevonden zich in het gezelschap van Gregorio van het CNI.

'Er zijn ontwikkelingen in Madrid,' zei Elvira. 'Gregorio vertelt jullie er meer over.'

'We hebben aan de aantekeningen in de kantlijnen van die koran uit de Peugeot Partner gewerkt,' zei Gregorio. 'En ondertussen zijn kopieën van die notities naar Madrid gefaxt en heeft een schriftexpert het handschrift vergeleken met het handschrift van de eigenaar van het busje, Mohammed Soumaya, en dat van zijn neef, Trabelsi Amar. Die zijn niet hetzelfde.'

'Hebben die aantekeningen iets opgeleverd?' vroeg Calderón. 'Staan er extremistische standpunten in?'

'Onze korandeskundige zegt dat de interpretaties van de eigenaar van dit boek eerder interessant dan radicaal zijn,' zei Gregorio.

'Hebben jullie Trabelsi Amar al opgespoord?' vroeg Ramírez.

'Hij was nog in Madrid,' zei Gregorio met een knikje. 'Hij wilde gewoon uit de buurt van zijn oom blijven tot hij het busje terug had, wat vanavond had moeten gebeuren. Toen hij het nieuws over de bomaanslag hoorde, dook hij onder, wat overduidelijk niet gepland was: de beste schuilplaats die hij kon verzinnen, was het huis van een vriend, geen van tevoren geregeld veilig adres. De plaatselijke politie heeft hem een paar uur geleden opgepakt.'

'Heeft hij de namen genoemd van de mensen aan wie hij het busje heeft uitgeleend?' vroeg Ramírez.

'Ja,' zei Gregorio. 'Hij is doodsbang. De antiterreurafdeling van de CGI in Madrid zegt dat hij zich niet bepaald als een terrorist gedraagt. Hij heeft het hele verhaal bereidwillig verteld.'

'Laten we beginnen met de namen,' zei Ramírez.

'De man met het kaalgeschoren hoofd heet Djamel Hammad. Hij is eenendertig en geboren in Tlemcen, Algerije. Zijn vriend heet Smail Saoudi. Hij is dertig en geboren in Tiaret, ook in Algerije. Ze woonden allebei in Marokko, en dat is officieel nog steeds zo.'

'Wat weten we van hen?'

'Dit zijn hun echte namen, maar ze zijn onder allerlei pseudoniemen actief geweest. Ze hadden een status van middelmatige tot ernstige terreurverdachten. Dat wil zeggen dat ze er niet van werden verdacht dat ze daadwerkelijk aanslagen zouden plegen, maar wel werden verdacht van het vervalsen van documenten, van verkenningsexpedities en van logistieke activiteiten. Ze hebben allebei familieleden die actief waren binnen de GIA – de Groupe Islamique Armé.'

'En hoe heeft Trabelsi Amar ze leren kennen?'

'Ze zijn alle drie illegale immigranten. Ze zijn samen over de Middellandse Zee gekomen, in dezelfde boot. Hammad en Saoudi hebben vriendschap met hem gesloten. Ze stuurden hem naar Madrid en hielpen hem aan documenten. Vervolgens belden ze hem op om een gunst terug te vragen.'

'Vond hij hun gehaaidheid niet... verdacht?' vroeg Calderón.

'Het kwam hem beter uit er niets van te vinden,' zei Gregorio. 'Bovendien is Trabelsi Amar niet bijzonder snugger.'

'Hoe zit het met het busje?' vroeg Ramírez.

'Amar werkte voor zijn oom, hij deed bezorgingen. Hij deed er ook weleens iets naast, om wat bij te verdienen. Hij deed boodschappen voor derden, soms voor Hammad en Saoudi. Toen vroegen ze of ze het busje mochten lenen. De eerste keer voor een middag, de tweede keer voor een hele dag. Het gebeurde allemaal heel geleidelijk; toen ze hem uiteindelijk vroegen of ze voor tweehonderdvijftig euro het busje drie dagen mochten lenen om naar Sevilla te gaan, dacht Trabelsi Amar alleen aan het geld.'

'En hoe legde hij dat aan zijn oom uit?' vroeg Ramírez.

'Hij huurde het busje voor dertig euro per dag van zijn oom,' zei Gregorio. 'Hij was dan misschien niet zo snugger, hij had wel door dat hij zonder er iets voor te doen honderdzestig euro aan de deal zou overhouden.'

'Dus hij weet waar Hammad en Saoudi wonen?'

'Op dit moment wordt hun appartement doorzocht.'

'Wanneer is Amar precies ondergedoken?' vroeg Ramírez. 'Toen hij van de bom hoorde, of toen het in het nieuws kwam dat de Peugeot Partner was gevonden?'

'Meteen toen hij van de bom hoorde,' zei Gregorio.

'Hij had dus wel begrepen dat zijn nieuwe vrienden geen gewone jongens waren.'

'En wat voor relatie hadden ze met imam Abdelkrim Benaboura, afgezien van het feit dat ze alle drie Algerijn waren?' vroeg Falcón.

'Het enige verband dat wij nu zien, is dat ook Benaboura in Tlemcen is geboren. Maar dat zegt niet veel.'

'Een lid van de moskee heeft ons meer over de imam verteld dan de CGI en het CNI samen,' zei Falcón.

'We hebben nog steeds geen toegang tot meer informatie,' zei Gregorio. 'Juan ook niet, en jullie hebben vast gemerkt dat hij een hoge oom is.'

'De imam speelt een rol,' zei Ramírez. 'Dat weet ik zeker.'

'En die groep, de MILA, die volgens het journaal de verantwoordelijkheid voor de explosie heeft opgeëist?' vroeg Falcón.

'Wij hebben nooit begrepen dat die een terroristische dimensie zou hebben,' zei Gregorio. 'We wisten wel dat ze de intentie hadden Andalucía te "bevrijden", maar dat hebben we nooit serieus genomen. Met de huidige militaire structuur in dit land zou alleen een grootmacht een regio in Spanje kunnen innemen. De Basken zijn er niet in geslaagd, en zij hoeven er het land niet voor binnen te vallen.'

'En wat wist de CGI van de aanwezigheid van Hammad en Saoudi in Spanje?' vroeg Calderón.

'Niets,' zei Gregorio. 'Het is een stuk ingewikkelder dan het lijkt om onbekende radicalen op te sporen in een enorme immigrantengemeenschap die voortdurend van samenstelling wisselt en waarvan een deel legaal is en een ander deel de Middellandse Zee over is gesmokkeld. Zo weten wij bijvoorbeeld dat sommige van hen hier komen, twee of drie opdrachten in dit land uitvoeren en weer verdergaan. Ze worden gewoon vervangen door iemand uit Frankrijk, Duitsland of Nederland. Vaak hebben ze geen flauw benul welk doel hun daden dienen. Ze leveren ergens een pakje af, rijden iemand ergens naartoe, nemen met gestolen bankpassen geld op, gaan op bepaalde tijdstippen met een trein mee om te rapporteren hoeveel reizigers erin zitten en hoe lang hij op welk station stopt. Of ze moeten de beveiliging van een gebouw in kaart brengen. Zelfs als we erin slagen ze op te pakken en loskrijgen wat hun taak was – en dat is niet eenvoudig – hebben we niet meer dan een van de honderden fragmenten van de film die een grote aanslag kan vormen. En voor hetzelfde geld sneuvelt dat fragment alsnog in de montagekamer.'

'Heeft iemand enig idee waar Hammad en Saoudi mee bezig waren?' vroeg Falcón.

'We weten te weinig,' zei Gregorio. 'We hopen meer informatie te hebben als hun woning is doorzocht.'

'Hoe zit het met de hoofdkap en de islamitische sjerp?' vroeg Ramírez. 'Dragen ze die als ze zichzelf op de video zetten voordat ze een zelfmoordaanslag gaan plegen?'

'Daar kan de CGI niet op reageren,' zei Gregorio. 'Maar uit het verhoor van Trabelsi Amar ontstond het beeld dat hun bijdrage tot de logistiek beperkt bleef.'

Ramírez deed verslag van de leveranties aan de moskee, het bezoek van de gemeente een week eerder, de stroomuitval op zaterdagavond en de herstelwerkzaamheden van de elektriciens op maandagochtend. Falcón hield zijn bevindingen van het verhoor met Diego Torres van Informáticalidad voor zich zolang ze nog geen informatie uit de gesprekken met de vertegenwoordigers hadden.

'Is er al meer bekend over de gebruikte springstof?' vroeg Calderón.

'Ik heb het volgende bericht van de explosievenopruimingsdienst ontvangen,' zei Elvira. 'Uit het eerste onderzoek ter plekke, uit de afstand tussen het epicentrum van de explosie en de puinstukken die het verst weg zijn geblazen, en uit de omvang van de vernietiging van de eerste drie verdiepingen, maken zij op dat de hoeveelheid ontploft hexogeen ruwweg drie keer zo groot is als wat je nodig hebt om zo'n appartementencomplex op te blazen.'

'Leiden ze daar iets uit af?' vroeg Calderón. 'Of laten ze dat over aan onze ondeskundige veronderstellingen?'

'Dat is wat ze tot zover zwart op wit kunnen zetten,' zei Elvira. 'Maar ze hebben off the record tegen me gezegd dat je, om een gebouw van deze afmetingen op te blazen, met de kennis van springstoffen die je probleemloos op internet vindt, niet meer dan twintig kilo hexogeen nodig hebt. Ze zeggen dat hexogeen vaak wordt gebruikt bij sloopwerkzaamheden, vooral om door stalen steunbalken te komen. Als een expert twintig kilo in een gebouw van gewapend beton plaatst, gaat niet, zoals nu, één gebouw tegen de vlakte, maar een hele straat. Hier leiden ze uit af dat de explosieven op één plek in de kelder van het gebouw lagen. Dat moet, gezien de schade aan de kleuterschool, aan de achterkant van het gebouw zijn geweest. Ze denken dat er zeker honderd kilo hexogeen is ontploft.'

'Dat klinkt in ieder geval wel als het begin van een serieuze bommencampagne in Sevilla,' zei Calderón. 'En als deze groep van plan is om heel Andalucía te bevrijden...'

'Je hebt het laatste journaal waarschijnlijk niet gezien,' zei Elvira, 'maar voor de hele regio is de hoogste alarmfase afgekondigd. Ze hebben het Alhambra en de Generalife in Granada en de kathedraal van Córdoba ontruimd. In de badplaatsen aan de Costa del Sol zijn speciale patrouilles op pad gestuurd en op de N340 zijn meer dan twintig wegversperringen opgericht. De marine is uitgevaren en op alle belangrijke vliegvelden staan gevechtsvliegtuigen van de luchtmacht klaar. Boven de belangrijkste verkeersaders van Andalucía vliegen meer dan veertig helikopters. Zapatero neemt de dreiging echt zeer serieus.'

'Tja, hij heeft natuurlijk kunnen zien hoe het met de politieke ambities van zijn voorganger is afgelopen,' zei Calderón. 'En niemand wil de geschiedenis ingaan als de minister-president die na meer dan vijfhonderd jaar Spaans gezag Andalucía aan de moslims kwijtraakte.'

Niemand kon in dit stadium van de gebeurtenissen om Calderóns cynisme lachen. Daar was de betekenis van wat Elvira had gezegd te heftig voor, en bovendien vloog er, als om zijn woorden te bekrachtigen, met hoge snelheid een helikopter over, waarmee de crisis naar een nieuw punt leek te worden gevoerd. Falcón verbrak de stilte.

'De antiterreurafdeling van de CGI in Madrid denkt dat Hammad en Saoudi een onbekende cel logistiek hebben ondersteund bij de voorbereiding van een aanslag of reeks aanslagen. Het staat vast dat er op 5 juni goederen zijn geleverd. In het busje waarmee de goederen werden vervoerd, zijn maar één hoofdkap en één sjerp gevonden, wat erop zou kunnen duiden dat Hammad of Saoudi de aanslag ging plegen. Het kan ook betekenen dat een van hen het busje naar Madrid zou terugrijden en Trabelsi Amar zijn busje zou terugkrijgen zoals was afgesproken.

Voor de aanslagen van 11 maart in Madrid zijn twee leden van de cel op 28 en 29 februari naar Avilés gereden om explosieven op te halen. Ze gaven zichzelf daarna ruim tien dagen om de aanslagen voor te bereiden. In ons scenario moeten we er dus van uitgaan dat het hexogeen op maandag in rauwe poedervorm werd afgeleverd en dat daar diezelfde avond nog bommen van zijn gemaakt, zodat alles op dinsdagochtend klaar zou zijn. Maar om halfnegen ging er iets mis en ontplofte de boel. Ik besef dat dit niet onmogelijk is, en in de geschiedenis van het terrorisme zal het wel eerder zijn voorgekomen dat de bezorging, de preparatie en de aanslag binnen vierentwintig uur plaatshadden. Maar voor een groep die heel Andalucía wil bevrijden, lijkt dat me niet waarschijnlijk.'

'Aan wat voor scenario denk jij dan?' vroeg Gregorio.

'Aan geen enkel,' zei Falcón. 'Ik zit maar wat te dubben. Ik heb geprobeerd een logische lijn in de gebeurtenissen te ontdekken, maar er zijn te veel onderbrekingen. Ik wil alleen voorkomen dat ons onderzoek binnen twaalf uur maar één richting uit gaat. Het duurt waarschijnlijk twee of drie dagen voordat we de forensische informatie uit de moskee hebben, en het lijkt me verstandig om tot die tijd alle mogelijkheden open te houden: dus ook dat de bom tijdens het maken per ongeluk is ontploft, en ook dat het om een aanslag op de moskee gaat.'

'Waarom zou iemand een aanslag op de moskee willen plegen?' vroeg Calderón.

'Uit wraak, uit xenofobie, uit politieke of zakelijke overwegingen, en misschien wel uit een combinatie van die vier beweegredenen,' zei Falcón. 'Terreur is een instrument om veranderingen te veroorzaken. Kijk maar eens naar de puinhoop die deze bom heeft gemaakt. Terreur focust de aandacht van het volk en creëert mogelijkheden voor mensen met macht. De inwoners van deze stad zijn al op de vlucht geslagen. Bij dit soort paniek wordt het ondenkbare mogelijk.'

'We kunnen de paniek alleen beheersen,' zei Elvira, 'door te laten zien dat we alles onder controle hebben.'

'Zelfs als dat niet zo is,' zei Juez Calderón. 'Zelfs als we geen flauw idee hebben in welke hoek we het moeten zoeken.'

'Wie hier ook achter zitten,' zei Falcón, 'of het nou militante islamieten of "andere krachten" zijn, ze hebben hun mediacampagne goed gepland. De *ABC* heeft de brief met de tekst van Abdullah Azzam ontvangen in een envelop met een stempel uit Sevilla. En TVE heeft al gemeld dat de MILA de verantwoordelijkheid opeist.'

'Zou die de verantwoordelijkheid opeisen voor het opblazen van een moskee en het doden van haar eigen mensen?' vroeg Calderón.

'Dat is in Bagdad aan de orde van de dag,' zei Elvira.

'Als je zo'n tekst van Azzam naar de *ABC* stuurt,' zei Gregorio, 'verwacht je op zeer korte termijn een aanslag te plegen... En dan bedoel ik binnen vierentwintig uur. Voorzover ik weet, hebben islamitische militanten nooit van tevoren aangekondigd wat ze van plan waren. Alle grote aanslagen kwamen uit de lucht vallen, met de bedoeling zoveel mogelijk mensen te doden en te verminken.'

De mobiele telefoon van Gregorio ging en hij vroeg of hij weg mocht.

'We weten nu allemaal wat de voorlopige bevindingen van de explosievenopruimingsdienst met betrekking tot de explosie zijn,' zei Falcón. 'Maar hoe zit het met de explosieven zelf? Waar zijn die vandaan gekomen, en waar staan al die verschillende namen voor?'

'Hexogeen is de Duitse naam, RDX de Engelse en cyclonite de Amerikaanse,' zei Elvira. 'De Italianen noemen het weer T4. Ze hebben allemaal hun eigen signatuur, die het mogelijk maakt te achterhalen waar het vandaan komt. Maar die geven ze niet aan ons.'

'Het zou handig zijn om een paar foto's van Hammad en Saoudi te hebben,' zei Ramírez.

'Als ze in de documentenvervalsing zitten, liggen er vast een heleboel foto's in hun woning in Madrid,' zei Falcón. 'Is er al meer nieuws over de graafwerkzaamheden buiten?'

'Ze zeggen nog steeds dat ze, als ze niet voor verrassingen komen te staan, minimaal achtenveertig uur bezig zijn.'

Juez Calderón nam zijn telefoon aan, zei dat er een nieuw lijk was gevonden en vertrok. Falcón zocht oogcontact met Ramírez, die het lokaal uit liep.

'Nog steeds geen nieuws van de CGI?' vroeg Falcón. 'Ik dacht dat wij en de antiterreurafdeling onze krachten zouden bundelen. Maar de enige persoon die we hier hebben gezien, is Inspector Jefe Ramón Barros. Die zegt niet veel en maakt een beledigde indruk.'

'Ik heb begrepen dat het in deze fase vooral hun werk is gegevens te verzamelen,' zei Comisario Elvira.

'Kunnen er dan misschien mensen komen helpen met de vraaggesprekken?'

'Uitgesloten.'

'Dat klinkt alsof je er verder niets over kunt zeggen...'

'Het enige wat ik daarover kwijt wil, is dit: een van de contraterreurmaatregelen die we na 11 maart hebben genomen, is ervoor te zorgen dat onze eigen organisatie clean is.'

'Je meent het,' zei Falcón.

'Er wordt onderzoek gedaan naar de afdeling in Sevilla. Niemand geeft details. Ik weet alleen dat de antiterreurafdeling van Sevilla door het CNI is doorgelicht. Dat heeft niet tot het gewenste resultaat geleid. Ze denken dat ze op de een of andere manier zijn gecompromitteerd. Er wordt nu op hoog niveau overlegd over de vraag of ze wel aan dit onderzoek mogen meedoen. Je hoeft ook niet op actieve steun van de CGI uit Madrid te rekenen. Zij werken alleen met hun eigen informantennetwerk, en ze moeten die knoeiboel met Hammad en Saoudi nog opruimen.'

'Krijgen we het wel te horen als de CGI in Sevilla iets van zijn informanten hoort?'

'Voorlopig niet,' zei Elvira. 'Het spijt me dat ik zo terughoudend ben, maar de situatie is delicaat. Ik weet niet wat ze tegen de leden van de antiterreurafdeling zeggen om hen te laten geloven dat ze nergens van verdacht worden, maar het CNI probeert het mes aan twee kanten te laten snijden. Ze willen niet dat een eventuele verklikker doorkrijgt dat ze hem in de smiezen hebben, maar ze willen ook niet dat hij het onderzoek in gevaar brengt zonder dat ze weten wie hij is. Idealiter vinden ze hem eerst, en betrekken pas daarna de CGI bij het onderzoek; op die manier hebben ze de mogelijkheid hem te gebruiken.'

'Dat lijkt me riskant.'

'Daarom duurt het ook zo lang voordat er een beslissing valt,' zei Elvira. 'Er zijn nu politici bij betrokken.'

Het schurende geluid van de machines buiten had een acceptabel niveau van omgevingsgeluid bereikt. Mannen bewogen als buitenaardse wezens met de slang van hun drilboor achter hen aan door het grijze maanlandschap van verdiepingen die als pannenkoeken op elkaar lagen. Ze werden gevolgd door mannen met beschermkappen voor hun gezicht die lasbranders en motorzagen droegen. Boven hen slingerde de kabel van de hijskraan heen en weer. Het gehamer, het gegrom en gejank, het lawaai van vallend puin en de zware donder als er weer een deel van een verdieping in de kiepwagen werd gestort, hielden het nieuwsgierige publiek op afstand. Er waren nog maar een paar televisieploegen en persfotografen. Zij hielden hun camera's op de puinhoop gericht in de hoop op een vermorzeld lijk, een bebloede hand of een stukje bot te kunnen inzoomen.

Er kwam weer met veel geraas een helikopter over; hij zwenkte en vloog weg over het nabijgelegen Andalusische parlement. Falcón liep door de Calle Los Romeros en belde Ramírez voor de naam van de moslim die señor Harrouch had genoemd en die altijd 's ochtends naar de moskee was gegaan. Hij heette Majid Merizak. Ramírez bood aan mee te gaan, maar Falcón ging deze keer liever alleen.

Dat Majid Merizak niet een van de slachtoffers in de moskee was, kwam omdat hij ziek thuis lag. Hij was weduwnaar en werd door een van zijn dochters verzorgd. Zij had niet kunnen voorkomen dat haar vader de trappen was afgedaald om te zien wat er was gebeurd; zijn gedeeltelijke instorting wel. Nu zat hij hijgend in een stoel, zijn hoofd in zijn nek, zijn ogen wijd opengesperd. De televisie stond keihard; hij was zo goed als doof.

Het appartement stonk naar braaksel en diarree. Hij was het grootste deel van de nacht op geweest en voelde zich nog steeds zwak. De dochter zette de tv uit en dwong haar vader zijn gehoorapparaat in te doen. Ze vertelde Falcón dat het Spaans van haar vader matig was, waarop Falcón zei dat ze het gesprek in het Arabisch konden voeren. Ze legde dat uit aan haar vader, die een verwarde en geïrriteerde indruk maakte; er gebeurde te veel om hem heen. Nadat zijn dochter had gecontroleerd of zijn gehoorapparaat het goed deed en de kamer had verlaten, fleurde hij op.

'Spreekt u Arabisch?' vroeg hij.

'Ik ben het nog steeds aan het leren. Een deel van mijn familie is Marokkaans.'

Hij knikte en dronk thee terwijl Falcón sprak. Hij ontspande zichtbaar bij het horen van het grove Marokkaans van Falcón. Het was de juiste stap. Merizak was veel minder op zijn hoede dan Harrouch.

Falcón warmde hem op met vragen over de tijden waarop hij de moskee bezocht – wat elke ochtend bleek te zijn, zonder uitzondering, en hij bleef daar tot vroeg in de middag. Toen vroeg hij of er onbekenden in de moskee waren geweest.

'Afgelopen week?' vroeg Merizak, waarop Falcón knikte. 'Dinsdag, aan het eind van de ochtend, kwamen twee jonge mannen binnen. Vrijdag waren er twee oudere mannen, rond tien uur. Dat is alles.'

'En u had ze nooit eerder gezien?'

'Nee, maar ik heb ze gisteren weer gezien.'

'Wie?'

'De twee jongemannen die er dinsdag ook waren.'

Merizak omschreef Hammad en Saoudi.

'En wat kwamen zij afgelopen dinsdag doen?'

'Ze gingen het kantoortje van de imam binnen en praatten tot ongeveer halftwee met hem.'

'En gistermorgen?'

'Ze brachten twee zakken. Die waren zo zwaar dat ze elke zak met z'n tweeën moesten dragen.'

'Hoe laat was dat?'

'Ongeveer halfelf. Ze kwamen tegelijk met de elektriciens,' zei Merizak. 'O ja, natuurlijk, die elektriciens waren er ook, die had ik ook nooit eerder gezien.'

'Waar hebben die twee jonge mannen de zakken neergezet?'

'In de voorraadkamer, naast het kantoortje van de imam.'

'Weet u wat er in die zakken zat?'

'Couscous. Dat stond erop.'

'Is dat ooit eerder geleverd?'

'Niet in die hoeveelheden. Mensen nemen wel eens een tas met eten voor de imam mee... U weet misschien dat het onze plicht is om aan onze minder bedeelde medemensen te geven.'

'Wanneer vertrokken ze?'

‘Ze bleven ongeveer een uur.’

‘En de mannen die vrijdag kwamen?’

‘Dat waren inspecteurs van de gemeente. Ze zijn overal in de moskee geweest. Ze hebben met de imam gesproken en zijn toen weer vertrokken.’

‘En het uitvallen van de elektriciteit?’

‘Dat is zaterdagnacht gebeurd. Ik was er niet. De imam was alleen. Hij zei dat er een harde knal klonk en dat de lampen toen uitgingen. Dat vertelde hij ons de volgende morgen, toen we in het donker moesten bidden.’

‘En de elektriciens kwamen het maandag oplossen?’

‘Om halfnegen kwam een man in zijn eentje. Twee uur later kwam hij terug met twee andere mannen, om het werk te doen.’

‘Waren het Spanjaarden?’

‘Ze spraken Spaans.’

‘Wat hebben ze gedaan?’

‘De stoppenkast was doorgebrand, dus ze hebben een nieuwe geïnstalleerd. Daarna hebben ze nog een contactdoos in de voorraadkamer geplaatst.’

‘Hoe deden ze dat?’

‘Ze freesden een geul in de bakstenen muur vanaf een stopcontact in het kantoortje van de imam. Daarna boorden ze een gat in de muur naar de voorraadkamer. Daar staken ze een flexibele grijze buis in, schoven daar elektriciteitsdraad door en streken het toen dicht met cement.’

Merizak had het blauwe busje gezien. Hij vertelde dat het onder de deuken zat, dat hij niet had gezien dat er iets op stond en dat hij niet naar het kentekennummer had gekeken.

‘Hoe betaalde de imam voor die klus?’

‘Contant.’

‘Weet u hoe hij aan het telefoonnummer van dat bedrijf was gekomen?’

‘Nee.’

‘Zou u de elektriciens, de gemeente-inspecteurs en de twee jonge mannen herkennen als u ze terugzag?’

‘Ja. Maar ik kan ze niet zo goed voor u beschrijven.’

‘Heeft u naar het nieuws geluisterd?’

‘Ze weten niet waar ze het over hebben,’ zei Merizak. ‘Ik word er heel kwaad van. Er ontploft een bom en dus hebben islamitische militanten het gedaan.’

‘Heeft u ooit van Los Mártires Islámicos para la Liberación de Andalucía gehoord?’

‘Vandaag op het nieuws voor de eerste keer. Het is een verzinsel van de pers om de islam in diskrediet te brengen.’

‘Heeft u de imam ooit militante ideologieën horen preken in de moskee?’

‘Integendeel.’

‘Ik heb begrepen dat de imam goed in talen was.’

‘Hij leerde heel snel Spaans te spreken. Ik heb gehoord dat zijn appartement vol met Franse en Engelse boeken stond. En hij sprak ook Duits. Door de telefoon sprak hij talen die ik nog nooit had gehoord. Hij vertelde me dat één daarvan Turks was. In februari kwamen hier mensen die een week bij hem bleven en zij spraken een andere vreemde taal. Iemand zei dat het Pashto was en dat de mannen uit Afghanistan kwamen.’

14

Sevilla, dinsdag 6 juni 2006, 18.30 uur

Een groter gekkenhuis dan op de burelen van de ABC, in de glazen zuil aan de Isla de la Cartuja, zou het zelfs in het toch al hectische vak van de journalistiek niet snel worden. Angel Zarrías sloeg vanaf de zijkant van de redactiekamer gade hoe journalisten in telefoons brulden, tegen assistenten tierden en fel met elkaar discussieerden.

Door het woud van flikkerende computerschermen, tot brekens aan toe uitgerekte telefoonsnoeren en driehoeken van voor het gezicht geslagen handen, hield Angel de open deur van de kamer van de hoofdredacteur in de gaten. Hij beidde zijn tijd. Dit was het moment van de nieuwsjager. Het was hun werk de verhalen op te sporen; de hoofdredacteur moest ze zo aan elkaar breien dat het juiste beeld en de juiste toon voor de nieuwe geschiedenis van een stad in nood ontstonden.

Onderweg van Manuela's appartement naar het ABC-gebouw had hij de taxichauffeur gevraagd hem af te zetten in een straat bij de Maestranza-arena. Daar woonde zijn vriend Eduardo Rivero, in het pand waar ook zijn politieke partij, Fuerza Andalucía, hoofdkwartier hield. Hij had de avond daarvoor met Eduardo Rivero en de nieuwe geldschieters van Fuerza Andalucía gedineerd. Tijdens dat diner was een belangrijke beslissing genomen, die hij niet met Manuela kon delen voordat zij, vandaag, openbaar was gemaakt. Hij was ook niet in de gelegenheid geweest haar te vertellen dat hij voortaan meer voor Fuerza Andalucía, en minder voor ABC zou gaan werken. Hij had dingen aan zijn hoofd die belangrijker waren dan de homohuwelijken waartegen hij in zijn dagelijkse column fulmineerde.

Het indrukwekkende huis van Rivero droeg het stempel van een traditionele opvoeding en dito gedachtewereld. De voorgevel was donker terracotta, waartegen de okerkleurige ramen die in prachtig smeedijzeren traliewerk gevangen zaten, fel afstaken. De eikenhouten voordeur was drie meter hoog, kastanjebruin gelakt en versierd met koperen medaillons. Hij gaf toegang tot een enorme binnenplaats met marmeren tegels. Daar was Rivero van de traditie afgeweken: er stonden twee, door lage, vierkante buxushagen omgeven, beelden: links Apollo, rechts Dionysus. Daartussenin stond een enorme witte marmeren schaal met een fontein. Het ingetogen waterstraaltje dompelde het huis, ondanks die heidense afgodsbeelden, in een sfeer van religieuze eerbied.

Aan de voorkant van het huis zat het hoofdbureau van de partij, beneden de administratie, boven de ruimtes waar beleid werd gemaakt en politieke discussies werden gevoerd. Angel nam de trap meteen achter de voordeur, die naar de kamer van Rivero voerde. Rivero en de tweede man, de veel jongere Jesús Alarcón, hadden op hem zitten wachten.

Tegen de gewoonte in zaten ze in het midden van de kamer. Rivero's leunstoel van hout en leer stond leeg achter het kolossale Engelse eikenhouten bureau. Ze schudden elkaar de hand. Rivero, die net zo oud was als Angel, maakte een opvallend ontspannen indruk. Hij droeg geen stropdas, zijn jasje hing over de rugleuning van zijn stoel en hij glimlachte onder zijn uitbundige witte snor. Hij zag er niet uit alsof hij zich ook maar in de buurt van een schandaal bevond.

'Zoals het een goede journalist betaamt, Angel, arriveer je op een cruciaal moment,' zei Rivero. 'De beslissing is gevallen.'

'Ik geloof er niets van,' zei Angel.

'Je zult het wel móeten geloven, want het is waar,' zei Rivero. 'Jesús Alarcón is de nieuwe leider van Fuerza Andalucía. Sinds vijf minuten geleden.'

'Dat is een even stoutmoedige als briljante beslissing,' zei Angel. Hij schudde beide mannen de hand en omhelsde hen. 'Dat hebben jullie knap stil weten te houden.'

'Het bestuur heeft het besluit gisteravond, voordat we aan tafel gingen, goedgekeurd,' zei Rivero. 'Ik wilde het nieuws pas naar buiten brengen nadat ik Jesús had kunnen vragen en hij geaccepteerd had. Er moest iets gebeuren voor de campagne van 2007, en met de explosie van vanmorgen is die campagne van start gegaan. En wat is een betere start dan een nieuwe leider?'

Alarcóns gezicht was een masker van ernst, met de gewichtigheid en plechtstatigheid die de situatie vereiste. Maar dat kon niet verhullen wat vanbinnen straalde. Ondanks zijn grijze pak, donkere das en witte overhemd zag je hoe trots hij was. Hij was de schooljongen op de prijsuitreiking die al weet dat hij de hoofdprijs heeft gewonnen.

Angel Zarrías kende Jesús Alarcón sinds 2000, toen hij aan hem werd voorgesteld door een oude vriend, Lucrecio Arenas, de CEO van Banco Omni in Madrid. Zes jaar geleden had Angel Jesús in de kring rondom Eduardo Rivero geïntroduceerd, en hem sindsdien stapsgewijs en heel behoedzaam op steeds belangrijkere posities binnen de partij gezet. Angel had nooit getwijfeld aan Jesús' hersens, politieke betrokkenheid en sluwheid, maar hij had zich, als voormalig PR-man, wel zorgen gemaakt over zijn gebrek aan charisma. Maar nu de jongere man het leiderschap definitief uit de bevende klauwen van Rivero had veroverd, had hij een buitengewone verandering ondergaan. Lichamelijk was hij dezelfde, maar zijn zelfvertrouwen was verbluffend manifest geworden. Angel kon er niets aan doen: hij moest de nieuwe leider van Fuerza Andalucía nogmaals omhelzen.

'Zoals je weet,' zei Rivero, 'is ons aandeel in de stemmen de laatste drie verkiezingen gestaag gegroeid. Maar we zijn nooit verder gekomen dan maximaal 4,2 procent, en dat is niet genoeg om de regeringspartner van de Partido Popular te worden. We hebben behoefte aan nieuwe energie aan de top.'

'Ik heb genoeg ervaring met het bedrijfsleven,' zei Alarcón, die zich met nieuw zelfvertrouwen in het gesprek mengde, 'om onze fondsen naar ongekende hoogten te kunnen stuwen, maar dat is in een lethargisch politiek speelveld slechts van beperkt belang. Wat er vanmorgen is gebeurd, geeft ons een unieke kans om de aandacht van de kiezers op de reële en zichtbare dreiging van de radicale islam te vestigen. Het geeft een nieuwe dimensie aan onze immigratiepolitiek, die eerder, zelfs na 11 maart, werd afgedaan als extremistisch en die uit de maat zou lopen met de manier waarop hedendaagse maatschappijen zich ontwikkelen. Als we ons de komende acht maanden inzetten om die boodschap aan het volk van Andalucía over te brengen, dan hebben we een kans om ons stemmenaandeel in 2007 aanzienlijk te vergroten. We hebben dus de juiste ideologie op het juiste moment, en ik kan het geld bij elkaar krijgen dat nodig is om haar in de hele regio te laten horen.'

'Wij vinden het niet toevallig als jij, na de explosie in El Cerezo van vanmorgen, de eerste zet doet, Angel,' zei Rivero. 'Jij weet beter dan wie ook wat morgenochtend indruk op de bevolking van Andalucía zal maken.'

Angel leunde achterover in zijn stoel, haalde zijn vingers door zijn haar en maakte een sissend geluid tussen zijn op elkaar geklemde kaken. Hij begreep wat Rivero wilde, en het was, gezien de omstandigheden, veel gevraagd.

'Denk je eens in wat een impact het zou hebben,' zei Rivero, terwijl hij naar Jesús knikte. 'Zijn gezicht, zijn profiel en zijn ideeën op de pagina's van de ABC *Sevilla*, één dag na zo'n ramp. Izquierda Unida bijt in het stof en de Partido Andalucista heeft het nakijken.'

'Zijn jullie klaar voor wat ik voor jullie kan doen?' vroeg Angel.

'Ik ben er nog nooit van mijn leven zo klaar voor geweest,' zei Alarcón. Hij overhandigde Angel zijn CV.

Op de achterbank van de taxi, op weg naar het ABC-gebouw, had Angel Alarcóns CV doorgebladerd. Jesús Alarcón was in 1965 in Córdoba geboren. Hij werd op zijn zeventiende op de universiteit van Madrid toegelaten, waar hij filosofie, politieke geschiedenis en economie studeerde. Als overtuigd katholiek verachtte hij de atheïstische communistische geloofsovertuiging. Omdat hij vond dat je je vijand het best kon verslaan als je hem goed kende, ging hij aan de universiteit van Berlijn Russisch en Russische politieke geschiedenis studeren. Hij was getuige van de val van de muur in 1989 – er zat een foto bij om dat te bewijzen. Maar zo had het niet moeten gebeuren, de cruciale gebeurtenissen daar hadden hem van een motief beroofd.

In dezelfde tijd was het bedrijf van zijn vader over de kop gegaan, en hij was kort daarna overleden. Zijn moeder was haar echtgenoot zes maanden later in het graf gevolgd. Jesús schreef zich in bij de INSEAD in Parijs, om een MBA te halen. Vanaf kerst 1991 werkte hij voor McKinsey's in Boston, en in de vier jaar daarna werd hij analist en adviseur voor Midden- en Zuid-Amerika. In 1995 stapte hij over naar Lehman Brothers, om deel te gaan uitmaken van hun fusie- en acquisitieteam. Daar verschoof hij het terrein van zijn activiteiten naar de Europese Unie en bouwde hij aan een machtige lijst investeerders die in de snelgroeiende Spaanse economie wilden participeren. In 1997 veranderde zijn leven opnieuw: hij ontmoette de beeldschone Sevillana Mónica Abellón, wier vader een van Jésus' belangrijkste klanten was. Mónica's vader zorgde ervoor dat Jésus Lucrecio Arenas ontmoette, die hem wist te interesseren voor een baan bij de geheimzinnige Banco Omni. Jesús verhuisde naar Madrid, waar Mónica al als model werkte.

In 2000 begon Angel, die het helemaal met de Partido Popular had gehad, PR-werk te doen voor klanten van Banco Omni. Lucrecio Arenas was ervan overtuigd dat hij in Jésus Alarcón de toekomstige leider van Spanje had gevonden. Hij was erop gebrand zijn nieuwe vondst ervaring in de regionale politiek op te laten doen en riep de hulp van Angel in. Angel introduceerde Jésus bij Eduardo Rivero en de andere bestuursleden van Fuerza Andalucía, die hem meteen als een van hen herkenden en hem met open armen in hun gemeenschap opnamen. Jésus Alarcón was een traditionalist en een praktiserend katholiek. Hij had een diepe afkeer van het communisme en het socialisme, was overtuigd van de positieve bijdrage van het bedrijfsleven aan de maatschappij en hield van stieren. Hij was twintig jaar jonger dan zij en hij zag er goed uit – misschien een tikkeltje saai, maar dat maakte hij goed met zijn prachtige vrouw, Mónica Abellón, en zijn twee fantastische kinderen.

In de burelen van de ABC zette Angel zich aan de dossiers en archieven. In een uur had hij een pagina in elkaar gezet – als het meer dan dat was, zou de hoofdredacteur er niet eens naar willen kijken. De kop luidde: DE MAN MET DE ANTWOORDEN. De grote foto van Jésus had hij in een zakenblad over de toekomst van Spanje gevonden. Jésus zag eruit alsof hij tegen de zon in keek (waarschijnlijk keek hij in het licht van de fotograaf) en zijn gezicht straalde hoop en geloof in de toekomst uit. Hij had ook een foto van Jésus met de verbluffend knappe Mónica en een foto van het echtpaar met de kinderen. Ondertitel: *De nieuwe leider van Fuerza Andalucía gelooft in onze toekomst.* De tekst was in notitievorm gegoten. Hij beschreef niet alleen de radicale immigratiepolitiek van Fuerza Andalucía, maar ook de vitale economische en agrarische hervormingen die noodzakelijk waren om van Andalucía in de toekomst een macht van betekenis te maken. Hij schetste bovendien een profiel van de carrière van Jésus, waaruit bleek dat zijn economische opvattingen 'verstandig' waren en dat hij de internationale contacten en de banden met het bedrijfsleven had om zijn ideeën te kunnen uitvoeren.

Tegen tweeën, vlak voor lunchtijd, was er een korte luwte in de stormachtige drukte van die ochtend. Het verkeer in en uit de kamer van de hoofdredacteur was tot rust gekomen. Angel zag zijn kans schoon.

'Waarschijnlijk zullen we je column in ieder geval twee dagen moeten schrappen,' zei de hoofdredacteur toen hij zag dat Angel over zijn drempel stapte.

'Natuurlijk,' antwoordde Angel. 'Niemand zit op dit moment op politieke roddels te wachten.'

'Wat wil je dan van mij?' vroeg de hoofdredacteur. Nu hij wist dat Angel niet was gekomen om ruzie te maken, had hij belangstelling.

'De krant van morgen zal voor het grootste gedeelte zijn gevuld met hard nieuws, en veel daarvan zal hartverscheurend zijn, met reportages over de ravage in de kleuterschool en de dode kinderen. De enige positieve artikelen zullen over het uitmuntende optreden van onze hulpdiensten gaan, en ik heb gehoord dat er een overlevende is. In je hoofdcommentaar geef je de stemming van de stad weer, reageer je op de brief met de tekst van Abdullah Azzam en verklaar je dat we sinds 11 maart niet zo ver zijn als iedereen graag had willen denken.'

'Goed, Angel,' zei de hoofdredacteur. 'Nu je me hebt verteld wat ik moet doen, kun je zeggen wat je voor me hebt.'

'Een visioen van hoop,' zei hij, en hij reikte hem de pagina aan die hij net had samengesteld. 'In deze crisisdagen staat een energieke en capabele jongeman klaar om van Andalucía een veilige en welvarende plek te maken.'

De hoofdredacteur scande de pagina, doorzag het, knikte en gromde.

'Dus wat er over Eduardo Rivero wordt gezegd, klopt echt.'

'Ik weet niet precies waar je het over hebt.'

'Schei uit, Angel,' zei de hoofdredacteur terwijl hij zijn hand misprijzend in de lucht stak. 'Hij is gesnapt met zijn broek op zijn enkels.'

'Ik denk niet dat daar ook maar iets van waar is.'

'Met een minderjarig meisje. Er zou sprake zijn van een dvd.'

'Niemand heeft hem gezien.'

'De geruchten waren erg hardnekkig, en nu dit...' zei de hoofdredacteur terwijl hij het artikel heen en weer zwaaide. 'Als die aanslag er niet was geweest, zou ik iemand de modder in sturen om je oude vriend te laten opgraven.'

'Luister, dit zat er al een hele tijd aan te komen,' zei Angel. 'Hij ziet deze aanslag als een signaal dat het tijd is om een stapje terug te doen en de partij door een jongere leider naar een volgend stadium te laten voeren. Hij wordt eind dit jaar zeventig.'

'Dus de bom heeft het eerste politieke slachtoffer gemaakt.'

'Zo moet je het niet zien,' zei Angel. 'De verandering wordt sneller doorgevoerd dan voorzien, en daarmee maakt de partij duidelijk dat we moeten veranderen als we deze aanval op onze vrijheid willen overleven.'

'Wat ben je serieus, Angel. Waar is onze grote cynicus gebleven? De man met de scherpe pen die met warme lucht gevulde ego's lek prikt?'

'Misschien is mijn cynisme ook slachtoffer van de bom.'

'Jij klaagt altijd dat er nooit iets gebeurt,' zei de hoofdredacteur. 'En nu... geloof je opeens in deze kerel. Tot nu toe heb je nauwelijks een woord aan hem besteed.'

'Zoals je net al uiteenzette, was mijn column vooral bedoeld om ego's lek te prikken,' zei Angel. 'Jésus Alarcón heeft nog geen tijd gehad om een ego te ontwikkelen dat lek geprikt moet worden. Hij heeft er geruisloos voor gezorgd dat Fuerza Andalucía van een organisatie met een kleine schuld in een partij met regelmatige bijdragen van leden en bedrijven is veranderd. Hij heeft fantastisch, zij het weinig charismatisch werk verzet.'

'En waarom denk je dat hij er de persoonlijkheid voor heeft?'

'Ik heb hem vanmorgen gezien,' zei Angel. 'Hij heeft veel geleerd...'

'Kun je charisma dan aanleren?'

'Charisma is niets anders dan een intense vorm van zelfvertrouwen,' zei Angel. 'Jésus Alarcón heeft altijd zelfvertrouwen gehad. Hij is ambitieus. Hij heeft zware persoonlijke tegenslagen overwonnen, en dat zegt, naar mijn mening, meer over de man dan zijn kwaliteiten als makelaar bij internationale financiële transacties. Hij heeft dezelfde innerlijke kracht en hetzelfde gezonde verstand als onze vorige minister-president. Je kent de politiek. Het is net als met boksen. Snelle vuisten en behendig voetenwerk zijn leuk en aardig, maar zelfs de beste boksers lopen rake klappen op, dus je moet tegen een stootje kunnen, anders ben je er geweest. Jésus Alarcón heeft al die eigenschappen, en nu hem het leiderschap is verleend, zie ik een ondefinieerbare kwaliteit uit hem oprijzen die maakt dat mensen hem zullen willen volgen.'

'Goed,' zei de hoofdredacteur, die er nu voor was. 'Een nieuw gezicht voor een nieuwe tijd. Schrijf maar een profiel voor me. En ik ben het trouwens met je eens, charisma is inderdaad een intense vorm van zelfvertrouwen. Maar het is bovendien blind en verblindend. Voor je het weet, is corruptie je beste vriend – dan geloof je dat je alles ongestraft kunt doen. Ik hoop dat Jésus Alarcón het niet in zich heeft een tragisch figuur te worden.'

'Hij is niet leeg,' zei Angel. 'Hij heeft zware tijden gekend en zich daar doorheen geslagen.'

'Zorg dat hij zich die zware tijden blijft herinneren,' zei de hoofdredacteur. 'Iedere politicus zou de woorden van de voorzitter van de Vereniging voor de Slachtoffers van Terrorisme, Pilar Manjón in zijn achterhoofd moeten houden: "Ze denken alleen maar aan zichzelf."'

De politie en de technische recherche van Madrid hadden hun best gedaan in het appartement van Djamel Hammad en Smail Saoudi. Ze hadden een verzameling gestolen en vervalste paspoorten en andere identiteitsbewijzen gevonden die met tape onder een gasfles waren geplakt. Er stonden foto's op van de twee mannen, en die kwamen overeen met de beschrijving die Trabelsi Amar en de Sevilliaanse afdeling moordzaken hadden gegeven. Ze ontdekten ook 5875 euro aan kleine coupures, verdeeld in drie pakketjes die op verschillende plaatsen in het appartement waren verstopt. Voor DNA-onderzoek werden hoofdharen, stoppels en schaamharen uit de badkamer meegenomen. Op een leeg blocnotevel op de keukentafel zaten afdrukken, van, zo bleek na bestudering, een ingewikkelde routebeschrijving naar een boerderij ten zuidwesten van Madrid, niet ver van het dorp Valmojado. Deze afgelegen boerderij bij de Río Guadarrama stond leeg, en niets wees erop dat er onlangs iemand had gewoond. De politie concludeerde dat het huis als opslagruimte was gebruikt, er werd materiaal afgeleverd en weer opgehaald, verder niets. Het huis werd gehuurd door een man met een Spaanse identiteit, die vals bleek. De eigenaren hadden zes maanden huur vooruit betaald gekregen en geen lastige vragen gesteld. De technische recherche was nog bezig met het onderzoek ter plekke, maar vooralsnog waren er geen sporen van explosieven gevonden. De Guardia Civil had inlichtingen ingewonnen bij buurtbewoners, waaronder schaapherders, en daaruit was gebleken dat er in de vier maanden dat de boerderij nu was verhuurd, vijf keer een wit busje was geweest. Drie data waarop dit was gebeurd, vielen min of meer samen met de dagen waarop Trabelsi Amar de Peugeot Partner aan Hammad en Saoudi had uitgeleend.

Dit scenario bracht een complicatie met zich mee. De beschrijving van de route naar het afgelegen huis die in het appartement in Madrid was gevonden, was kort geleden in Hammads handschrift genoteerd. Dat zou betekenen dat zij er zondag rond het middaguur voor de eerste keer waren geweest. Dat hield weer in dat ze het busje van Trabelsi Amar de andere twee keer aan derden hadden doorgeleend, en dat die derden ermee naar de boerderij waren gereden. De ooggetuigen hadden verder verklaard dat de boerderij door maar liefst zes andere mensen dan Hammad en Saoudi was bezocht. Daar was ook een vrouw bij geweest. Deze informatie had een adrenalineverhogende uitwerking op de mannen van de CGI in Madrid, die concludeerden dat Hammad en Saoudi binnen een veel groter netwerk opereerden dan in eerste instantie was aangenomen. Ze namen contact op met alle grotere inlichtingendiensten, maar geen van hen had iets opgevangen over een in Spanje geplande aanval. Er werd nu gevreesd dat de logistieke bijdragen van Hammad en Saoudi van een veel grotere campagne deel uitmaakten.

De CGI probeerde met hulp van de Guardia Civil te achterhalen hoe Hammad en Saoudi van Madrid naar de afgelegen boerderij bij Valmojado, en vandaar in zuidelijke richting naar Sevilla waren gereden. Ze wilden weten of ze hun reis vaker hadden onderbroken – voor anoniem lijkende ontmoetingen in barretjes langs de weg, voor bezoeken aan andere afgelegen huizen, of, erger nog, voor het afleveren van goederen in bijvoorbeeld een andere grote Andalusische stad.

Dat was de belangrijkste inhoud van een zeven pagina's tellend verslag dat door meerdere ervaren agenten van de antiterreurafdeling was opgesteld en door de CGI in Madrid naar Comisario Elvira in de zwaar beschadigde kleuterschool was gestuurd. Er zat ook een conclusie bij. Die was geschreven door de Director van het CNI, en was ook door de handen van minister-president Zapatero gegaan:

Op basis van onze eigen bevindingen en de verslagen van de CGI tot nog toe, in combinatie met de voorlopige verslagen van de explosievenopruimingsdienst en de politie die op de rampplek aanwezig zijn, moeten we wel concluderen dat een islamitisch terreurnetwerk een aanslag of, waarschijnlijker, een serie aanslagen, heeft gepland met de bedoeling de politieke en sociale structuur van de regio Andalucía te ontwrichten. Hoewel de instanties die het onderzoek uitvoeren afwijkingen van de gebruikelijke modus operandi van radicale islamitische groeperingen aan het licht hebben gebracht, zijn er geen aanwijzingen dat andere groepen die aan de moslimbevolking van Andalucía schade zouden kunnen willen berokkenen, verdachte activiteiten hebben ontplooid of daartoe intenties hebben gehad. Om die reden adviseren wij de overheid de noodzakelijke stappen te nemen alle belangrijke steden in de regio te beschermen.

Toen Comisario Elvira het verslag had voorgelezen, drong het lawaai van de sloopwerkzaamheden weer door in het lokaal. Jefe Inspector Falcón en Juez Calderón zaten met de armen en enkels over elkaar en de blik naar beneden op de kleine kindertafeltjes, waar het glas inmiddels vanaf was geveegd. Plastic zeil dat voor de lege kozijnen was gespannen en de buitenwereld vaag zichtbaar liet, bolde op en klapperde heen en weer in de hete zuidenwind.

'Het lijkt erop dat ze eruit zijn, hè,' zei Calderón. 'Terwijl ze ons hebben verteld niet één exclusieve gedachtegang te volgen, is dat precies wat zij doen. Geen woord over VOMIT of andere antimoslimgroeperingen.'

'Gezien alle spullen die ze in het appartement van Hammad en Saoudi in Madrid hebben gevonden en het hexogeen en de islamitische parafernalia in de Peugeot Partner, valt hen dat nauwelijks te verwijten,' zei Elvira.

'Het ziet er op dit moment niet goed uit voor de islamitische extremisten,' zei Falcón. 'Maar de explosievenopruimingsdienst heeft nog niet vastgesteld waar het epicentrum van de explosie lag. Er moet nog essentiële forensische informatie aan het licht komen. Ik heb met agenten van de technische recherche over de Peugeot Partner gesproken, en tot nu toe weten ze alleen dat er aan de bestuurderskant een achterband is verwisseld. De reserveband is lek.

De vondsten in het appartement in Madrid en het bestaan van het afgelegen huis kunnen als terroristische activiteiten worden geïnterpreteerd, maar ook als activiteiten van illegale immigranten. Hammad en Saoudi zouden een zekere staat van dienst hebben qua betrokkenheid bij logistieke activiteiten, maar wat wil dat zeggen? Als ze ooit waren opgepakt, dan zouden we dat weten. Als ze alleen door anderen zijn genoemd, is die informatie dubieus.'

'Ik lees dit,' zei Elvira terwijl hij het papier spottend voor zich op en neer bewoog, 'als een document dat voor politici is geschreven zodat zij op deze crisisdag goed geïnformeerd en besluitvaardig voor de dag kunnen komen. De CGI en het CNI hebben zich aan de feiten gehouden. Ze hebben het over "afwijkingen", maar noemen geen details. Ze noemen VOMIT en andere groeperingen niet omdat hun betrokkenheid door niets wordt bewezen. De MILA komt er ook niet in voor, terwijl die in het journaal is genoemd. Dat komt omdat ze over geen van die groeperingen inlichtingen hebben.'

'Mogen wij wel over de CGI praten?' vroeg Falcón, opzettelijk huichelachtig.

Calderóns geheimhoudradar flitste hem meteen. Elvira stak zijn handen op.

'Het spreekt voor zich dat het volgende onder ons blijft,' zei Elvira. 'Maar aangezien jij als rechter van instructie de leiding over dit onderzoek hebt, moet je weten dat er ernstige twijfel is gerezen over de betrouwbaarheid van de Sevilliaanse afdeling van de CGI. Er is nog niet van hogerhand besloten dat zij volwaardig aan de strijd mogen deelnemen. CGI-agenten hebben contact gehad met hun informanten en daar verslag van gedaan, maar daar hebben wij nog niets van gezien. Ze krijgen in ieder geval geen toegang tot onze informatie, en van een aantal bewijsstukken zijn ze niet op de hoogte, waaronder de koran met alle aantekeningen, die, voorzover ik weet, uit het nieuws is gehouden.'

'Dat is een zware slag voor het onderzoek,' zei Calderón. 'Hadden we dat niet eerder moeten horen?'

'Ik heb niet eens toestemming om het jullie te vertellen,' zei Elvira.

'Waarom is die koran met aantekeningen zo belangrijk?' vroeg Calderón.

'Dat weet ik ook niet, maar het CNI heeft er de hoogste prioriteit aan gegeven,' zei Elvira. 'Hoe dan ook, daar hoeven wij ons nu niet om te bekommeren. Wanneer heb je voor het laatst iets van je eenheid gehoord?'

'Recent genoeg om te kunnen zeggen dat ons beeld van de afgelopen achtenveertig uur tamelijk helder is. Sommige dingen houden verband met wat er in de week voor de explosie is gebeurd.'

Falcón had minimaal twee getuigen die de belangrijkste gebeurtenissen die aan de explosie vooraf waren gegaan konden bevestigen. Hammad en Saoudi waren dinsdag 30 mei om twaalf uur voor het eerst in de moskee gezien. Ze arriveerden lopend en bleven tot ongeveer halftwee met de imam praten. De twee andere gebeurtenissen van die week waren het bezoek van de gemeente-inspecteurs op vrijdagochtend om tien uur en het uitvallen van de elektriciteit ergens op de avond van zaterdag 3 juni, toen de imam alleen in de moskee was.

De storing had ertoe geleid dat er maandag 5 juni om halfnegen een elektricien langskwam om de schade en de herstelwerkzaamheden op te nemen. Hij kwam om halfelf met twee hulpjes terug, repareerde de stoppenkast en installeerde een contactdoos in de voorraadkamer naast het kantoortje van de imam.

Het tweede bezoek van de elektricien viel samen met de aankomst van Hammad en Saoudi in de Peugeot Partner en het uitladen van twee grote plastic zakken waar couscous in zou hebben gezeten. Ze bleven ongeveer een uur. De elektriciens vertrokken vlak voor hun lunch, om ongeveer halfdrie. Hammad en Saoudi kwamen om kwart voor zes terug met vier zware kartonnen dozen waarin suiker zou hebben gezeten en een paar plastic zakken, zogenaamd met munt. Ze brachten alles naar de voorraadkamer. Om zeven uur 's avonds waren ze er nog steeds, en niemand had hen in de tussentijd het pand zien verlaten.

'En waar concentreren jullie je in dit verband op?'

'We hebben getuigen die deze mensen hebben zien aankomen en vertrekken,' zei Falcón. 'Maar de elektriciens hebben we nog niet gesproken. Om dit zo snel mogelijk te kunnen doen, heb ik mijn eenheid, die omkomt in de ondervragingen, opdracht gegeven met de lokale politie samen te werken. Dan kunnen zij bij alle verkooppunten en werkplaatsen van elektriciens binnen een vierkante kilometer van de explosie langsgaan. Tot nu toe heeft dat niets opgeleverd. We weten alleen dat er drie mannen in een blauw busje zonder teksten op de zijkant zijn geweest. Maar geen enkele getuige kon zeggen wat het kenteken was.'

'Wil je dat de media een oproep doen?' vroeg Elvira.

'Nu nog niet. Ik wil eerst andere mogelijkheden proberen.'

'En verder?'

'Andere agenten van mijn eenheid hebben vertegenwoordigers van Informáticalidad ondervraagd. Ik heb nog niemand gesproken die met essentiële informatie is teruggekomen, maar ik moet nog horen hoe het precies zit.'

'Verder nog iets?'

'Afgezien van de elektriciens is mijn grootste zorg op dit moment dat de gemeente niets weet van inspecteurs die naar de moskee of naar een ander deel van het gebouw gestuurd zouden zijn. Er is zelfs geen inspecteur in deze wijk geweest. Niet op vrijdag 2 juni. Sterker nog, niet in de afgelopen drie maanden.'

15

Sevilla, dinsdag 6 juni 2006, 19.55 uur

Voordat de drie mannen de plek van de ontploffing verlieten om naar huis te gaan, gaf Calderón de laatste gegevens over de doden en gewonden door. In de kleuterschool waren vier kinderen overleden aan de gevolgen van hoofdwonden en interne bloedingen. Zeven kinderen waren ernstig gewond, variërend van een been dat vanaf de knie moest worden afgezet tot snijwonden in het gezicht. Achttien kinderen waren lichtgewond geraakt, vooral door rondvliegend glas. Twee mannen en een vrouw die over de Calle Los Romeros langs het gebouw hadden gelopen, waren omgekomen door rondvliegend puin of neerstortend metselwerk. Een oudere vrouw in een appartement aan de andere kant van de straat was aan een hartaanval overleden. Tweeëndertig mensen waren ernstig gewond geraakt; zij hadden zich in of in de onmiddellijke nabijheid van het gebouw bevonden. Er waren driehonderdveertig lichtgewonden. Tot zover waren twee mannen en twee vrouwen dood uit het puin gehaald, en Lourdes Alanis, die nog leefde. Op de lijst van vermisten in de moskee stonden, inclusief de imam, dertien namen. Afgezien van hen maakte dat bij elkaar twaalf doden, negenendertig zwaargewonden en driehonderdeenenzestig lichtgewonden.

De ploegen die het puin ruimden, verwijderden nu de betonplaten van wat de vijfde verdieping was geweest. Het gebied werd verlicht met schijnwerpers, want ze bereidden zich erop voor 's nachts door te werken. Op een braakliggend terrein tussen de kleuterschool en een ander appartementencomplex was een tent met airconditioning voor forensische bewijsstukken opgezet. Er werd ook een tent opgezet voor lijken en lichaamsdelen die eventueel uit de moskee zouden komen. De rechters, de afdeling moordzaken, de technische recherche en de hulpdiensten hadden een dienstrooster uitgewerkt, zodat er de hele nacht van iedere discipline iemand op het terrein aanwezig zou zijn.

Het was nog licht en erg warm toen Elvira, Falcón en Calderón de kleuterschool verlieten. Het liep al tegen achten, en in een hoek van de speelplaats had zich een groepje mensen verzameld. Te midden van een zee van bloemen flikkerden honderden kaarsen. Op het gaashekwerk waren spandoeken en borden aangebracht – *No más muertos. Paz. Sólo los inocentes han caido. Por el derecho de vivir sin violencia* – Niet meer doden. Vrede. Er zijn alleen onschuldigen gestorven. Voor het recht op een leven zonder geweld.

Maar op het grootste spandoek stond in rode letters tegen een witte achtergrond: ODIO ETERNO AL TERRORISMO – Eeuwig zullen wij het terrorisme haten. Rechts onderin stond VOMIT. Falcón vroeg of iemand had gezien wie het spandoek had ontvouwen, maar dat had niemand. Dit spandoek had de mensen tot dat deel van de speelplaats aangetrokken, en zo was het vanzelf de plek geworden waar de bewoners uit de buurt de slachtoffers eer bewezen.

Daar stonden ze op die catastrofale dag, in het paarsblauwe licht van de ondergaande zon, tegen de achtergrond van de machines die onverbiddelijk in de berg puin bleven graaien. Ze mompelden hun gebeden, en de kaarsen dropen en de bloemen verwelkten, net zo treurig en aandoenlijk, deerniswekkend en ontroerend als de zinloze dood van al die slachtoffers van het grenzeloos groteske fenomeen oorlog. Op het moment dat de politiefunctionarissen wegliepen van het altaar, ging de telefoon van Elvira. Hij nam op en overhandigde zijn telefoon aan Falcón. Het was Juan van het CNI, die zei dat ze elkaar nog die avond moesten zien. Falcón liet weten dat hij over een uur thuis zou zijn.

Na de nerveuze drukte van die dag was de rust in het ziekenhuis enigszins teruggekeerd. Op de eerste hulp waren ze nog steeds bezig glasscherven uit gezichten te halen en snijwonden te hechten. Er zaten patiënten in de wachtkamer, maar het was niet meer zo erg dat de verpleegster die de triage deed tussen de slachtoffers doorwaadde, uitgleed in het bloed en overal in opengesperde ogen van geluidloos smekende gewonden keek. Falcón liet zijn politie-insigne zien en vroeg naar Lourdes Alanis, die op de intensive care op de eerste verdieping lag.

Hij zag Fernando achter de glazen panelen van de intensive care-unit aan het bed van zijn dochter zitten, haar hand in die van hem. De arts ter plekke zei dat ze vooruitging. Haar arm was gebroken en haar been verbrijzeld, maar haar ruggengraat was intact. Hun grootste zorg was naar haar hoofdverwondingen uitgegaan. Ze lag nog in coma, maar uit een scan waren geen hersenletsel of bloedingen gebleken. Terwijl ze spraken, verliet Fernando de intensive care-unit om naar het toilet te gaan. Falcón gaf hem even de tijd en liep toen achter hem aan. Hij stond zijn handen en gezicht te wassen.

'Wie bent u?' vroeg hij. Hij keek vol wantrouwen in de spiegel naar Falcón, wetende dat hij geen arts was.

'We hebben elkaar eerder vandaag bij uw woning ontmoet. Mijn naam is Javier Falcón. Ik ben de Inspector Jefe van de afdeling moordzaken.'

Fernando fronste zijn wenkbrauwen en schudde zijn hoofd; hij kon zich hem niet herinneren.

'Betekent dit dat u de mensen die mijn gezin hebben vernietigd, heeft opgepakt?'

'Nee, daar werken we nog steeds aan.'

'U hoeft niet ver te zoeken. Het krioelt van ze in dat rattennest.'

'Het krioelt van wie?'

'Van die kut-Marokkanen,' zei hij. 'Van die gore klootzakken. We hebben ze al die tijd in de gaten gehouden. Sinds 11 maart. En we vroegen ons af wanneer het weer raak zou zijn. We hebben altijd geweten dat er een volgende keer zou komen.'

'Wie zijn wij?'

'Goed, ik. Dat heb *ík* altijd geweten,' zei Fernando. 'Maar ik weet dat ik niet de enige ben.'

'Ik wist niet dat de relatie tussen de verschillende gemeenschappen zo slecht was,' zei Falcón.

'Dat komt omdat u geen deel van die "gemeenschappen" uitmaakt,' zei Fernando. 'Ik heb het journaal gezien, daar barst het van de mensen die het goed hebben en die zeggen dat het allemaal prima gaat, dat moslims en katholieken met elkaar in contact staan, dat er iets van een "helend proces" plaatsvindt. Ik kan u vertellen dat het lulkoek is. We leven in een sfeer van angst en wantrouwen.'

'Terwijl u weet dat maar heel weinig leden van de moslimbevolking terroristen zijn?'

'Dat wordt gezegd, maar dat weten we niet zeker,' zei Fernando. 'En daar komt bij, we hebben geen idee wie het zijn. Misschien staan we in de bar naast elkaar een biertje te drinken en *jamón* te eten. Ja, weet u, sommigen doen dat: ze eten varkensvlees en drinken alcohol. En dan blijkt dat zij zichzelf net zo hard opblazen als degenen die hun hele leven met hun neus op de vloer van de moskee zitten.'

'Ik ben hier niet gekomen om u boos te maken,' zei Falcón. 'U heeft al genoeg aan uw hoofd.'

'U heeft me niet boos gemáákt,' zei Fernando. 'Ik bén boos. Dat ben ik al een hele tijd. Al twee jaar en drie maanden. Gloria, mijn vrouw...'

Hij zweeg. Zijn gezicht vertrok. Zijn mond liep vol speeksel. De fysieke pijn baande zich een weg door zijn lichaam en hij moest zich aan de wastafel vasthouden. Na een poosje was hij zichzelf weer meester.

'Gloria was een goed mens. Ze vertrouwde op het goede dat iedereen in zich heeft. Maar dat vertrouwen heeft haar niet beschermd, en onze zoon ook niet. De mensen voor wie zij opkwam, hebben haar vermoord zoals ze ook diegenen vermoordden die ze haten en die hen haten. Hoe dan ook, genoeg hierover. Ik moet terug naar mijn dochter. Ik weet dat u me hier niet had hoeven opzoeken. U heeft genoeg te doen. Dus ik dank u voor de... Voor de betrokkenheid. En ik wens u succes bij uw onderzoek. Ik hoop dat u de moordenaars eerder vindt dan ik.'

'Ik wil graag dat u me belt, op welk tijdstip dan ook, om welke reden dan ook,' zei Falcón terwijl hij hem zijn kaartje gaf. 'Als u kwaad bent, verdrietig, agressief, of eenzaam. Voor mijn part als u honger hebt. Bel me.'

'Ik had niet gedacht dat jullie er persoonlijk bij betrokken zouden willen zijn.'

'Ik wil ook graag dat u het me verteld als u wordt gebeld door een groep die zichzelf VOMIT noemt, dus het is om twee redenen belangrijk dat we contact houden.'

Ze liepen de toiletruimte uit en gaven elkaar een hand. Aan de andere kant van het glas was het leven van zijn dochter in het groen van de beeldschermen af te lezen. Fernando aarzelde even en leunde tegen de deur.

'Ik heb vandaag maar één politicus gesproken,' zei hij. 'Ik heb ze allemaal met slachtoffers en hun familie voor de camera's zien paraderen. Dat gebeurde terwijl Lourdes aan haar hoofd werd geopereerd, dus ik had alle tijd om hun bespottelijke capriolen te bekijken. Er was maar één persoon die mij wist te vinden.'

'En wie was dat?'

'Jesús Alarcón,' zei Fernando. 'Ik had nog nooit van hem gehoord. Hij is de nieuwe leider van Fuerza Andalucía.'

'Wat heeft hij tegen u gezegd?'

'Niets. Hij luisterde – en er was nergens een camera te bekennen.'

De hemel boven de oude stad werd net zo paarsrood als de huid rondom een verse wond die serieus pijn begint te doen. Falcón reed op de automatische piloot, zijn gedachten verstrikt in hardnekkige problemen: de explosie, de doden, de verminkingen, de verwoesting. Wat achterblijft nadat het stof is neergedaald en de lijken zijn afgevoerd, is een verschrikkelijke sociale en politieke chaos. Er komen allerlei emoties boven en een bepaalde macht kan de gedachten van mensen, net als de wind het blootgestelde gras op de vlakte, de ene of juist de andere kant op laten waaien. Een man die rustig zijn biertje drinkt verandert op slag in iemand die een ander met een vinger tegen de borst prikt.

De drie CNI-mannen stonden voor zijn huis op de Calle Bailén op hem te wachten. Hij parkeerde zijn auto voor de eikenhouten deuren. Ze gaven hem een hand en volgden hem naar de patio, die er dezer dagen een beetje slordig bij lag. Encarnación, zijn huishoudster, deed haar werk minder goed dan vroeger en Falcón had het geld niet voor de benodigde renovatie. Daar kwam bij dat hij het wel prettig vond om met steeds meer rommel om hem heen te leven.

Hij zette een paar stoelen bij de tafel met het marmeren blad op de patio en liet de CNI-mannen achter bij het kletteren van het water in de fontein. Hij kwam terug met koud bier, olijven, kappertjes, knoflook op olie, chips, brood, kaas en *jamón*. Ze aten en dronken en spraken over de kansen van het Spaanse elftal op het WK in Duitsland; het was altijd hetzelfde liedje, een team vol talent en beloften die nooit werden ingelost.

'Heb je enig idee waarom we met je willen praten?' vroeg Pablo, die een ontspannener indruk maakte en minder intens observeerde.

'Ik heb begrepen dat het met mijn Marokkaanse connecties heeft te maken.'

'Wij zijn erg in je geïnteresseerd,' zei Pablo. 'Je mag gerust weten dat we je al een tijdje observeren.'

'Ik weet niet of ik nog wel de juiste mentaliteit heb voor de geheime dienst. Als jullie me vijf jaar geleden hadden gevraagd, hadden jullie misschien de ideale kandidaat...'

'Wat is een ideale kandidaat?' vroeg Juan.

'Iemand die toch al veel voor de wereld, voor zijn familie en voor zijn vrouw verbergt. En voor zichzelf. Een paar staatsgeheimen erbij zijn dan niet zo'n grote last.'

'We willen niet dat jij gaat spioneren,' zei Juan.

'Moet ik mensen gaan bedriegen?'

'Nee. Bedrog lijkt ons onder deze omstandigheden erg onverstandig.'

'Je zult ons beter begrijpen als je een paar vragen hebt beantwoord,' zei Pablo die het gesprek weer naar zich toe trok.

'Als ze maar niet te lastig zijn,' zei Falcón. 'Het is een lange dag geweest.'

'Vertel eens hoe je Yacoub Diouri hebt ontmoet.'

'Dat is een lang verhaal,' zei Falcón.

'We hebben geen haast,' zei Pablo.

Juan en Gregorio leunden tegelijkertijd achterover, alsof ze daar van tevoren een teken voor hadden afgesproken. Ze haalden hun sigaretten tevoorschijn en staken er één op. Het was zo'n moment, na een lange dag, zijn maag gevuld met bier en eten, dat Falcón wilde dat hij nog rookte.

'Ik neem aan dat jullie weten dat ik bijna vijf jaar geleden, op 12 april 2001, het onderzoek leidde naar de brute moord op een ondernemer die restaurateur was geworden, Raúl Jiménez.'

'Je hebt een politiemannengeheugen voor data,' zei Juan.

'Als ik dood ben, kunnen jullie zien dat die datum in littekenweefsel op mijn hart staat geschreven,' zei Falcón. 'Dat ik een politieman ben, heeft daar niets mee te maken.'

'Had het zo'n grote invloed op je leven?' vroeg Pablo.

Falcón verzamelde moed met een slok Cruzcampo.

'Iedereen in Spanje kent dit verhaal,' zei Falcón. 'Het stond wekenlang in de kranten.' Hij was een beetje geïrriteerd over de uitgekookte manier waarop de vragen aan hem werden gesteld.

'Wij zaten op dat moment niet in Spanje,' zei Juan. 'We hebben de dossiers gelezen, maar als je het verhaal hóórt, is het toch anders.'

'Uit mijn onderzoek naar het verleden van Raúl Jiménez bleek dat hij mijn vader, de kunstenaar Francisco Falcón, heeft gekend. Tijdens en na de Tweede Wereldoorlog smokkelden ze samen vanuit Tanger. Daardoor konden ze hier een huis kopen en een gezin stichten, en daardoor kon Francisco Falcón zich aan het kunstenaarsschap wijden.'

'En Raúl Jiménez?' vroeg Pablo. 'Leerde hij zijn vrouw niet kennen toen ze nog heel jong was?'

'Raúl Jiménez had een ongezonde obsessie voor jonge meisjes,' zei Falcón. Hij wist wat ze wilden horen en ademde diep in. 'Het was in die tijd in Tanger of Andalucía niet ongebruikelijk dat een meisje op haar dertiende trouwde, maar haar ouders lieten Raúl wachten tot ze zeventien was. Ze kregen een paar kinderen, maar het waren zware bevallingen en de arts raadde hen af meer kinderen te nemen.

In de aanloop naar de Marokkaanse onafhankelijkheid in de jaren vijftig, kwam Raúl in contact met Abdullah Diouri, een zakenman met een jonge dochter. Raúl ging met die dochter naar bed en maakte haar, geloof ik, zelfs zwanger. Dit was geen probleem geweest als hij had gedaan wat eerzaam was: met het meisje trouwen. Volgens de moslimgemeenschap zou zij gewoon zijn tweede vrouw zijn geworden en was de zaak daarmee beslecht geweest. Maar voor een katholiek was dat onmogelijk. Om het nog wat ingewikkelder te maken, werd zijn vrouw, ondanks het advies van de dokter, zwanger van hun derde kind.

Uiteindelijk koos Raúl voor de laffe uitweg: hij vluchtte met zijn gezin. Toen Abdullah Diouri daar achterkwam, ontstak hij in woede en schreef Francisco Falcón een brief waarin hij hem op de hoogte stelde van Raúls verraad en van zijn vaste voornemen wraak te nemen, wat hij vijf jaar later inderdaad deed.

Het derde kind, Arturo, werd in het zuiden van Spanje ontvoerd toen hij naar school ging. Raúl Jiménez kon alleen met dit verschrikkelijke verlies omgaan door het bestaan van de jongen volledig te ontkennen. Het gezin ging eraan kapot. Zijn vrouw pleegde zelfmoord en ook de kinderen kregen problemen, een van hen zelfs zodanig dat het nooit meer goed kwam.'

'En die trieste geschiedenis heeft je ertoe aangezet te proberen Arturo, zevenendertig jaar na zijn verdwijning, terug te vinden?' vroeg Pablo.

'Zoals jullie weten leerde ik tijdens het onderzoek naar de moord op Raúl zijn tweede vrouw, Consuelo, kennen. Ongeveer een jaar laten kregen we een relatie en we bekenden elkaar dat we, met betrekking tot de moord op haar man en alles wat daardoor aan het licht was gekomen, allebei door één ding geobsedeerd waren gebleven: de verdwijning van Arturo. Diep in ons hart dachten we nog steeds aan dat voor altijd verloren jochie van zes.'

'Dat speelde in juli 2002,' zei Pablo. 'Wanneer zijn jullie Arturo gaan zoeken?'

'In september van dat jaar,' zei Falcón. 'We konden ons niet voorstellen dat Abdullah Diouri de jongen had vermoord. We gingen ervan uit dat hij hem op de een of andere manier in zijn familie had opgenomen.'

'En wat dreef je?' vroeg Juan. 'De verdwenen jongen...? Of iets anders?'

'Ik wist heel goed dat ik een man van drieënveertig zocht.'

'Was er in de tussentijd iets in je relatie met Consuelo Jiménez gebeurd?' vroeg Pablo.

'Die ging ongeveer net zo snel uit als ze was begonnen, maar daar wil ik het verder niet met jullie over hebben.'

'Maakte Consuelo Jiménez het niet uit?' vroeg Pablo.

'Zij maakte het uit, ja,' zei Falcón. Hij stak zijn handen in de lucht en besefte dat iedereen in de Jefatura wist wat er was gebeurd. 'Ze wilde er niet bij betrokken worden.'

'En jij was ongelukkig?'

'Ik was héél ongelukkig.'

'Waarom ging je dan op zoek naar Arturo?' vroeg Juan.

'Consuelo weigerde me te spreken of te zien. Ze sneed me uit haar leven.'

'Zo'n beetje als Raúl met Arturo had geprobeerd,' zei Juan.

'Als je het zo wilt zien.'

Juan pakte een knoflookteentje en beet erin. Het maakte een zacht, knapperig geluid.

'Ik besefte dat ik haar eerder onder de juiste omstandigheden terug zou zien als ik iets buitengewoons zou doen, dan als ik haar als een idioot zou lastigvallen. Ik wist dat ze me, als ik Arturo zou vinden, weer zou moeten zien. Door hem waren we in eerste instantie bij elkaar gekomen en ik wist dat het haar niet onaangedaan zou laten.'

'En?' vroeg Juan, gefascineerd door Falcóns kwelling. 'Heeft het gewerkt?'

16

Sevilla, dinsdag, 6 juni 2006, 20.45 uur

Een warme bries wervelde over de patio en bracht een grote, dode en uitgedroogde plant in een donkere hoek van het klooster in beroering.

'Het lijkt me beter dit chronologisch te vertellen,' zei Pablo. 'Hoe heb je Arturo Jiménez gevonden?'

Het geritsel van de dode bladeren van de plant leidde Falcóns starende blik naar de gedehydreerde hoek. Hij moest die plant eens wegdoen.

'Omdat mijn zoektocht naar Arturo was ingegeven door hoop op een verzoening met Consuelo, zag ik het als een soort queeste. Maar het lag minder gecompliceerd. Gelukkig had ik enige hulp. Ik ging naar Fès met iemand van mijn nieuwe Marokkaanse familie. Hij vond een gids die ons naar het huis van Abdullah Diouri midden in de medina bracht. Afgezien van een prachtig bewerkte deur zag het huis er van de buitenkant onbeduidend uit. Maar de deur gaf toegang tot een paradijs van patio's, bassins en kleine, ooit luisterrijke tuinen die in een zekere mate van verval waren geraakt. Er ontbraken tegels, er zaten scheuren in de vloeren en het traliewerk rondom de galerij was op sommige plaatsen gebroken. De dienstbode die ons binnenliet, vertelde dat Abdullah Diouri een jaar of twintig geleden was overleden maar dat de herinnering aan hem in leven werd gehouden, omdat hij een groot en vriendelijk mens was geweest.

We vroegen of we een van zijn zonen konden spreken, maar hij zei dat er alleen vrouwen in het huis woonden. De zonen waren over Marokko en het Midden-Oosten uitgewaaierd. Daarom vroegen we of een van de vrouwen ons te woord zou willen staan over de delicate kwestie die een jaar of veertig eerder had plaatsgehad. Hij noteerde onze namen en vertrok. Na een kwartier kwam hij terug, en zei tegen mijn Marokkaanse familielid bij de deur te blijven; mij nam hij mee op een lange tocht door het huis. We belandden op de eerste verdieping, met uitzicht, door een hersteld traliewerk, op een daaronder gelegen tuin. Daar liet hij me achter, en na enige tijd besefte ik dat er nog iemand in de ruimte was. Een in het zwart geklede vrouw met een volledig bedekt gezicht gebaarde me te gaan zitten, en ik vertelde mijn verhaal.

Gelukkig had ik met mijn Marokkaanse familie over mijn plannen gesproken; daardoor wist ik dat ik mijn verhaal met veel omzichtigheid en vanuit het Marokkaanse perspectief moest vertellen.'

'Wat hield dat in?' vroeg Juan.

'Dat Raúl Jiménez de schurk van het stuk moest spelen en Abdullah Diouri de man die de eer van de familie redde. Als ik de naam van de patriarch op enigerlei wijze zou bezoedelen, als ik hem als misdadiger zou afschilderen, als iemand die een kind had ontvoerd, zou ik nergens komen. Dat was een goed advies. De vrouw luisterde zwijgend en roerloos als een standbeeld onder een zwart laken. Aan het eind van mijn verhaal kwam er een in een handschoen gestoken hand uit het gewaad en werd er een kaartje op het lage tafeltje tussen ons in gelegd. Daarna kwam ze uit haar stoel en vertrok ze. Op het kaartje stond een adres in Rabat met een telefoonnummer en een naam: Yacoub Diouri. Even later verscheen de dienstbode weer en werd ik naar de voordeur teruggebracht.'

'Niet bepaalde de heilige graal,' zei Juan, 'maar beter dan niets.'

'Marokkanen zijn dol op geheimzinnigheid,' zei Falcón. 'Abdullah Diouri was een heel vrome moslim en Yacoub vertelde me later dat het huis in Fès in die toestand werd gehouden om de grootse man te eren. Geen van de zonen verdroeg dat oord. Om die reden was het in zo'n staat van verval en was het exclusief aan de vrouwen van de familie gegeven.'

'Dus je had een adres in Rabat...' zei Pablo.

'Ik overnachtte in Meknes en belde daar Yacoub. Hij wist al wie ik was en wat ik wilde, en we spraken af dat we elkaar de volgende dag in zijn huis in Rabat zouden ontmoeten. Zoals jullie waarschijnlijk weten, woont hij in een gigantisch, nieuw huis, gebouwd in Arabische stijl, in de ambassadewijk aan de rand van de stad. Het staat op misschien wel twee hectare grond, met groepjes sinaasappelbomen, tuinen, tennisbanen en zwembaden. Het is echt een paleis. Er werken bedienden in livrei en in de fonteinen liggen bloemblaadjes van rozen – dat werk. Ik werd naar een enorme kamer gebracht die uitkeek op een van de zwembaden, met crèmekleurige leren sofa's. Ik kreeg muntthee en mocht een halfuurtje zitten stoven voordat Yacoub kwam opdagen.'

'Leek hij op Raúl?'

'Ik had foto's van Raúl als jonge man in Tanger gezien, toen hij nog niet door het leven was getekend. Er waren overeenkomsten, maar Yacoub is eigenlijk van een heel ander kaliber. Raúls Andalusische boerenafkomst is altijd aan zijn rijkdom blijven kleven. Yacoub daarentegen is een mondaine, belezen man die zowel Spaans als Frans en Engels beheerst. Hij spreekt zelfs Duits. Dat heeft hij nodig voor zijn zaken. Hij produceert kleding voor grote Europese modehuizen. Dior en Adolfo Dominguez staan op zijn klantenlijst. Als Raúl een oude brommende leeuw was, is Yacoub een jachtluipaard.'

'Hoe verliep jullie eerste ontmoeting?' vroeg Pablo.

'We konden het meteen goed met elkaar vinden, iets wat me niet vaak overkomt,' zei Falcón. 'Tegenwoordig vind ik het moeilijk met mensen van mijn eigen rang en stand om te gaan terwijl ik me moeiteloos met zonderlinge types inlaat.'

'Hoe dat zo?' vroeg Juan.

'Ik denk dat ik de complexiteit van anderen beter begrijp, of in ieder geval dat ik mensen minder snel op hun uiterlijk beoordeel, nu ik met mijn eigen spoken heb leren leven. Hoe dan ook, Yacoub en ik werden tijdens onze eerste ontmoeting vrienden en hoewel we elkaar niet vaak zien, zijn we dat nog steeds. Vannacht belde hij nog om te zeggen dat hij me dit weekend in Madrid hoopt te zien.'

'Kende Yacoub jóuw verhaal?'

'Hij had het ten tijde van het schandaal rondom Francisco Falcón in de krant gelezen. Daarin werd breed uitgemeten dat de beroemde naakten van Falcón in werkelijkheid door de Marokkaanse kunstenaar Tariq Chefchaouni waren geschilderd.'

'Het verbaast me dat journalisten hem niet al veel eerder hebben proberen op te sporen,' zei Pablo.

'Dat is wel gebeurd,' zei Falcón. 'Maar die journalisten zijn nooit verder gekomen dan de buitenkant van het huis van Abdullah Diouri in Fès.'

'Je zei dat Yacoub zonderling was,' zei Gregorio. 'Maar zo klinkt hij niet. Succesvolle zakenman, getrouwd, twee kinderen, vrome moslim. Dat noem ik niet zonderling.'

'Zo ziet het er van de buitenkant uit,' zei Falcón. 'Maar zodra ik hem zag, wist ik dat hij rusteloos was. Hij was gelukkig waar hij was, en tegelijkertijd hoorde hij er niet. Hij is van zijn eigen familie weggerukt, maar Abdullah Diouri heeft hem in zijn gezin opgenomen en hem zijn familienaam gegeven. Zijn echte vader heeft hem nooit gezocht, terwijl Abdullah Diouri hem als zijn eigen zoon behandelde. Yacoub heeft me weleens verteld dat hij zijn ontvoerder, Abdullah Diouri, niet alleen respecteerde, maar dat hij hem liefhad als een vader. Toch hield hij, ondanks het feit dat zijn nieuwe familie hem volledig had geaccepteerd, altijd het verschrikkelijke gevoel dat zijn eigen familie hem had verlaten. Dat maakt hem tot een zonderling.'

'Je zei dat hij is getrouwd,' zei Pablo. 'Hoeveel vrouwen heeft hij?'

'Alleen die ene.'

'Is dat niet ongebruikelijk voor een man als Yacoub Diouri?' vroeg Juan.

'Waarom stel je me die vraag niet gewoon recht in mijn gezicht in plaats van dat slappe...'

'Omdat we willen weten hoe diep de vriendschap tussen jou en Yacoub gaat,' zei Juan. 'Als hij jou intieme details over zichzelf vertelt, kan dat voor ons van belang zijn.'

'Yacoub Diouri is homoseksueel,' zei Falcón vermoeid. 'De maatschappij waarin hij leeft verwacht van hem dat hij in het huwelijk treedt. Als goede moslim is hij onder meer verplicht om een vrouw te nemen en kinderen te krijgen. Maar zijn seksuele belangstelling gaat volledig naar mannen uit. En voordat jullie oversekste nieuwsgierigheid met jullie aan de haal gaat: ik bedoel echt mannen, niet jongens.'

'Waarom denk je dat dat detail voor ons van belang zou kunnen zijn?' vroeg Juan.

'Jullie zijn geheim agent, dus laat ik jullie maar even weten dat zijn homoseksualiteit hem niet kwetsbaar maakt.'

'Waarom denk je dat we je vragen stellen over Yacoub Diouri?' vroeg Juan.

'Ik zou eerst weleens willen weten waarom Yacoub heeft verteld dat hij homoseksueel is,' zei Pablo.

'Het spijt me dat ik je teleur moet stellen, Pablo, maar hij heeft niet geprobeerd me te versieren,' zei Falcón. 'Hoe ben jíj daar achtergekomen?'

'Er wordt tegenwoordig veel door inlichtingendiensten samengewerkt,' zei Juan. 'Prominente, vrome, rijke moslims worden... geobserveerd.'

'Yacoub en ik hadden het een keer over het huwelijk en ik vertelde hem dat het mijne niet lang had geduurd omdat mijn vrouw me voor een hoge rechter had verlaten,' zei Falcón. 'Ik vertelde hem over Consuelo. Hij vertelde mij dat zijn huwelijk schijn was, dat hij homo was en dat de modewereld prima bij hem paste.'

'Waarom?'

'Omdat er veel aantrekkelijke mannen rondlopen die niet op zoek zijn naar een vaste relatie die hij niet kan bieden.'

Stilte. Juan liet merken dat het tijd werd om verder te gaan.

'Wat gebeurde er toen je eenmaal met Yacoub bevriend was geraakt?' vroeg Pablo.

'In het begin zag ik hem geregeld, een paar keer in drie, vier maanden tijd. Ik ging Arabisch leren en bezocht mijn Marokkaanse familie in Tanger zo vaak mogelijk. Yacoub nodigde me regelmatig uit. We praatten, hij hielp me met mijn Arabisch.'

De CNI-mannen namen tegelijk een slok bier.

'En wat gebeurde er met Consuelo?' vroeg Juan, terwijl hij zijn rook de avondlucht in blies.

'Zoals ik al zei, ik had Yacoub over Consuelo en mijn gevoelens voor haar verteld. Hij wilde met alle plezier naar Sevilla komen en proberen me te helpen. Het leek hem wel wat om als tussenpersoon dienst te doen.'

'Hoelang waren jij en Consuelo toen uit elkaar?'

'Bijna een jaar.'

'Dan nam je er wel de tijd voor.'

'Zoiets moet je niet overhaasten.'

'Hoe communiceerden jullie met elkaar, als zij je niet wilde spreken?' vroeg Pablo.

'Ik schreef haar een brief en vroeg of ze Yacoub wilde ontmoeten,' zei Falcón. 'Ze schreef terug dat ze hem heel graag wilde ontmoeten, maar dan wel zonder mij.'

'En je hebt Consuelo niet meer gezien?'

'Yacoub heeft zijn best voor me gedaan,' zei Falcón. 'Het klikte tussen hen. Hij nodigde haar namens mij uit voor een etentje. Ze weigerde. Hij bood aan ons te chaperonneren. Ook dat wees ze van de hand. Ze gaf geen uitleg, en daar bleef het bij. Laten we nog een biertje drinken. Dan kunnen jullie me vertellen waarom jullie zulke opdringerige, persoonlijke vragen stellen.'

In de keuken viel Falcóns blik op zijn doorschijnende weerspiegeling in het donkere raam. Sinds hij, al meer dan vier jaar geleden, was gestopt Alicia Aguado te zien, had hij zich niet meer zo blootgegeven. Sterker nog, sinds die tijd had hij alleen met Yacoub nog vertrouwelijke gesprekken gevoerd. Het was geen opluchting geweest om zo met vreemden te praten, maar zijn gevoelens voor Consuelo waren er wel door opgeleefd. Hij zag zelfs in de weerspiegeling van het raam dat hij over de plek op zijn arm wreef waar Consuelo de dag ervoor tegenaan was gelopen. Hij schudde zijn hoofd en opende nog een literfles bier.

'Je glimlacht, Javier,' zei Juan toen Falcón terugkwam. 'En dat na zo'n beproeving. Ik ben onder de indruk.'

'Ik ben wel vrijgezel, maar niet depressief,' zei Falcón.

'Dat is niet slecht voor een rechercheur van middelbare leeftijd,' zei Pablo.

'Dat ik rechercheur ben, zie ik niet als een probleem. Er vinden niet veel moorden plaats in Sevilla. En de meeste los ik op, waardoor mijn werk me zelfs de illusie geeft dat er iets aan gedaan wordt. En zoals je vast weet, kan een illusie bijdragen aan een gevoel van welzijn. Als ik een oplossing zocht voor iets als de opwarming van de aarde, of het teruglopen van het aantal vissen in de oceanen, dan zou ik me waarschijnlijk veel minder prettig voelen.'

'En het internationale terrorisme?' vroeg Pablo. 'Hoe ga je daarmee om?'

'Dat is niet mijn pakkie-an,' zei Falcón. 'Ik stel alleen een onderzoek in als terroristen mensen hebben vermoord. Ik besef hoe ingewikkeld dat kan zijn. Maar er is tenminste een kans dat de moordzaak wordt opgelost, en tragedies maken de grootste kwaliteiten in mensen los. Jullie baan zou ik niet willen hebben. Jullie moeten van tevoren weten dat er een terroristische aanslag gepleegd gaat worden en die zien te voorkomen. Als dat lukt, zijn jullie de miskende held. Als jullie falen, moeten jullie met de dood van onschuldige mensen, de gesel van de pers en de vermaningen van politici leven. Dus, mochten jullie me een baantje willen aanbieden: nee, bedankt.'

'Een baan is niet het goede woord,' zei Juan. 'We willen weten of je eventueel bereid bent om een paar stukjes van de inlichtingenpuzzel te leveren.'

'Ik heb al gezegd dat ik het niet echt in me heb om de spion uit te hangen.'

'Ten eerste zouden we je willen vragen om te rekruteren.'

'Willen jullie dat ik Yacoub vraag om jullie informant te worden?' vroeg Falcón.

De CNI-mannen knikten, namen een slok bier en staken een sigaret op.

'Om te beginnen heb ik echt geen flauw idee wat Yacoub op dat voorstel zou zeggen,' zei Falcón. 'Bovendien: waarom ik? Jullie moeten daar ervaren mensen voor hebben. Mensen die niets anders doen.'

'Het gaat ons niet om wat hij ons op dit moment kan vertellen,' zei Pablo. 'We zijn vooral geïnteresseerd in wat hij ons kan vertellen als hij een bepaalde stap zet. En je hebt gelijk: we hebben daar ervaren mensen voor, maar geen van hen heeft zo'n speciale relatie met hem als jij.'

'Mijn "speciale relatie" is gebaseerd op vriendschap, intimiteit en vertrouwen. Wat blijft daarvan over als ik vraag: "Yacoub, wil je voor Spanje gaan spioneren?" '

'Hij zou het niet alleen voor Spanje doen,' zei Gregorio, 'maar voor de mensheid in zijn geheel.'

'O ja, Gregorio?' vroeg Falcón. 'Is dat zo? Dat zal ik beslist tegen hem zeggen, als ik hem vraag of hij zijn familie en zijn vrienden wil bedriegen en informatie wil verstrekken aan iemand die hij pas vier jaar van zijn gecompliceerde leven kent.'

'We doen heus niet alsof het een makkie is,' zei Juan. 'We beseffen heel goed wat zo'n contact waard is en dat er morele bezwaren aan ons verzoek kleven.'

'Bedankt, Juan, dat stelt me gerust,' zei Falcón. 'Maar je zei: ten eerste. Betekent dat soms dat er ook een ten tweede is? Als dat zo is, hoor ik het graag. Dan kan ik die samen met de eerste kluif die jullie me hebben toegeworpen proberen te verteren.'

De CNI-mannen keken elkaar aan en haalden hun schouders op.

'We hebben net gehoord dat de antiterreurafdeling van het Sevilliaanse CGI bij het onderzoek wordt betrokken,' zei Juan. 'We denken dat een mol informatie lekt en we willen weten wie dat is en naar wie die informatie gaat. Jij werkt de komende tijd nauw met hen samen. Je inzichten zouden waardevol zijn.'

'Ik weet niet waarom jullie denken dat ik hiervoor geschikt ben.'

'Bij de vragen die we net stelden, heb je hoge cijfers gehaald,' zei Pablo.

'En wat was mijn score voor morele overtuiging?'

De CNI-mannen lachten als één man. Niet omdat ze het grappig vonden, maar omdat ze opgelucht waren dat het lastige deel erop zat.

'En wat staat ertegenover?' vroeg Falcón.

'Geld, als je dat wilt,' zei Juan, onzeker.

'Ik dacht niet zozeer in termen van euro's als wel in termen van vertrouwen,' zei Falcón.

'Hoe bedoel je?'

'Dat jullie me iets vertellen,' zei Falcón. 'Niet dat ik ja of nee zeg, maar misschien kunnen jullie zeggen wat zo belangrijk is aan die koran met de aantekeningen die we in de Peugeot Partner hebben gevonden.'

'Dat is onder de huidige omstandigheden niet mogelijk,' zei Pablo.

'We krijgen het idee dat de explosie in Sevilla onderdeel is van een veel groter terroristisch plan,' onderbrak Juan zijn ondergeschikte.

'Groter dan de bevrijding van Andalucía?' vroeg Falcón.

'Waarschijnlijk is er iets misgegaan in de uitvoering van een plan waar we nog maar weinig van afweten,' zei Juan. 'We denken dat we met die koran een codeboek van een terroristisch netwerk in handen hebben.'

17

Sevilla, dinsdag 6 juni 2006, 21.00 uur

In het restaurant zaten al vroeg toeristen te eten. Pas tegen een uur of tien, als de mensen uit de buurt kwamen eten, zou het echt druk worden. Consuelo liep haar kantoor uit om naar haar tweede afspraak met Alicia Aguado te gaan. Ze was één keer de deur uit geweest, om bij haar zus te lunchen. Tijdens de maaltijd spraken ze over niets anders dan de bom, maar toen ze waren uitgegeten, vroeg Consuelo haar zus of ze rond halfelf 's avonds bij haar thuis in Santa Clara kon zijn. Haar zus dacht dat er een probleem was met de kinderoppas.

'Nee, nee, zij is er, zij past op de jongens,' zei Consuelo. 'Ik kreeg alleen te horen dat ik, als ik thuiskom, iemand nodig heb met wie ik een goede band heb.'

'Ga je naar een gynaecoloog?'

'Nee. Naar de psycholoog.'

'Jij?' vroeg haar zus stomverbaasd.

'Ja, Ana. Je zus, Consuelo, gaat naar een zielknijper,' zei ze.

'Maar jij bent de verstandigste persoon die ik ken,' zei Ana. 'Als jij al gek bent, moeten wij helemaal alle hoop laten varen.'

'Ik ben niet gek,' zei ze. 'Maar ik zou het kunnen worden. Ik zit op het randje. De vrouw bij wie ik langsga, gaat me helpen, maar ze zegt dat ik steun nodig heb als ik thuiskom. Jij bent die steun.'

Het effect op haar zus was schokkend, niet in de laatste plaats omdat ze allebei beseften dat hun band misschien niet zo goed was als ze altijd hadden gedacht.

Toen ze haar veilige kantoor uitliep, voelde Consuelo dat zich in haar buik een soort paniek vormde en alsof ze een signaal kreeg, herinnerde ze zich de woorden van Alicia Aguado: 'Kom rechtstreeks naar me toe. Laat je niet afleiden.' Het bracht haar in verwarring, een stemmetje in haar vroeg: waarom zou ik? Ze deed de veiligheidsgordel om en haar gedachten dreven af: ze overwoog langs Plaza del Pumarejo te gaan om te zien of híj er was. Haar hart klopte wild en ze drukte de claxon zo hard en lang in dat een van de kelners de straat op rende. Ze trok op en reed zonder op of om te kijken over Plaza del Pumarejo.

Een kwartier later zat ze met ontblootte pols op de lovers' seat in de koel blauwe kamer op de onderzoekende vingers van Alicia Aguado te wachten. Ze spraken eerst over de bom. Consuelo kon zich niet concentreren. Ze had het te druk met het bij elkaar houden van haar fragmentarische ik. Een gesprek over het uiteenspatten van een bom hielp haar niet.

'Je was een beetje laat,' zei Alicia terwijl ze haar vingers op Consuelo's pols legde. 'Ben je rechtstreeks van je werk gekomen?'

'Ik werd op mijn werk opgehouden. Zodra ik weg kon, ben ik gekomen.'

'Geen verleidingen?'

'Geen enkele.'

'Probeer die vraag nog eens te beantwoorden, Consuelo.'

Ze staarde naar haar pols. Verried haar hartslag zoveel? Ze slikte. Zo moeilijk kon dit toch niet zijn? Ze had de hele dag geen enkel probleem gehad. Haar ogen liepen vol. Een traan kroop naar haar mondhoek.

'Waarom huil je, Consuelo?'

'Zou u dat niet aan mij moeten vertellen?'

'Nee,' zei Aguado. 'Het is precies andersom. Ik ben niet meer dan de gids.'

'Ik moest heel even tegen een verleiding vechten,' zei Consuelo.

'Wilde je me dat liever niet vertellen omdat het een seksuele verleiding was?'

'Ja. Ik schaam me ervoor.'

'Waarvoor?"

Ze antwoordde niet.

'Denk daar eens over na voor onze volgende afspraak, en vraag jezelf af of het waar is,' zei Aguado. 'Vertel me van de verleiding.'

Consuelo vertelde wat er de vorige avond was gebeurd en dat dat haar er uiteindelijk toe had gebracht Aguado om hulp te vragen.

'Je kent die man niet?'

'Nee.'

'Heb je hem weleens eerder gezien, of terloops contact met hem gehad?'

‘Hij is zo iemand die langs vrouwen loopt en dan obsceniteiten mompelt,’ zei ze. ‘Ik tolereer zulk gedrag niet en als het gebeurt, maak ik een scène. Ik wil hem ontmoedigen dat bij andere vrouwen te doen.’

‘Voel je dat als je morele plicht?’

‘Ja. Vrouwen mogen niet aan deze vorm van seksisme blootgesteld worden. Dergelijke kerels moeten worden ontmoedigd in hun walgelijke fantasieën te zwelgen. Het heeft niets met seks te maken, alleen maar met macht, een verkeerde vorm van macht. Dit soort mannen haat vrouwen. Ze geven hun haat een stem. Ze vinden het leuk om te shockeren en te vernederen. Als een vrouw zo stom is om een verhouding met zo’n figuur te krijgen, wordt ze lichamelijk mishandeld. Zodra die kerels een vrouw hebben, beginnen ze haar te slaan.’

‘Waarom fascineert die man je dan zo?’ vroeg Aguado.

Er kwamen weer tranen, die gepaard gingen met door het vreemde gevoel dat ze instortte, dat dingen in elkaar vielen. En op het moment dat de zwaartekracht van alles wat in haar instortte zijn eindsnelheid leek te bereiken, voelde ze zich loskomen en wegzweven van de persoon die ze zelf dacht te zijn. Het leek op de extreme vorm van een fenomeen dat ze zelf altijd een existentiële klap noemde: een onverwacht reflectief moment, waarin de vraag wat wij hier op deze, in het grote niets ronddraaiende planeet te zoeken hebben, onbeantwoordbaar groot leek. Normaliter was zo’n moment in een fractie van een seconde voorbij en keerde ze weer terug op aarde, maar deze keer duurde het voort en wist ze niet of ze er wel in zou slagen terug te komen. Ze sprong overeind en sloeg haar armen om zich heen, bang om uit elkaar te vallen.

‘Het is goed,’ zei Alicia. Ze raakte haar aan. ‘Het is goed, Consuelo. Je bent hier nog. Kom maar naast me zitten.’

De stoel, de zogenaamde stoel voor geliefden, had meer weg van een martelstoel, een stoel waar instrumenten in zaten die bij ondraaglijk pijnlijke zenuwen konden komen en er zo hard in konden knijpen dat je op ongekende wijze werd gekweld.

‘Ik kan dit niet,’ hoorde ze zichzelf zeggen. ‘Ik kan dit niet.’

Ze viel in de armen van Alicia Aguado. Het fysieke contact met een mens moest haar terug op aarde brengen. Ze huilde, en het ergst van alles was dat ze geen idee had waar ze zo onder leed. Alicia liet haar weer zitten. Ze zaten met z’n tweeën op de lovers’ seat, de handen verstrengeld, alsof ze inderdaad geliefden waren.

‘Ik viel uit elkaar,’ zei Consuelo. ‘Ik zag niets meer... Ik wist niet meer wie ik was. Ik had het gevoel dat ik een astronaut was die van het moederschip wegdrijft. Het scheelde een haar of ik was gek geworden.'

'En wat ging er aan dat gevoel vooraf?'

'Uw vraag. Ik weet niet meer wat u vroeg. Vroeg u naar een vriend, of naar mijn vader misschien?'

'Ik denk dat we genoeg hebben gesproken over dingen die je kwellen,' zei Aguado. 'Laten we proberen positief te eindigen. Vertel iets waarvan je gelukkig wordt.'

'Ik word gelukkig van mijn kinderen.'

'Misschien herinner je je dat we je vorige consult hebben beëindigd met een discussie over de gevoelens die je kinderen je geven. Je zei...'

'Dat ik zoveel van ze houd dat het pijn doet,' zei Consuelo.

'Laten we aan een vorm van geluk denken die niet met pijn vergezeld gaat.'

'Het doet niet altijd pijn. Alleen als ik naar ze kijk terwijl ze slapen.'

'En hoe vaak kijk je naar ze als ze slapen?'

Consuelo besefte dat het een ritueel was geworden dat iedere avond terugkeerde: het hoogtepunt van iedere dag was het moment waarop ze naar de onschuldig slapende jongens keek. Ze was die pijn in haar maag gaan koesteren.

'Oké,' zei Consuelo, op haar hoede. 'Ik zal proberen of ik me een moment van pijnvrij geluk kan herinneren. Dat kan toch niet zo moeilijk zijn, Alicia? Ik bedoel, moet je kijken, we wonen in de mooiste stad van Spanje. Heeft iemand niet gezegd: "Als God van je houdt, schenkt hij je een huis in Sevilla?" De liefde van God kost tegenwoordig alleen wel een half miljoen euro. Eens even kijken... Stel je deze vraag aan al je patiënten?'

'Niet aan allemaal.'

'En hoeveel hebben een antwoord kunnen geven?' vroeg Consuelo. 'Ik neem aan dat psychologen met name óngelukkige mensen tegenkomen.'

'Er is altijd iets. Mensen die van het platteland houden, denken bijvoorbeeld aan het zonlicht dat op het water speelt, of aan de wind in het gras. Stadsmensen denken bijvoorbeeld aan een schilderij dat ze hebben gezien, of aan een balletuitvoering, of ze denken eraan dat ze zomaar even op hun favoriete plein zitten.'

'Ik ga nooit naar het platteland. En vroeger hield ik van kunst, maar...'

'Anderen denken aan een vriendschap, of aan een oude vlam.'

Hun handen lagen niet meer in elkaar, Aguado's vingers rustten weer op Consuelo's pols.

'Waar denk je nu bijvoorbeeld aan?' vroeg ze.
'Nergens aan,' zei Consuelo.
'Dat geloof ik niet,' zei Aguado. 'Wat het ook is... Hou eraan vast.'

Inés was al een uur thuis. Het was even na halftien. Ze had geprobeerd Esteban te bereiken, maar zijn mobiele telefoon stond zoals gebruikelijk uit. Ze was tamelijk kalm, maar ze had het gevoel dat een draadje in haar hoofd zo strak was gespannen dat ze hem als een snaar kon laten trillen. Ze was bij haar huisarts geweest, maar vertrokken voordat ze aan de beurt was. De arts zou haar onderzoeken, en ze wilde niet dat iemand haar bekeek of zich met haar bemoeide.

Het incident in het park met die vuile hoer van een mulattin bleef maar door haar interne film heen spelen. Daardoor verloor de film zijn kracht en werd haar hoofd door andere beelden bestookt: die van de duivelse uitdrukking op het gezicht van Esteban op het moment dat ze hem vanonder het bed zag verschijnen en die van zijn krampachtig bewegende blote voeten op de koude keukenvloer.

De keuken was nu even geen goede plek voor haar. De harde rand van het granieten aanrecht, de kilte van de marmeren vloer en de vervormende spiegeling van al het chroom herinnerden haar te veel aan het geweld van die ochtend. Ze haatte die fascistoïde keuken. Hij deed haar aan de Guardia Civil denken, met hun autoritaire laarzen en glanzende, harde zwarte petten. Ze kon zich in die keuken geen kinderen voorstellen.

Ze zat in de slaapkamer en voelde zich nietig op het grote, lege huwelijksbed. De tv stond uit. Er werd te veel over de bom gepraat. Er waren te veel beelden van de rampplek, van bloed, geronnen bloed. Er waren te veel vernielde ruiten en verwoeste levens. Ze bekeek zichzelf in de spiegel boven de keurige rij borstels en de verzameling manchetknopen. Er speelde een vraag door haar hoofd: wat is er verdomme met me gebeurd?

Om kwart voor tien verdroeg ze het niet meer en ging ze naar buiten. Ze dacht dat ze zo maar wat rondliep, maar ze merkte dat ze werd aangetrokken door de jonge mensen die zich in de warme avondlucht onder de grote bomen op Plaza del Museo begonnen te verzamelen. Vervolgens liep ze zonder dat ze zelf kon verklaren hoe ze daar terecht was gekomen door de Calle Bailén en stond voor het huis van haar ex-echtgenoot. Toen ze dat zag, ging er een scheut van jaloezie door haar heen. Het huis had van haar kunnen zijn, of althans voor de helft, als het niet naar die teef was gegaan die Javier als advocaat had ingehuurd. Ze had ontdekt dat Inés het al maanden met Esteban Calderón deed en ze had haar (recht in het gezicht!) gevraagd of ze wilde dat dat smakeloze feit in de rechtszalen bekend zou worden. En moest je haar nu zien. Ze was er echt op vooruitgegaan. Getrouwd met een man die vrouwen mishandelde en die het, als hij niet 'omwille van de anticonceptie' sodomie met haar bedreef, met iedere onbetaalde hoer deed die maar even met haar tieten zwaaide... Waar haalde ze die vreselijke taal eigenlijk vandaan? Inés Conde de Tejada bezigde dat soort woorden niet. Waarom zat haar brein plotseling vol vuiligheid?

En daar stond ze dan, voor het huis van Javier. Haar slanke benen onder haar korte rokje trilden. Ze liep verder, langs de houten poort, naar Hotel Colón. Daar draaide ze zich om. Ze moest Javier zien. Ze moest hem spreken. Niet om te zeggen dat ze was geslagen. En ook niet dat het haar speet wat ze had gedaan. Nee, ze wilde hem niets vertellen. Ze wilde gewoon bij de man zijn die van haar had gehouden, die haar had aanbeden. Ze verschool zich juist in de duisternis onder de sinaasappelbomen om zich voor te bereiden, toen de voordeur openging en er drie mannen naar buiten kwamen. Ze liepen naar Hotel Colón om een taxi te nemen. De deur ging weer dicht. Inés belde aan. Falcón deed de deur weer open en zag tot zijn stomme verbazing het op vreemde wijze geslonken figuur van zijn ex-vrouw.

'*Hola*, Inés. Gaat het?'

'*Hola*, Javier.'

Ze gaven elkaar een kus. Hij liet haar binnen. Ze liepen naar de patio en Falcón dacht: ze ziet er klein en tenger uit, als een kind. Hij ruimde de restanten van de CNI-bijeenkomst op en keerde terug met een fles manzanilla.

'Ik zou denken dat je na een dag als vandaag doodmoe bent,' zei ze. 'En toch komen er nog mensen bij je langs om wat te drinken.'

'Het is inderdaad een lange dag geweest,' zei Falcón, terwijl hij dacht: wat is hier aan de hand? 'Hoe is het met Esteban?'

'Ik heb hem niet gezien.'

'Hij is waarschijnlijk nog op de rampplek,' zei Falcón, terwijl hij de hele nacht doorgewerkt. Gaat het wel, Inés?'

'Dat heb je al gevraagd, Javier. Zie ik er niet goed uit?'

'Je maakt je toch nergens zorgen over?'

'Zie ik eruit alsof ik me zorgen maak?'

'Nee. Je bent alleen een beetje dun. Ben je afgevallen?'

'Ik let op mijn gewicht.'

Falcón, die nu al niet meer wist wat hij tegen Inés moest zeggen, snapte nooit dat hij door deze vrouw geobsedeerd geweest was. Hij vond haar nu alledaags: ze was expert in gebabbel, ze was bij uitstek verwoordster van standaardmeningen, ze was oersaai en een snob. En toch hadden ze, voordat ze trouwden, een hartstochtelijke verhouding gehad, met heftige seksuele ontmoetingen. De bronzen jongen in de fontein was voor hun uitspattingen op de vlucht geslagen.

Haar hakken tikten op de marmeren tegels van de patio. Vanaf het moment dat ze voor zijn neus stond, wilde hij al van haar af, maar omdat haar broosheid zijn medelijden wekte en haar Sevilliaanse hooghartigheid afwezig was, vond hij het moeilijk om haar af te poeieren en weg te sturen, de nacht in.

'Hoe staat het ermee?' vroeg hij. Ondertussen probeerde hij op iets interessanters te komen, maar zijn gedachten waren bij de beslissing die hij in de komende acht uur moest nemen. 'Hoe is het leven met Esteban?'

'Jij ziet hem meer dan ik,' zei ze.

'We hebben al een tijdje niet meer samengewerkt, weet je, en hij is ambitieus, dus...'

'Ja, hij is altijd ambitieus geweest,' zei ze. 'Tenminste, als het erom gaat met elke vrouw die hij ziet te neuken.'

Falcón wilde net een slok nemen, maar zijn glas manzanilla stopte even in de lucht. Daarna nam hij een flinke teug.

'Daar weet ik niets van,' zei hij. Hij wilde het onderwerp dat in politie- en justitiekringen al jaren algemeen bekend was, liever mijden.

'Doe niet zo godvergeten idioot, Javier,' zei ze. 'Heel Sevilla weet dat hij zijn pik in iedere kut steekt die bij hem in de buurt komt.'

Stilte. Falcón vroeg zich af of hij Inés ooit zulke taal had horen uitslaan. Het was alsof een viswijf, dat zich tot dan toe in haar had verscholen, was bevrijd.

'Ik kwam vandaag een van zijn hoeren tegen in het Murillopark,' zei ze. 'Ik herkende haar van een foto die hij met zijn digitale camera van haar had gemaakt. En ze zat tegenover me op een bankje een sigaar te roken, alsof ze in gedachten nog steeds zat te zuigen op zijn...'

'Alsjeblieft, Inés,' onderbrak Falcón haar. 'Ik ben niet de juiste persoon om hierover te praten.'

'Waarom niet?' vroeg ze. 'Jij kent me. Wij hebben een intieme relatie met elkaar gehad. En je kent hem. Je weet dat hij... dat hij een... dat ik...'

Ze brak. Falcón nam het glas uit haar hand en vond een paar papieren zakdoekjes. Ze snoot haar neus, sloeg met haar vuist op tafel en schraapte met haar hak over de vloer van de patio. Ze huiverde en liep naar de fontein. Er ging een heftige pijnscheut door haar zij, ze moest zich vastgrijpen.

'Gaat het, Inés?'

'Hou op me die vraag te stellen,' zei ze. 'Het is niets, ik heb alleen wat last van mijn nieren. De dokter zegt dat ik niet genoeg water drink.'

Hij haalde een glas water voor haar en vroeg zich af wat hij met de situatie aan moest: Mark Flowers kon ieder moment aanbellen. Zijn verstand kwam niet verder dan de bizarre constatering dat zij naar hem was gekomen om over het onverbeterlijke rokkenjagen van haar man te praten. Wat hield dat in?

'Ik wilde je zien,' zei ze, 'omdat ik verder niemand heb om mee te praten. Mijn vriendinnen zijn niet tot deze mate van intimiteit in staat. Ik ben ervan overtuigd dat een aantal van hen tot zijn veroveringen is gaan behoren. Mijn lijdensweg zou voor hen niet meer dan een roddel zijn. Ik weet dat jij een paar jaar geleden door een heel zware periode bent gegaan, en daardoor ben jij in staat te begrijpen wat ik nu doormaak.'

'Ik weet niet of onze ervaringen vergelijkbaar zijn,' zei Falcón. Haar egocentrische woorden deden hem de wenkbrauwen fronsen, en hij kreeg steeds minder vat op de situatie.

'Ik weet dat je nog verliefd op me was toen wij uit elkaar gingen,' zei ze. 'Ik had ontzettend met je te doen.'

Hij wist maar al te goed dat daar bepaald geen sprake van geweest was. Ze had haar schuldgevoelens op hem geprojecteerd en hem getergd met die vreselijke mantra over zijn vermeende harteloosheid: *'Tu no tienes corazón, Javier Falcón.'*

'Denk je erover Esteban te verlaten?' vroeg hij voorzichtig, al in paniek bij het idee dat zij misschien dacht dat hij haar terug zou willen.

'*No, no, no, que no*,' zei ze. 'Zover is het niet. We zijn voor elkaar bestemd. We hebben samen zoveel meegemaakt. Ik zou hem nooit verlaten. Hij heeft mij nodig. Alleen...'

Alleen heeft een bedrogen vrouw meer clichés nodig dan er zijn, dacht Falcón.

'Alleen heeft hij... wel hulp nodig,' zei Inés.

Wat was dit voor een dag? Het CNI wilde dat hij zijn nieuwe vriend zou overhalen om voor hen te spioneren. Zijn ex-vrouw wilde dat hij haar man, met wie hij niet meer dan een professionele verstandhouding had, zou aanmoedigen om naar een zielknijper te gaan.

'Wat vind jij, Javier?'

'Ik vind dat ik er niets mee te maken heb,' zei hij ferm.

'Toch wil ik graag weten wat je ervan vindt,' zei ze met grote ogen.

'Je haalt Esteban – en geen enkele man wat dat aangaat – nooit over om naar een zielknijper of een huwelijkstherapeut te gaan tenzij hij zelf inziet dat er een probleem is,' zei Falcón. 'En de meeste mannen vinden in dit soort situaties dat het niet hún probleem is.'

'Hij gaat al ons hele huwelijk vreemd,' zei ze. 'Hij ging al vreemd vóórdat we trouwden. Dan begrijpt hij zelf toch ook wel dat er iets moet veranderen?'

'Hij zal alleen veranderen als een persoonlijk voorval hem diep raakt,' zei Falcón. 'Een voorval dat ervoor zorgt dat hij over zijn... onbevredigbare behoeften gaat nadenken. Maar dat kan ertoe leiden dat de hechte band die hij nu met mensen heeft, ook verandert.'

'Ik ben tijdens de vorige crisis, met die Amerikaanse slet, bij hem gebleven,' zei ze. 'En dat doe ik bij deze crisis ook. Ik weet dat hij van me houdt.'

'Dit is mijn ervaring,' zei Falcón, die zijn handen opstak en besefte dat hij Inés net had verteld waarom ze geen deel meer van zijn leven uitmaakte. 'Maar mijn probleem was ook niet dat ik een rokkenjager was.'

'Nee, dat niet, hè?' zei ze. 'Jij was zo kil, Javier.'

Dat zogenaamd bezorgde toontje deed hem griezelen, maar de deurbel ging en voorkwam dat hij de reservevoorraad van zijn geduld verder aan moest spreken. Hij liep met haar naar de voordeur.

'Je bent populair, vanavond,' zei ze.

'Ik weet ook niet wat ze in me zien,' zei Falcón met veel gevoel voor ironie.

'We zien elkaar niet vaak, tegenwoordig,' zei ze. Ze kuste hem gedag voordat hij de deur opendeed. 'Sorry hoor... Als we elkaar niet nog een keer zien...'

'Nog een keer?' vroeg Falcón. De deurbel ging opnieuw.

'Sorry,' zei ze.

Om halftien kwam Calderón bij Marisa's appartement. Twintig minuten later lagen ze naakt en nat van het zweet op de vloer voor de bank. Ze dronken cuba libres tjokvol ijs en waren hard op weg een pakje Marlboro op te roken. Ze ging met haar benen uit elkaar op hem zitten, wreef haar stijve tepels over zijn lippen en liet haar schaambeen zover zakken dat het de punt van zijn uitgeputte penis kietelde. Hij vulde zijn handen met haar billen en beet een beetje te hard in haar tepel.

'Au!' gilde ze. Ze duwde hem van zich af. 'Heb jij nog niet gegeten?'

'Daar is niet echt tijd voor geweest,' antwoordde hij.

'Zal ik wat pasta voor je maken?' vroeg ze. Ze stond boven hem, nog steeds op hoge hakken, de benen uit elkaar, de handen op haar heupen, de sigaret tussen haar volle lippen.

Ik ben Helmut Newton, dacht Calderón.

'Klinkt goed,' zei hij.

Ze trok een turkooizen kamerjas van zijde aan en liep naar de keuken.

Calderón nipte aan zijn drankje, rookte en keek de drukkend warme avond in. Hij dacht: zo is het goed.

'Er is me vandaag iets vreemds overkomen,' zei Marisa vanuit de keuken terwijl ze een ui en knoflook sneed. 'Ik had een paar werken aan een van mijn galeriehouders verkocht. Hij betaalt contant en ik hou ervan mezelf op een goede sigaar te trakteren – een echte, uit Havana. Ik zit onder de palmen in het Murillopark te roken, omdat die plek me aan thuis herinnert en het vandaag echt heet was, de eerste hitte van de zomer. En ik begon net in een lekkere Cubaanse stemming te komen...'

Marisa zag aan Calderóns achterhoofd dat hij nauwelijks naar haar luisterde.

'...toen die vrouw tegenover me kwam zitten. Een prachtige vrouw. Heel slank, lang zwart haar, prachtige grote ogen... Misschien was ze wat aan de magere kant, nu ik erover nadenk. Haar ogen waren echt heel groot, en ze staarde me heel vreemd aan.'

Nu had ze zijn aandacht. Zijn hoofd bewoog niet.

'Ik wil mijn sigaar graag in alle rust kunnen roken. Ik hou er niet van als mensen als een idioot naar me gaan zitten staren. Dus vroeg ik aan haar waar ze naar zat te kijken. Zegt ze tegen me dat ze naar de hoer met de sigaar kijkt – *la puta con el puro*. Ik hou er niet om voor hoer te worden uitgemaakt, en ik hou er niet van als een goede havanna wordt verpest. Dus heb ik haar d'r vet gegeven. En weet je wat er toen gebeurde?'

Calderón trok driftig en lang aan zijn sigaret.

'Weet je wat ze tegen me zei?'

'Wat?' vroeg Calderón, alsof hij van ver moest komen.

'Ze zei: "Jij bent de hoer die met mijn echtgenoot neukt." Ze vroeg hoeveel je mij betaalt en zei dat het niet veel meer dan vijftien euro per nacht kon zijn, en dat je me om me tevreden te houden waarschijnlijk mijn haar koperkleurig liet verven en sigaren liet roken. Kun je mij misschien vertellen hoe Inés godverdomme weet wie ik ben?'

Calderón stond op. Hij was zo kwaad dat hij geen woord kon uitbrengen. Zijn lippen waren bleek en zijn genitaliën waren ineengeschrompeld en in hun nestje van schaamhaar teruggekropen, alsof zijn woede zich voedde met elke druppel bloed die beschikbaar was. Hij balde en ontspande zijn vuisten en staarde de nacht in, en in zijn gewelddadige gedachten hoorde hij het breken van botten. Marisa had dat trekje eerder gezien bij mannen die fysiek niet veel voorstelden. Grote, gespierde kerels hoefden zich niet te bewijzen; dikzakken, scharminkels en domkoppen moesten een ander een lesje leren.

Marisa hoorde de douche stromen en stopte met koken. Calderón kleedde zich aan in een onheilspellende stilte. Ze vroeg wat hij ging doen, waarom hij wegging. Hij trok zijn das met een ruk in een strakke, woedende knoop.

'Niemand praat zo tegen jou,' zei hij. En hij vertrok.

Inés bleef staan voor een winkel met handgeschilderde tegeltjes in de Calle Bailén. Nu ze Javier had gezien, voelde ze zich beter. Ze had zichzelf er tijdens de kleine wandeling na hun korte ontmoeting van overtuigd dat hij nog steeds om haar gaf. Wat lief dat hij haar had gevraagd of ze van plan was Esteban te verlaten! Na al die jaren koesterde hij nog altijd hoop. Helaas moest ze hem teleurstellen.

Het geroezemoes van jonge mensen, het gerinkel van bierflesjes en de rook van joints bleven in de duisternis onder de grote bomen op Plaza del Museo hangen. Ze liep tussen hen door en voelde zich een stuk beter. Tot haar blijdschap brandde het licht in hun appartement. Esteban was thuis. Hij was bij haar teruggekomen. Ze zouden de aangerichte schade herstellen. Ze wist zeker dat hij na wat er die ochtend was gebeurd naar rede zou luisteren, en dat ze hem zou kunnen overhalen een afspraak bij een psycholoog te maken.

De trap boezemde haar geen angst meer in, en hoewel de pijn in haar zij haar ervan weerhield naar boven te sprinten, kwam ze met een licht hart bij de voordeur. Ze wierp haar haren over haar schouders en deed de deur achter zich dicht. Onmiddellijk werd ze zich van zijn dreigende aanwezigheid bewust. Op het moment dat haar glimlach zich over haar gezicht verspreidde, greep hij haar bij haar haren en draaide die om zijn vuist. Ze wankelde achteruit en viel op haar knieën, en hij bracht haar gezicht tot vlak bij zijn eigen gezicht, dat bleek was van bittere haat.

18

Sevilla, dinsdag 6 juni 2006, 22.05 uur

Mark Flowers had al gegeten. Zijn Amerikaanse spijsvertering was nooit gewend geraakt aan de Spaanse gewoonte om voor halftien 's avonds zelfs niet aan de avondmaaltijd te denken. Falcón bood hem bier en manzanilla aan, maar hij gaf de voorkeur aan een single malt whisky. Zelf hield Falcón het bij manzanilla en een sandwich die hij even snel in de keuken naar binnen werkte. Het was nog altijd erg warm en ze gingen onder de blote hemel op de patio zitten.

'En, waar kwamen "jouw" mensen over praten?' vroeg Flowers, die er altijd voor zorgde dat hij zijn eigen vragen het eerst stelde.

'Ze probeerden me over te halen om voor hen te rekruteren.'

'En ga je dat doen?'

'Ik heb tot zes uur morgenochtend om te beslissen.'

'Wel aardig van ze dat ze daarmee wachten tot een moment dat je niets aan je hoofd hebt,' zei Flowers, die altijd zijn best deed om te laten zien dat de ironie niet bij alle Amerikanen operationeel was verwijderd. 'Ik weet niet wie ze door jou willen laten rekruteren, maar als het een vriend is, blijft hij misschien geen vriend. Zo werkt dat, is mijn ervaring.'

'Waarom?'

'Mensen reageren vreemd als je ze vraagt spion te worden. Het stelt je oorspronkelijke vriendschap ter discussie: werd hij mijn vriend om me te kunnen rekruteren? Het brengt ook in moreel opzicht dubbelhartigheid met zich mee. Jij hebt, als degene die rekruteert, maar één doel, en om dat te bereiken moet iemand anders voor jou gaan liegen en bedriegen. Daardoor krijg je een vreemde verhouding.'

'Heb je een advies?'

'Zie het alsof je naar een afspraakje gaat. Het komt neer op de timing. Als je te vroeg aanvalt, verwijt het meisje je dat je opdringerig bent. Als je te lang wacht, val je haar misschien tegen en lijk je onzeker. Het is een delicaat proces en net als bij afspraakjes leer je het alleen door het te doen... Zo vaak mogelijk.'

'Je hebt me net echt zelfvertrouwen gegeven, Mark. Ik heb al langer dan een jaar geen afspraakje meer gehad.'

'Sommige mensen zeggen dat het net zoiets als fietsen is,' zei Flowers. 'Maar er is een groot verschil tussen een knul van achttien die net begint en een man van middelbare leeftijd die de draad weer probeert op te pakken. Ik wou dat je andere whisky kocht, Javier. Wat is dit toch een bocht.'

'Wil je er soms coca cola bij?' vroeg Javier.

Flowers grinnikte.

'Weten jouw mensen of je Marokkaanse vriend betrouwbaar is?' vroeg hij.

'Heb ik gezegd dat ik een vriend moet rekruteren en dat hij Marokkaans is?' vroeg Falcón.

Flowers grinnikte weer en nam een flinke slok whisky.

'Je hebt het niet gezegd, maar gezien de situatie waarin we verkeren, was dat gemakkelijk te raden.'

'Ik geloof wel dat ze hem grondig hebben nagetrokken,' zei Falcón, die geen zin had het spelletje nog langer te spelen.

'Daarmee weet je nog niet of iemand betrouwbaar is,' zei Flowers. 'Iemand natrekken is net zoiets als uit een boek leren hoe je zaken moet doen.'

'Ik weet dat ik hem kan vertrouwen.'

'Tja, jij werkt bij de recherche, dus als iemand liegt zou jij het moeten weten,' zei Flowers. 'Voeren jullie gesprekken over terrorisme, Irak en het Palestijnse vraagstuk waardoor je gelooft dat hij betrouwbaar is?'

'Daarover hebben wij geen gesprekken gevoerd waarvan de uitkomst doorslaggevend was, als je dat bedoelt.'

'Er zitten duizenden moslims in theehuizen in Noord-Afrika die de acties van extremistische groeperingen en hun willekeurige geweld veroordelen. Maar het zou me heel veel moeite kosten om iemand te vinden die me informatie geeft die kan leiden tot de gevangenneming en mogelijke dood van een jihadist,' zei Flowers. 'Het is een van de vreemde tegenstrijdigheden in dit soort spionage dat je een diep moreel besef nodig hebt om immoreel te kunnen zijn. Dus vraag ik nogmaals: hoe weet je dat hij betrouwbaar is?'

'Ik weet niet of ik je kan vertellen wat jou misschien overtuigt zonder dat je denkt dat ik niet goed bij mijn hoofd ben.'

'Probeer het maar.'

'Vanaf het eerste moment dat we elkaar zagen, herkenden we iets in elkaar.'

'Wat houdt dat in?'

'We hebben vergelijkbare ervaringen gehad, waardoor we elkaar tot op zekere hoogte vanzelf begrijpen.'

'Ik weet nog steeds niet zeker of ik het snap,' zei Flowers. Hij kneep één oog samen boven zijn geheven glas.

'Wat gebeurt er als twee mensen verliefd worden?'

'Maak het niet te gek, Javier.'

'Hoe maken twee mensen uit allerlei ingewikkelde signalen op dat ze die nacht met elkaar naar bed zullen gaan?'

'Weet je wat daar het probleem mee is? Geliefden bedriegen elkaar voortdurend.'

'Wat wil zeggen, Mark, dat we het nooit zeker weten: we kunnen alleen zo zeker mogelijk zijn.'

'De vergelijking met de liefde klopt,' zei Flowers. 'Want je moet erachter zien te komen of hij niet meer van iemand anders houdt dan van jou.'

'Dank je.'

'Over wie hebben we het trouwens?'

'Die vraag heb je lang uitgesteld.'

'Als ik had geweten dat je zo verlegen was, zou ik je mee uit eten hebben genomen.'

'Dit zijn niet mijn zaken, maar die van het CNI.'

'Dacht je nou echt dat je Casablanca Airport zou kunnen verlaten zonder dat mijn mannen je in de gaten zouden houden?'

'Het verbaast me dat je me niet al eerder schaduwde.'

Flowers glimlachte, maar zei niets.

'Je wist het allang,' zei Falcón met gespreide handen. 'Waarom speel je dit soort spelletjes met me?'

'Om je eraan te herinneren dat jij, in mijn wereld, een amateur bent,' zei Flowers. 'Wat hoop je van Yacoub Diouri te horen?'

'Dat weet ik niet. Ik weet niet eens of ik die opdracht wel wil aanvaarden. En ik weet niet of, als ik het wil doen, mijn superieuren het goed vinden.'

'Hoe staat het met het onderzoek hier?'

'Er moet nog een hoop gedaan worden, maar we weten in ieder geval wat er de afgelopen dagen in en buiten de moskee aan de hand was.'

'Wilde je daarom dat ik 141T zou natrekken?'

'Zij spelen een rol op de achtergrond... Nogal ver op de achtergrond,' zei Falcón. Hij lichtte hem in over Horizonte en Informáticalidad.

'141T is feitelijk niet in Indianapolis gehuisvest,' zei Flowers. 'Het hoofdkwartier van het bedrijf zit in Columbus, in Ohio, vanwege de nabijheid van Westerville. Westerville is de bakermat van de Amerikaanse beweging van geheelonthouders. De drooglegging in de jaren twintig is daar van start gegaan.'

'Je zegt het alsof dat van belang is.'

'De naamloze vennootschap is eigendom van en wordt actief geleid door twee wedergeboren christenen, die hun geloof hebben leren kennen dankzij de excessen uit hun jeugd,' zei Flowers. 'Cortland Fallenbach was een computerprogrammeur die voor Microsoft werkte tot ze hem "lieten gaan" wegens problemen met alcohol en andere middelen. Morgan Havilland was vertegenwoordiger bij IBM, tot zijn seksverslaving uit de hand liep en ze hem ontsloegen om te voorkomen dat ze met een aanklacht wegens ongewenste intimiteiten voor de rechter zouden worden gedaagd.'

'Hebben die jongens elkaar tijdens de groepstherapie ontmoet?'

'In Indianapolis,' zei Flowers. 'En omdat ze voor twee van de machtigste IT-bedrijven van de wereld hadden gewerkt, besloten ze in hightechbedrijven te gaan investeren. Fallenbach was een koning in software, en Havilland had verstand van hardware. In het begin investeerden ze alleen, waarbij ze hun voordeel deden met hun kennis van de bedrijfstak. Later begonnen ze bedrijven op te kopen, die ze doorverkochten of in één van hun eigen bedrijven onderbrachten. Om van 141T deel uit te maken, moet je wel aan een belangrijke voorwaarde voldoen...'

'Moet je in God geloven?'

'Je moet in de júiste god geloven,' zei Flowers. 'Je moet christen zijn. Ze kopen ook bedrijven van hindoes, moslims, boeddhisten of shintoïsten – of hoe die ook mogen heten – maar die worden geen deel van 141T. Ze halen eruit wat ze willen hebben. Wat overblijft wordt doorverkocht als het nog waarde heeft; zo niet, dan laten ze het in de grond wegrotten.'

'Meedogenloze christenen,' zei Falcón.

'Kruisvaarders is een beter woord,' zei Flowers. 'Erg succesvolle kruisvaarders. 141T heeft wereldwijd bezittingen ter waarde van twaalf miljard dollar. Het eerste kwartaal van dit jaar behaalden ze een winst van 375 miljoen dollar.'

'Doen ze ook aan politiek?'

'Fallenbach en Havilland zijn lid van Christian Right en dus zwaar republikeins. Maar hun ethos is op het geloof gebaseerd. Zij denken dat je elkaar alleen kunt begrijpen als je hetzelfde geloof aanhangt. Is de een moslim en de ander christen, dan zullen er altijd fundamentele verschillen zijn die een perfecte communicatie in de weg staan. Atheïsten worden uitgesloten, dus communisten zijn onacceptabel. Agnostici kunnen nog worden "gered"...'

'Gaan de gesprekken in de raad van bestuur vóór een overname over dit soort zaken?'

'Absoluut,' zei Flowers. 'Ze nemen hun bedrijfscultuur heel serieus, en religie is het fundament van die cultuur. Als ze ermee weg kunnen komen, nemen ze geen vrouwen aan; lukt dat niet, dan hebben ze er niet meer in dienst dan volgens de wet noodzakelijk is. Ze hebben geen homoseksuelen in dienst. God heeft een hekel aan nichten... kun je je dat niet herinneren, Javier?'

'Ik geloof niet dat ik die regel uit de bijbel ken.'

'Uit hun succes en winstgevendheid blijkt hun gelijk.'

'Hoe actief zijn ze buiten hun eigen bedrijven?'

'Voorzover wij weten, blijft dat ertoe beperkt dat ze geen zaken doen met mensen die er andere principes op na houden. Ze maken bijvoorbeeld ultrasone apparatuur, en die verkopen ze niet aan ziekenhuizen waarvan ze weten dat er abortus wordt gepleegd. Over actieve antireligieuze activiteiten hebben we niets gehoord.'

'Vind jij het vreemd dat Informáticalidad dat appartement gebruikte voor brainstormsessies?'

'Weet je wat ik pas echt vreemd vind?' vroeg Flowers. 'Dat bedrijven en regeringen jaarlijks miljarden euro's en dollars aan management consultancy's uitgeven. Die lui wippen even langs en verstrekken vervolgens adviezen die mijn oma voor niets had kunnen geven. Informáticalidad lijkt me een bedrijf dat geen geld in dat soort onzin stopt. Zij komen met goedkopere, en waarschijnlijk ook productievere, oplossingen op de proppen. Dat levert aan het eind van het liedje voordeel op. Pas als je bewijs hebt dat een van die brainstormers in de moskee is geweest, wordt het een ander verhaal...'

'Zover zijn we nog niet,' zei Falcón. 'Iets anders: weet jij iets van een organisatie die VOMIT heet?'

'VOMIT... Ja, ik ken hun website. We dachten eerst dat het voor *Victims of Muslim and Islamic Terror* stond, tot een van onze werknemers zag dat de teksten Spaanstalig zijn. Je kunt ze er alleen van beschuldigen dat ze niet het hele plaatje laten zien, maar dat is meer een kwestie van onevenwichtigheid. En dat is geen misdaad. Ze zetten niet aan tot wraak, ze geven geen advies over het maken van bommen, ze vertellen niet hoe je een wapen moet gebruiken en ze rekruteren niet actief voor een "doel".'

'Het is één ding als het gewoon een stel sukkels met een paar telefoons en een paar computers is,' zei Falcón. 'Zou je er anders over denken als het om een miljardenbedrijf met wereldwijde vestigingen gaat?'

'Ten eerste zie ik het verband niet,' zei Flowers. 'Ten tweede zouden we VOMIT pas aan een nader onderzoek onderwerpen als er meer redenen waren om aan te nemen dat zij een dreiging vormt. Trouwens, Javier, waarom snuffel je rond bij geschifte randverschijnselen van deze aanslag en pak je de zaak niet bij de kern aan? Ik bedoel, VOMIT, 141T...'

'De kern van de zaak ligt op het moment onder duizenden tonnen puin,' zei Falcón. 'Informáticalidad was een niet te negeren onderdeel van het scenario buiten de moskee. VOMIT is er door het CNI bijgehaald. Er hebben zich in de moskee een aantal verdachte dingen voorgedaan, die nog niet voldoende zijn verklaard.'

'Wat voor dingen?'

Falcón vertelde over de gemeente-inspecteurs, de stoppenkast en de elektriciens.

'Ik weet wat je denkt.'

'Nee, dat weet je niet, want ik heb zelf nog niet voor één scenario gekozen,' zei Falcón. 'Ik sta overal voor open. We weten dat twee terreurverdachten – Djamel Hammad en Smail Saoudi – spullen hebben afgeleverd in de moskee. Die spullen kunnen onschuldig zijn geweest, maar het kan ook materiaal voor een bom zijn geweest. In de laadruimte van hun busje is hexogeen, of cyclonite, zoals jullie het noemen, gevonden...'

'Jezus Christus, Javier,' zei Flowers terwijl hij rechtop ging zitten. 'En dat noem jij verdomme geen bewijs?'

'Het ziet er slecht uit,' zei Falcón. 'Maar we hebben het er niet over hoe iets eruitziet. We moeten voorbij de schijn kijken.'

'Heb je nog meer whisky? Ik krijg de smaak te pakken van deze vloeibare houtskool.'

Falcón schonk zijn glas tot de rand vol en gaf zichzelf nog een scheut manzanilla. Hij leunde achterover in zijn stoel, en voelde zich, zoals altijd als hij met Flowers sprak, dom en gekapitteld.

'Weet je, Mark, je hebt mij nog niets verteld wat ik niet binnen een half-uur zelf had kunnen opzoeken, terwijl ik jou alles heb verteld. Ik weet dat je graag een positief saldo aan je gesprekken met mij overhoudt, maar ik zou het waarderen als je me echt hielp. Waarom vertel je me niets over de MILA, of over imam Abdelkrim Benaboura?'

'Er is een goede reden waarom jij niet zo veel informatie van mij krijgt als ik van jou,' zei Flowers, die de namen voorbij liet komen zonder een spier te vertrekken. 'Ik ben de baas van een bureau dat verantwoordelijk is voor de connecties tussen Zuid-Spanje en Marokko, Algerije en Tunesië. Ik heb geen idee wat er in Madrid, Noord-Spanje of Zuid-Frankrijk gebeurt. Ik zie maar een klein deel van het hele plaatje. Londen, Parijs, Rome en Berlijn dragen hun steentje bij, maar daar zie ik niets van. Net als jij lever ik alleen maar een bijdrage.'

'Nu doe je net alsof je heel passief bent.'

'Ik krijg informatie uit allerlei bronnen, en daar moet ik heel voorzichtig mee omgaan,' zei Flowers. 'Spioneren is een spel, maar ik vergeet nooit dat het wordt gespeeld met echte mensen, die dood kunnen gaan. Daarom krijg jij alleen informatie die jou of andere informanten niet in gevaar kan brengen. Als ik ook maar de geringste twijfel heb, krijg je de informatie niet. Wees blij dat ik geen bureaubaas ben die van gokken houdt.'

'Ja, heel fijn, bedankt, Mark. En vertel me nu maar iets over Los Mártires Islámicos para la Liberación de Andalucía.'

'Ik hoorde eind vorig jaar voor het eerst van hen. Toen als El Movimiento, en niet als Los Mártires. Mijn bron in Algiers vertelde me dat ze een afvallige partij zijn van de Algerijnse GIA, de Groupe Islamique Armé. Ze zijn de grens met Marokko overgestoken en hebben zich verenigd met een lokale beweging die toen nog de Spaanse enclaves in Marokko, Ceuta en Melilla wilde bevrijden. De Algerijnen brachten een netwerk mee, met leden die al in Madrid, Grenada, Málaga en Valencia zaten.'

'Maar niet in Sevilla?'

'Daar kom ik zo op,' zei Flowers. 'Mijn bron vertelde me dat de Marokkanen voor financiën konden zorgen. Ze hadden veel contant geld dankzij connecties met de hasjhandel in het Rifgebergte. Maar ze hadden geen netwerk en geen strategie. Ceuta en Melilla zijn kleine enclaves die vanaf het Spaanse vasteland goed worden beschermd en bevoorraad. De Algerijnen zagen het geld en legden hen uit dat ze het ruimer moesten zien. Bevrijd Andalucía, snij de bevoorrading van Ceuta en Melilla af en de westhoek van het islamitische koninkrijk is weer één geheel.'

'Je hebt een leger en een marine nodig om Andalucía in te nemen.'

'En dan heb je nog de Engelsen in Gibraltar, die er waarschijnlijk ook een mening over hebben,' zei Flowers. 'Maar daar gaat het niet om. De bevrijding van Andalucía is een inspirerend ideaal, dat het hart van de moslimextremist vervult met een warme, door Allah bezielde gloed. De droom moet de volgelingen voor de zaak winnen. Mijn informant interpreteerde de bedoelingen van de Algerijnen verkeerd. Ze wilden geen toegang tot de hasjhandel om het geld, maar om gebruik te kunnen maken van hun smokkelroutes, zodat ze hun mensen en materiaal Spanje in konden krijgen.'

'Is dat ook gebeurd?'

'Er is niemand gearresteerd,' zei Flowers. 'Smokkelroutes bestaan doorgaans omdat ze worden gedoogd. Er komt een niet-aflatende stroom hasj uit Marokko en cocaïne uit Zuid-Amerika over de lange, niet te bewaken Iberische kustlijn. En er is genoeg geld om autoriteiten tevreden en stil te houden.'

Het klamme zweet brak Falcón uit. Het geld, de organisatie en de corruptie maakten de mogelijkheid van een vernietigende campagne in Andalucía eerder waarschijnlijk dan idioot.

'En hoe zit het met Sevilla en de MILA?'

'In januari is een aantal Afghanen in Marokko aangekomen.'

'Waar in Marokko? Hoe komen jouw bronnen aan die informatie? Waarom weten wij dat niet?'

'Ze opereren niet vanuit een hoofdkwartier. Er is geen gemeentehuis met aanplakbiljetten waarop staat: vanavond vergadert de MILA. Ik heb één bron, op het verkeerde niveau, die me brokjes informatie geeft. Je legt niet zomaar even contact met deze beweging. Iemand moet voor je garant staan. Het heeft met familiebanden en stammen te maken. Ik vertrouw de informatie van mijn informant, maar ik deel haar niet graag omdat hij niet dicht genoeg bij de leidende raad van de groep zit.'

'Wil dat zeggen dat hij misschien dingen verzint?'

'Zie je, Javier, meer informatie maakt het plaatje niet altijd duidelijker.'

'Kun je me meer vertellen over de Afghaanse connectie?'

'Er kwamen een paar Afghanen die de groep een connectie in Sevilla aanboden. Ze zeiden dat die verkenningsopdrachten kon uitvoeren en logistieke ondersteuning kon bieden, maar niet in staat was een aanslag te plegen.'

'Naam?'

'Die kon hij me niet geven.'

'Een van de gelovigen uit de moskee heeft me verteld dat er een groepje Afghanen is geweest en dat de imam Pashto met hen sprak.'

'Zonder meer bewijs zou ik die twee inlichtingen niet te snel met elkaar combineren,' zei Flowers.

'En wat is er bekend over Abdelkrim Benaboura?' vroeg Falcón. 'Hij lijkt geen groot risico, en toch kunnen we geen informatie over zijn verleden krijgen. Wat houdt dat in?'

'Dat ze vanaf een bepaalde datum niet weten wat hij heeft gedaan, en dat is meestal vanaf eind 2001, begin 2002. Toen zaten de Amerikanen in Afghanistan, het Taliban-regime viel en de Taliban zwermden uit. Je moet niet vergeten, het netwerk van de geheime diensten van de Verenigde Staten en Europa was voor 9/11 te verwaarlozen. In de jaren die volgden zocht ieder voor zich uit wie wie was, maar daar zaten, en zitten, grote gaten in. Wat verwacht je ook? De islam is een naar binnen gekeerde religie die zich van Indonesië tot Marokko en van Noord-Europa tot Zuid-Afrika uitstrekt. Als je dan ook nog bedenkt dat deze mensen door hun kleding, het hoofddeksel en snorren en baarden moeilijk zijn te onderscheiden, begrijp je dat het niet meevalt iedereen van zijn levensgeschiedenis te voorzien.'

'Je hebt me nog steeds niets over Abdelkrim Benaboura verteld.'

'Waarom is het voor het CNI zo belangrijk dat jij, op het moment dat je het grootste moordonderzoek van je carrière leidt, Yacoub Diouri rekruteert?'

'Het CNI denkt iets nóg groters op het spoor te zijn.'

'Wat dan?'

'Dat wilden ze niet zeggen.'

'Wat heeft hen dan op die gedachte gebracht?'

'Jou ontgaat niet veel, hè Mark?' zei Falcón. Maar Flowers gaf geen antwoord. Hij was in gedachten verzonken – toen keek hij op zijn horloge, sloeg zijn whisky achterover en zei dat hij moest gaan. Falcón liep met hem mee naar de voordeur.

'Hebben jullie zelf al geprobeerd Yacoub Diouri te rekruteren?' vroeg Falcón.

'Ik zal je iets vertellen wat het herinneren waard is,' zei Flowers. 'Hij houdt niet van Amerikanen. En zeg nu maar wie die knappe dame was.'

'Mijn ex-vrouw.'

'Ik heb twee ex-vrouwen,' zei Flowers. 'Het is gek dat ex-vrouwen altijd knapper zijn dan vrouwen. Denk daar maar eens over na, Javier.'

‘Dat is het enige wat jij doet, Mark. Als je weggaat heb ik altijd meer te overdenken dan als je komt.’

‘Ik zal je nog iets vertellen waar je je hoofd over kunt breken,’ zei Flowers. ‘Het CNI heeft dat verhaal over de MILA in de media gebracht. Wat dacht je daarvan?’

‘Waarom?’

‘Welkom in mijn wonderlijke wereld, Javier,’ zei Flowers. Hij wandelde de nacht in.

Aan het eind van het straatje met de sinaasappelbomen draaide hij zich om en liep hij terug naar Javier, een silhouet in de deurpost.

‘Nog één advies,’ zei Flowers. ‘Probeer niet het hele plaatje te begrijpen... Daar slaagt niemand in.’

19

Sevilla, woensdag 7 juni 2006, 04.05 uur

Manuela lag in haar eentje in bed en deed haar best het zachte tikken van Angels vingers op het toetsenbord van zijn laptop in de andere kamer niet te horen. Ze lag in het donker met haar ogen te knipperen en probeerde het volle besef van een vreselijke gedachte op afstand te houden: de gedachte aan de verkoop van haar villa in El Puerto de Santa María, die op een uur rijden van Sevilla aan de kust lag. Ze had de villa van haar vader geërfd, en elke kamer zat vol tienernostalgie. Manuela had verdrongen dat Francisco Falcón nooit echt gelukkig met het huis was geweest, en dat hij de buren, zogenaamd de beau monde van Sevilla, grondig had gehaat. In haar fantasie trilde de geest van haar vader van woede over de voorgenomen verkoop. Maar ze kon geen andere manier bedenken waarop ze haar financiële positie zou kunnen redden. De banken hadden haar al voor sluitingstijd gebeld met de vraag waar het geld bleef dat ze hen in het vooruitzicht had gesteld. En om vier uur 's ochtends, een tijdstip waarop ze werd bezocht door gedachten aan dood en schuld, leek het de enige mogelijkheid. De makelaar had haar het onvermijdelijke laten weten: de onroerendgoedmarkt van Sevilla was tot nader order bevroren. Er waren vier potentiële kopers voor de villa, en die herinnerden haar er voortdurend aan dat ze stonden te popelen om het huis te kopen. Maar zou ze het kunnen laten gaan?

Angel had haar de hele dag gebeld en geprobeerd de opwinding in zijn stem te beteugelen. Hij had het alleen maar over de gevolgen van Rivero's pensionering en de nieuwe hoop van Fuerza Andalucía, Jésus Alarcón, die hij, nadat hij hem voor zijn profiel voor de ABC had geïnterviewd, de hele dag had begeleid. Angel had de media op briljante wijze bespeeld. Hij had Jésus buiten het beeld van de camera's gehouden toen hij het ziekenhuis bezocht en hem een vertrouwelijk gesprek met slachtoffers en hun familie laten voeren. Zijn grootste slag had hij geslagen toen hij hem naar Fernando Alanis op de intensive care had gestuurd. Jésus en Fernando hadden met elkaar gesproken. Geen camera's. Geen verslaggevers. En ze konden goed met elkaar overweg. Beter kon het niet. Later, toen de burgemeester en een cameraploeg bij de intensive care aankwamen, noemde Francesco Jésus Alarcón, voor de camera, als de enige politicus die niet had geprobeerd politieke munt uit de ellende van de slachtoffers te slaan. Het was puur geluk, maar een meesterlijke zet in de campagne die Angel voor Jésus Alarcón voerde. De burgemeester was er maar net in geslaagd de nerveuze glimlach die over zijn gezicht kroop, in toom te houden.

Consuelo kon zich niet beheersen. Waarom zou ze ook? Ze sliep toch niet. En er was geen betere manier om je de zorgeloze slaap te herinneren dan door naar specialisten op dat gebied te kijken, naar hun kalme onschuldige gezicht, hun trillende oogleden, hun rustige ademhaling, hun diepe, droomloze slaap. Ze ging eerst naar Ricardo, die veertien was en de leeftijd had bereikt waarop je klungelig was en je gezicht zich in ongewenste richtingen bewoog om zijn definitieve, volwassen vorm aan te nemen. Dat was geen vredige tijd: er schoten te veel hormonen door je lichaam en seksuele verlangens en *football* streden om de aandacht. Matías was twaalf en leek sneller op te groeien dan zijn oudere broer; het was gemakkelijker om in andermans voetstappen te lopen dan om, zoals Ricardo, die geen vader had om hem te begeleiden, je weg helemaal zelf te vinden.

Consuelo wist waartoe dit zou leiden. Ricardo en Matías konden voor zichzelf zorgen. Het was Darío, haar achtjarige jongste, die haar naar binnen lokte. Ze hield van zijn gezicht, zijn blonde haar, zijn amberkleurige ogen en zijn perfecte mondje. In het midden van zijn kamer ging ze op de vloer zitten, een halve meter van zijn bed vandaan. Ze keek naar zijn kalme gelaatstrekken en bracht zichzelf in de dubbelzinnige gesteldheid waar ze naar hunkerde. Het begon in haar mond, bij de lippen die zijn kinderhoofd hadden gezoend. Ze dronk het in en voelde de kwelling in haar borsten. Het kwellende gevoel nestelde zich in haar maag, net boven haar middenrif, en verzond zijn pijn vanuit haar inwendige organen naar haar tintelende huid. Ze bespotte Alicia Aguado's ondervraging. Wat was er mis met zo'n mooie liefde?

Fernando Alanis zat op de intensive care van het Hospital de la Macarena. Hij keek naar de tekenen van leven van zijn dochter op de monitoren. De grijze cijfers en de groene lijnen vertelden hem iets goeds: ze was in staat een machine te verlichten, om nog maar te zwijgen van het gemoed van haar vader, dat heen en weer slingerde als een zatladder in een steegje vol vuilnisbakken. Het ene moment waarde hij rond bij de catastrofale verwoesting van het appartementencomplex, en dan snakte hij naar adem. Het volgende moment bezweek hij bij de herinnering aan de vier afgedekte lichaampjes voor de kleuterschool. Hij bevatte nog niet wat hij kwijt was. Was dit een mechanisme van de ziel, werd iets wat te ondraaglijk was om te begrijpen opgeschort tot het punt waarop het op de vage herinnering aan een nachtmerrie begon te lijken? Hij had iemand die een zware val van een steiger had overleefd eens horen zeggen dat niet zozeer de snelheid waarmee de grond op je afkwam zo angstaanjagend was. De gruwel zat hem in het moment waarop je weer bijkwam. Als hij daaraan dacht, zwaaide hij ziek van ellende naar voren en staarde hij naar het bont en blauwe gezicht van zijn dochter, met de ovale, slappe mond rondom de wirwar van doorzichtige plastic slangetjes. Alles in hem leek te groot te zijn. Zijn ingewanden werden weggeduwd door de enorme ballon van haat en wanhoop die geen kant op kon en het zich dus maar zo ongemakkelijk mogelijk maakte. Hij ging terug naar de tijd waarin zijn gezin en huis nog intact waren, maar bij de gedachte aan het derde kind waarover hij die ochtend had gesproken, brak er iets in hem. De gedachte aan een situatie die nooit zou terugkeren, de gedachte dat hij Gloria en Pedro nooit meer zou terugzien, was onverdraaglijk. De onherroepelijkheid van dat woord 'nooit' kon hij niet aan.

Hij concentreerde zich op de hartslag van zijn dochter. De opspringende lijn. Be-dum, be-dum, be-dum. De groene lijn op de terminaal zwarte monitor maakte een nauwelijks zichtbaar sprongetje, en hij zat meteen rechtop in zijn stoel. Het was allemaal te kwetsbaar. Er kon in dit leven van alles gebeuren. Het gebeurde... Het was gebeurd. Misschien was het alleen zinnig om je in de leegte terug te trekken. Niets meer te voelen. Maar dat had zijn eigen verschrikking. De monstrueuze negatieve kracht van het zwarte gat in de ruimte slurpte al het licht op. Hij ademde in. De lucht zette zijn borstkas uit. Hij ademde uit. De muur in zijn buik verslapte. Dat was nu de enige manier waarop hij verder kon.

Inés lag waar ze was neergevallen. Sinds hij was vertrokken, had ze zich niet meer bewogen. Haar lichaam was een miasma van pijnen, veroorzaakt door de afranseling van zijn harde, witte knokkels. Misselijkheid zwol aan in haar buik. Hij had haar tussen haar molenwiekende armen door geslagen; daarbij was een van haar vingers achterover geknakt. Tijdens een escalatie van zijn furie had hij zijn riem afgedaan en haar daarmee geslagen. De gesp was in haar achterste en in haar dijen gedrongen. Bij iedere klap had hij haar met op elkaar geklemde kaken toegevoegd: 'Spreek... nooit... meer... zo... tegen... mijn... vriendin... Versta je? Nooit... meer.' Ze was naar de hoek van de kamer gekropen om van hem weg te komen. Hij had zich over haar heen gebogen, zwaar ademend, niet heel anders dan wanneer hij seksueel geprikkeld was. Hun blikken kruisten elkaar. Hij richtte zijn vinger op haar alsof hij haar doodschoot. Ze verstond niet wat hij zei; ze dronk de puurheid van de haat in zijn kille, slangachtige ogen, zijn kleurloze lippen en zijn rode, gezwollen nek in. Hij had het appartement nog niet verlaten of ze begon haar illusie te verbouwen. Zijn woede was begrijpelijk. Die hoer had hem een of ander onzinnig verhaal opgedist en hem tegen haar opgezet. Zo werkte dat soort dingen. Eerst neukte hij alleen maar met die hoer, maar nu wilde ze meer. Ze wilde in de schoenen van zijn vrouw staan, ze wilde op de plek van zijn vrouw in bed liggen, maar ze was en bleef een hoer en dus moest ze haar geniepige spelletje spelen. Inés haatte de hoer. Er kwam een zin in haar op uit een gesprek dat ze lang geleden met Javier had gevoerd: 'De meeste mensen worden vermoord door mensen die ze kennen; alleen zij zijn in staat de gepassioneerde gevoelens op te wekken die tot oncontroleerbaar geweld kunnen leiden.' Inés kende Esteban. God, en of ze Esteban Calderón kende. Ze kende hem getooid met lauwerkransen en ze kende hem als een straathond die zich klein maakt. Daarom kon zij zulke emoties in hem losmaken. Alleen zij kon dat. Het was een oud cliché, maar het klopte. Haat en liefde komen uit dezelfde bron. Zodra die zwarte teef ophield zich met zijn zielenroerselen te bemoeien, zou hij weer van haar gaan houden.

Ze richtte zich op handen en voeten op. Ze snakte naar adem van de pijn. Er druppelde bloed uit haar mond. Ze zou zich wel op haar tong hebben gebeten. Ze trok zich op aan het bed en ging staan. Ze ritste haar jurk open liet hem naar beneden glijden. Het loshaken van haar beha was een marteling. Toen ze vooroverboog om haar panty uit te trekken, viel ze bijna flauw. Ze ging voor de spiegel staan. Op de plek waar hij haar die ochtend had geslagen, had zich een grote blauwe plek verspreid. Haar borstkas deed pijn tot aan haar ruggengraat. Over haar billen en dijen liep een wirwar van striemen, onderbroken door plekken waar de gesp in haar huid was gedrongen. Ze legde haar vinger op een van die plekken en drukte erop. De pijn was intens. Esteban had haar op dat moment van passie echt al zijn aandacht gegeven.

Javier lag in de duisternis met de beelden van het late journaal op zijn netvlies: het ingestorte gebouw onder het chirurgische schijnsel van de schijnwerpers, de ingeslagen etalageruiten van winkels die Marokkaanse spullen verkochten; de brandweer die een brand bluste in een appartement dat door uitzinnige kinderen met brandbommen was bestookt; een Marokkaanse jongen met snijwonden, blauwe plekken en zwellingen in het gezicht, die door neonazi's met knuppels en kettingen was afgetuigd; een slagerij met ritueel geslacht vlees waar een auto door het rolluik voor de etalage is gereden. Falcón schudde de beelden uit zijn hoofd, tot alleen het residu van de angst over was: grote onzekerheid.

Hij probeerde aan de tijd voor de aanslag te denken, en in die brei van emoties op zoek te gaan naar de sleutel die hem zou helpen iets van de gebeurtenissen te begrijpen. Zijn brein speelde een spelletje met hem. Dat effect heeft onzekerheid. Mensen denken dat alles op de een of andere manier wordt aangekondigd. Dat is noodzakelijk om iedere keer opnieuw het patroon te kunnen ontdekken. Te veel chaos kan een mens niet aan.

Hij had het bizarre gevoel dat de ondoordringbare duisternis van hem terugweek, als een eindeloos uitdijend heelal. Dat was de nieuwe zekerheid, een zekerheid die alle oude verhalen waarmee we ons leven structuur gaven het zwarte gat van het menselijke begrip in joeg. Als we weten dat de tijd onbetrouwbaar is, en dat zelfs het licht zich anders begint te gedragen zodra je het je rug toekeert, moeten we nóg sterker zijn. Het was wel erg ironisch dat in een tijd waarin de grenzen van ons begrip door de wetenschap werden opgerekt, de religie – het grootste en oudste verhaal van de mens – begon terug te knokken. Nam het geloof verontwaardigd stelling omdat het op de vuilnisbelt van het moderne Europese leven was beland? Falcón deed zijn ogen dicht en concentreerde zich op het ontspannen van ieder deel van zijn lichaam, tot hij, ten slotte, van al die onbeantwoordbare vragen afdreef en in een diepe slaap wegzakte. Hij had een beslissing genomen en zou zich de volgende ochtend vroeg met een auto naar het vliegveld laten brengen.

De auto, een zwarte Mercedes met getint glas, verscheen om zes uur 's ochtends. Pablo zat achterin, in een donker pak en een overhemd waarvan het bovenste knoopje open stond.

'Hoe verliep je gesprek met Yacoub vannacht?' vroeg Pablo toen de auto wegreed.

'Hij begrijpt dat ik niet voor de gezelligheid kom als er net een bom in Sevilla is ontploft.'

'Wat zei hij?'

'Hij was blij dat we elkaar zouden zien, maar hij weet dat er een achterliggende reden is.'

'Hij is geknipt voor het vak.'

'Ik weet niet of hij dat een compliment zal vinden.'

'Vanwege je onderzoek is tijd een kritieke factor,' zei Pablo. 'Daarom vliegen we met een privé-vliegtuig. Als het vliegverkeer ons niet ophoudt, zijn we in anderhalf uur in Casablanca. Je krijgt de diplomatieke status, zodat de formaliteiten snel zijn afgehandeld. Twee uur nadat we zijn opgestegen, ben je op weg naar Rabat. Ik neem aan dat je Yacoub thuis ontmoet?'

'Ik ben een vriend, geen zakenpartner,' zei Falcón. 'Al zou dat na dit gesprek kunnen veranderen.'

'Mark Flowers heeft je vast een paar goede tips gegeven.'

'Hoelang ben je al op de hoogte van Mark... en mij?' vroeg Falcón.

'Sinds je hem voor het eerst te slim af was, in juli 2002, en hij je overhaalde zijn informant te worden,' zei Pablo. 'We maken ons geen zorgen over Mark. Hij is een vriend. Na 9/11 zeiden de Amerikanen dat ze iemand in Andalucía zouden plaatsen, en wij hebben toen om Mark gevraagd. Juan kent hem al sinds ze samen in Tunesië zaten om Gaddafi in het oog te houden. Heeft Mark je nog geadviseerd hoe je Yacoub Diouri moet benaderen?'

'Ik ben er vrij zeker van dat hij zelf heeft geprobeerd om hem te rekruteren en dat hij werd afgescheept,' zei Falcón. 'Hij zei dat Yacoub niet van Amerikanen houdt.'

'Het feit dat hij al eerder is benaderd, zou jouw taak er gemakkelijker op moeten maken.'

'Yacoub is niet iemand die je "benadert". Hij is zo'n jongen die je, als je dat doet, al van verre ziet aankomen. We praten gewoon over van alles, zoals altijd, en dan komt het vanzelf ter sprake. Ik ga niet met een bepaalde strategie naar hem toe. Net als veel andere Arabieren gelooft hij heilig in zijn trots. Dat heeft hij van de man die zijn vader werd. Je moet hem met respect benaderen, en dan heb ik het niet over een gebaar. Misschien kun je me vertellen wat je van hem wilt, hoe je hem wilt laten werken, welke contacten hij moet leggen. Hopen jullie dat hij informatie over de MILA kan geven?'

'MILA? Heeft Mark het over de MILA gehad?'

'Jullie zijn ook allemaal hetzelfde bij de inlichtingendiensten,' zei Falcón. 'Jullie kunnen een vraag alleen maar beantwoorden met een tegenvraag. Wisselen jullie ooit informatie uit?'

'De MILA heeft niets te maken met wat wij van Yacoub willen.'

'Ik hoorde op het TVE-journaal dat zij verantwoordelijk zijn voor de bom,' zei Falcón. 'Het *ABC*-kantoor in Madrid heeft een brief ontvangen die in Sevilla is gepost en waarin staat dat Andalucía terug moet keren in de schoot van de islam.'

'De MILA is alleen in geld geïnteresseerd,' zei Pablo. 'Ze hebben hun bedoelingen in de retoriek van de jihad verpakt, maar ze willen Ceuta en Melilla alleen maar bevrijden omdat ze de enclaves zelf willen hebben.'

'Vertel dan maar wat we wel te weten willen komen,' zei Falcón.

'Het is voor deze missie niet zozeer van belang wíe dat appartementencomplex in Sevilla heeft verwoest, en ook niet waaróm,' zei Pablo. 'We willen vooral weten wát de aanslag ons duidelijk maakt. Vergeet de MILA, zij zijn niet belangrijk. Dit gaat niet om jouw onderzoek naar de aanslag van gisteren. Het gaat nu niet om het verleden, maar om de toekomst.'

'Goed,' zei Falcón. 'Vertel het maar.' Hij dacht: misschien had Flowers gelijk en heeft het CNI dat verhaal over de MILA echt in de media gebracht.

'De Engelsen hebben vorig jaar parlementaire verkiezingen gehouden. Ze hadden het voorbeeld van de aanslagen in Madrid niet nodig om te weten dat terroristen de verkiezingen zouden aangrijpen om te proberen verandering te brengen in de manier waarop het volk denkt.'

'En er gebeurde niets,' zei Falcón. 'Tony Blair, "de kleine Duivel", won met een geslonken meerderheid.'

'Precies,' zei Pablo. 'En niemand wist dat MI5 had voorkomen dat drie afzonderlijke cellen een aanslag konden plegen. Het waren alledrie slapende cellen, die pas in actie zouden zijn gekomen als ze in januari 2005 hun opdrachten hadden gekregen. De leden van de cellen waren allemaal tweede of derde generatie immigrant, met een oorsprong in Pakistan, Afghanistan of Marokko. Ze waren Brits en spraken perfect Engels met een regionaal accent. Geen van hen had een strafblad. Ze hadden allemaal werk en een fatsoenlijke achtergrond. Met andere woorden, het was in een land met miljoenen mensen van dezelfde etniciteit onmogelijk hen op te sporen. Maar ze werden gevonden en hun aanslagen werden verijdeld, en dat omdat MI5 een codeboek had.

Toen ze na een reeks arrestaties in 2003 en begin 2004 huizen van verdachten doorzochten, kwamen ze identieke exemplaren tegen van een boek uit de negende eeuw, het *Boek der bewijzen* van de Arabische schrijver al-Jahiz. Beide uitgaven bevatten aantekeningen – in het Engels, want geen van de verdachten sprak ook maar een woord Arabisch. Sommige aantekeningen in de twee boeken leken opmerkelijk veel op elkaar. MI5 kopieerde de boeken, legde ze terug, liet de verdachten vrij en zette hun mensen die codes ontcijferen aan het werk.'

'En wanneer deelden ze die informatie met het CNI?'

'In oktober 2004.'

'Hoe zit het dan met de Londense aanslagen van 7 en 21 juli 2005?'

'De Engelsen denken dat ze het *Boek der bewijzen* na de verkiezingen van mei 2005 niet meer gebruikten.'

'En nu denken jullie dat jullie een nieuw codeboek hebben ontdekt,' zei Falcón. 'Hoe zit het met dat nieuwe exemplaar van de koran dat in de Peugeot Partner is gevonden?'

'We vermoeden dat dat een nieuw codeboek voor iemand moest gaan worden.'

'Voor imam Abdelkrim Benaboura?'

Pablo haalde zijn schouders op. 'We zijn nog niet klaar met het doorzoeken van zijn woning.'

'Daar doen jullie dan wel lang over.'

'De imam heeft een driekamerappartement in El Cerezo. Langs bijna elke muur staan boeken, van de vloer tot aan het plafond.'

'Ik geloof niet dat ik nu beter begrijp waarom jullie Yacoub Diouri willen rekruteren.'

'De jihadisten hebben een nieuwe grote slag nodig. Echt een grote, zoals 9/11.'

'En niet "klein", zoals de aanslagen met een paar honderd doden op de treinen in Madrid en de metro in Londen,' zei Falcón. Het kostte hem moeite deze mate van objectiviteit te verteren.

'Ik doe niets af aan deze gruweldaden, ik zeg alleen dat ze van verschillende omvang waren. Je leert het werk in de inlichtingendienst door het te doen, Javier. Je ligt niet in de loopgraven, waar je ziet hoe je vrienden worden gedood. Dat zou gevolgen voor je visie hebben. De aanslagen in Madrid waren heel tijdgericht, met een specifiek doel. Het was geen belangrijk statement. Ze lieten alleen weten: dit is wat wij kunnen. Het is niet te vergelijken met de operatie die de Twin Towers naar beneden haalde. Geen vliegcursus, geen kaperstraining. Ze hoefden alleen maar op een trein te stappen en een rugzak achter te laten. Het moeilijkste onderdeel van de operatie was de aankoop en de levering van de explosieven. Inmiddels weten we dat ze daarbij royale hulp van kleine criminelen kregen.'

'Wat wordt de grote slag dan?' vroeg Falcón, die zich niet op z'n gemak voelde bij dit luchtige gesprek over dood en verderf. 'De wereldkampioenschappen in Duitsland?'

'Nee. Om dezelfde reden dat ze met hun handen van de Olympische Spelen in Griekenland afbleven. Het is gewoon te lastig. De terroristen wedijveren met specialisten die al jaren bezig zijn met de veiligheid van dit soort evenementen. Zelfs de bouw van de stadions vindt plaats met de veiligheid in gedachten. De kans op ontdekking is enorm toegenomen. Waarom zouden ze middelen verspillen?'

Ze zwegen. De Mercedes raasde over het asfalt naar het vliegveld, dat zo vroeg in de ochtend door vlekkerige nevels aan het zicht werd onttrokken.

'Jullie weten helemaal niet waar het over gaat, hè?' vroeg Falcón. 'Jullie weten alleen dat er iets aan zit te komen. Of misschien "voelen" jullie dat.'

'We hebben geen idee,' beaamde Pablo met een knikje. 'Maar we "voelen" niet alleen dat ze radeloos zijn, we weten het ook. Het was hun bedoeling dat de aanslag op de Twin Towers overal in de wereld een heilig vuur in moslims zou doen ontbranden. Die zouden dan in opstand komen tegen het decadente Westen dat hen, vinden zij, al zo lang vernedert, en zich tegen hun eigen dictatoriale leiders en corrupte regimes keren. Maar dat is niet gebeurd. In de moslimwereld groeit de afkeer van wat fanatici bereid zijn te doen. Het ontvoeren en onthoofden van mensen zoals de hulpverleenster Margaret Hassan, het dagelijks afslachten van Irakezen die alleen maar een normaal leven willen leiden – die dingen vallen slecht. Maar de demografie in de moslimwereld helt zwaar over naar de kant van de jongeren, en een jongere die geen privileges heeft, doet niets liever dan zijn rebelse macht te tonen. En daar hebben de radicalen nu behoefte aan: een ander symbool voor hun macht, zelfs als het de laatste klap is voor ze zonder een kik te geven van het toneel verdwijnen.'

'Wat heeft de bom in Sevilla jullie dan duidelijk gemaakt?'

'De vondst van hexogeen geeft aanleiding tot bezorgdheid en gezien de omvang van de schade was het geen kleine hoeveelheid,' zei Pablo. 'Alleen al het gebruik van deze stof, die nooit eerder door jihadisten is gebruikt, wijst erop dat het niet de bedoeling was de bevolking van Sevilla bang te maken. Ze waren meer van plan. De Engelsen hebben ons verteld dat plaatselijke informanten daar hebben opgevangen dat er iets "groots" stond te gebeuren, maar hun inlichtingennetwerk heeft geen veranderingen in hun gemeenschap opgemerkt. We moeten niet vergeten dat die gemeenschap sinds de aanslagen van 7 juli in de Londense metro ook beter oplet. Daarom denken MI5 en MI6 dat het om een aanslag van buitenaf gaat, en inmiddels is wel duidelijk dat terroristen graag in Spanje samenkomen en campagnes plannen.'

'En wat voor hulp denken jullie dan van Yacoub Diouri te kunnen krijgen?' vroeg Falcón. 'Hij doet niet veel zaken in Engeland. Hij komt alleen in Londen om te winkelen en om naar de modeweken te gaan. Er wonen vrienden van hem, maar die zitten allemaal in de mode. Ik neem overigens aan dat jullie willen dat Yacoub voor jullie komt werken omdat hij weliswaar niet zelf bij internationaal terrorisme is betrokken, maar misschien wel contact heeft met mensen van wie hij niet weet dat ze er wél bij betrokken zijn.'

'We gaan hem niet vragen dingen te doen die hij normaal niet doet of die niet bij hem passen. Hij gaat al naar de goede moskee en hij kent de mensen van wie wij willen dat hij er contact mee legt. Hij moet alleen net een stapje verder gaan.'

'Ik wist niet dat hij naar een radicale moskee gaat.'

'Het is een moskee met radicale elementen, en daar loop je de kans, als je Diouri heet, betrokken te raken. Zoals je waarschijnlijk wel weet was Yacoubs vader, Abdullah, in de jaren vijftig actief in de onafhankelijkheidsbeweging, Istiqlal. Hij was een van de kopstukken in de strijd tegen de Europese decadentie in Tanger. Bij traditionele moslims legt zijn naam groot gewicht in de schaal. De radicalen zouden heel graag een Diouri in hun gelederen willen hebben.'

'Dus jullie weten wie de radicale elementen zijn?'

'Ik ben een kerkganger, ik ben gematigd katholiek,' zei Pablo. 'Ik heb geen tijd om bij allerlei kerkzaken betrokken te zijn of met de andere leden van de congregatie sociale omgang te hebben. Maar zelfs ik weet wie er strenge opvattingen op na houden, want die kunnen ze niet voor zich houden, en ze kunnen hun verleden niet verbloemen.'

'Maar je kunt sterke overtuigingen en radicale ideeën hebben zonder meteen een terrorist te zijn.'

'Precies,' zei Pablo. 'Daarom kom je er alleen achter door betrokken te raken en een stapje verder te gaan. Wij proberen te ontdekken of er een hiërarchische structuur is. Waar komen de bevelen die een slapende cel activeren vandaan? Waar ontstaan de ideeën voor terreuraanslagen? Hebben ze een speciale divisie die de aanslagen plant? Zijn er onafhankelijke verkenningsexpedities en logistieke teams die rondreizen en deskundige hulp geven aan cellen die geactiveerd moeten worden? Ons beeld van deze terroristische netwerken is zo onvolledig dat we niet eens zeker weten of zulke netwerken wel bestaan.'

'En hoe staan de Engelsen hierin?' vroeg Falcón. 'Ze verwachten nog een grote aanslag van buitenaf. Ze moeten van Yacoubs reisjes naar Londen weten. Waarom hebben zij nog niet geprobeerd hem te rekruteren?'

'Dat hebben ze wel geprobeerd. Maar het is niet gelukt. De Engelsen zijn gevoelig voor alles wat er in Zuid-Spanje en Noord-Afrika gebeurt, omdat ze er met hun marinebasis in Gibraltar zelf middenin zitten. Ze zijn zich bewust van de mogelijkheid van aanslagen zoals die in oktober 2000 in Yemen, toen een klein bootje vol explosieven op de USS Cole voer. Ze hebben informanten in het milieu van geëmigreerde criminelen die tussen de Costa del Sol en de Marokkaanse kuststrook van Melilla tot Ceuta wonen. In de drugssmokkel gaat veel contant geld om, wat efficiënte witwasoperaties vergt. Het is onvermijdelijk dat daar andere criminele groepen bij betrokken zijn. De informatie komt van alle kanten. Toen we de Engelsen vertelden dat er voor het maken van de bom van gisteren hexogeen was gebruikt, sloot dat aan bij iets wat zij al wisten, of eigenlijk iets wat zij hadden gehoord.'

'Vertelden ze ook wat dat was?'

'Het moet nog worden gecontroleerd,' zei Pablo. 'In dit stadium is het vooral belangrijk dat Yacoub bereid is voor ons te gaan werken. Hij heeft de Amerikanen en de Engelsen al afgewezen, dus het zou best kunnen dat hij geen zin heeft in zo'n leven, want neem maar van mij aan dat het veel van je vergt. Dus laten we eerst maar eens kijken of hij wil meedoen, dan zien we daarna wel verder.'

De auto was aangekomen bij een privé-ingang van het vliegveld, achter de luchthavengebouwen. De chauffeur sprak met de politieagent bij het hek en liet een pasje zien. Pablo liet het raampje zakken en de politieman keek, een klembord in de hand, naar binnen. Hij knikte. Het hek ging open. De auto reed door een ruimte waar hij met röntgenstralen werd doorgelicht. Ze passeerden het gedeelte voor het vrachtvervoer en kwamen bij een hangar waarin zes kleine vliegtuigen stonden. De auto kwam naast een Learjet tot stilstand. Pablo pakte een grote plastic tas met ochtendkranten van de vloer van de Mercedes. Ze stapten in het vliegtuig en namen plaats. Pablo bladerde door de kranten, die vol stonden over de aanslag.

'Moet je deze kop zien,' zei Pablo terwijl hij Falcón een Engelse tabloid aanreikte.

IS DE TWEEDE ONDERWEG?
ZIE HET NUMMER VAN HET BEEST: 666
6 JUNI 2006

20

Casablanca, woensdag 7 juni 2006, 08.03 uur

Het vliegtuig landde iets na achten Spaanse tijd. In Marokko was het twee uur later. Ze werden opgewacht door een Mercedes met een lid van de Spaanse ambassade uit Rabat, die hun paspoorten in ontvangst nam. Ze werden naar het rustige achterste deel van het luchthavengebouw gereden en kwamen er even later aan de andere kant weer uit. De Mercedes bracht hen naar de plek waar huurauto's stonden geparkeerd. De man van de Spaanse ambassade overhandigde een sleutelbosje en Falcón stapte in een Peugeot 206.

'We kunnen geen auto van de ambassade bij zijn huis laten rondrijden,' zei Pablo.

De diplomaat overhandigde dirhams voor de tolweg. Falcón verliet de luchthaven en nam de snelweg van Casablanca naar Rabat. De zon stond al hoog in de lucht en de zinderende hitte zoog de kleuren uit het saaie, vlakke landschap. Falcón leunde achterover, de vochtige zeelucht klapperde over het geopende raampje. Hij passeerde zwarte rookwolken uitstotende vrachtwagens, die zwaar waren beladen met in doeken gewikkelde balen waar jongens bovenop zaten, de benen in de touwen gehaakt waarmee de lading vastzat. In het veld zat een man in een boernoes op een magere witte ezel, die hij sloeg en met een stok porde. Af en toe flitste er een BMW voorbij die een glimp van Arabische letters op zijn netvlies achterliet. Het rook naar de zee, houtvuur, bemeste aarde en bederf.

In de verte doemden de buitenwijken van Rabat op. Hij nam de rondweg en reed de stad vanuit het oosten binnen. Hij kon zich de afslag na de Société Maroccaine de Banques nog herinneren. Vanaf hier was de weg ongeasfalteerd en hij reed langzaam over het karrenspoor vol gaten en geulen naar de toegangspoort van het ommuurde huis van Yacoub Diouri. De man bij de poort herkende hem. Hij draaide de oprit met aan weerszijden palmen op en stopte voor de voordeur. Twee bedienden in blauwe livrei met rode biezen kwamen naar buiten. Ze droegen allebei een fez. De huurauto werd weggereden. Falcón werd naar de woonkamer gebracht die uitkeek op het zwembad waarin Yacoub 's ochtends zijn baantjes trok. Hij ging op een van de crèmekleurige leren sofa's zitten, voor een lage houten tafel die met paarlemoer was ingelegd. De bediende vertrok. In de tuin fladderden vogels rond. Een jongen trok zijn pofbroek uit en begon de hibiscus te besproeien.

Yacoub Diouri kwam binnen. Hij droeg een blauwe djellaba en witte muiltjes. Een bediende zette een koperen dienblad met een pot muntthee en twee glaasjes op de tafel en vertrok. Yacoubs haar, dat hij had laten groeien, was nat, en hij droeg een kort baardje. Ze omhelsden elkaar met een enthousiaste Arabische begroeting, hielden elkaar bij de schouders en keken elkaar glimlachend in de ogen; Falcón zag warmte en waakzaamheid in die van Yacoub. Hij had geen idee wat er in zijn eigen ogen was te lezen.

'Of heb je liever koffie, Javier?' vroeg Yacoub terwijl hij hem losliet.

'Thee is prima,' zei Falcón. Hij ging aan de andere kant van de tafel zitten.

Falcón werd volledig door zijn vraag in beslag genomen. Hij voelde een spanning tussen hen die hij niet gewend was. Hij wist nu zeker dat Spaanse directheid niet zou werken. Deze situatie vroeg om een spiraalsgewijs stijgende, filosofische dynamiek.

'De wereld is weer eens gek geworden,' zei Diouri vermoeid, terwijl hij van grote hoogte muntthee inschonk.

'Niet dat hij ooit verstandig is geweest,' zei Falcón. 'We hebben geen geduld voor de monotonie van het verstand.'

'En dat terwijl er, vreemd genoeg, eindeloos veel honger naar de monotonie van de decadentie is,' zei Diouri terwijl hij hem een glas thee gaf.

'Alleen omdat slimme mensen in de modewereld ons ervan hebben overtuigd dat de volgende aankoop van de nieuwste handtas van levensbelang is,' zei Falcón.

'*Touché*,' zei Diouri glimlachend. Hij ging op de sofa tegenover Javier zitten. 'Je bent vanochtend scherp, Javier.'

'Angst is de slijpsteen van de geest,' zei Falcón glimlachend.

'Je ziet er niet angstig uit,' zei Diouri.

'Maar ik ben het wel. Het is toch anders om in Sevilla te zijn dan om het op tv te zien.'

'Angst prikkelt in ieder geval de creativiteit,' zei Diouri, die de koers veranderde die Falcón in gedachten had, 'terwijl terreur creativiteit vernietigt of haar als een kip zonder kop rond laat rennen. Denk je dat mensen creatief werden van de angst die ze onder het regime van Saddam Hoessein ervoeren?'

'Wat te denken van de angst die met de vrijheid komt? Voor alle keuzes en verantwoordelijkheden?'

'Of de angst voor het gebrek aan veiligheid?' vroeg Diouri. Hij nipte aan zijn thee. Nu hij wist dat Falcón zich niet te Europees zou opstellen, beleefde hij plezier aan het gesprek. 'Hebben wij het ooit over Irak gehad?'

'We hebben het heel vaak over Irak gehad,' zei Falcón. 'Marokkanen praten graag over Irak. Maar iedereen ten noorden van Tanger haat het.'

'Maar wij, jij en ik, hebben nooit het gesprek gevoerd dat aan alle andere gesprekken over Irak voorafgaat,' zei Diouri. 'Het gesprek over de vraag waarom de Amerikanen het land hebben bezet.'

Falcón leunde met zijn thee in de hand achterover in de sofa. Zo ging het altijd met Yacoub als hij in Marokko was. Zo ging het ook met Falcóns familie in Tanger. Zo ging het met alle Marokkanen: thee en eindeloze discussies. Zulke gesprekken voerde Falcón nooit in Europa. Als je het probeerde, werd je uitgelachen. Maar dit keer zou het voor een ingang zorgen. Ze zouden om elkaar heen draaien tot het voorstel gedaan kon worden.

'Bijna alle Marokkanen die ik heb gesproken, denken dat het om olie ging.'

'Je leert snel,' zei Diouri; het was hem niet ontgaan dat Falcón in de Marokkaanse omgangsvormen meeging. 'Je bent meer Marokkaan dan je denkt.'

'Mijn Marokkaanse kant komt langzaam maar zeker tot ontwikkeling,' zei Falcón, terwijl hij van zijn thee nipte.

Diouri lachte, wees op Javiers glas en schonk nog twee glazen hoogtethee.

'Als het de Amerikanen er alleen om ging de Irakese olie in handen te krijgen, zouden ze dan 180 miljard dollar aan een oorlog uitgeven als ze met één pennenstreek sancties hadden kunnen opleggen?' vroeg Diouri. 'Nee. Dat is de gemakkelijke manier van denken van wat de Engelsen "het Arabische straatje" noemen. De mannen die in het theehuis zitten te puffen en te blazen denken dat mensen alles doen vanuit een winstbejag op de korte termijn. Ze vergeten dat er ook een dringende noodzaak moet zijn. Het voorwenden van massavernietigingswapens. Toespraken in de VN waarin om meer resoluties wordt gevraagd. Troepen bij de grens verzamelen. De haast waarmee de inval werd uitgevoerd, zonder dat over de nasleep was nagedacht. Waar sloeg dat op? Waar ging de Irakese olie naartoe? Die verdween toch niet in het riool?'

'Ging het niet meer in het algemeen om zeggenschap over olie?' vroeg Falcón. 'We weten inmiddels meer over de opkomende economieën van China en India.'

'Maar de Chinezen bemoeiden zich er niet mee,' zei Diouri. 'Het zal tot 2050 duren voordat hun economie groter is dan die van de Verenigde Staten. Nee, dat slaat ook nergens op. Maar gelukkig gebruik je niet dat woord dat ik tegenwoordig altijd moet aanhoren als ik naar diners in Rabat en Casablanca ga en naast diplomaten of zakenlui uit de Verenigde Staten zit. Zij zeggen altijd dat ze naar Irak zijn gegaan om democratie te brengen.'

'Nou ja, er zijn wel verkiezingen geweest. Er is een Irakees parlement, er is een grondwet. Dankzij de gewone Irakezen, die het aanzienlijke risico hebben genomen om te gaan stemmen.'

'Dat is een politieke inschattingsfout van de terroristen geweest,' zei Diouri. 'Ze vergaten de mensen een keus te bieden die geen geweld met zich meebracht. Ze zeiden alleen: "Als je stemt, word je vermoord." Maar ze vermoordden hen toch al, als ze met hun kinderen naar de bakker liepen.'

'Daarom heb je het woord democratie tijdens die diners maar te slikken,' zei Falcón. 'Dat was een overwinning van de "bezetting".'

'Als ik hoor dat ze dat woord in de mond nemen, vraag ik – heel zacht, moet ik erbij zeggen: "En wanneer vallen jullie Marokko binnen en verlossen jullie ons van onze despotische koning en ons corrupte parlement. Wanneer brengen jullie democratie, vrijheid en gelijkheid in Marokko?"'

'Daar geloof ik niets van.'

'Je hebt gelijk, dat doe ik niet. Weet je waarom niet?'

'Omdat er nog steeds informanten van de geheime dienst uit de tijd van koning Hassan II zijn?' vroeg Falcón. 'Maar wat zeg je dan wél tegen ze?'

'Ik doe wat de meeste Arabieren doen: dat soort dingen zeg je achter hun rug.'

'Niemand vindt het leuk om voor hypocriet te worden uitgemaakt, leiders van de moderne wereld al helemaal niet.'

'Ik heb hen wel recht in het gezicht gezegd wat Palmerston ooit opmerkte,' zei Diouri. 'Palmerston is een Engelse minister-president uit de negentiende eeuw. Tijdens een gesprek over het Britse Rijk zei hij: "We hebben niet eeuwig dezelfde bondgenoten en ook niet eeuwig dezelfde vijanden. Maar we hebben wel eeuwig dezelfde belangen." '

'Hoe reageerden de Amerikanen daarop?'

'Ze dachten dat het een uitspraak van Kissinger was.'

'Is Julius Ceasar hen niet allemaal voor geweest?'

'Wij Arabieren krijgen vaak het verwijt dat er niet met ons valt om te gaan,' zei Diouri. 'Dat zal wel aan ons sterke eergevoel liggen. Als onze eer op het spel staat, kunnen we geen compromis sluiten. Westerlingen hebben alleen belangen, en daar kun je veel makkelijker over onderhandelen.'

'Misschien moeten jullie je eigen belangen gaan ontwikkelen.'

'Een aantal Arabische landen heeft de olie en het gas die voor de wereldeconomie van het allergrootste belang zijn,' zei Diouri. 'Maar vreemd genoeg vertaalt dat zich niet in macht voor de Arabische wereld. Niet alleen buitenstaanders vinden het moeilijk om met ons om te gaan. Blijkbaar hebben we daar zelf ook moeite mee.'

'En dus handelen jullie altijd vanuit een zwakke positie.'

'Zo is het, Javier,' zei Diouri. 'Wij stellen ons altijd hetzelfde op. Tegenstrijdige ideeën spreken we niet uit en we zijn het met iedereen eens. We zeggen het een, denken het andere en doen het derde. En als wij dit spel, waaraan iedereen meedoet, spelen, vergeten we altijd wat het belangrijkst is: onze belangen te beschermen. Dus een wereldmacht kan hooghartig over "democratie" praten terwijl hun buitenlandse politiek verantwoordelijk is geweest voor de moord op de democratisch gekozen Patrice Lumumba, voor de installatie van dictator Mobutu in Zaïre en voor het uit de weg ruimen van de democratisch gekozen Salvador Allende, waardoor Augusto Pinochet zijn wreedheden in Chili kon begaan. Want de Verenigde Staten hebben geen eergevoel, maar belangen. Zij handelen altijd vanuit een sterke positie. Begrijp je nu waar wij staan?'

'Eigenlijk niet.'

'Dat is een ander probleem van ons. Wij zijn erg emotioneel. Kijk maar eens naar de reactie op de spotprenten in een Deense krant, eerder dit jaar. We winden ons op en worden boos. Dat brengt ons misschien op interessante paden, maar we drijven wel steeds verder af van waar het om gaat. Maar ik zal me goed gedragen en terugkeren tot de vraag waarom de Amerikanen Irak zijn binnengevallen.'

'De helft van mijn Marokkaanse familie denkt dat het niet om de olie ging, maar dat ze het hebben gedaan om de Israëliërs te beschermen.'

'O ja, nog zo'n idee dat de gedachten van de theedrinkers in haar greep houdt,' zei Diouri. 'De joden zitten overal achter. Het grootste deel van mijn personeel denkt dat 9/11 een operatie van de Mossad was om de wereld tegen de Arabieren op te zetten, en dat George Bush dat allang wist en het gewoon heeft laten gebeuren. Zelfs managers van mij denken dat Israël om de aanval op Irak heeft gevraagd, dat de Mossad voor de valse inlichtingen over massavernietigingswapens heeft gezorgd en dat Ariel Sharon de opperbevelhebber van de Amerikaanse grondtroepen was. Als het om joden gaat, gelooft niemand ter wereld zo in samenzweringen als wij. Dat komt doordat hun woede over de Israëlische bezetting van Palestina hen verblindt. Dat fundamentele onrecht, die klap in het gezicht van het Arabische eergevoel, maakt zulke sterke emoties los in de Arabische inborst dat ze niet meer kunnen denken en niet meer kunnen zien. Ze concentreren zich op joden en vergeten hun eigen corrupte leiders, hun gebrek aan invloedrijke lobby's in Washington, de zwakheid van bijna alle dictatoriale, autoritaire Arabische regimes... Ach! Ik kan zo nog wel even doorgaan, maar ik begin het zelf saai te vinden. Zie je, Javier, we zijn niet in staat dingen te veranderen. De ziel van een Arabier is als zijn huis en de medina waar hij woont. Alles is naar binnen gericht. Er is geen doorkijkje, er is geen uitzicht... Er is geen visie op de toekomst. We zitten in ons huis en zoeken oplossingen in onze tradities, geschiedenis en religie. Ondertussen ploetert de wereld buiten onze muren gestaag voorwaarts en wordt alles waar wij in geloven verpletterd door belangen van de anderen. Als ze later op de twintigste eeuw terugkijken, zullen ze paf staan. Hoe is het mogelijk, zullen ze zeggen, dat het ras met de machtigste hulpbron, olie, de hulpbron waar het hele systeem op draaide, toestond dat het grootste deel van zijn mensen in troosteloze armoede leefde en hun politieke, culturele en economische invloed vrijwel nihil was?

De Amerikanen zijn de laatste mensen op de wereld die in aanmerking komen om een gesprek met de Arabieren te voeren. We staan lijnrecht tegenover elkaar. Als je Amerikaan wilt worden, word je geacht van je verleden en je geschiedenis weg te lopen, in de armen van de toekomst, de vooruitgang, de *American Way*. Een Arabier staat daarentegen nog helder voor de geest wat er in de zevende eeuw of in 1917 gebeurd is. Ze willen dat we de nieuwe toekomst omhelzen, maar wij verloochenen ons verleden niet.'

'Hoe komt het toch dat je, als je het over de Arabieren hebt, soms "we" zegt en soms "ze"?'

'Zoals je weet sta ik met één been in Europa en met het andere in Noord-Afrika,' zei Diouri. 'Mijn ziel loopt door het midden. Ik begrijp het onrecht van de Palestijnse situatie, maar ik sta emotioneel niet op één lijn met hun oplossingen: de intifada en de zelfmoordaanslagen. Zij zijn niets anders dan de angstaanjagende extensie van stenen naar tanks gooien – een bewijs van zwakte, van de onkunde de krachten te bundelen en verandering te bewerkstelligen.'

'Sinds het vertrek van Arafat is er vooruitgang geboekt.'

'De vooruitgang is wankel en slingert van links naar rechts,' zei Yacoub. 'Sharons beroerte luidde het einde van de oude garde in. De stem voor Hamas was een stem tegen de corruptie van Fatah. We zullen zien of de rest van de wereld wil dat ze het zullen redden.'

'Maar ondanks al deze bange voorgevoelens heb jij nog altijd geen behoefte om in Spanje te gaan wonen.'

'Dat is mijn eigenaardigheid. Ik ben gelovig opgevoed en de dagelijkse discipline van de religieuze plechtigheden zijn mij ten goede gekomen. Ik hou van de ramadan. Ik zorg er altijd voor dat ik tijdens de ramadan hier ben, omdat het de enige maand van het jaar is waarin de aardse invloeden naar de achtergrond verdwijnen en het spirituele en religieuze leven belangrijker worden. We worden allemaal verenigd in het gemeenschappelijke vasten en het feestmaal daarna. Het geeft het individu en de gemeenschap spirituele kracht. Christelijk Europa heeft het grote vasten, maar dat is iets persoonlijks, bijna egoïstisch geworden. Je denkt: ik laat de chocola en het bier een maandje staan. Het brengt de mensen niet samen zoals de ramadan.'

'Is dat de enige reden dat je niet in Spanje woont?'

'Jij bent een van de weinige Europeanen met wie ik hierover kan praten zonder recht in mijn gezicht te worden uitgelachen,' zei Diouri. 'Dat is wat ik heb geleerd van mijn twee vaders, van de vader die me heeft verlaten en van de vader die me heeft geleerd wat de juiste manier van leven is. Dat is mijn probleem met zowel Europa als Amerika. Weet je, de laatste tijd heeft zich hier een grote verandering voorgedaan. Het was altijd een droom om naar de Verenigde Staten te gaan. Jonge Marokkanen dachten dat hun cultuur cool was, dat hun maatschappij vrijer was dan die van het racistische oude Europa, dat de houding van de immigratiedienst en van de universiteiten veel opener was. Nu denken de jongeren daar anders over. Ze voelden zich tot Europa aangetrokken, maar nu, na de rellen in

Frankrijk van afgelopen jaar en het gebrek aan respect in Denemarken, dromen zij ervan thuis te komen. Als ik in mijn eentje in een hotel in het Westen zit en me probeer te ontspannen door tv te kijken, krijg ik langzaam maar zeker het gevoel dat mijn hele wezen vervliegt. Dan voel ik me genoodzaakt te knielen om te bidden.'

'Hoe komt dat?'

'Dat komt door de decadentie van een maatschappij die wordt verteerd door materialisme,' zei Diouri.

'Waaraan jij zelf een aanzienlijke bijdrage levert en waaruit je groot voordeel haalt,' zei Falcón.

'Ik zeg alleen dat mijn wilskracht, als ik niet in Marokko zou wonen, binnen een paar weken zou zijn uitgeput.'

'En ondertussen maak je je kwaad over het gebrek aan vooruitgang en over de onmacht om iets te veranderen in de Arabische wereld.'

'Ik ga tekeer tegen armoede, tegen de werkeloosheid onder jongeren en de groeiende bevolking, tegen de vernedering van mensen door de...'

'Maar als je een jongeman werk geeft, verdient hij geld. Dan gaat hij uit en koopt hij een mobiele telefoon, een iPod en een auto,' zei Falcón.

'Maar hij zorgt eerst voor zijn familie,' zei Diouri. 'Het is prima zolang het materialisme niet zijn nieuwe god wordt. Veel Amerikanen zijn diep religieus en worden tegelijkertijd door materialisme gedreven. Zij denken dat dat hand in hand kan gaan. Dat ze welvarend zijn omdat ze zijn uitverkoren.'

'Ja, dat heeft alles verward,' zei Falcón.

'Alleen een extremist polariseert door te simplificeren,' zei Diouri lachend. 'Eén ding hebben extremisten goed begrepen: niemand wil weten hoe complex een situatie is. De inval in Irak draaide om olie. Nee, dat klopt niet, het ging om democratie. Beide extremen liggen ver bezijden de waarheid, maar beide statements bevatten genoeg om de mensen erin te laten geloven. Het draait allemaal om olie, maar niet om de olie van Irak. En het ging ook om democratie, maar niet om het vreemde beest dat gekloond moet worden om Irak bij elkaar te houden.'

'Ik geloof dat we zo'n beetje op hetzelfde punt zijn aangekomen als waar we begonnen,' zei Falcón.

'Olie, democratie en joden,' zei Diouri. 'En in alles zit wat waars. Het plan was onder meer briljant omdat er zo'n enorm strijdperk werd gecreeerd dat de wereld vergat ergens anders te kijken.'

'Het probleem met de meeste samenzweringstheorieën is dat ze een fenomenale intelligentie en planning toedichten aan mensen die nooit hebben laten zien over die eigenschappen te beschikken,' zei Falcón.

'Deze actie vereiste helemaal geen grote intelligentie en planning, want alle moeilijkheden zijn teruggebracht tot één eeuwig belang. En er zit een angstaanjagende logica achter, die in veel samenzweringtheorieën ontbreekt. Ik zei net dat het allemaal om olie, democratie en bescherming draait, maar geen van die dingen heeft iets met Irak te maken.

Om hun positie in de wereld te behouden, hebben de Amerikanen een continue aanvoer van scherp geprijsde olie nodig. Een democratie in Irak is alleen leuk als de juiste persoon wint, en dat is iemand die de Amerikaanse belangen behartigt. Een democratie in de Arabische wereld is gevaarlijk, omdat politiek en religie hier altijd nauw met elkaar verbonden zijn. De enige reden dat ze hun best doen om in Irak een democratie te vestigen, is dat de buitenwereld het alternatief – een andere, meer verlichte despoot dan Saddam Hoessein – niet accepteert.'

'Ze laten in ieder geval wel zien wat het concept van democratie is.'

'Er is in de Arabische wereld een paar keer eerder geprobeerd een democratie te vestigen. Maar zodra duidelijk wordt dat de islamitische kandidaten winnen, houdt het op. Democratie legt de macht in handen van de meerderheid, en voor de meerderheid komt de islam op de eerste plaats. Dat biedt de Amerikanen niet veel zekerheid. Daarom heeft de installatie van het Irakese parlement en de grondwet ook met... wat problemen gekampt.'

'Denk je echt dat het zo in elkaar zit?'

'Het doet er niet toe of het echt zo is. Het gaat erom dat de Arabische wereld er in het algemeen zo over denkt.'

'En wie zouden de Amerikanen met die activiteiten in de regio willen beschermen als het niet de Israëliërs zijn?'

'De Israëliërs kunnen met de steun van de Amerikanen voor zichzelf zorgen – en van die steun zijn ze dankzij hun machtige lobby in Washington verzekerd. Nee, de Amerikanen beschermen de zwakke, weke, decadente, corrupte regimes die hun grootste en heiligste belang bewaken: de olie. Ik ben echt geen gestoorde, eenzelvige aanhanger van samenzweringstheorieën, maar volgens mij zijn ze Irak binnengevallen om de Saoedi-Arabische koninklijke familie te kunnen beschermen.'

'Saddam Hoessein heeft zich natuurlijk niet bepaald als de inschikkelijke buurman opgesteld.'

'Precies,' zei Diouri. 'Dus verzonnen ze een perfect voorwendsel, dat ze vonden in het verleden. Iedereen begreep dat Saddam na de eerste golfoorlog in 1991 over het hoogtepunt van zijn macht heen was. Bush senior liet hem zitten omdat er dan geen machtsvacuüm zou ontstaan. Gelukkig bleef Saddam met de arrogantie van een Arabisch icoon op zijn kleine podium heen en weer paraderen. Hij was wreed en pleegde genocide: hij vergaste Koerden en richtte een slachting aan onder de sjiieten. Het was gemakkelijk om een beeld te creëren van een duivelse genius die het Midden-Oosten destabiliseert. Ze slaagden er zelfs in hem van 9/11 te beschuldigen.'

'Maar dat hij wreed en gewelddadig was en genocide pleegde, is wel echt waar,' zei Falcón.

'En wanneer pakken de geallieerden dan, om maar eens iemand te noemen, Robert Mugabe aan?' vroeg Diouri. 'Maar zo spelen de Amerikanen het spel. Ze verwarren de plaatjes met de waarheid.'

'En waarom hebben de Saoedies bescherming nodig als Saddam over het hoogtepunt van zijn macht heen was?'

'Ze zijn bang voor een strijdlust die ze zelf hebben opgeroepen,' zei Diouri. 'Om hun geloofwaardigheid als beschermheren van islamitische heiligdommen te behouden, hebben ze de medressen gefinancierd, de religieuze scholen. Die medressen zijn uitgegroeid tot broeinesten van extremisten. Ze zijn, zoals alle decadente regimes, paranoïde. Ze voelen de antipathie van de Arabische wereld in het algemeen en de extremistische groeperingen in het bijzonder. Ze konden de Amerikanen natuurlijk niet gewoon uitnodigen zoals ze dat in 1991 hadden gedaan. Maar ze konden wel vragen of ze bij de buren wilden gaan zitten. De Amerikaanse regering kreeg er twee beloningen voor terug: haar eeuwige oliebelangen werden beschermd, en thuis werd de aandacht afgeleid met een doelwit in het hart van de moslimwereld. Bush heeft zijn schuld aan oliebedrijven afbetaald, het Amerikaanse volk voelt zich veiliger en het geheel wordt doodleuk gepresenteerd als de strijd tegen de Macht van het Kwaad.'

Ze zwegen. Diouri stak zijn eerste sigaret van die dag op en nipte van zijn thee. Ook Falcón nam een slokje van de zoete kleverige vloeistof. De vraag brandde hem op de lippen.

'Thee, sigaretten, voedsel... allemaal onderhandelingsinstrumenten,' zei Diouri raadselachtig.

Falcón bestudeerde Diouri over de rand van zijn theeglas. Spionnen waren noodzakelijkerwijs complexe mensen, zelfs als ze een duidelijk motief hadden. Het zorgwekkende en tegelijkertijd cruciale aspect van hun persoonlijkheid was hun behoefte, en derhalve hun gave, om te bedriegen.

Maar waarom spioneren? Waarom bood híj Mark Flowers informatie aan? Omdat de illusie van het leven hem was gaan vervelen. Het laagje fineer op de zogenaamde werkelijkheid van bakkeleiende politici, stralende zakenlui en ijdele geleerden op de televisie was zo dun geworden dat het niet om aan te zien was. Hij spioneerde niet zozeer om de ene illusie voor de andere in te wisselen, maar om zichzelf eraan te herinneren dat acceptatie passief was, en omdat hij de gevaren van ontkenning en inactiviteit in zijn eigen hoofd al had ontdekt. Maar hij vroeg zijn vriend Yacoub om echt te spioneren, en niet om Mark Flowers een paar details te geven waarmee hij zijn plaatjes kon inkleuren. Hij vroeg Yacoub om het doorspelen van informatie die zou kunnen leiden tot de arrestatie en zelfs de dood van mensen. Wellicht zelfs van zijn kennissen.

'Je denkt, Javier,' zei Diouri. 'Normaalgesproken zit een Europeaan in dit stadium in zijn stoel heen en weer te schuiven omdat een gesprek over Irak, het Palestijnse vraagstuk en de rest van de onoplosbare verschrikking hem mateloos verveelt. Ze hebben geen zin meer in discussies. In de modewereld wordt alleen nog maar over de nieuwe cd van Coldplay of de kostuumontwerpen in de laatste Baz Lurhman-film gesproken. Zelfs zakenmensen praten liever over voetbal, golf en tennis dan over wereldpolitiek. Het lijkt wel alsof wij Arabieren een belang hebben gecreëerd waarop niemand zit te wachten. We hebben het monopolie op de saaiste gesprekken van de wereld.'

'Het houdt de Arabieren bezig omdat jullie niet hebben wat jullie willen hebben. Wie zich prettig voelt, praat liever niet over dingen die ervoor kunnen zorgen dat hij zich minder prettig voelt.'

'Ik voel me prettig,' zei Diouri.

'Is dat zo?' vroeg Falcón. 'Jij bent rijk, maar heb je wat je wilt? Wéét je wel wat je wilt?'

'Ik associeer prettig met saai,' zei Diouri. 'Het heeft misschien met mijn verleden te maken, maar ik kan niet tegen tevredenheid. Ik wil verandering. Ik wil voortdurende revolutie. Alleen dan weet ik zeker dat ik nog leef.'

'De meeste Marokkanen met wie ik heb gesproken zijn tevreden met een prettig huis, een baan en een gezin in een stabiele samenleving.'

'Als ze dat allemaal willen hebben, moeten ze bereid zijn te veranderen.'

'Geen van hen wilde terrorisme,' zei Falcón, 'en geen van hen wilde een Taliban-achtig regime.'

'En hoeveel mensen wist je zover te krijgen dat ze terreurdaden afkeurden?'

'Niemand keurde het goed...'

'Ik bedoel een regelrechte afwijzing,' hield Diouri vol.

'Alleen mensen die zichzelf ervan hadden overtuigd dat de terreurdaden door Israëliërs zijn gepleegd.'

'De Arabier zit ingewikkeld in elkaar, begrijp je?' vroeg Diouri terwijl hij op zijn slaap tikte.

'Ze vonden in ieder geval niet dat terrorisme deugt.'

'Weet je wanneer terrorisme deugde?' vroeg Diouri terwijl hij met zijn Franse sigaret naar Falcón wees alsof het een wit krijtje was. 'Toen de joden tegen de Engelsen vochten om hun zionistische staat te kunnen vestigen. Maar het deugde niet toen de Palestijnen extreme tactieken tegen de joden aanwendden om het land en de huizen die van hen waren gestolen terug te eisen. Terroristen worden alleen geaccepteerd als ze zo sterk zijn dat ze als vrijheidstrijders kunnen worden gezien. Als ze zwak en rechteloos zijn, noem je ze gewoon bloederige moordenaars.'

'Maar daar hebben we het nu niet over,' zei Falcón, vechtend tegen zijn ergernis omdat het gesprek opnieuw een verkeerde wending had genomen.

'Het zal er altijd mee te maken hebben,' zei Diouri. 'Het is een hardnekkig onrecht dat iedere Arabier diep in zijn hart pijn doet. Ze weten dat wat die gestoorde fanaten doen fout is, maar vernedering heeft een vreemd effect op de menselijke geest. Vernedering leidt tot extremisme. Kijk naar het Duitsland van vóór de Tweede Wereldoorlog. De grootste kracht van de vernedering is dat zij zo persoonlijk is. Iedereen herinnert zich de eerste keer dat het hem als kind overkwam. Extremisten als Bin Laden en Zarqawe beseffen dat vernedering pas echt gevaarlijk wordt als zij collectief wordt ervaren en aan de oppervlakte komt, en als er een duidelijk doel wordt gediend door het af te reageren. Dat willen terroristen. Dat is het ultieme oogmerk van hun aanslagen. Ze zeggen: moet je zien, als we dit met z'n allen doen, hebben we macht.'

'En dan?' vroeg Falcón. 'Dan ben je terug in de glorieuze middeleeuwen.'

'Voorwaarts naar het verleden,' zei Diouri. Hij drukte zijn sigaret uit in een zilveren, schelpvormige asbak. 'Ik weet niet of het ongedaan maken van onze vernedering die prijs waard is.'

'Ken je de organisatie VOMIT?' vroeg Falcón.

‘Dat is een antimoslimwebsite waarover men zich hier heel kwaad maakt,’ zei Diouri. ‘Ik heb hem niet zelf bekeken.’

‘Het schijnt zo te zijn dat op die site wordt bijgehouden hoeveel slachtoffers er vallen bij aanslagen van moslims. Niet alleen in de westerse wereld, ze tellen ook de slachtoffers van aanslagen van moslims op moslims zoals de zelfmoordaanslagen op politiebureaus in Irak, van eerwraak, van groepsverkrachtingen om vrouwen te schande...’

‘Waar wil je naartoe, Javier?’ vroeg Diouri met samengeknepen ogen. ‘Wil je soms zeggen dat die organisatie een punt heeft?’

‘Voorzover ik weet maken ze geen ander punt dan dat ze de stand bij houden.’

‘En de naam van die website?’

‘Nou, *vomit* betekent braken...’

‘In het Westen is het leven van een moslim niet veel waard,’ zei Diouri. ‘Vraag je maar eens af hoeveel die drieduizend levens in de Twin Towers waard waren, of hoeveel er is geïnvesteerd in de 191 forenzen van Madrid en de vijftig en nog wat slachtoffers van de aanslagen in Londen. En kijk dan eens naar de waarde van de honderdduizend Irakese burgers die hun leven verloren bij de aanval die aan de invasie voorafging. Die is nul. Ik weet niet eens of ze die wel hebben opgemerkt. Was er een website die bijhield hoeveel Serviërs er in Bosnië werden afgeslacht? En hoeveel moslims er in India bij aanslagen door hindoes zijn omgekomen?’

‘Dat weet ik niet.’

‘Daarom is VOMIT dus antimoslim,’ zei Diouri. ‘Ze nemen de daden van een minderheid apart en houden er een hele regio verantwoordelijk voor. Het zou me niets verbazen als je me ging zeggen dat ze gisteren de moskee in Sevilla hebben opgeblazen.’

‘Er zijn mensen gesignaleerd,’ zei Falcón. ‘Onze veiligheidsdienst, het CNI, houdt hen in de gaten.’

‘Wie houdt het CNI nog meer in de gaten?’ vroeg Diouri, niet op zijn gemak.

‘De situatie is erg complex,’ zei Falcón. ‘En we zoeken intelligente, goed geïnformeerde mensen met goede connecties, die ons willen helpen.’

Falcón nipte van zijn thee, dankbaar voor de kans. Hij was blij dat het eruit was. Hij kon bijna niet geloven dat hij het had gevraagd. Yacoub Diouri ook niet: hij zat aan de andere kant van de sierlijk bewerkte tafel te knipperen met zijn ogen.

‘Heb ik je goed begrepen, Javier?’ vroeg hij. Zijn gezicht was nu effen als een plastic masker en alle warmte was uit zijn stem verdwenen. 'Je waagt het in mijn huis te komen en me te vragen voor jouw regering te gaan spioneren?'

'Toen ik je vannacht belde wist je meteen dat het geen gewoon gezelligheidsbezoekje zou zijn,' zei Falcón standvastig.

'Spionnen zijn het meest verachtelijk van alle strijders,' zei Diouri. 'Zij zijn niet de honden van de oorlog, maar de ratten.'

'Ik zou het je nooit hebben gevraagd als ik je voor een man hield die tevreden is met wat we in deze wereld geacht worden te geloven. Daar had jij het over toen we over Irak discussieerden, weet je nog? Niet alleen om me te laten zien hoe de Arabieren erover denken, maar ook omdat het volgens jou onderdeel is van een grotere waarheid.'

'Maar waarom denk jij dat je mij zo'n vraag kunt stellen?'

'Ik vraag het omdat je, net als ik, vóór de moslim en de Arabieren en tégen het terrorisme bent. Bovendien heb je liever dat er dingen veranderen en dat er vooruitgang wordt geboekt, dan dat het achteruitgaat. Je bent een integere, eerbare man...'

'Ik associeer die deugden anders niet met het amoralisme van spioneren,' zei Diouri.

'Behalve dan dat je het, jou kennende, niet uit financieel gewin of ijdelheid zou doen, maar om veranderingen te bewerkstelligen zonder dat er zinloos bloed vloeit.'

'Jij en ik hebben veel overeenkomsten,' zei Diouri, 'alleen zijn onze rollen omgedraaid. We zijn allebei door onze monstrueuze vaders tekort gedaan. Jij hebt plotseling ontdekt dat je half-Marokkaans bent, terwijl ik in Spanje had moeten opgroeien maar Marokkaan ben geworden. Misschien zijn we de personificatie van twee verstrengelde culturen.'

'Met een rommelig verleden,' knikte Falcón.

21

Sevilla, woensdag 7 juni 2006, 08.43 uur

Op de radio werd de Sevillanos een bloedhete dag beloofd, meer dan veertig graden Celsius, met een Saharawind die in je ogen prikt en je zweet droogt en die de plek van het ingestorte gebouw tot een serieuze bedreiging van de gezondheid maakte. Consuelo was nog suf van de pil die ze die nacht om drie uur had genomen toen ze besefte dat ze niet in slaap zou vallen door naar de knipperende oogleden van Darío te kijken. Zoals altijd had ze een drukke dag in het vooruitzicht, een dag die zou worden omheind door sessies bij Alicia Aguado. Ze dacht er niet aan. Ze stond buiten de gebeurtenissen. Ze was zich meer bewust van de structuur van de botten in haar gezicht en van het nauwsluitende masker van haar huid waarachter ze hoopte te blijven functioneren.

De radiopresentator was in een sombere stemming. Zijn overpeinzingen drongen niet tot haar door, evenmin dat er die middag een minuut stilte voor de slachtoffers van de bomaanslag zou worden gehouden. Haar oogleden gingen omlaag en omhoog, alsof ze verwachtte dat het beeld iedere keer dat ze met haar ogen knipperde volkomen zou zijn veranderd, en niet een heel klein beetje.

De slaappil hield het adrenalinelek in haar systeem binnen de perken. Als ze scherper was geweest, zou de herinnering aan het angstaanjagende gevoel van de vorige avond, het gevoel dat ze uit elkaar viel, te sterk zijn geweest. Dan zou ze Aguado's behandelkamer voorbij zijn gereden en rechtstreeks naar haar werk zijn gegaan. Maar nu parkeerde ze de auto en liet ze zich door haar benen naar boven dragen. Op het moment dat ze haar heupen tussen de armleuningen van de lovers' seat liet zakken, raakte haar hand de bleke handpalm van Alicia Aguado. Ze ontblootte haar pols. Ergens kwamen woorden vandaan, maar ze had ze niet verstaan.

'Neem me niet kwalijk,' zei ze. 'Ik ben nog een beetje moe. Zou je dat nog eens willen zeggen?'

'Heb je vannacht nagedacht over wat ik tegen je heb gezegd?'

'Ik weet niet zeker of ik me wel herinner waar ik het over heb... waar ik van je over na moest denken.'

'Iets waar je gelukkig van werd.'

'O. Ja, dat heb ik gedaan.'

'Heb je medicijnen gebruikt, Consuelo? Je bent sloom vanochtend.'

'Ik heb vannacht om drie uur een slaappil genomen.'

'Waarom kon je niet slapen?'

'Ik was te gelukkig.'

Aguado liep naar de keuken en maakte een sterke espresso. Ze gaf hem aan Consuelo, die hem in één teug opdronk.

'Onze afspraken hebben alleen zin als je scherp bent,' zei Aguado. 'Je moet met jezelf in contact staan.'

Aguado stond voor Consuelo, tilde haar gezicht op alsof Consuelo een klein kind was en ze haar een kus wilde geven, en duwde haar duimen tegen haar voorhoofd. Consuelo's blik werd helderder. Aguado ging weer zitten.

'Waarom kon je niet slapen?'

'Ik dacht te veel.'

'Over al die dingen waar je "te gelukkig" van werd?'

'Geluk is niet wat ik gewend ben. Ik had respijt nodig.'

'Wat ben je dan wel gewend?'

'Dat weet ik niet. Dat verberg ik te goed.'

'Hoor je wat je zelf zegt?'

'Ik kan het niet helpen. Ik heb geen weerstand.'

'Dus je hebt niet gedaan wat ik je gisteravond heb opgedragen?'

'Ik zei al dat ik niet gewend ben gelukkig te zijn. Het trekt me niet aan.'

'Wat heb je dan wél gedaan?'

'Ik heb naar mijn slapende kinderen gekeken.'

'Wat zegt dat je over de situatie waar je wel toe wordt aangetrokken?'

'Die is ongemakkelijk.'

'Maak je veel uren op je werk?'

'Natuurlijk. Dat is de enige manier om succesvol te zijn.'

'Waarom is succes belangrijk voor je?'

'Je kunt het gemakkelijker meten dan...'

'Dan wat?'

De paniek greep Consuelo bij de keel.

'Het is gemakkelijker succes te meten dan iets te meten, of, ik bedoel, te zien dat... Je snapt wel wat ik bedoel.'

'Ik wil dat je het zelf zegt.'

Consuelo schoof heen en weer in haar helft van de stoel en ademde diep in.

'Ik compenseer mijn tekortkomingen als individu door iedereen te laten zien hoe goed ik in zaken ben.'

'Dus wat is je succes voor jou?'

'Een dekmantel. Mensen bewonderen me erom, maar als ze wisten wie ik werkelijk was en wat ik heb gedaan, zouden ze me verachten.'

'Slapen je kinderen allemaal in hun eigen slaapkamer?'

'Nu wel, ja. De twee oudere jongens hebben hun eigen ruimte nodig.'

'Als je naar hen kijkt terwijl ze slapen, bij wie blijf je dan het langst?'

'Bij de jongste, Darío.'

'Waarom?'

'Hij ligt me nog erg na aan het hart.'

'Is er een groot verschil in leeftijd?'

'Hij is vier jaar jonger dan Matías.'

'Hou je meer van hem dan van de twee anderen?'

'Ik weet dat ik dat niet zou moeten doen, maar het is wel zo, ja.'

'Lijkt hij meer op je overleden man of op jou?'

'Op mij.'

'Heb je altijd al naar je slapende kinderen gekeken?'

'Ja,' zei ze nadenkend. 'Maar het is pas sinds een jaar of vijf... een obsessie. Sinds mijn man is vermoord.'

'Kijk je nu anders naar ze dan toen?'

'Toen keek ik naar ze en dan dacht ik: dit zijn mijn prachtige schepseltjes. Na de dood van Raúl ging ik tussen hen in zitten – ze hebben een tijdje met z'n allen op één kamer geslapen – en, ja, toen is de pijn begonnen. Maar het is geen nare pijn.'

'Wat bedoel je daarmee?'

'Dat weet ik niet. Niet alle pijn is naar. Net zoals niet alle verdriet even erg en niet elk geluk even geweldig is.'

'Vertel me daar eens wat meer over,' zei Aguado. 'Welk verdriet is niet zo erg?'

'Naar melancholie kun je verlangen. En ik heb relaties met mannen gehad die bevredigend waren zo lang ze duurden; als ze waren afgelopen, was ik wel verdrietig, maar besefte ik ook dat het voor mijn eigen bestwil was.'

'En wanneer is geluk niet echt geweldig?'

'Dat weet ik niet,' zei Consuelo terwijl ze met haar vrije hand een draaiende beweging maakte. 'Misschien als een vrouw uit de rechtszaal loopt en zegt dat ze gelukkig is dat de moordenaar van haar zoon levenslang heeft gekregen. Dat noem ik nou niet echt...'

'Ik zou graag willen dat je een voorbeeld uit je eigen leven gaf.'

'Mijn zus denkt dat ik gelukkig ben. Ze ziet mij als een gezonde, succesvolle vrouw met geld en drie kinderen. Toen ik haar vertelde over onze sessies, was ze stomverbaasd. Ze zei: "Als jij al gek bent, moeten wij helemaal alle hoop laten varen." '

'Maar wanneer vind jij jouw geluk niet zo geweldig?'

'Dat bedoel ik juist,' zei Consuelo. 'Ik zou gelukkig moeten zijn, maar ik ben het niet. Terwijl ik alles heb wat je je maar kunt wensen.'

'Hoe zit het met de liefde?'

'Mijn kinderen geven me alle liefde die ik nodig heb.'

'Echt?' vroeg Aguado. 'Vind je niet dat kinderen juist veel liefde némen? Je bent hun leidende licht in de opvoeding. Je leert ze van alles en geeft ze het vertrouwen dat ze in het leven nodig hebben. Ze belonen je met onvoorwaardelijke liefde omdat ze daartoe geconditioneerd zijn, maar ze weten niet wat liefde is. Denk je niet dat kinderen in essentie zelfzuchtig zijn?'

'Jij hebt geen kinderen, Alicia.'

'We zitten hier niet om het over mij te hebben,' zei Aguado. 'En niet alles wat ik zeg is míjn mening. Denk je dat een leven compleet kan zijn zonder volwassen liefde?'

'Er zijn heel veel vrouwen die tot die conclusie komen,' zei Consuelo. 'Vraag het maar eens aan al die mishandelde vrouwen die we in Spanje hebben. Zij zullen zeggen dat liefde je dood kan worden.'

'Je lijkt me niet het type dat mishandeld wordt.'

'Niet fysiek, nee.'

'Ben je geestelijk door een man mishandeld?'

Er voer een rilling door Consuelo en Aguado's vingers sprongen van haar pols. Consuelo dacht dat ze op afstandelijke wijze met de inhoud van deze sessie kon omgaan. Wat ze tot dan toe had gezegd, zat in haar hoofd opgesloten, achter slot en grendel. Nu was het op de een of andere manier uitgebroken. Het was alsof gekke koeien hadden beseft hoe zwak de omheining was. Nu waren ze uitgebroken en galoppeerden ze dolzinnig door haar lichaam. Ze voelde dezelfde wilde angst als de dag ervoor. Het gevoel uit elkaar te vallen – of was ze bang voor iets wat al die tijd was beteugeld en nu de vrijheid kreeg?

'Rustig, Consuelo,' zei Aguado.

'Ik weet niet waar deze angst vandaan komt. Ik weet zelfs niet of het iets heeft te maken met wat ik zeg, of dat het uit een heel andere bron komt en plotseling in de hoofdstroom lekt.'

'Probeer het onder woorden te brengen. Dat is het enige wat je eraan kunt doen.'

'Ik vertrouw mezelf niet meer. Ik krijg het gevoel dat een groot deel van wie ik ben tevreden wordt gehouden, of misschien in toom wordt gehouden, door een illusie die ik in het leven heb geroepen om op de been te blijven.'

'De meeste mensen geven de voorkeur aan illusies. Het is minder ingewikkeld om je leven door de televisie en de tijdschriften te laten vullen. Maar dat is niets voor jou, Consuelo.'

'En hoe weet jij dat? Misschien is het te laat om dingen af te breken en opnieuw op te bouwen.'

'Ik ben bang dat het voor jou te laat is om te stóppen,' zei Aguado. 'Daarom ben je hier. Het is alsof je door een steegje bent gelopen en een blote voet uit een vuilnisbak hebt zien steken. Je wilt het vergeten. Je wilt er niet bij betrokken worden. Maar helaas heb je de voet heel duidelijk gezien, en je krijgt geen rust voordat de zaak is opgelost.'

'Ik ben hier vanwege die man in Plaza del Pumarejo – vanwege het bizarre feit dat ik me tot hem... aangetrokken voel en het gevaar dat daarin schuilt. Nu hebben we het over andere dingen gehad, dingen die daar niets mee te maken hebben, en ik heb het gevoel dat ik geen kant meer op kan. Geen plekje in mijn hoofd is nog veilig. Alleen mijn werk leidt mijn gedachten af, en dan nog slechts tijdelijk. Zelfs mijn kinderen zijn een potentieel gevaar geworden.'

'Alles heeft met elkaar te maken,' zei Aguado. 'Ik ontwar de draden die in de knoop zijn geraakt. Uiteindelijk zullen we de bron vinden, en als je die onder ogen bent gekomen en hebt begrepen, zul je in staat zijn verder te gaan met een gelukkiger leven. Deze angst zal beloond worden.'

Inés ontwaakte in een angststuip. Ze knipperde met haar ogen om de kamer niet in één keer in zijn geheel te hoeven zien. Esteban was er niet. Zijn kussen was niet ingedeukt. Ze kwam kreunend op één elleboog overeind en trok het laken van zich af. Ze jankte van de pijn. Ze hijgde als een jogger en moest al haar kracht verzamelen om de volgende stap, het volgende pijnniveau, aan te kunnen.

Er was geen houding waarin ze geen pijn voelde. Ze moest haar lichaam opnieuw uitvinden om routes naar haar ledematen en organen te vinden die géén pijn deden. Ze ging snakkend naar adem op handen en voeten zitten, liet haar hoofd hangen en staarde door de tunnel van neerhangend haar. Tranen vertroebelden haar gezichtsveld. Op haar kussen zat een vaal rode vlek. Ze wist een voet op de vloer te zetten, gleed van het bed af en schuifelde naar de spiegel. Ze veegde haar haren uit haar gezicht en kon niet geloven dat dat hoofd op dat lichaam van haar was.

Overal zaten bloeduitstortingen. Haar borstkas was een abstract schilderij van paarse, blauwe, zwarte en gele vlekken, die overgingen in de blauwe plek die naar haar schaamhaar liep. Natuurlijk, ze kreeg nu eenmaal snel blauwe plekken. Het was niet zo erg als het er uitzag. De pijn werd meer door stijfheid dan door echt letsel veroorzaakt. Een warme douche zou helpen.

In de badkamer viel haar oog op haar rug en haar billen. De striemen daar leken ontstoken en zagen er ernstig uit. Ze moest de putjes die door de gesp waren veroorzaakt, ontsmetten. Wat paste ze zich toch gemakkelijk bij haar nieuwe situatie aan. Ze draaide de kraan open en voelde het water met haar hand, die nog steeds was opgezwollen op de plek waar haar vinger was omgebogen. Ze stapte onder de straal en greep zich vast aan de mengkraan; het water deed zo'n pijn dat ze opnieuw naar adem hapte. Een beha zou ze die ochtend niet kunnen dragen.

Er kwamen tranen. Ze zakte op de badkamervloer ineen, het water stroomde over haar haar. Wat was er met haar gebeurd? Ze kon niet eens meer in de eerste persoon enkelvoud over zichzelf denken, zo ver was ze verwijderd van de vrouw die ze altijd was geweest. Ze duwde de kraan dicht en kroop als een geslagen hond uit de douchecabine.

Ze vond reserves waarvan ze niet wist dat ze die had. Ze nam pijnstillers. Ze zou naar haar werk gaan. Het was onmogelijk om in de hel van het appartement te blijven. Ze droogde zich af, kleedde zich aan en maakte zich op. Je zag niets. Ze liep naar buiten en hield een taxi aan.

De chauffeur praatte over de bom. Hij was kwaad. Hij sloeg op zijn stuur. Hij noemde hen klootzakken zonder te weten wie 'ze' waren. Hij zei dat het tijd was om op te houden met die slappe aanpak en die mensen een lesje te leren. Inés ging er niet op in. Ze zat op de achterbank, beet op de binnenkant van haar wang en bedacht hoe graag ze met iemand zou willen praten. Ze ging al haar vrienden af. Ze waren hopeloos. Geen van hen kon ze een intimus noemen. Haar collega's? Allemaal goede mensen, maar hier niet geschikt voor. Familie? Ze verdroeg het niet dat haar mislukking onthuld zou worden. En er schoot een gedachte door haar heen, als een donderslag bij heldere hemel. Het was een gedachte die ze zichzelf nooit eerder had gepermitteerd: haar moeder was een stom mens en haar vader was een pretentieuze zakkenwasser die dacht dat hij een intellectueel was.

Tot haar opluchting was het stil op haar werkkamer. In haar agenda stonden twee besprekingen, verder niets. Dat had ze zelf geregeld, omdat ze de volgende dag een zitting had die ze nog moest voorbereiden. Ze liep naar de deur en op het moment dat ze die opendeed, kwam een van haar manlijke collega's onhandig binnen met een arm vol dossiers. De pijn die hun botsing veroorzaakte, galmde door haar hoofd. Ze had het gevoel dat ze de pijn alleen zou kunnen uitschakelen door flauw te vallen. Ze viel en greep haar voet, bij wijze van afleiding. Haar collega boog zich over haar heen en zei dat het hem speet. Ze verliet de kamer zonder een woord te zeggen.

De bijeenkomsten waren afgelopen. Alleen aan het eind van de tweede bespreking vroeg de rechter of ze in orde was. Ze ging naar de wc en probeerde de druppel bloed die ze langzaam in het water zag oplossen te negeren. Werd ze ongesteld? Dat zou veel te vroeg zijn. Het kon haar niet schelen. Ze nam nog een paar pijnstillers.

Ze stak de avenue over en liep het Murillopark in. Ze wist waar ze naartoe ging: ze wilde die hoer terugzien. Ze begreep niet goed waarom. Aan de ene kant wilde ze die hoer laten zien wat hij haar had aangedaan, aan de andere kant... Wat was de andere kant?

De hoer was er niet. Het was heet. Ze zag ergens op een uithangbord dat het kwart voor twaalf en 39 graden Celsius was. Ze liep te midden van de toeristen door de Barrio Santa Cruz. Hoe moest ze de hoer vinden? De pijnstillers waren goed. Haar gedachten dreven weg van haar lijf. De realiteit zong een toontje lager. Het was nieuw voor haar dat pijnstillers alle soorten pijn stillen.

Haar lippen tintelden en voelden niet meer als haar eigen lippen aan. De straatgeluiden werden gedempt en de beelden hadden zachte vormen en kleuren. Ze werd voortgetrokken door drommen mensen die via de

Avenida de la Constitución naar Plaza Nueva liepen. Ze droegen spandoeken die ze niet kon lezen omdat ze van haar afgedraaid waren. Op het plein werden honderden borden in de lucht gehouden, met daarop eenvoudigweg: PAZ. Vrede. Ja, dat wilde zij ook.

De klok sloeg twaalf uur en onmiddellijk viel er een doodse stilte. Ze liep tussen de mensen door, nieuwsgierig wat er was gebeurd. Ze keek de mensen vragend aan. Ze beantwoordden haar blik met een versteende blik. De verkeersgeluiden waren ook weggevallen. Je hoorde alleen de vogels. Het was fantastisch, dacht ze, dat mensen samenkwamen om om vrede te vragen. Ze dwaalde net van het plein weg toen de mensen weer tot leven kwamen en het geroezemoes achter haar weer begon. Ze liep door de Calle Zaragoza en besloot naar El Cairo te gaan om een hapje te eten. Ze mochten haar in El Cairo. Ze dacht dat ze haar mochten in El Cairo. Maar iedereen mocht iedereen in de bars van Sevilla.

Op dat moment zag ze de hoer. Niet de hoer zelf, maar een foto van haar. Ze deed verward een stap de straat op. Mochten hoeren dat tegenwoordig? Reclame maken in etalages? Dat je na middernacht via de kabel porno in je huiskamer kan ontvangen was één ding, maar dat het hoeren was toegestaan op deze manier klanten te lokken... Tot haar verbazing zag ze dat het een galerie was.

Een auto claxonneerde zacht naar haar. Ze stapte terug naar de etalage en las het kaartje naast de foto. *Marisa*. Verder niets, alleen Marisa. Hoe oud was ze? Dat stond niet op het kaartje. Dat wilde iedereen tegenwoordig toch weten? Hoe oud ben je? Ze willen je schoonheid zien en ze willen weten hoe oud je bent. Als je ook nog talent hebt, is dat mooi meegenomen, maar de eerste twee zijn cruciaal voor de marketing.

Achter de etalageruit zat een jonge vrouw aan een bureau. Inés ging naar binnen. Ze hoorde haar hakken op de marmeren vloer. Ze was vergeten naar het werk van de hoer te kijken, maar nu was ze een en al aandacht.

'Ik vind die Marisa geweldig,' hoorde ze zichzelf zeggen. 'Ik vind haar gewoonweg geweldig.'

De jonge vrouw was vergenoegd. Inés was goed gekleed en zag eruit alsof ze maf genoeg was om belachelijke bedragen neer te leggen. Eendrachtig bewonderden ze Marisa's werk – twee houten beelden. Inés moedigde de vrouw aan te praten en in een mum van tijd wist ze waar Marisa's atelier lag.

Inés had geen idee wat ze met die informatie zou gaan doen. Ze ging naar El Cairo en bestelde een gevulde *piquillo* en een glas water. Ze speelde met de felrode peper die er obsceen uitzag, als een uitgestoken, nieuwsgierige tong die een vochtige opening zocht. Ze hakte hem in stukjes, prikte hem op haar vork en stak hem in haar mond, die als ruw katoen aanvoelde.

Ze liep naar huis, zette de airconditioning aan en ging op bed liggen. Ze viel in slaap en werd wakker in een kil appartement. Ze had een droom gehad en daar een overweldigend eenzaam gevoel aan overgehouden. Ze was nog nooit zo eenzaam geweest als in die droom. Ze dacht dat ze alleen in de dood zo eenzaam zou zijn.

De pijnstillers waren uitgewerkt en ze was stijf van de kou. Ze besefte dat ze in zichzelf had gepraat en wilde dolgraag weten wat ze had gezegd.

Het was halfvijf in de middag. Ze moest naar kantoor om aan de zaak te gaan werken, maar dat leek nu niet veel zin te hebben. Om de een of andere reden had de dag van morgen iets onwaarschijnlijks gekregen.

Ze hoorde zichzelf zeggen: 'Doe niet zo gek.' Ze liep naar de keuken, dronk water, slikte wat pijnstillers en liep het appartement uit. Na de dunne, gekoelde lucht van binnen, voelde de hitte op straat dik aan. Ze hield een taxi aan en hoorde dat ze de chauffeur vroeg haar naar de Calle Bustos Tavera te rijden. Waarom had ze hem gevraagd haar daarnaartoe te brengen? Er viel geen eer aan te behalen...

Er stak iets uit de geplooide hals van haar handtas, die op haar schoot lag. Ze herkende niet wat het was. Ze maakte de tas open en zag de gladde stalen knoppen in het zwarte handvat en het rechte stalen lemmet naast haar borstel. Ze keek op naar de chauffeur en hun blik kruiste in de achteruitkijkspiegel.

'Heeft u dat gezien?' vroeg de chauffeur.

'Wat?' vroeg Inés, geschokt door de aanblik van het mes.

Maar hij wees uit het raam.

'Mensen hangen hammen bij hun voordeur,' zei hij. 'Als ze zich die niet kunnen veroorloven, hangen ze een foto van een ham op. Een Andalusische hammenproducent distribueert ze. Die kerel op de radio heeft gezegd dat het een passieve vorm van protest is. Het stamt uit de vijftiende eeuw. Toen werden de Moren uit Andalucía verdreven en stimuleerden de katholieke koningen het bereiden en eten van varkensvlees om te laten zien dat de islamitische overheersing ten einde was. Ze hebben vandaag uitgeroepen tot *El Día de los Jamones*. Wat vindt u daarvan?'

‘Ik vind... Ik weet niet wat ik vind,’ zei Inés, haar handen op het handvat van het mes.

De chauffeur zette een ander radiostation op. Flamenco vulde de auto.

‘Ik kan niet te veel gesprekken over die bom aanhoren,’ zei hij. ‘Want dan ga ik me afvragen wie ik op de achterbank heb zitten.’

22

Sevilla, woensdag 7 juni 2006, 16.00 uur

De vorige, emotioneel zwaarbeladen werkdag, de avond met drie besprekingen, de nacht met weinig slaap, de vliegreis en de spanning die zijn missie had veroorzaakt, hadden Falcón volledig leeggezogen. Hij vertelde Pablo kort dat Yacoub, zij het onder voorwaarden, voor hen wilde werken, plofte in zijn stoel in de Learjet en zakte onmiddellijk weg in een diepe slaap.

Ze landden iets voor halfdrie 's middags op het vliegveld van Sevilla en gingen uit elkaar nadat ze voor later die avond een nieuwe afspraak hadden gemaakt. Thuis nam Falcón een douche en trok hij schone kleren aan. Zijn huishoudster had een visstoofschotel voor hem achtergelaten, die hij met een glas rode wijn opat. Hij belde Ramírez, die hem vertelde dat er om halfvijf weer een grote bijeenkomst was waarnaar hij hem kort van recente informatie voorzag. Het beste nieuws was dat Lourdes, het meisje dat ze de vorige dag levend uit de puinhoop hadden gehaald, iets na twaalven even bij bewustzijn was geweest. Met haar zou het wel goed komen. Er was geen nieuws over de elektriciens en de inspecteurs van de gemeente, behalve dat Elvira een perscommuniqué had uitgegeven en er mededelingen op radio en televisie waren gedaan. Uit de verhoren van de vertegenwoordigers van Informáticalidad was niets ongewoons naar voren gekomen. Het enige opvallende in het verslag van Ramírez was zijn lof voor Juez Calderón, die de uitermate agressieve media te woord had gestaan.

'Je weet dat ik hem niet mag,' zei Ramírez, 'maar hij levert puik werk. Sinds we gisteren het grote nieuws naar buiten hebben gebracht, zit ons onderzoek muurvast, maar Calderón zorgt ervoor dat we toch een bekwame indruk maken.'

'Hoe snel kunnen we, realistisch gezien, bij het epicentrum van de bom zijn?' vroeg Falcón.

'Niet voor negen uur morgenochtend,' zei Ramírez. 'Als ze eenmaal bij het puin direct boven de moskee zijn, gaan ze met de hand verder, onder supervisie van de explosievenopruimingsdienst en de technische recherche. Het gaat wel even duren voor ze klaar zijn, en de omstandigheden zullen vreselijk zijn. Eigenlijk zijn ze dat nu al. De stank neemt als een virus bezit van je.'

'Het is voor negenennegentig procent zeker dat een van de doden in de moskee een informant van de CGI is,' zei Comisario Elvira, en daarmee was de vergadering van halfvijf geopend. 'Dat is voor honderd procent zeker op het moment dat het DNA blijkt overeen te komen met het DNA dat we in zijn appartement hebben gevonden.'

'Wat deed hij daar?' vroeg Calderón.

'Dat staat in het rapport van Inspector Jefe Barros,' zei Elvira.

'Hij heet Miguel Botín,' zei Barros. 'Hij is een tweeëndertigjarige Spanjaard en woont in Sevilla.'

'De partner van Esperanza – zij is de vrouw die Comisario Elvira de lijst gaf met de namen van de mannen die op het moment van de ontploffing aanwezig zouden zijn geweest – was ook in de moskee,' zei Falcón. 'Is dat Miguel Botín?'

'Ja,' zei Barros. 'Hij heeft zich elf jaar geleden tot de islam bekeerd. Zijn familie komt uit Madrid en zijn broer verloor een voet bij de aanslagen van 11 maart. Miguel Botín werd in november 2004 door een van mijn agenten gerekruteerd, en is veertien maanden actief, sinds april 2005.'

Het enige geluid in het kleuterschoollokaal kwam van de mobiele airconditioning. Zelfs het gestage geknars van de machines buiten leek, op het moment dat Barros zijn verslag begon, naar de achtergrond te zijn verdrongen.

'De eerste acht maanden kon Botín ons vrijwel niets vertellen. De leden van de gemeenschap, voor het grootste deel van allochtone afkomst, waren goede moslims en geen van hen gedroeg zich ook maar enigszins radicaal. Ze leefden allemaal mee met het verhaal van zijn broer en ze waren allemaal kwaad over de aanslagen in Londen, die werden gepleegd toen Botín nog maar net actief was.

Afgelopen januari begon Botín een verandering op te merken. Er kwamen meer onbekenden in de moskee. Dit had geen opmerkelijk effect op de gemeenschap, maar in maart leek het wel effect op imam Abdelkrim Benaboura te krijgen. Hij maakte een afwezige en gespannen indruk. Op 7 april diende mijn agent een verzoek in om een microfoontje in het kantoor van de imam te verstoppen. Ik heb daar met de Juez Decano de Sevilla over gesproken. Hij heeft het rapport van mijn agent gezien, maar het bewijs was naar zijn oordeel zeer indirect en de aanvraag om af te luisteren werd afgewezen op grond van gebrek aan bewijs.

Op verzoek van mijn agent voerde Botín zijn activiteiten op en begon hij imam Abdelkrim Benaboura buiten de moskee te volgen. Tussen 2 mei en woensdag 30 mei, de datum waarop dit rapport is verschenen, heeft Botín tien keer gezien dat de imam op steeds wisselende locaties in Sevilla drie koppels van twee mannen heeft ontmoet. Hij had geen idee wat er op deze ontmoetingen werd gezegd, maar hij is er wel in geslaagd een aantal foto's te maken. Op slechts twee daarvan zijn er mannen duidelijk zichtbaar. Op basis van deze informatie en de fotografische bewijzen werd op donderdag 1 juni een nieuw verzoek ingediend om afluisterapparatuur te plaatsen. Daar hadden we, op het moment van de explosie gisterochtend, nog niets op gehoord.'

'Hoeveel mannen zijn er op de twee goede foto's zichtbaar?' vroeg Falcón.

'Vier,' zei Barros. 'En met de foto's die de CGI in Madrid heeft gevonden in het appartement waar ze gisteren huiszoeking hebben gedaan, hebben we twee van hen kunnen identificeren als Djamel Hammad en Smail Saoudi. We hebben nog geen idee wie de twee andere mannen zijn, maar de foto's zijn naar het CNI, MI6 en Interpol doorgespeeld. Ik had deze informatie natuurlijk graag eerder beschikbaar gesteld, maar...'

'En hoe zit het met die verschillende locaties?' vroeg Calderón, die mogelijk zelfmedelijden de pas afsneed. 'Valt daar iets aan op? Lagen ze in de buurt van openbare gebouwen of van het adres van prominente figuren? Zouden ze onderdeel van een plan voor een aanslag kunnen zijn?'

'Binnen honderd meter van elke ontmoetingsplek stond een belangrijk gebouw, maar dat is inherent aan het karakter van deze stad,' zei Barros. 'Ze hebben elkaar onder meer in de Ierse pub bij de kathedraal ontmoet. Is dat een goede dekmantel voor drie moslims die geen alcohol gebruiken? Of ging het erom dat ze daar vlak bij de laatste overblijfselen van de twaalfde-eeuwse Almohad-moskee zaten?'

'Wanneer wees de Juez Decano het eerste verzoek om het kantoor van de imam af te luisteren af?' vroeg Falcón.

'Op de dag dat het verzoek werd ingediend: 27 april.'

'En waarom werd het tweede verzoek om af te luisteren niet ingewilligd?'

'De Juez Decano zat in Madrid. Hij zag de aanvraag pas maandagmiddag 5 juni.'

'Hoe omschreef Miguel Botín de gemoedstoestand van de imam tijdens de maand waarin hij hem nauwlettender in de gaten hield?'

'Als steeds verstrooider. Veel minder betrokken bij de gemeenschap dan het jaar daarvoor. Botín zag dat hij medicijnen gebruikte, maar het lukte hem niet te achterhalen welke.'

'Er lag Nenormin op zijn nachtkastje,' zei Gregorio van het CNI. 'Dat is een geneesmiddel tegen een te hoge bloeddruk. We hebben ook een goed gevuld medicijnkastje aangetroffen. Volgens zijn dokter wordt hij al acht jaar voor een te hoge bloeddruk behandeld. Hij klaagde onlangs over hartritmestoornissen en werd behandeld voor een maagzweer.'

'Wanneer krijgen wij nou toegang tot zijn appartement en inzage in jullie bevindingen?' vroeg Falcón.

'Maak je geen zorgen,' zei Juan. 'Vanaf het moment dat we de deur van het appartement opendeden, hebben we met de technische recherche samengewerkt.'

'Toch willen we daar graag naar binnen,' zei Falcón.

'We zijn er bijna klaar,' zei Gregorio.

'Wat is de mening van het CNI over de bevindingen van Botín en de dokter van de imam?' vroeg Calderón.

'En heeft iemand al toegang tot zijn mysterieuze verleden gekregen?' vroeg Falcón.

'We wachten nog steeds op toestemming,' zei Gregorio.

'De imam stond onder grote druk,' zei Falcón voordat Calderón een nieuwe aanval op Juan kon inzetten. 'Hammad en Saoudi stonden erom bekend dat ze logistieke bijdragen aan een aanslag konden leveren. Ze ontmoetten de imam. Hebben ze hem gevraagd of hij wilde meewerken? Vroegen ze hem om een wederdienst? Of moest hij een belofte uit zijn geheimzinnige verleden inlossen? Wat zou bij een man als de imam onder zulke omstandigheden tot spanning kunnen leiden?'

'Een vraag iets te doen wat ernstige gevolgen kan hebben,' zei Calderón.

'Maar als hij in "de zaak" geloofde, zou hij toch blij moeten zijn?' vroeg Falcón. 'Een extremist is vereerd als hij aan een missie mee mag doen.'

'Denken jullie dat hij gespannen was omdat ze hem tegen zijn wil in medeplichtig wilden maken?' vroeg Gregorio.

'Of omdat de aard van de medeplichtigheid hem tegenstond,' zei Falcón. 'De vraag of je voor een paar weken een onbekend product wilt opslaan, levert een andere spanning op dan de vraag of je actief aan een aanslag wilt meewerken.'

'We hebben meer informatie over de activiteiten van de imam nodig,' zei Elvira.

'Het is nog niet zeker, maar waarschijnlijk waren Hammad en Saoudi op het moment van de ontploffing in de moskee aanwezig,' zei Falcón. 'De DNA-test zal daar uitsluitsel over geven. Om te weten in hoeverre de imam erbij betrokken was, zullen we de andere twee mannen die door Miguel Botín zijn gefotografeerd, moeten identificeren en opsporen.'

'Daar wordt aan gewerkt,' zei Gregorio.

'Ik wil de agent van Miguel Botín spreken,' zei Falcón.

Inspector Jefe Barros knikte. Comisario Elvira vroeg naar de elektriciens en de gemeente-inspecteurs. Ramírez gaf hem de korte update die hij ook aan Falcón had gegeven.

'We weten dat de moskee niet door de antiterreurafdeling van de CGI in de gaten werd gehouden,' zei Falcón. 'Er zijn twee mannen geweest die zich als gemeente-inspecteurs voordeden en duidelijk van plan waren zich toegang tot de moskee te verschaffen. De elektriciens kwamen voor een gesprongen stoppenkast. We moeten onderzoeken of er een link is tussen de elektriciens en de mannen die zich voor gemeente-inspecteur uitgaven. Ik denk dat een officiële elektricien zich inmiddels wel gemeld zou hebben. Een evident voordeel van een elektricien is natuurlijk dat je allerlei gereedschap binnen kunt brengen, en getuigen hebben bevestigd dat dit het geval was.'

'Denk je dat *zíj* de bom geïnstalleerd hebben?' vroeg Barros.

'Met die mogelijkheid moeten we wel rekening houden,' zei Falcón. 'We kunnen het niet negeren omdat het niet past bij de ontdekkingen die we tot nu toe hebben gedaan. Het is evenmin uitgesloten dat de explosieven al in een geheime bergplaats in de moskee lagen. We moeten jullie agent spreken. Hoe gaat het met hem?'

'Niet goed. Hij is nog jong, niet veel ouder dan Miguel Botín. We hebben in die leeftijdsgroep gerekruteerd omdat zij makkelijker met elkaar in contact komen. Zijn relatie met Botín was goed. Het geloof schiep een band tussen hen.'

'Hadden ze zich allebei bekeerd?'

'Nee, mijn agent is katholiek. Maar ze namen hun geloof allebei serieus. Ze respecteerden elkaar en mochten elkaar graag.'

'We willen hem graag nu meteen spreken,' zei Falcón.

Barros verliet het lokaal om hem te bellen.

'De technische recherche moet contact opnemen met de vrouwen en gezinnen van de mannen die in de moskee waren,' zei Elvira tegen Falcón. 'Ze moeten zo snel mogelijk DNA gaan verzamelen. Volgens de vrouw die hen vertegenwoordigt, Esperanza, willen ze alleen met jou praten.'

Elvira gaf hem het nummer van de mobiele telefoon. De vergadering was afgelopen. De mannen gingen uiteen. Elvira nam Falcón nog even apart.

'Ze sturen meer mensen uit Madrid,' zei hij. 'Niets ten nadele van jou en je afdeling, maar we weten allebei welke eisen er gesteld worden. Je hebt meer manschappen nodig en het zijn allemaal ervaren Inspector Jefes en Inspectores.'

'Alles wat druk van de ketel haalt, is welkom,' zei Falcón. 'Zolang ze de boel maar niet nodeloos compliceren.'

'Ze vallen onder mijn bevoegdheid. Jij hoeft je niet met hen bezig te houden. Ze zullen worden ingezet waar ze het hardst nodig zijn.'

'Is de Guardia Civil er al in geslaagd meer informatie te verzamelen over hoe Hammad en Saoudi van Madrid naar Sevilla zijn gereden?'

'Zoiets kost tijd.'

Toen Falcón het lokaal uit liep, nam Barros hem apart.

'Mijn agent is nog aan het lunchen,' zei hij. 'Ze bellen me zodra hij terug is.'

'Het is al halfvijf geweest,' zei Falcón terwijl hij het nummer van zijn mobiele telefoon gaf. 'Hij is wel aan de late kant, hè?'

Barros schudde zijn hoofd en haalde zijn schouders op. Het verliep allemaal niet erg goed voor hem.

'Hoe heet je agent?'

'Ricardo Gamero,' zei Barros.

Falcón belde Esperanza en ze spraken in een park in de buurt af. Hij vroeg om een vrouwelijke agent om hem te vergezellen.

Cristina Ferrera wachtte buiten de kleuterschool op hem. Hij lichtte haar onderweg in. Esperanza herkende Falcón toen hij uit de auto stapte. Hij stelde Cristina en Esperanza aan elkaar voor. Ze stapten weer in de auto. Esperanza zat naast Falcón, Ferrera zat achterin. Ze bekeek Esperanza alsof ze haar ergens van herkende.

'Houden de vrouwen het vol?' vroeg Falcón. 'Ik kan me voorstellen dat ze het erg moeilijk hebben.'

'Ze worden tussen wanhoop en angst heen en weer geslingerd,' zei ze.

'Ze zijn kapot van het verlies van hun geliefden en zien ondertussen op het journaal dat er geweld tegen moslims wordt gepleegd en dat hun bezittingen worden vernield. Ze voelen zich iets veiliger nadat de Comisario op de televisie bekend heeft gemaakt dat er streng wordt opgetreden tegen mensen die zich tegen moslims keren en hun spullen vernielen.'

'Jij vertegenwoordigt hen,' zei Ferrera.

'Ze vertrouwen me. Ik hoor er niet bij, maar ze vertrouwen me.'

'Hoor je er niet bij?'

'Ik ben geen moslima,' zei Esperanza. 'Mijn partner heeft zich tot de islam bekeerd. Ik ken hen via hem.'

'Je partner is Miguel Botín,' zei Falcón.

'Ja,' zei ze. 'Hij wil dat ik me tot de islam bekeer, zodat we kunnen trouwen. Ik ben praktiserend katholiek en ik heb als Europeaan moeite met de manier waarop moslims vrouwen behandelen. Miguel heeft me aan alle vrouwen van de moskee voorgesteld, om me te helpen begrip voor de islam te krijgen, me te helpen van mijn vooroordelen af te komen. Maar de stap van het katholicisme naar de islam is groot.'

'Hoe heb je Miguel ontmoet?' vroeg Ferrera.

'Via een oude schoolvriend van mij,' zei Esperanza. 'Ik kwam hen een jaar geleden tegen, en daarna begonnen Miguel en ik met elkaar af te spreken.'

'Hoe heet die vriend van je?' vroeg Falcón.

'Ricardo Gamero,' zei ze. 'Hij doet iets bij de politie – ik weet niet precies wat. Hij zei dat het iets administratiefs was.'

Wat is Sevilla toch een dorp, dacht Falcón. Hij vertelde Esperanza wat ze van de vrouwen wilden en zei dat Ferrera met haar mee zou gaan om de DNA-monsters te nemen en te labelen.

'We hebben ook DNA van Miguel nodig,' zei Falcón. 'Het spijt me.'

Esperanza knikte en staarde voor zich uit. Ze had een fris, onopgesmukt gezicht. De enige juwelen die ze droeg, waren het gouden kruisje om haar nek en twee gouden oorknopjes die je alleen kon zien als ze haar zwarte licht krullende haar naar achter deed. Ze had bijna rechte wenkbrauwen, en die verraadden het eerst hoezeer het haar emotioneel aangreep; meteen daarna werden haar donkerbruine ogen vochtig. Ze gaf hen een hand en stapte uit. Falcón stelde Ferrera snel op de hoogte van de rol van Ricardo Gamero en vroeg haar uit te zoeken of Esperanza wist wat haar partner had gedaan.

'Maakt u zich geen zorgen, Inspector Jefe,' zei de voormalige non. 'Esperanza en ik herkennen elkaar. We hebben dezelfde weg bewandeld.'

De vrouwen verdwenen. Falcón zat in de airconditioningkoelte van de auto en ademde de spanning terug in zijn binnenste. Hij spelde zichzelf op de mouw dat de tijd in zijn voordeel zou werken. Hij kon op dat moment de vinger nog niet op de eventueel terroristische achtergrond van de aanslag leggen, en hij tastte ook in het duister omtrent het verleden van de imam, maar er werd vooruitgang geboekt. Hij moest zich concentreren op het vinden van het verband tussen de nep gemeente-inspecteurs en de elektriciens. Er zou heus nog wel een getuige zijn, iemand die betrouwbaarder was dan Majid Merizak en die de inspecteurs en elektriciens had gezien. Falcón belde Ferrera en vroeg haar bij de vrouwen te informeren of er in de ochtend van vrijdag 2 juni of maandag 5 juni nog iemand in de moskee was geweest.

Hij ging achter zijn laptop zitten – hij kreeg zo veel informatie dat de kans klein was dat zijn hersens alle details konden onthouden. Het eerste verzoek van de CGI aan de Juez Decano om te mogen afluisteren was ingediend en afgewezen op 27 april. Wanneer kocht Informáticalidad dat appartement? Drie maanden geleden. Hij had geen datum. Hij belde het makelaarskantoor. De overdracht had op 22 februari plaatsgevonden. Wat verwachtte hij? Waar was hij naar op zoek? Hij wilde Informáticalidad onder druk zetten. Hij vertrouwde dat bedrijf nog steeds niet, ondanks de verklaringen die de vertegenwoordigers aan de politie hadden afgelegd. Maar hij wilde niet direct zelf druk uitoefenen. Die moest uit een andere hoek komen, niet van de afdeling moordzaken. Hij wilde zien of er een reactie kwam.

Misschien kon hij iemand vinden die onlangs door Informáticalidad was ontslagen, of 'een andere baan' had gevonden. Zo'n persoon zou nog mensen van het bedrijf kennen, wellicht zelfs een van de jongens die het appartementencomplex aan de Calle Los Romeros hadden gebruikt. Hij vond de lijst die Diego Torres hem had gegeven, de directeur van P&O. Er stonden namen, adressen, huistelefoonnummers en data waarop het bedrijf was verlaten op. Hoe kon hij die mensen op dit tijdstip bereiken? Hij begon met de werknemers die het bedrijf het meest recent hadden verlaten – die zouden weleens tot na de zomer zonder werk kunnen zitten. Hij stuitte op het ene na het andere antwoordapparaat, en er zaten ook nummers tussen die niet meer in gebruik waren, maar uiteindelijk ging een telefoon langere tijd over. Een vrouw met een slaperige stem nam op. Falcón vroeg naar David Curado. Ze riep iets en gooide de telefoon neer, maar die landde zacht. Curado pakte de telefoon. Hij klonk alsof hij nog maar net op was. Falcón legde uit dat hij in een lastig parket zat.

'Prima,' zei Curado, die meteen klaarwakker was. 'Ik praat graag over die zakkenwassers.'

Curado woonde in een modern appartementencomplex in Tabladilla. Falcón kende het gebouw. Hij was er jaren geleden geweest om een gijzeling aan de andere kant van de straat te observeren. Curado kwam met ontbloot bovenlichaam naar de deur. Hij droeg een witte korte broek, zo een die tennisspeler Rafael Nadal ook draagt. Net als Nadal zag hij eruit alsof hij naar de sportschool ging. Op zijn voorhoofd stonden zweetdruppels.

In het appartement was het heet. Het meisje dat de telefoon had opgenomen, lag met de armen en benen uit elkaar in een slipje en een kort hemdje op bed. Curado bood iets te drinken aan. Falcón nam water. Het meisje kreunde en draaide zich om. Haar armen hingen slap langs het bed naar beneden.

'Ze baalt,' zei Curado. 'Als ik niets verdien, zet ik de airco overdag niet aan.'

'Davíííd,' klaagde het meisje.

'Maar goed. Nu jij er bent...' zei hij. Hij rolde met zijn ogen.

Hij stond op en zette een knop om in de stoppenkast. Er kwam een lichte mist uit de ventilatiegaten. Het meisje slaakte een orgastisch gilletje.

'Hoe lang heb je voor Informáticalidad gewerkt?' vroeg Falcón.

'Iets meer dan een jaar. Vijftien maanden, zoiets.'

'Hoe kwam je aan je baan?'

'Ik werd door hen benaderd, maar daar heb ik wel zelf voor moeten zorgen.'

'Hoe deed je dat dan?'

'Ik ging naar de kerk,' zei Curado. 'De verkopers van Informáticalidad zijn de best betaalde verkopers van de branche, en dat was niet alleen afhankelijk van commissies. Ze betaalden een goed basissalaris van tegen de veertienhonderd euro per maand, en als je hard werkte kon je dat verdrievoudigen. Toentertijd werkte ik voor dertienhonderd euro per maand, alles uit commissie. Dus begon ik links en rechts inlichtingen in te winnen. Maar vreemd genoeg wist niemand hoe dat bedrijf rekruteerde. Ik belde alle bureaus en keek in de kranten en economietijdschriften en op internet. Ik belde zelfs naar Informáticalidad zelf, maar daar wilden ze niet zeggen hoe ze rekruteerden. Ik probeerde bevriend te raken met vertegenwoordigers van Informáticalidad, maar die scheepten me af. Ik zocht uit wie hun afnemers waren, maar het maakte niet uit tegen welke prijs ik iets aanbood, ik verkocht niets. Als een bedrijf eenmaal van Informáticalidad koopt, koopt het nergens anders. Daarom kunnen ze zo'n hoog basissalaris bieden. Ze hoeven niet te concurreren. Ik probeerde bevriend te raken met mensen in de bedrijven waaraan ze verkochten. Maar het leverde allemaal niets op, tot een koper van een van deze bedrijven werd ontslagen. Híj vertelde hoe het werkt: je gaat naar de kerk en je bent geen vrouw. Aan de tweede voorwaarde voldeed ik, maar naar de kerk was ik al vijftien jaar niet geweest. Ze gebruikten drie kerken: Iglesia de la Magdalena, de Santa María La Blanca en de San Marcos. Ik kocht een zwart pak en ging naar de kerk. Een paar maanden later werd ik benaderd.'

'Dus je kreeg de baan, het salaris en een mooi appartement,' zei Falcón. 'Wat ging er mis?'

'Ze begonnen vrijwel meteen in mijn vrije tijd te snijden. We werden naar cursussen gestuurd – met verkooptrainingen en productinformatie. Dat is standaard. Alleen was het hier bijna ieder weekend raak. Dan werd je doodgegooid met bullshit over hun bedrijfsethiek en hun religie, en het viel niet altijd mee om het onderscheid tussen die twee te maken. Nog zoiets. Ze gaven je een ervaren werknemer, die er al twee of drie jaar werkte, als partner. Dat was een soort mentor. Als je pech had, en je kreeg een van die serieuze types, dan werd je met nog meer van die bullshit opgezadeld. Ik zag mensen die tegelijkertijd met mij waren gerekruteerd eenvoudigweg verdwijnen.'

'Verdwijnen?'

'Die raakten hun persoonlijkheid kwijt. Ze werden een Informáticalidad-man. Ze begonnen glazig uit hun ogen te kijken en hun hersens waren op nog maar één frequentie afgestemd. Ik kreeg er de kriebels van.' Curado leunde samenzweerderig voorover. 'Van dat, en van de afwezigheid van vrouwen op de verkoopafdeling. Ik bedoel, er was er niet één.'

'Kon jij het een beetje met je mentor vinden?'

'Met Marco? Dat was een prima kerel. Ik spreek hem nog weleens, terwijl het Informáticalidad-mannen is verboden met voormalige werknemers te spreken.'

'Waarom ben je weggegaan?'

'Niet alleen vanwege het gebrek aan vrouwen en vanwege dat hersenspoelen, maar ook omdat ze me het grote geld niet lieten verdienen,' zei Curado. 'Zoals ik al zei verkochten ze aan bedrijven zonder dat ze hoefden te concurreren, waardoor je een goed basissalaris verdiende. Maar om grote commissies te vangen, moest je nieuwe bedrijven overhalen om op de methode van Informáticalidad over te stappen. Als je daar eenmaal in was geslaagd, kreeg je commissie over alles wat aan dat bedrijf werd verkocht – alles.'

'En hoe ging dat in zijn werk?'

'Daar ben ik nooit achter gekomen. Ik ben de laagste verkopersrang nooit ontstegen. Ik had niet de juiste mentaliteit.' Terwijl hij dat zei tikte hij op zijn voorhoofd. 'Uiteindelijk werkten ze me eruit door ervoor te zorgen dat ik me verveelde. Ik vulde alleen nog maar formulieren in en deed die op de post. Ik nam bestellingen aan en stuurde die door naar "Voorraden". Op die manier werken ze je bij Informáticalidad de deur uit.'

Falcón werd gebeld door Inspector Jefe Barros.

'Ik ben onderweg naar een appartement op de Calle Butrón,' zei Barros, 'Het lijkt me verstandig als je ook komt.'

'Ik zit midden in een vraaggesprek,' zei Falcón geïrriteerd.

'Omdat Ricardo Gamero zo laat terug was van zijn lunch, heb ik iemand naar zijn appartement gestuurd. Er werd niet opengedaan. De vrouw in het appartement eronder liet hem binnen. Ze zei dat ze Gamero naar boven had zien komen, maar hem niet had zien vertrekken. Mijn agent belde mij, en ik zei tegen hem dat hij er hoe dan ook voor moest zorgen dat hij binnenkwam. Op dat moment begon de vrouw te gillen. Het appartementencomplex heeft een centrale patio. Ze had het raam geopend om naar boven te roepen. Hij hing uit zijn slaapkamerraam.'

23

Sevilla, woensdag 7 juni 2006, 16.30 uur

Marisa verliet haar appartement. Het was heet, ruim veertig graden, en voor haar het ideale tijdstip om in haar atelier te werken. Haar strakke mulattinnenhuid smachtte ernaar om lekker te zweten. Op straat liep ze in de zon en ademde ze de woestijnlucht in. De straten waren verlaten. Pas toen haar ogen aan de plotselinge schaduw van de Calle Bustos Tavera waren gewend, liep ze gemakkelijker over de kasseien. Ze sloeg het steegje naar de binnenplaats in. Het licht aan het eind was verblindend. In het felle zonlicht waren zelfs de scherpe hoeken van de gebouwen achter de boog verdwenen. Ze huiverde even, zoals altijd wanneer ze onder de boog door liep.

Aan het eind, waar de kasseien werden begrensd door de tingrijze drempel, bleef ze staan. De binnenplaats had op dit uur van de dag leeg moeten zijn. Haar intuïtie zei haar dat er iemand was. Op dat moment zag ze Inés, die halverwege de trap stond naar de ingang van haar atelier.

De woede schoot door haar heen en balde samen onder haar platte borst. Die stomme kleinburgerlijke trut, met de brave opvattinkjes uit haar bourgeois opvoeding, de zielloze bombast van haar consumentenbehoeften en de zelfingenomen bekrompen deugdzaamheid van haar magere lichaam, was nu zelfs van plan het heiligdom van haar werkplaats binnen te dringen. Marisa deed een stap achteruit, terug in de duisternis van de boog.

Toen ze de trap naar het atelier opliep, waren de onderste striemen op de achterkant van Inés' bovenbenen zichtbaar. Die mensen verdienen elkaar, dacht Marisa. Ze trekken door het leven met een absoluut vertrouwen in hun briljante controle op de hen omringende werkelijkheid, zonder ooit oog te hebben voor het kleurenspel van de illusoire zeepbel waarin ze rondzweven. Ze kunnen net zo goed dood zijn.

Marisa bood weerstand aan de verleiding de trap op te rennen, de verachtelijke vrouw bewusteloos te slaan, haar de trap af te smijten en haar schedel open te breken zodat ze met eigen ogen kon zien hoe weinig daar in zat. Mijn god, wat haatte ze mensen die uit tradities zijn voortgekomen en pronken met hun chique namen: Inés Conde de – godbetert – Tejada, achternaam en titel in één samengevoegd.

Inés bereikte de hoogste treden van de trap, zette haar handtas neer, maakte hem open en haalde er een mes met een zwart handvat uit. Het werd nog interessant ook. Kwam die bitch haar vermoorden? Had die koe met haar magere poten dan toch *cojones*? Inés kraste iets in de voordeur van haar atelier, deed een stap naar achteren en bekeek haar werk met vooruitgestoken kin. Toen stopte ze het mes terug in haar tas en liep ze de trap af. Marisa deinsde grommend achteruit en ging voor een uurtje terug naar haar appartement. Tegen de tijd dat ze terugkwam, was de binnenplaats verlaten en de hitte nog intenser. Ze rende de trap op om de boodschap van Inés te lezen. In de deur stond het voorspelbare woord gekerfd: PUTA. Hoer.

Dit moet afgelopen zijn, dacht ze. Ze moest niet hebben dat die bitch bij haar werkplaats opdook.

Het nieuws van Gamero's zelfmoord bracht Falcón zo van zijn stuk dat hij zonder veel te zeggen bij Curado wegging. Later, toen hij de stad door reed, schoten hem nog een paar gedachten te binnen en belde hij Curado op zijn mobiele telefoon.

'Heb je weleens van ene Ricardo Gamero gehoord?'

'Zou dat moeten?' vroeg hij. 'Werkte hij bij Informáticalidad?'

Misschien was dat een al te huiveringwekkende gedachte geweest.

'Ik wil graag dat je iets voor me doet, David,' zei Falcón. 'Ik wil graag dat je je oude vriend bij Informáticalidad belt, Marco...?'

'Marco Barreda.'

'Ik wil graag dat je tegen Marco Barreda zegt dat je bezoek hebt gehad van de Inspector Jefe del Grupo de Homicidios, Javier Falcón. De politieman die het onderzoek naar de aanslag in Sevilla doet. Ik wil dat je hem over ons gesprek vertelt, op een toon alsof je denkt dat hij dat wel zal willen weten. Niet sensationeel, maar zakelijk. En vertel hem wat mijn laatste vraag was.'

'Over Ricardo Gamero?'

'Precies.'

Op het moment dat Falcón op de plaats delict arriveerde, stond de Médico Forense al op de trap om het stoffelijk overschot van Ricardo Gamero aan een eerste onderzoek te onderwerpen. Het was volkomen duidelijk dat hij dood was. De CGI-agent die hem had gevonden, Paco Molero, had zijn pols gevoeld. Zelfs als Gamero de sprong uit zijn raam met het touw om zijn nek had overleefd, zou hij niet lang in leven zijn gebleven. Op de vloer lagen twaalf lege paracetamolstrips. Mochten ze hem naar het ziekenhuis hebben kunnen vervoeren om zijn maag leeg te pompen, dan zou hij waarschijnlijk in coma zijn gebleven en binnen achtenveertig uur aan insufficiëntie van de lever zijn overleden. Dit was geen poging om aandacht te trekken. Dit was een ervaren politieman die wist wat hij deed. De voordeur van het appartement zat op slot en was ook nog met de ketting afgesloten. Ook de slaapkamerdeur zat op slot, en er stond een stoel onder de deurklink.

Falcón gaf Inspector Jefe Barros een hand.

'Vreselijk, Ramón, ik vind het echt vreselijk voor je,' zei Falcón. Er was nog nooit iemand van zijn afdeling overleden, maar hij wist dat het verschrikkelijk moest zijn.

Twee verplegers wisten het lijk op de ladder te krijgen en hezen het door het slaapkamerraam omhoog. Ze legden hem op de vloer van de woonkamer. De mannen van de technische recherche gingen de slaapkamer binnen. Falcón vroeg de onderzoeksrechter toestemming het stoffelijk overschot te onderzoeken.

Gamero droeg een overhemd en een pantalon die bij een pak hoorde. Zijn portemonnee zat in zijn zak; in een andere zak zat kleingeld. Toen Falcón het lijk draaide om de achterzakken te controleren, rolde het hoofd ziekmakend makkelijk mee. In de rechterzak zat een toegangskaartje van het archeologisch museum. Falcón liet het Inspector Jefe Barros zien, bij wie de ontzetting niet van het gezicht was verdwenen. Op het toegangskaartje stond de datum van die dag.

'Hij is inwoner van Sevilla, dus hij hoeft helemaal geen kaartje te kopen,' zei Falcón.

'Misschien wilde hij zijn identiteitsbewijs niet laten zien,' zei Barros. 'Om anoniem te blijven.'

'Ontmoette hij daar informanten?'

'Het is procedure om geen vaste gewoonten te ontwikkelen.'

'Ik wil graag praten met de agent die hem heeft gevonden. Met Paco Molero.'

'Natuurlijk,' zei Barros. 'Ze waren goede vrienden.'

Paco zat met zijn gezicht in zijn handen aan de keukentafel. Falcón legde zijn hand op zijn schouder en zei wie hij was. Paco's ogen waren rood.

'Maakte je je zorgen om Ricardo?'

'Daar heb ik de tijd niet voor gekregen,' zei Paco. 'Het is logisch dat hij van streek was toen hij dacht dat bij de ontploffing een van zijn beste bronnen was omgekomen.'

'Kende je zijn informant?'

'Ik heb hem weleens gezien, maar ik kende hem niet,' zei Molero. 'Ricardo heeft me een paar keer gevraagd mee te gaan, om een oogje in het zeil te houden – een routinemaatregel om zeker te weten dat hij niet in de gaten werd gehouden of werd gevolgd.'

'Heeft hij het bureau vandaag verlaten, behalve om te gaan lunchen?'

'Nee. Hij vertrok om halftwee. Hij zou om halfvier terug zijn. Toen hij er om halfvijf nog niet was en zijn mobiele telefoon uit bleek te staan, heeft Inspector Jefe Barros me hierheen gestuurd om uit te zoeken wat er was gebeurd.'

'Hoe laat hebben jullie hem gevonden?'

'Ik was hier om tien voor vijf, dus waarschijnlijk iets na vijven.'

'Wat is er gisteren gebeurd... na de aanslag?'

'Op het moment dat het gebeurde waren we allemaal aan het werk. We belden onze informanten om af te spreken. Ricardo kon Botín niet bereiken. We kregen te horen dat we het bureau niet mochten verlaten en zijn toen de rapporten van onze laatste ontmoetingen met onze bronnen gaan zitten bijwerken. De lunch werd op het bureau bezorgd. We mochten pas om tien uur 's avonds naar huis.'

'Had je het gevoel dat Ricardo onder spanning stond, afgezien van de normale spanning?'

'Afgezien van de abnormale spanning, bedoelt u zeker?'

'Hoezo abnormaal?'

'We waren onderwerp van een onderzoek, Inspector Jefe,' zei Molero. 'We zouden een wel heel beroerde inlichtingendienst zijn als we niet zouden doorhebben dat onze eigen afdeling werd onderzocht.'

'Hoelang weten jullie dat al?'

'We denken dat ze er eind januari mee zijn begonnen.'

'Wat is er gebeurd?'

'Niets... Er veranderde alleen iets in de houding, of in de sfeer...'

'Verdachten jullie elkaar?'

'Nee, we hadden een blind vertrouwen in elkaar en we geloofden in wat we deden,' zei Molero. 'En ik zou zeggen dat uit het viertal dat zich met de islamitische dreiging bezighoudt, Ricardo het meest toegewijd was.'

'Omdat hij gelovig was?'

'U heeft uw huiswerk gedaan,' zei Molero.

'Nee, ik heb alleen net met de vrouw van zijn informant gesproken. Zij was toevallig een oude schoolgenoot van Ricardo.'

'Esperanza,' zei Molero terwijl hij knikte. 'Ze hebben samen op school en op de universiteit gezeten. Ze wilde non worden, tot ze Ricardo leerde kennen.'

'Hebben ze wat met elkaar gehad?'

'Nee. Ricardo was niet in haar geïnteresseerd.'

'Had hij een vriendin?'

'Niet dat ik weet.'

'Esperanza vertelde dat de relatie tussen Ricardo en zijn informant was gebaseerd op een wederzijds respect voor elkaars religie.'

'Religie had er ook mee te maken, ja,' zei Molero. 'Maar ze waren ook allebei tegen fanatisme. Ricardo begreep fanatici.'

'Waarom?'

'Omdat hij er zelf een was geweest,' zei Molero. Falcón knikte. 'Hij dacht dat het voortkwam uit een diep verlangen goed te doen, in combinatie met een grote bezorgdheid en een constante angst voor het kwaad. Daar kwam de haat vandaan.'

'De haat?'

'De fanaticus is in zijn diepe verlangen naar het goede, voortdurend bang voor het kwaad. Hij begint het kwaad overal in terug te zien. Wat wij als onschuldige decadentie zien, ziet de fanaticus als het bedrieglijke oprukken van het kwaad. Hij maakt zich zorgen om iedereen die het goede niet net zo geestdriftig najaagt als hijzelf. Na een tijdje krijgt hij genoeg van de pathetische zwakte van anderen en verandert zijn visie op hen: hij ziet ze niet langer als domoren die worden misleid, maar als dienaren van de duivel. Op dat moment begint hij ze te haten. Vanaf dat moment wordt hij gevaarlijk, want dan staat hij open voor extremistische ideeën.

Ricardo voerde lange gesprekken met Botín. Die vond dat er een fundamenteel verschil tussen het katholicisme en de islam is, namelijk de Schrift. De koran is de directe transcriptie van Gods woord door de profeet Mohammed. Het woord "koran" betekent recitatie. Dat is iets anders dan onze bijbel, een reeks verhalen die door opmerkelijke mannen zijn vastgelegd. Het gaat dus echt om Gods Woord zoals dat door de profeet is neergeschreven. Ricardo probeerde ons vaak te laten voorstellen wat dat voor een fanaticus betekent. De Heilige Schrift is volgens hem niet een of andere geïnspireerde tekst van een begenadigd menselijk wezen, maar Gods Woord. In zijn wanhopige verlangen naar het goede, en in zijn angst voor het kwaad, dringt de fanaticus steeds verder door in de Schrift. Hij zoekt interpretaties van de Schrift die "beter" zijn, die het goede beter benaderen. Zo werkt hij zich langzaam maar zeker in de richting van uitersten. Dat was de kracht van Ricardo. Hij was zelf een fanaticus geweest; daardoor kon hij ons inzicht geven in de ziel van de mensen tegen wie we het opnamen.'

'Maar inmiddels was hij geen fanaticus meer?' vroeg Falcón.

'Hij heeft weleens verteld dat hij op een gegeven moment het punt had bereikt waarop hij op zijn medemens ging neerkijken. Hij vond niet alleen dat ze tekortschoten, maar ook dat ze op een bepaalde manier minder menselijk waren. Het was een vorm van intense religieuze arrogantie. Hij besefte dat je, als je het punt bereikt waarop je niet langer vindt dat alle mensen gelijk zijn, minder problemen zult hebben met moord.'

'En dat punt had hij bereikt?'

'Hij is er door een priester van weggetrokken.'

'Weet je wie die priester was?'

'Hij is afgelopen september aan kanker overleden.'

'Dat moet een klap voor hem geweest zijn.'

'Dat denk ik ook,' zei Molero. 'Hij praatte er niet over. Waarschijnlijk was het te persoonlijk voor op het bureau. Hij begon harder te werken. Hij werd een man met een missie.'

'En wat was zijn missie?'

'Een terreuraanval verijdelen in plaats van te helpen de daders op te pakken nadat heel veel mensen vermoord zouden zijn. Vorig jaar juli was dan ook een rottijd voor Ricardo. De aanslagen in Londen grepen hem erg aan en aan het eind van die maand werd bij de priester kanker ontdekt. Zes weken later was hij dood.'

'Waarom grepen de aanslagen in Londen hem zo aan?'

'Hij was geschokt door het profiel van de daders. Het waren allemaal jonge Britse burgers uit de middenklasse. Ze hadden allemaal goede familiebanden, en sommigen hadden zelfs kleine kinderen. Het waren geen einzelgängers. Toen begon hij zich op de aard van fanatisme te concentreren. Hij ontwikkelde theorieën die heen en weer kaatsten tussen zijn ene vriend, de stervende priester, en de andere, de man die zich tot de islam had bekeerd.'

'Dus jij denkt dat hij deze aanslag als een persoonlijke nederlaag heeft ervaren?'

'Niet alleen de aanslag, ook de dood van Miguel Botín, met wie hij een erg hechte relatie had.'

'Hij had net een tweede verzoek ingediend om afluisterapparatuur te laten plaatsen.'

'We vonden het vreemd dat het eerste verzoek werd afgewezen. Na de aanslagen in Londen hebben we opdracht om op de geringste... wijziging binnen een gemeenschap acht te slaan. Er gebeurde in die moskee meer dan voldoende om het plaatsen van afluisterapparatuur te rechtvaardigen – volgens Ricardo's bron dan.'

'Denk je dat het onderzoek naar jullie afdeling ermee te maken had?'

'Ricardo vermoedde dat. Wij zagen daar de logica niet van in. We dachten dat hij gewoon kwaad was omdat hij zijn zin niet kreeg. Je weet hoe dat gaat: je hersens nemen een loopje met je, en plotseling zie je overal samenzweringen.'

'Hij had een toegangskaartje voor het archeologisch museum in zijn zak,' zei Falcón. 'Waarschijnlijk is hij daar tijdens zijn lunchpauze geweest. Heb je daar ideeën over?'

'Behalve dat hij daar geen kaartje voor had hoeven kopen niet, nee.'

'Kan dat van belang zijn?' vroeg Falcón. 'Was hij er de persoon naar om zoiets als een teken achter te laten?'

'Ik denk dat je er te veel waarde aan hecht.'

'Hij heeft in zijn lunchpauze iemand ontmoet, daarna heeft hij zelfmoord gepleegd,' zei Falcón. 'Vóór de ontmoeting wist hij nog niet zeker of hij het zou doen; waarom zou je die moeite nemen als je van plan bent zelfmoord te plegen? Dus iets heeft hem tíjdens die ontmoeting over het randje geduwd. Iets wat hem, in zijn emotionele verwarring, heeft doen geloven dat hij op de een of andere manier verantwoordelijk was.'

'Ik zou niet weten wie die persoon zou moeten zijn of wat hij tegen hem gezegd zou moeten hebben,' zei Molero.

'Bij welke kerk hoorde de priester met wie hij bevriend was?'

'Bij de San Marcos,' zei Molero. 'Die staat hier vlakbij, daarom is hij hier gaan wonen.'

'Bezocht hij die kerk ook nog na de dood van de priester?'

'Dat weet ik niet,' zei Molero. 'We zagen elkaar niet vaak buiten het bureau. Ik weet alleen dat het de San Marcos is omdat ik hem had aangeboden mee te gaan naar de mis die ter ere van de begrafenis van de priester werd opgedragen.'

Om te begrijpen waarom Gamero zelfmoord had gepleegd, moesten ze de persoon spreken met wie hij een ontmoeting in het archeologisch museum had gehad. Falcón vroeg Barros uit te zoeken of iemand van de antiterreurafdeling Gamero met een onbekende had gezien. Hij wilde ook de namen en telefoonnummers hebben van de mensen met wie hij vanuit het bureau had gebeld. Tegelijkertijd checkten ze zijn mobiele telefoon en zijn huistelefoon. Barros gaf hem de nummers van de twee andere agenten van de antiterreurafdeling en vertrok samen met Paco Molero. De onderzoeksrechter ondertekende de *levantamiento del cadáver*, waarna Gamero's stoffelijk overschot werd afgevoerd. Falcón en de twee mannen van de technische recherche, Felipe en Jorge, begonnen een gedetailleerd onderzoek van het appartement.

'We weten zeker dat het zelfmoord was,' zei Felipe. 'Alle deuren zaten van binnenuit op slot en de vingerafdrukken op het glas naast de paracetamolstrips komen overeen met die van het lichaam. Dus wat zoeken we precies?'

'Alles wat ons naar de persoon die hij in zijn lunchpauze heeft ontmoet kan leiden,' zei Falcón. 'Een visitekaartje, een neergekrabbeld telefoonnummer of adres, een aantekening voor een afspraak...'

Falcón zat met Gamero's portemonnee en het museumkaartje aan de keukentafel. De pezen van zijn handen gingen op en neer onder zijn ondoorzichtige rubberen handschoenen. Hij wist zeker dat hier verbanden te ontdekken moesten zijn en dat hij iets over het hoofd zag. Welk spoor ze ook volgden, het lukte niet om het grotere verhaal achter de gebeurtenissen aan het licht te brengen. Er waren bewegingen, als seismologische naschokken, die slachtoffers maakten, zoals Ricardo Gamero, een man die zich aan zijn werk wijdde en door zijn collega's werd bewonderd, een man die iets had gezien... Maar wat? Was hij verantwoordelijk, of erkende hij alleen maar dat hij had gefaald?

Hij spreidde de inhoud van Gamero's portemonnee voor zich uit. Geld, creditcards, een identiteitsbewijs, visitekaartjes van restaurants, bonnetjes van betaalautomaten – het gebruikelijke werk. Falcón belde Serrano en vroeg hem de naam en het telefoonnummer van de priester van de San Marcoskerk op te zoeken. Daarna ging hij verder met de portemonnee.

Terwijl hij de voor- en achterkant van de kaartjes en bonnetjes bekeek, bedacht hij dat Gamero aan een hoog niveau van geheimhouding gewend was. Belangrijke telefoonnummers zou hij echt niet opschrijven of in zijn mobiele telefoon zetten, maar uit zijn hoofd leren of coderen. Het was ondenkbaar dat hij op de dag van de ontploffing contact had gehad met de persoon die hij in het museum had gezien. Zijn afdeling werd in de gaten gehouden en ze waren allemaal op het bureau gehouden. Hij kon 's nachts gebeld hebben, nadat ze van hun werk weg mochten. Dan had hij waarschijnlijk met een openbare telefoon gebeld. Ze hadden alleen een kans als hij zich een telefoonnummer dat hij weinig gebruikte niet had kunnen herinneren. Hij draaide het laatste betaalautomaatbonnetje in de portemonnee om. Er stond niets op. Hij trommelde op de tafel.

'Hebben jullie al iets gevonden?'

'Nee,' zei Jorge. 'Die man werkt bij de CGI, die laat alleen iets rondslingeren als hij wil dat we het vinden.'

Falcón werd gebeld door Cristina Ferrera. Ze gaf hem de naam en het telefoonnummer van een andere Spaande bekeerling. Die zou normaalgesproken ook op het tijdstip van de ontploffing in de moskee aanwezig zijn geweest, maar hij was maandagavond naar Granada vertrokken. Inmiddels was hij terug in Sevilla. Zijn naam was José Duran.

Een paar minuten later belde Serrano terug, met de naam en het telefoonnummer van de priester van de San Marcoskerk. Falcón gebood Serrano onmiddellijk naar de Calle Butrón te komen en met Gamero's identiteitsbewijs naar het archeologisch museum te gaan om aan de kaartjesverkopers en suppoosten te vragen of ze zich konden herinneren Gamero, en iemand met wie hij een afspraak had, gezien te hebben.

De priester kon hem pas na de avondmis ontvangen, om een uur of negen. Het was inmiddels al halfzeven. Falcón kon het nauwelijks geloven: de dag was al bijna voorbij en er was geen enkele doorbraak van betekenis. Hij belde José Duran, die in de binnenstad was. Ze spraken af in Café Alicantina Vilar, een grote, drukke pastelería in het centrum.

Serrano was nog niet komen opdagen. Falcón gaf Felipe het identiteitsbewijs en besloot dat hij tijdens de avondspits te voet sneller bij de pastelería zou zijn dan met de auto. Terwijl hij ernaartoe liep, belde hij Ramírez. Hij lichtte hem in over Ricardo Gamero en liet weten dat hij Serrano een paar uurtjes van hem had geleend.

'Met die vervloekte elektriciens schiet het niet op,' zei Ramírez. 'Al die mankracht om iets te vinden wat er niet is.'

'Ze bestaan wel, José Luis,' zei Falcón. 'Ze bestaan alleen niet in de vorm waarin wij ze verwachten.'

'De hele wereld weet dat we ze zoeken, en toch melden ze zich niet. Volgens mij wil dat zeggen dat ze niet deugen.'

'Niet iedereen is een modelburger. Misschien hebben ze iets te vrezen. Waarschijnlijk willen ze er niet bij betrokken raken. Of het kan ze niet schelen. Of ze hebben er zelf iets mee te maken. We móeten ze vinden. Zij zijn de link tussen de moskee en de buitenwereld. We moeten erachter komen wat hun rol in dit scenario is. Ze waren god nog aan toe met z'n drieën. Er moet ergens iemand zijn die er iets vanaf weet.'

'We hebben een doorbraak nodig,' zei Ramírez. 'Ze hebben allemaal een doorbraak, behalve wij.'

'De grootste doorbraak komt van jou, José Luis,' zei Falcón. 'De Peugeot Partner en wat daarin zat. We moeten de druk erop houden, dan komt er vanzelf ergens iets los. En bovendien, wat stellen al die andere doorbraken nou voor?'

'Elvira heeft voor morgenochtend acht uur een vergadering belegd. Eerder kan hij niets zeggen. Maar het is internationaal. Het web wordt met het uur groter.'

'Zo gaat dat tegenwoordig,' zei Falcón. 'Herinner je je Londen? Binnen een week hielden ze verdachten aan in Pakistan. Maar ik zeg je dit, José Luis: deze zaak heeft een aspect van eigen bodem. De inlichtingendiensten zijn uitgerust om met het wereldwijde web van het internationale terrorisme te werken. Het is aan ons om uit te zoeken wat zich op ons kleine stukje grond heeft voorgedaan. Heb je het dossier gelezen van dat niet te identificeren lijk dat maandagochtend op de vuilnisstortplaats is gevonden?'

'Verdomme. Nee.'

'Het is door Pérez geschreven. Er zit ook een autopsie bij. Lees het vanavond. Dan bespreken we het morgen.'

De kelner bracht hem koffie en een kleverig gebakje met puskleurige drab erin. Hij had suiker nodig. Het zou nog een halfuur duren voordat José Duran er was, en in die tijd belde hij met Juan van het CNI, Mark Flowers van het Amerikaanse consulaat en Manuela, Comisario Elvira en Cristina Ferrera. Daarna zette hij zijn mobiele telefoon uit. Er waren te veel mensen die hem die avond wilden spreken, hij kon niet voor iedereen tijd vrijmaken.

José Duran was bleek en mager. Hij droeg een bril met ronde glazen, zijn haar plakte op zijn hoofd en hij had een donzig baardje. Deodorant was dit lichaam vreemd, en het was buiten nog steeds boven de veertig graden Celsius. Falcón bestelde kamillethee voor hem. Duran luisterde naar Falcóns samenvatting en draaide zijn baardje in een punt onder zijn kin. Hij ademde op zijn brillenglazen en veegde ze met een punt van zijn overhemd schoon. Hij nipte van zijn thee en schetste Falcón zijn wetenswaardigheden. Hij was in de voorbije week elke dag in de moskee geweest. Hij had gezien dat Hammad en Saoudi op dinsdag 30 mei met de imam in zijn kantoor stonden te praten. Hij had niet gehoord wat ze zeiden. Op vrijdag 2 juni had hij de gemeente-inspecteurs gezien.

'Waarschijnlijk waren ze van Hygiëne & Veiligheid, want ze bekeken alles: het water, de afvoerkanalen, de elektriciteit, en zelfs de kwaliteit van de deuren... Dat had iets met brand te maken. Ze zeiden tegen de imam dat hij een nieuwe stoppenkast moest hebben, maar dat hij niets hoefde te ondernemen tot hun rapport was verschenen en dat hij dan nog twee weken had om alles in orde te maken.'

'En zaterdagavond sprongen de stoppen?' vroeg Falcón.

'Dat vertelde de imam ons zondagmorgen.'

'Weet je wanneer hij de elektriciens heeft gebeld?'

'Zondagmorgen, na het ochtendgebed.'

'Hoe weet je dat?'

'Ik was in zijn kantoortje.'

'Hoe kwam hij aan hun nummer?'

'Dat had Miguel Botín hem gegeven.'

'Gaf Miguel Botín de imam het nummer?'

'Nee, hij herinnerde de imam aan een visitekaartje dat hij hem eerder had gegeven. Daarop begon de imam tussen de papieren op zijn bureau te zoeken. Toen gaf Miguel hem een nieuw kaartje en zei dat hij het nummer van de mobiele telefoon dag en nacht kon bellen.'

'En vervolgens belde de imam de elektriciens?'

'Is zo'n detail niet volkomen onzinnig in het licht van...'

'Je hebt geen idee hoe cruciaal dit detail is, José. Zeg het nou maar gewoon.'

'De imam belde hen met zijn mobiele telefoon. Ze zeiden dat ze maandagochtend langs zouden komen om de schade op te nemen en te vertellen hoeveel het zou gaan kosten. Tenminste, dat begreep ik uit de vragen die de imam stelde.'

'En was jij er maandagochtend?'

'Die vent was er om halfnegen. Hij bekeek de stoppenkast...'
'Was hij Spaans?' onderbrak Falcón.
'Ja?'
'Kun je hem beschrijven?'
'Er valt niets te beschrijven,' zei Duran terwijl zijn blik over de lege tafels en stoelen gleed. 'Hij was een gewone kerel, zo'n één meter vijfenzeventig, niet zwaar maar ook niet dun. Zijn donkere haar zat in een scheiding en hij was gladgeschoren. Er was niets opvallends aan hem. Het spijt me.'
'Je hoeft me nu niet meteen alles te vertellen,' zei Falcón. 'Denk er rustig over na en bel me als je nog iets te binnen schiet.' Hij gaf hem zijn kaartje. 'Groette de man Miguel Botín?'
Duran knipperde met zijn ogen. Daar moest hij over nadenken.
'Ik weet niet zeker of Miguel er op dat moment was.'
'En later, toen hij met de andere mannen kwam?'
'O ja, dat is waar,' zei Duran. 'Hij had hulp nodig. De imam wilde een stopcontact in de opslagkamer en daarvoor moest er vanaf het dichtstbijzijnde knooppunt een draad worden doorgetrokken. Dat was in het kantoor van de imam. Miguel zat daar met de imam. Ik geloof dat ze elkaar gedag zeiden.'
'En die andere mannen, waren dat ook Spanjaarden?'
'Nee. Ze spraken Spaans, maar het waren geen Spanjaarden. Ze kwamen uit het Oostblok. Je weet wel, Roemenië of Moldavië, een van die landen.'
'En kun je hen beschrijven?'
'Godallemachtig,' zei Duran. Hij wreef gefrustreerd met zijn handen over zijn gezicht.
'Probeer het je te herinneren, José,' zei Falcón. 'Bel me. Het is belangrijk. En heb je het nummer van de mobiele telefoon van de imam?'

24

Sevilla, woensdag 7 juni 2006, 20.30 uur

Falcón belde Inspector Jefe Barros om te horen of het appartement van Miguel Botín al was doorzocht. De CGI was er nog niet geweest. Hij belde Ramírez, gaf hem het adres van Botín en droeg hem op ernaartoe te gaan om het visitekaartje van de elektricien te zoeken. Daarna belde hij Baena, gaf hem het nummer van de imam en zei dat hij zijn telefoongegevens moest achterhalen. Hij belde Esperanza, de vriendin van Botín. Zij had hem nooit over bevriende elektriciens gehoord. Toen hij die telefoontjes gepleegd had, stond hij voor de deur van de Iglesia San Marcos. Het was nog geen negen uur. Hij luisterde zijn voicemail af om te horen of Serrano had gebeld. Dat had hij. De kaartverkopers van het museum konden zich Ricardo Gamero herinneren. Twee suppoosten hadden hem door de zalen zien lopen zonder de tentoonstelling een blik waardig te keuren. Een derde suppoost had Gamero een minuut of twintig met een man van in de zestig zien praten. Die suppoost was nu op de Jefatura om met een tekenaar van de politie een compositie van de oudere man samen te stellen.

Pastoor Román was begin veertig. Hij droeg geen kerkelijk gewaad maar een gewoon donker pak, het jasje over de arm. Hij stond in het schip van het bakstenen interieur van de kerk met twee in het zwart geklede vrouwen te praten. Toen hij Falcón zag, excuseerde hij zich en liep naar hem toe. Hij gaf hem een hand en ging hem voor naar zijn werkkamer.

'U ziet er moe uit, Inspector Jefe,' zei hij terwijl hij aan zijn bureau ging zitten.

'De eerste dagen na zoiets als dit zijn altijd de langste,' zei Falcón.

'Sinds dinsdagochtend komen er twee keer zo veel mensen als gewoonlijk in mijn kerk,' zei pastoor Román. 'Het aantal jongeren onder hen is verrassend groot. Ze zijn in de war. Ze weten niet hoelang dit gaat duren of hoe er een eind aan gemaakt kan worden.'

'Dat geldt niet alleen voor jonge mensen,' zei Falcón. 'Maar, het spijt me, eerwaarde, ik heb haast.'

'Natuurlijk, dat begrijp ik.'

'U weet misschien dat een van uw parochieleden vandaag zelfmoord heeft gepleegd – Ricardo Gamero. Kende u hem?'

Het nieuws had zo'n impact op pastoor Román dat hij met zijn ogen knipperde. Hij was met stomheid geslagen.

'Het spijt me dat ik het u niet wat omzichtiger kan vertellen,' zei Falcón. 'Hij heeft zich vanmorgen van het leven beroofd. Blijkbaar kende u hem. Ik heb begrepen dat hij erg...'

'Ik heb hem leren kennen toen mijn voorganger ziek werd,' zei pastoor Román. 'Zij hadden een zeer hechte band. Mijn voorganger had hem geholpen een aantal kwesties met betrekking tot zijn geloof op te lossen.'

'Hoe goed kende ú Ricardo?'

'Hij wekte niet de indruk met mij een zelfde soort relatie te willen opbouwen als hij met mijn voorganger had gehad.'

'Wist u welke geloofskwesties in die relatie werden besproken?'

'Dat was iets tussen hen. Ricardo heeft het er met mij nooit over gehad.'

'Wanneer heeft u Ricardo voor het laatst gezien?'

'Hij was hier tijdens de mis op zondag, zoals altijd.'

'En sindsdien heeft u hem niet meer gezien?'

Pastoor Román zweeg. Hij zag eruit alsof hij tegen een misselijkmakend verdriet vocht.

'Neemt u mij niet kwalijk,' zei hij, zichzelf weer meester. 'Ik probeerde me de laatste keer dat ik hem sprak voor de geest te halen, en me te herinneren of er een aanwijzing was dat hij nog steeds zo onder zijn problemen leed als in de tijd van mijn voorganger.'

'U heeft hem toch niet toevallig vandaag gezien, eerwaarde?'

'Nee, nee, vandaag niet,' zei hij verward.

'Heeft u weleens van het bedrijf Informáticalidad gehoord?' vroeg Falcón.

'Zou dat dan moeten?' vroeg pastoor Román met gefronste wenkbrauwen.

'Ze rekruteren nogal actief onder uw parochianen,' zei Falcón. 'Gebeurt dat buiten uw medeweten?'

'Neemt u mij niet kwalijk, Inspector Jefe, maar dit gesprek heeft een wending genomen die ik verwarrend vind. U koestert blijkbaar verdenkingen, maar waarvan verdenkt u hen?'

'Het is beter dat u gewoon antwoord op de vragen geeft dan dat u probeert te begrijpen waar ze over gaan,' zei Falcón. 'De situatie is erg gecompliceerd. Heeft u ooit een man ontmoet die Diego Torres heet?'

'Dat is een naam die veel voorkomt.'

'Ja, maar deze Torres is wel hoofd P&O van Informáticalidad.'

'Ik weet niet altijd wat het beroep van mijn parochianen is.'

'Maar er is wel iemand met die naam die in deze kerk komt?'

'Ja,' bracht pastoor Román er met moeite uit.

Falcón somde de bestuursleden van Informáticalidad op. Vier van de tien behoorden tot de parochie van pastoor Román.

'Kunt u mij vertellen wat hier precies speelt?' vroeg Falcón.

'Er "speelt" hier niets,' zei pastoor Román. 'Wat kan ik er aan doen als dit bedrijf, zoals u beweert, mijn kerk als informeel rekruteringsbureau gebruikt? Het ligt in de aard der mensen dat ze elkaar in een kerk ontmoeten en dat daar sociale contacten uit voortvloeien. Het is goed mogelijk dat die tot uitnodigingen leiden en ik kan me voorstellen dat er banen worden aangeboden. Dat de invloed van de Kerk op de samenleving afneemt, wil niet zeggen dat er geen kerken zijn die functioneren zoals dat vroeger gebruikelijk was.'

Falcón knikte. Nu hij eindelijk een verband had gevonden was hij zo enthousiast geworden dat hij zich had vergaloppeerd – het verband was vooralsnog te vaag.

'Wist u wat het beroep van Ricardo Gamero was?'

'Mijn voorganger heeft me verteld dat hij bij de politie werkt, maar ik heb geen idee wat hij daar doet of, eigenlijk, deed. Zat hij bij uw afdeling?'

'Hij was een agent van de CGI, in het bijzonder van de antiterreureenheid,' zei Falcón. 'Islamitische terreur.'

'Ik neem aan dat hij daar met weinig mensen over sprak,' zei pastoor Román.

'Heeft u misschien gezien dat hij omging met een van de werknemers van Informáticalidad die ik net opsomde?'

'Ik ben ervan overtuigd dat dat het geval was. Na de mis gaan de mensen naar de twee cafés om de hoek. Ze zoeken elkaar op.'

'Heeft u ze regelmatig zien samenkomen?'

Pastoor Román schudde zijn hoofd.

Falcón leunde achterover. Hij had meer munitie nodig voor dit gesprek. Bovendien was hij moe. Hij had het gevoel dat hij een maand geleden naar Casablanca op en neer was gevlogen. Hij beleefde zowel zijn eigen ontdekkingen als die van het netwerk van gelijktijdig uitgevoerde onderzoeken in Spanje, Europa en de rest van de wereld, met een krankzinnige hoeveelheid manuren, zo intens, dat uren als dagen aanvoelden.

'Wist u dat Informáticalidad behalve uw kerk nog twee andere kerken in de oude stad voor dit doel gebruikte?'

'Moet u horen, Inspector Jefe, het is best mogelijk dat dit bedrijf zonder het uit te spreken als personeelsbeleid heeft dat het alleen praktiserende katholieken aanneemt. Ik ben er niet van op de hoogte. Ik geloof dat je vandaag de dag niet aan een rekruteringsbureau mag vragen of ze voor je willen discrimineren. Dus hoe zou u dat dan aanpakken?'

'Ze hebben inderdaad een onuitgesproken personeelsbeleid,' zei Falcón. 'Ze nemen geen vrouwen aan. Wat dat betreft verschillen ze niet van de katholieke Kerk.'

Terwijl Falcón terugliep naar zijn auto belde hij Ramírez, die nog bezig was met het doorzoeken van het appartement van Miguel Botín.

'We komen geen steek verder,' zei Ramírez. 'Ik weet niet wat er aan de hand is, maar het is zonneklaar dat iemand ons is voor geweest. Het is hier een beetje te netjes. We hebben alles overhoop gehaald en beginnen nu met zijn boekenkast.'

'Ik heb een getuige die heeft gezien dat hij de imam een visitekaartje gaf.'

'Misschien zitten die nog in zijn zak, onder het puin.'

'Hoe zag de rampplek eruit toen jij daar voor het laatst was?'

'Het grove werk zit erop. De hijskraan is weg. Ze werken nu met de hand, er staan nog maar een paar kiepauto's. Ze hebben er een omheining met doek omheen gezet, zodat de rest van het puin is afgeschermd. Er staan een stuk of zes teams van de technische recherche klaar om naar binnen te gaan. Ze denken dat ze morgenmiddag om twaalf uur de moskee in kunnen.'

'Stuur als jullie klaar zijn met het appartement van Botín iedereen naar huis om wat te slapen,' zei Falcón. 'Morgen wordt het weer een zware dag. Hebben jullie Juez Calderón gezien?'

'Alleen op tv,' zei Ramírez. 'Hij heeft een persconferentie gegeven met Comisario Lobo en Comisario Elvira.'

'Hebben ze iets gezegd wat ik moet weten?'

'Als Juez Calderón er genoeg van heeft rechter te zijn, kan hij altijd nog presentator van een praatprogramma worden.'

'Dus hij wekte de indruk alles te vertellen, terwijl dat niet het geval was?'

'Precies,' zei Ramírez. 'En hoewel we vandaag geen stap verder zijn gekomen, kreeg hij het voor elkaar om ons als helden af te schilderen.'

Op weg naar huis was het spookachtig stil. Het liep tegen tienen – de straten zouden vol mensen moeten zijn, de bars afgeladen. Veel gelegenheden waren gesloten. Er was zo weinig verkeer dat Falcón dwars door de binnenstad reed. Onder de bomen op Plaza del Museo hingen maar een paar jongeren rond. De stemming was somber en in de smalle straatjes hing een angstige spanning.

Onderzoek van zijn ijskast wees uit dat er wat gebakken garnalen en een vers stuk zwaardvis waren. Hij at de garnalen met mayonaise en dronk een flesje bier. Daarna bakte hij de vis, kneep er een limoen boven uit en schonk een glas witte rioja in. Terwijl hij at liet hij de details van de dag de revue passeren. In gedachten herhaalde hij het gesprek met pastoor Román. Had de priester geprobeerd de zonde van de leugen te vermijden door niet alles te vertellen wat hij wist, uitvluchten te zoeken en vragen te ontwijken? Dat gevoel had hij wel. Hij schonk nog een glas wijn in, duwde zijn bord van zich af en vouwde zijn armen over elkaar. Hij verzonk juist in gedachten over de belangrijkste gebeurtenis van die dag – de zelfmoord van Ricardo Gamero – toen zijn eerste bezoeker arriveerde.

Pablo kwam niet voor de gezelligheid. Hij sloeg een biertje af en ze liepen meteen door naar Falcóns werkkamer.

'Voordat je vanmorgen in het vliegtuig in slaap viel, zei je dat Yacoub een aantal voorwaarden heeft gesteld,' zei Pablo.

'De eerste voorwaarde is dat hij alleen met mij te maken krijgt en alleen met mij spreekt,' zei Falcón. 'Hij wil geen andere agenten ontmoeten en alleen door mij gebeld worden.'

'Dat is op zich gebruikelijk,' zei Pablo, 'ware het niet dat jullie natuurlijk wel in verschillende landen wonen. Ik licht je later wel in over de communicatieprocedures, maar het contact zal niet echt één op één zijn. Dat zou wel erg veel druk op jou leggen.'

'Hij zegt bovendien dat hij zich niet voor de rest van zijn leven committeert,' zei Falcón.

'Dat is begrijpelijk,' zei Pablo. 'Maar je moet wel weten dat spionage op sommige mensen een verslavende uitwerking heeft.'

'Zoals bij Juan,' zei Falcón. 'Hij lijkt me een man met geheimen. Alsof hij twee gezinnen heeft die niet van elkaars bestaan afweten.'

'Dat klopt. Hij heeft een vrouw en twee kinderen, en hij heeft het CNI, en ze weten niets van elkaar. Ga verder met de voorwaarden.'

'Yacoub geeft ons geen inlichtingen die het leven van familieleden in gevaar kunnen brengen,' zei Falcón.

'Dat was te verwachten,' zei Pablo. 'Maar verdenkt hij dan mensen uit zijn familie?'

'Hij zegt van niet. Maar het zijn allemaal vrome moslims en ze leiden een heel ander leven dan hijzelf. Het kan zijn dat hij ontdekt dat ze ergens bij betrokken zijn of raken, en in dat geval zal hij geen instrument van hun ondergang zijn. Die mensen hebben hem volledig als een van hen geaccepteerd en hij zal ze nooit verraden.'

'Verder nog iets?' vroeg Pablo.

'Iets waar ikzelf mee zit: Yacoub is totaal niet voor dit werk getraind.'

'Dat geldt voor de meeste spionnen. Ze zitten eenvoudigweg op een positie waar informatie naartoe stroomt.'

'Je doet het wel erg gemakkelijk voorkomen.'

'Het is alleen gevaarlijk als je onvoorzichtig bent.'

Om Pablo's briefing over de communicatiemethoden met Yacoub in zich op te kunnen nemen, moest Falcón zijn concentratievermogen flink opschroeven. Hij kreeg hem zo ver dat hij het hele verhaal terugbracht tot de grondslagen, die hierop neerkwamen: het contact zou per e-mail verlopen, waarvoor ze een beveiligde website van het CNI zouden gebruiken; Falcón en Diouri zouden twee verschillende types coderingssoftware op hun computer zetten; de e-mails zouden eerst naar de website van het CNI gaan, opnieuw gecodeerd worden, en dan worden doorgestuurd. Vanzelfsprekend zou het CNI alle e-mails zien en aanbevelingen doen over de te ondernemen actie. Falcón hoefde die avond alleen maar naar Yacoub te bellen en tegen hem te zeggen dat hij ergens in Rabat een paar boeken moest ophalen. In deze boeken kon Yacoub alle informatie vinden die hij nodig had. Falcón belde, zei dat hij moe was en hield het kort.

'We moeten hem zo snel mogelijk aan het werk zien te krijgen,' zei Pablo. 'Het gaat allemaal heel snel.'

'Wat is "het"?'

'Het spel. Het plan. De operatie. We weten het niet precies. We weten alleen dat het aantal gecodeerde e-mails sinds de ontploffing van gisteren is vervijfvoudigd.'

'En hoeveel van die gecodeerde e-mails kunnen jullie lezen?'

'Niet veel.'

'Dus jullie hebben de code van de koran die we in de Peugeot Partner hebben gevonden nog niet gekraakt?'

'Nog niet, nee. Maar we hebben er de beste wiskundigen van de wereld op gezet.'

'En wat maakt het CNI van de zelfmoord van Ricardo Gamero?' vroeg Falcón.

'Het is natuurlijk onvermijdelijk dat we hem ervan verdenken dat hij het lek was,' zei Pablo. 'Maar meer dan een theorie is dat niet. We proberen die met logica te staven.'

'Dat zou betekenen dat hij informatie aan een islamitische terreurbeweging doorgaf. Met wat ik van hem weet, kan ik me dat niet goed voorstellen.'

'Oké, maar hoe zit het met Miguel Botín? Wat weet je van hem?'

'Dat zijn broer is verminkt bij de treinaanslagen in Madrid, wat eerder een reden zou zijn iets tégen moslimterreur te doen,' zei Falcón. 'Dat zijn vriendin, een schoolvriendin van Gamero, vroom katholiek is gebleven en tot nog toe niet van zins lijkt zich tot de islam te bekeren. En Botín heeft de imam achtervolgd en hem gefotografeerd in het bijzijn van Hammad en Saoudi en de andere twee, onbekende, mannen, en die foto's heeft hij aan de CGI overhandigd. En hij heeft er bij Gamero op aangedrongen om afluisterapparatuur in het kantoor van de imam te plaatsen. Dat is het wel zo'n beetje.'

'Dat klinkt niet als een veelbelovende terreurkandidaat, nietwaar?'

'Hebben jullie Botíns appartement doorzocht?' vroeg Falcón.

Pablo krabde zijn knie en knikte.

'Wat hebben jullie daar gevonden?'

'Dat kan ik niet zeggen.'

'Hebben jullie iets aangetroffen waaruit jullie opmaken dat Botín voor de terroristen werkte terwijl hij voor Gamero bezig was?'

Pablo haalde zijn schouders op. 'Daar lijkt het wel op, Javier. Maar het is net een spiegeldoolhof. We moeten onze waarnemingen voortdurend bijstellen.'

'Jullie hebben nog een koran vol aantekeningen gevonden, of niet soms?' vroeg Falcón. Hij leunde achterover in zijn stoel. Het duizelde hem. 'Wat betekent dat in godsnaam?'

'Dat betekent dat je met niemand over dit gesprek mag praten,' zei Pablo. 'Het betekent dat we zo snel mogelijk een contraspionagenetwerk moeten opzetten en activeren.'

'Maar het betekent ook dat Miguel Botín de CGI informatie heeft voorgeschoteld in opdracht van de terroristen – wie dat ook mogen zijn. Die informatie stelde de imam, Hammad en Saoudi en alles wat er in de moskee werd gepland in een kwaad daglicht.'

'We winnen nog steeds inlichtingen in,' zei Pablo.

'Zijn ze opgeofferd?' vroeg Falcón. Het irriteerde hem mateloos dat hij er niet in slaagde deze nieuwe ontwikkeling te doorgronden.

'Ten eerste leven we in een tijdperk van zelfmoordaanslagen,' zei Pablo. 'Het is in de mode. Ten tweede zijn er voor het hogere doel van een missie altijd overal ter wereld agenten door inlichtingendiensten opgeofferd. Dat is niets nieuws.'

'Dus ze zijn vermoord door die elektriciens, en de imam heeft hun kaartje van Miguel Botín gekregen? Dan zijn die elektriciens door de leiding van Miguel Botíns terreurbeweging naar het gebouw gestuurd om daar een bom te laten ontploffen. Dat is te bizar voor woorden.'

'Het staat allemaal nog lang niet vast,' zei Pablo. 'Maar jij weet ook dat niet iedereen die een zelfmoordaanslag pleegt, dat zelf weet. Sommigen krijgen alleen te horen dat ze ergens een auto naartoe moeten brengen, of een rugzak in een trein moeten laten staan. Botín wist alleen dat hij de imam het kaartje van die elektriciens moest geven. Wij moeten erachter zien te komen wie hem die opdracht gaf.'

'Zitten we onze tijd te verdoen?' vroeg Falcón. 'Vindt dit onderzoek alleen maar voor de show plaats, omdat ongeacht welke terroristengroep heeft besloten zijn missie voortijdig af te breken en ieder mogelijk spoor naar hun netwerk op te blazen?'

'We zijn nog steeds heel nieuwsgierig wat we in de moskee aantreffen,' zei Pablo. 'En we zijn erop gebrand Yacoub in te zetten.'

'En hoe weten jullie dan dat Yacoub de juiste groep benadert?' vroeg Falcón. Het was zo frustrerend dat hij er nijdig van werd.

'Daar hebben we alle vertrouwen in omdat we de informatie van een betrouwbare politieke gevangene hebben. Die informatie is ook nog eens geverifieerd door de Engelsen die in Rabat actief zijn,' zei Pablo.

'Wat is dat voor een groep?'

'De GICM,' zei Pablo. 'Dat is de Groupe Islamique de Combattants Marocains, ofwel de Islamitische Beweging van Marokkaanse Strijders. Ze zijn ook met de aanslagen in Casablanca, Madrid en Londen in verband gebracht. We hebben dit niet gisteren verzonnen, Javier. Het is niet zomaar de moeite van het proberen waard. Er is maanden werk van inlichtingendiensten aan vooraf gegaan.'

Niet lang daarna vertrok Pablo. Hun gesprek deprimeerde Falcón. Het zag ernaar uit dat al die manuren die zijn afdeling in het onderzoek had gestopt, pure tijdverspilling waren geweest. Tegelijkertijd bevatte Pablo's verhaal lacunes die hem nerveus maakten. Iedere groep die bij het onderzoek was betrokken leek het meeste geloof te hechten aan de informatie die hij zelf aan het licht had gebracht. Het CNI geloofde in de koran met de aantekeningen omdat de Engelse inlichtingendienst had ontdekt dat het *Boek der bewijzen* een codeboek was, en dat kleurde alles wat zij zagen. Pablo hechtte geen waarde aan het feit dat de getuige in de moskee, José Duran, de elektricien en zijn werknemers als een Spanjaard en twee Oost-Europeanen had omschreven. Aan de andere kant: misschien waren de plegers van de Madrileense aanslagen wel door plaatselijke Spaanse kleine criminelen van explosieven voorzien. En hoe moeilijk is het om ergens een bom achter te laten? Je hoeft er alleen maar een beetje voorzichtig en behoorlijk gestoord voor te zijn.

Na de persconferentie op TVE met Comisario Lobo en Comisario Elvira had Juez Calderón een taxi naar Canal Sur genomen. Daar doften ze hem op en werd hij voor een rondetafelgesprek over moslimterreur naar een studio gebracht. Hij was de man die de actualiteit van nabij kende, en de vrouw die het programma leidde, betrok hem onmiddellijk in de discussie. De rest van het programma controleerde hij soeverein met een combinatie van scherpzinnige en zaakkundige beschouwingen en humor, en even meedogenloze als gevatte opmerkingen die hij voor de zogenaamde veiligheidsdeskundigen en terrorisme-experts reserveerde.

Daarna werd hij mee uit eten genomen door een aantal bonzen van Canal Surs actualiteitenafdeling en de presentatrice van het programma. Ze onderhielden hem anderhalf uur met eten, drinken en complimentjes, waarna hij achterbleef met de presentatrice, die liet blijken dat het gesprek in een meer comfortabele omgeving kon worden voortgezet. Voor de verandering ging Calderón daar niet op in. Hij was moe. Er lag nóg een lange dag in het verschiet, en – belangrijker dan dat – hij wist zeker dat Marisa een betere wip was.

Calderón zat in het midden van de achterbank van de limousine van

Canal Sur. Hij voelde zich een held. Sinds zijn televisieoptredens racete de endorfine door zijn hoofd. Hij had het gevoel dat de wereld aan zijn voeten lag. Het nachtelijke Sevilla dat aan hem voorbijtrok werd hem een beetje te klein. Hij stelde zich voor hoe het moest zijn om zo veel succes te hebben in een stad als New York, waar ze pas echt weten hoe je een man het gevoel geeft dat hij belangrijk is.

De limousine zette hem om kwart voor één af voor de San Marcoskerk en voor deze ene keer nam hij niet de gebruikelijke korte route achterom, maar wandelde langs de bars aan de andere kant: hij hoopte dat daar vrienden van Inés zouden zitten die hem zouden aanspreken om hem te feliciteren. Hij was echt geweldig geweest. Maar de bars waren al dicht. Het was Calderón in zijn geëxalteerde toestand ontgaan hoe stil het in de stad was.

In de lift omhoog wist hij dat hij alleen zou kunnen slapen na een heftige, krankzinnige neukpartij met Marisa, buiten op het balkon of in de hal, in de lift naar beneden of buiten op straat. Hij was zo uitgelaten dat hij iedereen wilde laten zien wat hij deed.

Marisa had tv gekeken en zich te pletter verveeld. Ze wist dat de persconferentie om Esteban draaide en dat alle vragen van de journalisten voor hem waren. Ze kon ook zien dat hij het rondetafelgesprek beheerste. Ze zag ook dat de presentatrice een moord zou doen om hem de koffer in te krijgen, maar al het gezwam had haar in een vegetatieve stemming gebracht. Waarom moesten westerlingen zo veel drukte maken en dingen dood praten zonder dat ze daar ook maar iets mee opschoten? Toen snapte ze het. Dat was wat haar aan westerlingen stoorde. Ze beoordeelden altijd alles op de buitenkant, omdat dat gecontroleerd en gemeten kon worden. Ze disten leugens op om elkaar er vervolgens mee te feliciteren dat 'ze de situatie meester waren'. Daarom verveelden blanken haar. Ze interesseerden zich alleen voor de oppervlakte. De vraag die ze haar in Amerika het vaakst hadden gesteld, was: 'Wat spook je de hele dag uit, Marisa?' In Afrika werd die vraag nooit gesteld – en een andere trouwens ook niet. Door naar het leven te vrágen, leef je het nog niet.

Vanaf haar balkon zag ze Calderón aankomen. Ze zag zijn kwieke tred, zijn kleine voorbereidingen. Toen hij zoals gebruikelijk 'Ik ben het!' in de intercom zei, antwoordde ze: 'Mijn held.'

Hij stormde binnen als een publieksspeler, de armen omhoog, wachtend op applaus. Hij trok haar naar zich toe en kuste haar, waarbij hij zijn tong door de barrière van haar tanden duwde – hetgeen haar tegenstond. Hun kussen kwamen zelden verder dan de lippen.

Het was overduidelijk dat hij nog op de top van de mediagolf zat. Ze liet zich meetrekken naar het balkon, waar ze seks hadden. Terwijl hij haar bij haar heupen hield en naar de sterren keek, dacht hij aan nog grotere glorie. Zij deed mee door aan de reling te hangen en de geschikte geluidjes te maken.

Toen hij klaar was, was hij emotioneel en lichamelijk leeggezogen, als iemand die uit een cokeroes ontwaakt. Ze slaagde erin hem het bed in te loodsen en zijn schoenen uit te doen voor hij, om kwart over één, in een diepe slaap viel. Ze boog zich over hem heen, een sigaret in de hand, en vroeg zich af of ze over een paar uur in staat zou zijn hem wakker te krijgen.

Ze waste zich op het bidet, haar rechteroog dichtgeknepen om het te beschermen tegen de rook van haar sigaret. Ze ging op de sofa liggen en liet de tijd doen waar de tijd goed in is. Om drie uur probeerde ze hem wakker te maken, maar hij was volkomen buiten westen. Ze hield een aansteker bij zijn voet. Hij kromp ineen en trapte naar haar. Het duurde even voordat hij bij zijn positieven was. Hij had geen idee waar hij was. Ze legde hem uit dat hij naar huis moest, dat hij vroeg moest beginnen, dat hij schone kleren aan moest.

Om vijf voor halfvier belde ze een taxi. Ze trok zijn schoenen aan, hielp hem overeind, stak zijn armen in zijn jasje en drukte op de knop van de lift. Ze bleef buiten met hem staan wachten. Zijn hoofd zakte naar beneden en viel op zijn borst en op haar schouder. De taxi kwam iets na halfvier. Ze zette hem op de achterbank en gaf de chauffeur opdracht hem naar de Calle San Vicente te brengen. Ze zei dat hij doodop was en dat hij het onderzoek naar de aanslag in Sevilla leidde, wat de chauffeur het gevoel gaf dat hij een man met een missie was. Hij wimpelde haar tien eurobiljet weg. Voor deze man deed hij het gratis. De taxi trok op. Calderóns hoofd rustte half op de hoedenplank. In het gelige straatlicht zag hij eruit alsof hij dood was. Onder zijn halfgesloten oogleden was nog net oogwit zichtbaar.

Sevilla was zo goed als uitgestorven en het was vroeg in de ochtend, dus er was nauwelijks verkeer. De taxi was dan ook in iets minder dan tien minuten op de Calle San Vicente. Nadat hij eerst een tijdje op hem had ingepraat, boog de chauffeur over de achterbank en trok Calderón letterlijk de straat op. Hij begeleidde hem naar de deur van het gebouw en besefte dat hij hem helemaal naar boven zou moeten brengen. Ze slaagden erin de voordeur door te komen en stonden in de hal.

'Is er licht?' vroeg de chauffeur.

Calderón sloeg op de muur. Het licht in de gang sprong aan en de timer begon te tikken. De chauffeur ondersteunde hem op de trap naar boven.

'Hier is het,' zei Calderón op de eerste verdieping.

De chauffeur maakte de twee sloten op de voordeur van het appartement open. Daarna gaf hij de sleutels aan Calderón terug.

'Lukt het verder?' vroeg hij, terwijl hij in de wazige ogen van de rechter keek.

'Ja, zo is het prima. Het gaat goed, bedankt,' zei hij.

'U doet geweldig werk,' zei de chauffeur. 'Ik zag u op de tv voordat mijn dienst begon.'

Calderón sloeg hem op de schouder. De chauffeur liep de trap af en het licht in de hal ging met een luide tik uit. De taxi startte en reed weg. Calderón rolde de drempel over, het appartement in. Het licht in de keuken brandde. Hij deed de deur dicht en leunde er even tegen. Moe als hij was, zijn oogleden loodzwaar, klemde hij van irritatie zijn kaken op elkaar.

25

Sevilla, donderdag 8 juni 2006, 04.07 uur

Calderón kwam met een schok bij zijn positieven, waarbij zijn hoofd tegen de muur sloeg. Zijn gezicht had op de houten vloer gelegen en hij had de geur van een of ander poetsmiddel in zijn neus. Zijn ogen gingen meteen wijd open en hij was onmiddellijk klaarwakker, alsof er in zijn directe nabijheid gevaar dreigde. Hij droeg dezelfde kleren als de vorige dag. Waarom lag hij in de gang van zijn appartement? Was hij zo uitgeput geweest dat hij letterlijk in slaap was gevallen? Hij keek op zijn horloge: het was iets na vieren. Hij had maar een minuut of tien geslapen. Hij snapte er niets van. Hij herinnerde zich dat hij thuis was gekomen en dat het licht in de keuken had gebrand. Het was nog steeds aan, maar hij lag nu verderop in het appartement, dat pikdonker was, en ijskoud van de airco. Hij kwam met moeite overeind en betastte zichzelf. Het deed nergens pijn, hij had zelfs zijn hoofd niet gestoten. Waarschijnlijk had hij houvast bij de muur gezocht.

'Inés,' riep hij, vanwege het licht in de keuken.

Calderón bewoog zijn schouders naar achteren. Hij was stijf. Hij stapte de parallellogram van licht op de gangvloer in. Eerst zag hij het bloed, een enorme uitdijende karmozijnrode plas op het witte marmer. Onder het fel witte licht was de kleur echt angstaanjagend. Hij deed een stap naar achteren, alsof hij verwachtte dat er nog steeds een insluiper was. Hij maakte zich klein en zag haar tussen de stoel en de tafel door. Hij besefte meteen dat ze dood was. Haar ogen stonden wijd open, zonder ook maar een sprankje licht erin.

Het bloed was naar de rechterkant van de tafel gestroomd en er voor een deel onder gelopen. Het was kleverig en leek door de tafel- en stoelpoten opgezogen te worden. Het was zo afschuwelijk helder dat hij het gevoel had dat het klopte, alsof er nog steeds leven in zat. Calderón kroop op handen en voeten naar de linkerkant van de tafel, waar Inés' voet voor het aanrecht lag, slap en naar buiten gekeerd. Haar nachtjapon was verkreukeld. Zijn ogen gleden over haar witte benen en witte katoenen onderbroek. Daarboven begonnen de blauwe plekken. Hij had ze nog niet gezien. Hij had er geen flauw idee van dat zijn vuisten zo'n afschuwwekkend, zichtbaar letsel hadden aangericht. En op dat moment schoot het door zijn hoofd dat hij ze misschien tóch eerder had gezien. Zijn hele lijf werd plotseling verteerd door een herinnering aan paniek. Zijn keel werd dichtgeknepen en de bloedtoevoer naar zijn hersens werd afgesloten. Hij zakte op zijn knieën en greep zijn hoofd.

Hij kroop achterstevoren de keuken uit en kwam in de gang overeind. Hij liep snel naar buiten, waarvoor hij de voordeur van het slot moest doen. Hij sloeg de verlichting in het trappenhuis aan, keek om zich heen en liep weer naar binnen. Het licht in de keuken brandde nog steeds. Inés lag er nog steeds op de vloer. Het bloed kroop nu over de tegels vlak bij de houten vloer van de gang. Hij duwde de muis van zijn handen in zijn oogkassen en trok ze weer weg, maar het maakte niets uit, het weerzinwekkende beeld voor hem was hetzelfde gebleven. Hij zakte weer op handen en voeten.

'Kutwijf,' zei hij. 'Stom kutwijf. Heb je nou je zin?'

Het schreeuwend helderrode bloed werd weerkaatst in de harde keuken. Daar kwam bij dat het bewoog, het vrat het witte marmer aan en strekte zijn klauwen naar hem uit. Hij liep om de tafel heen. Het leek alsof de afschuwelijke paarse kneuzingen dieper van kleur waren geworden. Of werden zijn ogen belazerd doordat hij steeds in en uit het licht liep? Tussen haar gespreide dijen zag hij nu de striemen van zijn riemslagen. Hij zakte weer op zijn knieën, drukte zijn vuisten tegen zijn ogen en begon te snikken. Het was voorbij. Het was over en uit. Het was met hem gedaan, gedaan, gedaan. Het zou zelfs de meest incompetente rechter lukken een waterdichte zaak tegen hem op te bouwen. Een man die zijn vrouw sloeg, was een stapje te ver gegaan. Een man die zijn vrouw sloeg en net van een neukpartij met zijn minnares was teruggekomen, had weer ruzie gekregen. En deze keer... O, zeker, misschien was het per ongeluk gebeurd. Was het per ongeluk gebeurd? Waarschijnlijk wel. Maar hij was te ver gegaan. Hij had die rotkop van haar kapotgeramd. Hij sloeg met zijn vuisten op de tafel.

Zo snel als het was gekomen, vertrok het weer. Calderón zakte terug op zijn hakken en merkte dat de verschrikkelijke paniek was verdwenen. Hij had ze weer op een rijtje. In ieder geval had hij het gevóel dat hij ze weer op een rijtje had. Alleen kon hij de aard van de door de paniek aangerichte schade zelf niet inschatten. De elektronische wegen naar de zwakke plekken in zijn karakter waren geopend. Zelf was hij er echter van overtuigd dat zijn hersens weer zo glashelder functioneerden zoals de hersens van de hoogste rechter van Sevilla betaamt. En omdat er geen vrieskist was, zag hij maar één oplossing: ze moest het appartement uit, en wel onmiddellijk, want over een uur zou het licht worden.

Het gewicht was geen probleem. Inés woog nog maar achtenveertig kilo. Haar lengte, 1.72 meter, was lastiger. Hij rende om de tafel heen naar de logeerkamer, waar de koffers stonden. Hij trok de grootste koffer, een enorme grijze Samsonite met vier wieltjes, en twee witte handdoeken uit de kast.

Om te voorkomen dat het bloed naar de gang stroomde, legde hij één handdoek op de keukenvloer. De andere wikkelde hij om Inés' hoofd. Het scheelde weinig of hij gaf over. De achterkant van haar hoofd was een platte brei, en het bloed doordrenkte de handdoek gretig, waardoor de witte stof in een grote vleeskleurige vlek veranderde. Hij pakte een grote vuilniszak, trok die over haar hoofd en bond er kooktouw omheen. Daarna waste hij zijn handen, zette de koffer op de tafel en legde haar erin. Ze was veel te groot. Zelfs in foetushouding paste ze niet. Hij kreeg haar voeten er niet in. En zelfs als dat wel was gelukt, dan waren haar schouders nog veel te breed geweest. Zo kreeg hij de koffer niet dicht. Hij keek op haar neer terwijl hij zijn aanzienlijke hersencapaciteit op volle kracht liet werken – alleen, noodlottig genoeg, wel in de verkeerde richting.

'Ik zal haar in stukken moeten hakken,' zei hij bij zichzelf. 'Haar voeten moeten eraf en haar sleutelbeenderen moeten gebroken worden.'

Nee, dat werd niets. Hij had films gezien en boeken gelezen waarin lichamen in stukken werden gehakt en dat pakte nooit goed uit, zelfs niet in fictie waar je de werkelijkheid naar je bloederige hand kan zetten. Daar kwam nog bij dat hij snel misselijk werd. Als hij naar *Extreme Makeover* keek, zat hij op de bank te huiveren. Denk nog eens na. Hij liep door het appartement en bekeek de alledaagse objecten in een geheel nieuw licht. In de woonkamer bleef hij staan. Hij staarde naar het tapijt – alsof het daardoor minder het cliché der clichés zou worden.

'Je kunt haar niet in het tapijt gaan rollen. Daar word je meteen voor afgestraft. Net als voor de koffer. Denk opnieuw.'

De rivier was maar driehonderd meter van de Calle San Vicente. Hij hoefde haar alleen maar in de auto te leggen, vijftig meter te rijden, rechts af te slaan op de Calle Alfonso XII, rechtdoor te rijden tot de stoplichten en de Calle Nuevo Torneo over te steken. Daar was, meende hij zich te herinneren, een tamelijk donker weggetje dat naar de rivier liep en achter het grote busstation op Plaza de Armas links afboog. Vanaf die plek was het maar een paar meter naar de waterkant. Dat stuk werd wel gebruikt door vroege joggers, dus hij zou snel moeten handelen.

De schilders. Hij herinnerde zich opeens dat hij zich had geërgerd omdat ze een paar dagen eerder lakens op de trap hadden laten liggen. Hij rende weer naar buiten, sloeg het licht in het trappenhuis aan, riep zichzelf tot de orde en zette de voordeur van zijn appartement op een kier. Dat zou pas echt onverdraaglijk zijn: zichzelf buitensluiten terwijl zijn vrouw dood op de keukenvloer lag. Hij sprong de trap met drie treden tegelijk af, en daar lagen ze, onder de trap. Er stonden zelfs nog volle emmers verf waarmee hij het lijk kon verzwaren. Hij trok er een met verf bespat juten laken uit, stormde de trap weer op en spreidde het laken uit op het schone deel van de keukenvloer. Hij tilde haar uit de koffer, waar ze als een rekwisiet van een illusionist in had gelegen, en legde haar op het laken. Daarna vouwde hij het pakket dicht. Bij dit kortstondig afschuwwekkende hoogtepunt snakte hij naar adem. Het prachtige gezicht van Inés was teruggebracht tot dat van een met lappen volgepropte vogelverschrikker.

Het bloed had de handdoek op de drempel bereikt, hij moest eroverheen stappen. Hij verloor zijn evenwicht als een kapstok waarvan één kant te zwaar beladen is en sloeg met zijn hoofd en zijn schouder tegen de muur. Hij negeerde de pijn, liep naar zijn werkkamer, trok de laden open en vond de rol plakband. Hij drukte er een kus op. Op de weg terug hield hij zichzelf staande, en stapte voorzichtig over de met bloed doordrenkte handdoek heen.

Hij wikkelde de tape om haar enkels, knieën, middel, borst, nek en hoofd en stak het kooktouw en de tape in zijn zak. Hij nam niet de moeite zijn gemummificeerde vrouw te bewonderen – hij greep zijn sleutels en de afstandsbediening van de garage en rende naar buiten. Hij deed de deur van het slot, sloeg dat klotelicht weer aan – tik, tik, tik, tik, tik – en denderde de trap af. Hij sprintte door de Calle San Vicente naar de garage, die meteen om de hoek lag. Hij drukte de knop van de afstandsbediening in zodra hij de hoek om was geslagen, en de garagedeur ging open, maar zo langzaam dat hij van groeiende ergernis op en neer stond te springen en te vloeken en zijn vuisten balde. Toen de deur voor een kwart open was, rolde hij er onderdoor en knalde hij het talud af terwijl hij opnieuw op de afstandsbediening drukte om het licht aan te doen. Hij vond zijn auto, hij had in geen weken in dat stomme ding gereden. Wat moet je ook met een auto in Sevilla? Toch fijn dat hij er een had.

Nu geen fouten maken. Hij reed heel kalm achteruit, alsof hij plotseling onder de bètablokkers zat. Op z'n dooie gemak het talud op. De garagedeur was net helemaal open. De auto hobbelde de straat op. Het was er doodstil. De rode cijfers op het dashboard gaven aan dat het zeven over halfvijf was. Hij parkeerde voor zijn appartement en drukte op de knop waarmee de achterbak openging. Hij sprintte naar boven, deze keer in het donker, en struikelde, waardoor zijn scheenbeen zo hard over de bovenste traptrede schaafde dat de pijn door zijn botten schoot en via de binnenkant van zijn schedel terugkaatste. Hij rende door, maakte de deur open, vertraagde bij de keuken en stapte over de bloederige handdoek.

Inés. Nee, het was Inés niet meer. Hij tilde haar op. Voor iemand die minder dan vijftig kilo woog en zeker drie kilo bloed had verloren, was ze absurd zwaar. Hij kreeg haar de gang op, maar ze was te zwaar om in zijn armen te dragen. Hij gooide haar over zijn schouder en deed de deur van zijn appartement dicht. Met voorzichtige stappen liep hij naar de donkere trap. Dat vervloekte tik, tik, tik van die lamp was in dit stadium volstrekt onverdraaglijk geworden. Hij stak zijn hoofd om de hoek van de voordeur.

De straat was leeg.

Twee stappen. In de achterbak. Doe de achterbak dicht. Sluit de voordeur. Wacht. Rustig aan. Denk na. De verfpotten om het lijk te verzwaren. Maak de achterklep weer open. Terug onder de trap. Pak twee blikken verf. Ze zijn net zo zwaar als Inés zelf. Zet ze in de achterbak. Doe de klep dicht. De auto in. Achteruitkijkspiegel. Geen koplampen. Rustig. Kalm aan. Je bent er bijna. Het gaat lukken.

Er stonden geen andere auto's voor het stoplicht bij Plaza de Armas, dat op rood stond. De dashboardverlichting wierp een gloed op zijn gezicht. Hij keek weer in de achteruitkijkspiegel, en hij zag zijn ogen. Ze stonden vol medelijden. Het licht sprong op groen. Hij reed rustig over de verlaten zesbaansweg en nam de afrit naar de rivier. De ochtend begon te gloren. Bij de rivier was het minder donker dan hij had gewild. Hij had liever gehad dat het aardedonker was, zwart als de antimaterie, lichtloos als een gevallen ster.

Er was nog een hoop te doen. Hij moest het lijk uit de achterbak halen, de verfblikken eraan vastmaken en het in de rivier laten zakken. Hij keek zo lang en zo goed om zich heen dat hij niet kon geloven dat niet alles bewoog. Maar hij schudde de paranoia van zich af en maakte de achterklep open. Hij tilde het lijk uit de achterbak en legde het op de stoep, achter de auto, zodat het uit het zicht lag. Hij pakte de twee blikken met de kracht van superman. Het zweet stroomde over zijn lichaam. Zijn overhemd plakte aan zijn huid. Zijn gedachten sloten zich af. De klus was bijna geklaard. Rond het af.

De man achter het busstation had hij niet gezien. Van diens fatale telefoongesprek met de politie was hij niet op de hoogte. Hij werkte met een dierlijke haast verder en ondertussen mompelde de man in zijn mobiele telefoon wat hij zag en gaf hij Calderóns kenteken door.

Omdat er geen verkeer was, was de patrouillewagen binnen een minuut ter plekke. Op het moment dat de twee agenten de oproep van het communicatiecentrum in de Jefatura hoorden, reden ze op nog geen kilometer afstand langs de rivier. De auto rolde met de lichten en de motor uit over de afrit naar beneden. Ze konden alleen Calderóns auto zien. Calderón zelf zat er op zijn knieën achter en tapete het tweede verfblik om de nek van Inés. Zijn zweet droop op het laken van jute. Hij was klaar.

Het enige wat hem nog te doen stond, was de bijna honderd kilo een meter over de stoep zeulen, over het lage muurtje hijsen en in het water laten vallen. Hij verzamelde zijn laatste krachten. Met de twee verfblikken eraan was het lichaam buitengewoon onhandelbaar geworden. Hij stak zijn handen onder het lijk door en lette er niet op dat hij zijn knokkels en vingers ontvelde. Hij duwde zijn onderlichaam naar voren, en met zijn borstkas en buik zo dicht bij de grond zag hij eruit als een enorme hagedis met een niet te hanteren prooi. Hij slaagde erin het lichaam van Inés tot aan het muurtje te verschuiven. Calderón hijgde en snikte. Hoewel er tranen over zijn wangen stroomden drong de pijn van zijn ontvelde vingers en gescheurde nagels niet tot hem door. Maar toen de koplampen van de patrouillewagen op hem schenen en hij merkte dat hij als een in het reptielenhuis tentoongesteld reptiel in licht gevangen was, verstijfde hij alsof hij door een kogel was getroffen.

De agenten kwamen met getrokken wapens uit de auto. Calderón had zijn armen onder het lijk uit getrokken en zich op zijn rug gerold. Bij iedere wilde snik trok zijn maag samen. Een groot deel van de emotie die eruit kwam, was opluchting. Het was voorbij. Hij was betrapt. De wanhoop vloeide uit hem weg, hij gaf zich over aan de schande en de schaamte.

Terwijl de ene agent over de snikkende Calderón stond gebogen, scheen de andere met zijn zaklamp over het met tape omwikkelde jute laken. Hij trok rubberen handschoenen aan en kneep in de schouder van Inés, om te bevestigen wat ze al wisten, namelijk dat dit een lichaam was. Hij liep terug naar de patrouillewagen en maakte contact met de Jefatura.

'Dit is Alpha-2-0, we zijn bij de rivier, iets voorbij de Torneo, achter het busstation op Plaza de Armas. Ik kan bevestigen dat hier een man van in de veertig is die een niet nader geïdentificeerd lijk probeert te dumpen. Het lijkt me beter dat je de Inspector Jefe de Homicidios naar ons toe stuurt.'

'Wat is het kentekennummer van zijn auto?'

'SE4738HT.'

'Krijg nou wat!'

'Wat is er?'

'Hetzelfde kentekennummer is ook opgegeven door de man die het incident heeft gemeld. Het is verdomme niet te geloven.'

'Van wie is die auto?'

'Herken je hem niet?'

De politieagent riep naar zijn collega, die de zaklamp over Calderóns gezicht liet schijnen. Hij was nauwelijks als een menselijk wezen te herkennen, laat staan als een specifiek persoon. Zijn gezicht was vertrokken als dat van een wel erg gekwelde flamencozanger. De agent haalde zijn schouders op.

'Geen idee,' zei de agent in de radio.

'Wat dacht je van Juez Esteban Calderón?' vroeg de telefonist.

'Nee!' riep de agent. Hij liet de microfoon vallen.

Hij scheen met de zaklamp in het gezicht van de man en greep hem bij zijn kin om hem stil te houden. Zijn verbaasde gezichtsuitdrukking leidde de kwelling van Calderón even af. Er gleed een grijnsje over zijn gezicht en hij liep terug naar de politieauto.

Falcón zocht zich een weg uit zijn slaap zoals een achtergelaten speleoloog in een pikzwart firmament wanhopig naar het lichtpuntje van een ster speurt. Hij schrok wakker en gromde ontevreden, alsof zijn bed hem had uitgebraakt. Het bedlampje deed pijn aan zijn ogen. De groene cijfers op zijn wekker meldden dat het drie minuten over vijf was. Hij slaagde erin de telefoon te pakken, klemde hem tegen zijn oor en zakte terug in het kussen.

De stem van de dienstdoende agent in het communicatiecentrum van de Jefatura. De man raaskalde. Hij sprak zo snel en had zo'n zwaar Adalusisch accent dat Falcón alleen de eerste lettergreep van de woorden verstond.

Hij snoerde hem de mond en liet hem alles van voren af aan opnieuw vertellen.

'Er is iets gebeurd in de buurt van het busstation op Plaza de Armas. Achter het busstation, bij de rivier, bij de Puente de Chapina. Een man is betrapt toen hij probeerde een lijk te dumpen. De identiteit van de eigenaar van de auto waarmee het lijk naar die plek is gebracht, is vastgesteld. Ook de man die het lijk wilde dumpen, is geïdentificeerd. En de naam van die man, Inspector Jefe, is... Esteban Calderón.'

Er schoot een spasme door Falcóns been alsof er een hoog voltage doorheen werd gejaagd. Hij was in één beweging uit bed en ijsbeerde door de kamer.

'Esteban Calderón? De rechter? Weet je dat zeker?'

'Inmiddels wel. De agent die ter plekke is, heeft zijn identiteitspapieren bekeken en het nummer aan me voorgelezen. Dat nummer en het kenteken van de auto bevestigen dat het om Esteban Calderón gaat.'

'Heb je hier al met iemand anders over gesproken?'

'Nog niet, Inspector Jefe.'

'Heb je de Juez de Guardia gebeld?'

'Nee, u bent de eerste. Ik zou...'

'Wie heeft het incident gemeld?'

'Een man die zijn hond langs de rivier uitliet, hij belde anoniem.'

'Hoe laat?'

'Om 04.52 uur.'

'Laten mensen hun hond op dat uur van de dag uit?'

'Oude mensen die niet kunnen slapen wel. Vooral bij deze hitte.'

'Hoe meldde hij het?'

'Met zijn mobiele telefoon. Hij vertelde wat hij zag, gaf me het kentekennummer en hing op.'

'Naam en adres?'

'Ik kreeg de kans niet ernaar te vragen.'

'Praat hier met niemand over,' zei Falcón. 'Bel de agenten daar en zeg dat ze met niemand contact mogen opnemen tot ik Comisario Elvira heb gesproken.'

De slaapkamer leek zich met dit rampzalige schandaal te vullen. Falcón liep naar de galerij die op de patio uitkeek. De ochtend was warm. Hij was misselijk. Hij belde Elvira, gaf hem even de tijd om wakker te worden en vertelde hem het nieuws op de meest weloverwogen manier die hij in zich had. Falcón verbrak de daaropvolgende stilte met een opsomming van de mensen die op dat moment wisten wat er was gebeurd.

'We moeten hem, het lijk en de auto zo snel mogelijk van straat halen, wat er ook gebeurt,' zei Elvira. 'Dus we hebben om te beginnen een rechter en een Médico Forense nodig.'

'Juez Romero is betrouwbaar, en hij is geen vriend en ook geen vijand van Esteban Calderón.'

'Dit mag niet de schijn krijgen dat we het in de doofpot stoppen,' zei Elvira, bijna tegen zichzelf.

'Dit is geen zaak die je in de doofpot kúnt stoppen,' zei Falcón.

'We doen alles precies volgens het boekje. Gezien de status van Esteban Calderón is het misschien beter dat jij niet de leiding over het onderzoek hebt.'

'Het lijkt me beter dat ik de procedure alleen opstart,' zei Falcón.

'Laten we de normale procedure volgen. Maar niemand, en dan bedoel ik ook echt niemand, mag hierover praten. Er mag niet gelekt worden voordat we een persverklaring in elkaar hebben gezet. Ik ga met Comisario Lobo overleggen. Zeg tegen de dienstdoende agent in het communicatiecentrum dat hij de noodzakelijke telefoontjes pleegt, maar niet, onder geen enkele voorwaarde, met de pers praat. Als het naar buiten komt voordat wij daaraan toe zijn, hebben we de poppen aan het dansen.'

'De enige persoon op wie we geen invloed hebben, is de anonieme beller die het incident heeft gemeld,' zei Falcón.

'Als het goed is, weet híj niet wie hij aangaf, nietwaar?' vroeg Elvira.

Dit schandaal was te groot om binnenskamers gehouden te kunnen worden. Elvira verlangde te veel. Dit zou binnen de kortste keren door de muren van de Jefatura heen lekken. Falcón belde naar het communicatiecentrum, gaf de instructies en vroeg de agent Felipe en Jorge naar de plaats delict te sturen. Hij nam een douche en vroeg zich, terwijl het water op hem neer kletterde, af welke plausibele, onschuldige verklaring er kon zijn voor het feit dat Calderón met een lijk bij de rivier was aangetroffen.

Om halfzes, de zon was net opgegaan, liep hij over Plaza de Armas naar de plek. Er was nog steeds erg weinig verkeer op de Toreo. Boven aan de afslag stond een politieauto en er waren pylonen neergezet om te voorkomen dat auto's de afslag zouden nemen. De dienstdoende rechter van instructie was er al, net als de politiefotograaf. Jorge en Felipe kwamen aangereden en kregen toestemming om over de afrit naar beneden te rijden.

Er was geen spoor van Calderón. Twee agenten zorgden ervoor dat er geen vroege joggers langs de oever konden lopen. De rechter van instructie vertelde Falcón dat Calderón achter in de politiewagen zat, samen met een van de twee agenten die als eerste ter plekke waren geweest.

'We wachten op de Médico Forense die het lijk gaat inspecteren.'

Boven aan de afrit piepten banden en er kwam een auto aan die beneden parkeerde. De Médico Forense stapte uit met zijn tas in zijn hand. Hij had zijn witte overall al aan; het beschermende kapje hing in zijn nek. Hij gaf iedereen een hand en trok zijn handschoenen aan. Ze liepen naar het lijk. Er kwam een ambulance zonder sirene of flitslicht aan.

De Médico Forense gebruikte een scalpel om de tape om het lichaam door te snijden. Hij werkte van onder naar boven. Hij vouwde het juten laken open. Het hoofd in de zwarte vuilniszak zag er sinister uit, alsof het lichaam aan seksueel abnormaal gedrag was blootgesteld. Falcón begon duizelig te worden. De Médico Forense mompelde iets in zijn dictafoon over de ernstige blauwe plekken op de torso. Hij sneed met zijn scalpel door het kooktouw dat om de nek zat en trok voorzichtig aan de vuilniszak. In de hoeken van Falcóns gezichtsveld werd het donker. Hij greep de mouw van de rechter van instructie.

'Gaat het, Inspector Jefe?' vroeg die.

Het hoofd dat uit de vuilniszak tevoorschijn kwam, was in een handdoek gewikkeld. De voorkant was wit, met vegen bloed erop. De Médico Forense tilde een hoekje van de handdoek op en sloeg hem terug. De vorm van het gezicht werd zichtbaar, als onder een doodskleed. Hij trok de andere hoek van de handdoek weg. Falcón viel flauw, de gelaatstrekken van zijn ex-vrouw op zijn netvlies gebrand.

Falcón kwam op de grond bij. De rechter van instructie was erin geslaagd hem op te vangen en zijn val te breken. De verplegers uit de ambulance zaten over hem heen gebogen. Boven hun hoofd hoorde hij de rechter van instructie praten.

'Hij is in shock. Het is zijn ex-vrouw. Hij had hier helemaal niet moeten zijn.'

Het ambulancepersoneel hielp hem overeind. De Médico Forense mompelde verder in de dictafoon. Hij bekeek de thermometer, berekende iets en mompelde de tijd van overlijden.

Toen Falcón nog een keer naar het bewegingloze lichaam van Inés keek, welden er tranen in zijn ogen. Dit was de scène uit haar leven die hij zich nooit bij haar voor had kunnen stellen – haar dood. In de loop der jaren had hij veel over Inés gesproken en nagedacht. Hij had hun gemeenschappelijke leven tien keer opnieuw geleefd, tot Alicia Aguado er gek van werd. Hij werd pas verlost van haar voortdurende aanwezigheid in zijn gedachten toen hij begon in te zien wie zij écht was, toen hij besefte hoe slecht ze voor hem was geweest, hoe slecht ze hem had behandeld. Maar zo had het nooit mogen eindigen. Hoe egoïstisch iemand ook was, dit verdiende niemand.

De verplegers leidden hem weg van het lijk en lieten hem op het muurtje bij de rivier zitten, uit de buurt van de Médico Forense. Falcón ademde diep in. De rechter van instructie kwam naar hem toe.

'Je kunt deze zaak niet zelf doen,' zei hij.

'Ik bel Comisario Elvira wel,' zei Falcón met een knikje. 'Hij wijst wel iemand van buiten aan. Er is niemand in mijn afdeling die hier neutraal tegenover staat.'

Elvira was met stomheid geslagen en slaagde er pas na enige tijd in hem te condoleren. De catastrofe was nog veel groter dan hij zich in eerste instantie had kunnen voorstellen, en terwijl hij eerst met Falcón en daarna met de rechter van instructie sprak, begon de gedachte aan de buitengewoon onaangename persconferentie die hem die ochtend wachtte, zich als een kwaadaardige tumor in zijn ingewanden te verspreiden.

De rechter van instructie beëindigde het gesprek en gaf Falcón zijn mobiele telefoon terug. Ze gaven elkaar een hand. Falcón keek voor de laatste keer naar het lijk. Haar gezicht was onbeschadigd en nog altijd even mooi. Hij schudde vol ongeloof met zijn hoofd en herinnerde zich een beeld van jaren geleden, toen hij Inés op straat tegenkwam. Ze lachte. Ze lachte zo hard dat ze dubbelgevouwen, met haar haren voor haar gezicht, op haar hoge hakken achteruit wankelde.

Hij wendde zich af en verliet de plaats delict. Hij liep langs de patrouillewagen waar Calderón in zat. Het portier stond open. De radio kraakte. Om Calderóns polsen zaten boeien, zijn opengehaalde bloedende handen lagen in zijn schoot. Hij staarde voor zich uit. Zijn blik veranderde niet toen Falcón zijn hoofd naar binnen stak.

'Esteban,' zei Falcón.

Calderón draaide zijn hoofd naar hem toe en sprak de zin uit die Falcón vaker uit de mond van een moordenaar had gehoord dan welke andere zin ook.

'Ik heb het niet gedaan.'

26

Sevilla, donderdag 8 juni 2006, 08.04 uur

De ruiten in het klaslokaal van de kleuterschool waren vervangen en er waren nieuwe luxaflex opgehangen. De airco's draaiden allemaal op volle toeren; alleen zo kon de helse stank van de ontbindende lijken die nog onder het puin van het appartementencomplex lagen op een draaglijk niveau worden gehouden. Het was al na achten, maar Comisario Elvira was er nog steeds niet. Hoewel iedereen moe was, klonk er een verwachtingsvol geroezemoes in het lokaal.

'Er moet iets aan de hand zijn,' zei Ramírez. 'En ik heb zo'n gevoel dat het ernstig is. Wat denk jij, Javier?'

Falcón mocht niets zeggen.

'Waar is Juez Calderón?' vroeg Ramírez. 'Daarom denk ik dat het ernstig is. Hij is de man van de persconferenties.'

Falcón knikte, nog altijd ontzet door wat hij bij de rivier had gezien. De deur ging open. Elvira kwam binnen en liep, gevolgd door drie mannen, naar het schoolbord aan de andere kant van het lokaal. Reeds aanwezig waren Pablo en Gregorio van het CNI, Inspector Jefe Ramón Barros en een van zijn hogere officieren van de antiterreurafdeling van de CGI, en Falcón en Ramírez van de recherche. Elvira draaide zich om. Zijn gezicht stond strak.

'Ik kan dit maar op een manier vertellen,' zei hij. 'Daarom zeg ik maar gewoon wat de feiten zijn. Om ongeveer zes uur vanmorgen is Juez Esteban Calderón gearresteerd op verdenking van de moord op zijn vrouw. Twee agenten hebben hem eerder vanmorgen op heterdaad betrapt toen hij probeerde het lijk van zijn vrouw in de Guadalquivir te dumpen. Gezien deze omstandigheden is het onmogelijk dat hij nog langer als Juez de Instrucción in ons onderzoek optreedt. Het is bovendien uitgesloten dat onze eigen recherche het onderzoek naar de moord doet; dat zal worden uitgevoerd door deze drie rechercheurs uit Madrid onder leiding van Inspector Jefe Luis Zorrita. Bedankt.'

De drie rechercheurs uit Madrid knikten en liepen achter elkaar aan het lokaal uit. Ze bleven alleen even bij Falcón en Ramírez staan om zich voor te stellen en een hand te geven. De deur ging dicht. Elvira hervatte de vergadering. Ramírez staarde geschokt naar Falcón.

'We hebben besloten een Juez de Instrucción van buiten Sevilla aan te wijzen,' zei Elvira. 'Juez Sergio del Rey is nu op weg vanuit Madrid. Als hij hier is gearriveerd, houden we een persconferentie in het gebouw van het Andalusische parlement. Ik vraag jullie deze informatie tot die tijd voor jezelf te houden. Aansluitend op de zelfmoord van CGI-agent Ricardo Gamero is er een aantal belangrijke ontwikkelingen geweest, waar het CNI ons nu meer over zal vertellen.'

Er was die nacht iets uit Elvira's gezicht weggezogen. De inhoud van zijn onthutsende en verstrekkende mededelingen leken hem inwendig te verscheuren. Hij leunde futloos achterover in de stoel van de kleuterleidster en liet zijn kin op zijn vuist rusten, alsof die steun nodig was om zijn hoofd op zijn plaats te houden. Pablo liep naar voren.

'Vlak voordat CGI-agent Ricardo Gamero zelfmoord pleegde, ontvingen wij het bericht van de Engelse inlichtingendienst dat ze erin waren geslaagd de twee andere mannen op de foto's van Gamero's informant Miguel Botín te identificeren. Deze twee mannen hebben de Afghaanse nationaliteit en wonen in Rome. Ze zijn bij MI5 bekend omdat ze twee weken na de mislukte aanslagen van 21 juli in Londen werden gearresteerd en op basis van de Terreurwet voor ondervraging zijn vastgehouden. Ze werden zonder aanklacht vrijgelaten. De Engelsen konden niet vaststellen wat deze mannen, afgezien van het bezoeken van familie in Londen, deden. De Italiaanse politie heeft vannacht huiszoekingen gedaan op de Romeinse woonadressen van deze mannen, maar hun woningen stonden leeg. Hun huidige verblijfplaats is onbekend. Wat ons met betrekking tot deze verdachten het meest verontrust is dat ze vermoedelijk contact hebben met hoge bevelvoerders van al-Qaeda in Afghanistan. De Engelsen denken bovendien dat ze sterke banden met de GICM in Marokko hebben. We weten dat ze het afgelopen jaar in Engeland, België, Frankrijk, Italië, Spanje en Marokko zijn geweest. We vermoeden dat er in al deze landen slapende cellen van de GICM zijn. We moeten nog een hoop onderzoeken om zekerheid te krijgen over de rol van Miguel Botín, over de relatie tussen imam Abdelkrim Benaboura en deze mannen, en over hun betrokkenheid bij wat hier in Sevilla is gebeurd.

Na Gamero's zelfmoord hebben we de woning van Miguel Botín doorzocht en een koran vol aantekeningen gevonden die lijkt op de koran die in de door Hammad en Saoudi bestuurde Peugeot Partner is gevonden. Hele lappen aantekeningen zijn woordelijk overgenomen, en we denken dan ook dat het een codeboek is. We vermoeden dat iedere slapende cel die geactiveerd wordt een codeboek krijgt, dat ze gebruiken tot hun missie is vervuld.

De vondst van de koran in het appartement van Miguel Botín is vooral belangrijk omdat het zou kunnen betekenen dat deze informant van Gamero een dubbelspion was en dat hij zowel voor de CGI als voor een terroristische cel werkte. Dat zou een geheel nieuw licht op ons onderzoek werpen, want in dat geval vertelde Botín Gamero alleen wat zijn opdrachtgevers ons wilden laten weten. Dat zou betekenen dat Hammad en Saoudi, de twee Afghanen en de imam onbelangrijk waren.

Tot slot is er in dit scenario nog één verwarrend detail over Botín. Zoals jullie weten hebben we veel manuren gespendeerd aan een poging de zogenaamde gemeente-inspecteurs en de elektriciens te vinden. Inspector Jefe Falcón heeft een getuige gevonden die op die bewuste zondagochtend in de moskee was, dus nadat op zaterdagavond de stoppen waren doorgeslagen. De getuige zag dat Botín het kaartje van de elektricien aan de imam gaf en toekeek hoe de imam het nummer draaide en de afspraak maakte. Inspector Jefe Barros heeft ons verteld dat dit niet in opdracht van hem of iemand van zijn departement is gebeurd. De CGI wachtte nog op toestemming voor het afluisteren van de moskee.

We moeten nu onderzoeken of het mogelijk is dat de gemeente-inspecteurs en de elektriciens lid waren van of werden betaald door een terreurcel. Het is niet ondenkbaar – en we hopen dit te verifiëren als de technische recherche de moskee in kan – dat de gemeente-inspecteurs ervoor hebben gezorgd dat de stoppen konden doorslaan en dat de elektriciens erbij werden gehaald om een bom te plaatsen die de imam, Hammad en Saoudi en Botín uit de weg zou ruimen.'

'Dat scenario mist logica,' zei Barros. 'Het is misschien nog voor te stellen dat Botín zonder het zelf te weten het instrument van hun vernietiging was, maar ik zie niet in waarom een commandant van een terreurbeweging zou toestaan dat een grote hoeveelheid hexogeen, die waarschijnlijk met aanzienlijk risico en tegen hoge kosten het land in zijn gebracht, zomaar wordt vernietigd.'

'Bovendien zouden de elektriciens en gemeente-inspecteurs een totaal nieuwe soort terreurcel vormen,' zei Falcón. 'De getuige zei dat het een Spanjaard en twee Oost-Europeanen waren.'

'En hoe past de zelfmoord van Ricardo Gamero in dit scenario?' vroeg Barros.

'Hij moet het gevoel hebben gehad dat hij ernstig heeft gefaald omdat hij deze gruweldaad niet heeft kunnen voorkomen,' zei Pablo. 'We hebben begrepen dat hij zijn werk heel serieus nam.'

Er viel een stilte waarin iedereen zich het hoofd brak over het scenario van het CNI. Falcón was zijn shocktoestand te boven gekomen en vond nog steeds dat er veel te veel waarde werd gehecht aan de theorie dat de koran als codeboek werd gebruikt. Aan de andere kant begreep hij ook niet hoe twee identieke exemplaren in de Peugeot Partner en in Botíns woning beland konden zijn.

'Waarom denk je dat deze cel zichzelf heeft vernietigd?' vroeg Barros.

'De enige reden die we kunnen verzinnen is dat het een spectaculaire afleidingsmanoeuvre was,' zei Pablo. 'Onze nationale onderzoeksteams en alle overige Europese inlichtingendiensten zijn ermee bezig – en ondertussen plannen ze ergens anders een aanslag die ze ongestoord kunnen uitvoeren. Als Botín een dubbelspion was, moeten zijn terroristische superieuren hebben geweten dat de moskee onder verdenking stond. Ze voeden die verdenkingen door er hexogeen en Hammad en Saoudi, twee bekenden in de logistiek, naartoe te sturen. Vervolgens blazen ze alles en iedereen op. Wat maakt het uit? Ze komen allemaal in de hemel, ofwel als succesvolle dader, ofwel als prachtig lokaas.'

'En hoe zit het met die Afghanen?' vroeg Barros. 'Die zijn wel geïdentificeerd, maar niet bepaald geofferd.'

'Misschien was het Botíns bedoeling om met de foto van de twee Afghanen het idee te wekken dat er een aanslag in Italië werd gepland. Botín leverde die foto's toen hij een betrouwbare CGI-informant leek te zijn.'

'Dus nog een afleidingsmanoeuvre?'

'De Italianen, de Denen en de Belgen hebben allemaal de hoogste alarmfase ingevoerd, net als na de aanslagen in Londen.'

'Dus die brief met die tekst van Abdullah Azzam die naar de *ABC* is gestuurd, en alle berichten in de media over MILA, zijn onderdeel van een grote afleidingsmanoeuvre?' vroeg Barros, die zich bijna verkneukelde nu hij eindelijk kans zag het CNI, dat hem en zijn departement zo had vernederd, te stangen.

'We werken nu aan het echte doelwit,' zei Pablo. 'De tekst van Abdullah Azzam en het idee van MILA zijn machtige terreurwapens. Zij boezemen een volk angst in. We zien dit als onderdeel van de escalatie van deze specifieke soort terrorisme. We bestrijden het equivalent van een muterend virus. We hebben de oplossing nog niet gevonden of het heeft zich met nieuwe dodelijke kracht aangepast. Er is geen model. Wij ontdekken pas wat de modus operandi was als de aanslag allang is gepleegd. De informatie die we na de aanslagen in Londen en Madrid hebben verzameld door honderden mensen te ondervragen, helpt ons nu niet verder. We hebben het niet over een geïntegreerde organisatie met een scherp omlijnde structuur, maar over een satellietorganisatie met een vloeiende structuur die enorm flexibel is.'

'Hechten jullie niet te veel waarde aan de theorie van de afleidingsmanoeuvre?' vroeg Elvira. 'Na de aanslagen in Madrid...'

'We weten vrij zeker dat de ETA verantwoordelijk was voor de afleiding die het verpletterende succes van de aanslagen in Madrid mogelijk heeft gemaakt,' zei Pablo. 'Volgens ons was het geen toeval dat de Guardia Civil 120 kilometer ten zuidoosten van Madrid een door twee onbenullen van de ETA bestuurd busje met 536 kilo titadine aanhield en dat op dezelfde dag 500 kilometer verderop in Avilés drie Marokkaanse terroristen de 100 kilo Goma 2 Eco in ontvangst namen die in de Madrileense treinen werd gebruikt. De Engelse veiligheidstroepen en inlichtingendiensten concentreerden zich op een aanslag op de G8 in Edinburgh toen de terroristen zichzelf in de metro van Londen opbliezen.'

'Goed, dus er is een verleden van afleidingsmanoeuvres,' zei Elvira.

'En een afleidingsmanoeuvre mag dus 536 kilo titadine kosten,' zei Pablo terwijl hij Barros venijnig aankeek.

'De realiteit is,' zei Elvira, 'dat we het grootste deel van de tijd nauwelijks weten met wie we te maken hebben. We noemen ze al-Qaeda omdat het ons helpt 's nachts te slapen, maar het ziet ernaar uit dat we zijn gestuit op een zeer pure vorm van terrorisme, dat ten "doel" heeft onze manier van leven en onze "decadente waarden en normen" koste wat het kost te bestrijden. Het lijkt zelfs wel alsof de verschillende groepen wedijveren wie de meest verwoestende aanslag kan bedenken en plegen.'

'Daar maken wij ons ook zorgen over,' zei Pablo, die blij was dat Elvira zijn standpunt deelde. 'Zijn we getuige van een serie afleidende plaagstoten die vooraf gaat aan de hoofdaanslag – iets ter grootte van de aanslag op het World Trade Center in New York?'

'Wat wíj willen weten,' zei Ramírez, die al het giswerk beu was, 'is waar het met ons onderzoek hier, in Sevilla, heen moet.'

'Zolang Sergio del Rey uit Madrid niet is gearriveerd, hebben we geen Juez de Instrucción,' zei Elvira. 'De CGI uit Madrid heeft alle contacten van Hammad en Saoudi gearresteerd om ze te ondervragen, maar tot zover lijkt het erop dat ze met z'n tweeën opereerden. De Guardia Civil is erin geslaagd de route van de Peugeot Partner van Madrid naar de opslagplaats in Valmojado ten zuiden van Sevilla te achterhalen. Daar werd het hexogeen waarschijnlijk bewaard. Het kost ze meer moeite om in kaart te brengen hoe het busje van Valmojado naar Sevilla is gereden. Ze zijn bang dat ze halverwege een andere route hebben genomen.'

'Waar is de Peugeot Partner voor het laatst gezien?' vroeg Falcón.

'Op de NIV/E5. Hij reed naar het zuiden en stopte bij een benzinestation in de buurt van Valdepeñas. Het probleem is dat de weg zich negentig kilometer verderop vertakt. De NIV loopt door naar Córdoba en Sevilla, de N323/E902 gaat naar Jaen en Granada. Ze checken beide routes, maar het valt niet mee een wit busje op te sporen waarvan er duizenden rondrijden. Ze hebben alleen een kans als het busje ergens is gestopt en de twee mannen eruit zijn gekomen. Dan kan iemand hen misschien identificeren, zoals is gebeurd op het benzinestation bij Valdepeñas.'

'Dus er is een reële kans dat ergens anders nog meer hexogeen ligt,' zei Pablo. 'Het is nu aan ons om uit te zoeken met wie Botín verder nog contact had. We gaan zo meteen met zijn partner, Esperanza, praten.'

'Dat is allemaal mooi,' zei Ramírez. 'Maar wat moeten wíj doen? Moeten we naar die niet bestaande elektriciens en gemeente-inspecteurs blijven zoeken? We maken op het moment de indruk incompetent te zijn. Juez Calderón beschermde ons heel goed tegen te veel aandacht van de media. Maar hij zit nu in een politiecel. Een agent van de antiterreurafdeling van de CGI heeft zelfmoord gepleegd, en zijn informant zóu wel eens een dubbelspion kunnen zijn. Wij balanceren op de rand van een crisis. Onze afdeling kan niet gewoon zo doorgaan.'

'Zolang de technische recherche ons nog geen informatie uit de moskee kan geven, zit er niet veel anders op,' zei Falcón. 'We kunnen naar gelovigen die de moskee bezochten gaan en hen vragen stellen over Miguel Botín – kijken wat dat oplevert. Maar ik geloof wel dat we ons met de elektriciens en de gemeente-inspecteurs moeten blijven bezighouden. Zij bestaan namelijk wel. Ze zijn gesignaleerd. En als ik het CNI goed begrijp, hebben de gemeente-inspecteurs voor een voorwendsel gezorgd, zodat de elektriciens de bom konden plaatsen. Ook zij hebben deze gruweldaad op hun geweten. We móeten hen en de mensen door wie ze zijn gestuurd opsporen. Dat is het doel van de Grupo de Homicidios.'

'Maar het is niet ondenkbaar dat jullie dat doel alleen kunnen bereiken met behulp van de inlichtingendiensten,' zei Elvira. 'Maken de elektriciens en de inspecteurs deel uit van een islamitische terreurcel of niet? Misschien ligt het antwoord op die vraag in het verleden van Miguel Botín, die hun kaartje aan de imam gaf.'

'En hoe zit het met de imam?' vroeg Ramírez die zich niet liet tegenhouden. 'Waar staat hij in dit verhaal? Is de huiszoeking van zijn appartement door het CNI voltooid? Mogen wij weten wat hun bevindingen zijn? Heeft er eindelijk iemand toegang tot zijn dossier die ons iets meer mag vertellen?'

'We hebben er geen toegang toe omdat we dat hele dossier niet hebben,' zei Pablo.

'Wie hebben het dan wel?'

'De Amerikanen.'

'Hebben jullie in het appartement van de imam een koran vol aantekeningen gevonden?' vroeg Falcón.

'Nee.'

'Dus jullie denken dat hij er niet bij hoorde?' vroeg Ramírez.

'We weten niet voldoende om die vraag te kunnen beantwoorden.'

Niet lang na die woordenwisseling werd de vergadering opgebroken. De CGI- en CNI-mannen verlieten de kleuterschool gezamenlijk. Elvira vroeg Falcón om de persconferentie in het Andalusische parlementsgebouw bij te wonen zodra de nieuwe rechter was gearriveerd, om te laten zien dat ze één front vormden. Ramírez wachtte buiten het lokaal op hem.

'Gecondoleerd, Javier,' zei hij terwijl hij hem bij de schouder pakte en zijn hand schudde. 'Ik weet dat jij en Inés uit elkaar waren gegroeid, maar... Het is verschrikkelijk. Ik hoop dat je niet op de plaats delict bent geweest.'

'Dat ben ik wel,' zei Falcón. 'Ik weet ook niet waarom. Ze zeiden door de telefoon dat ze hadden vastgesteld dat het Juez Calderón was en dat hij had geprobeerd een lijk te dumpen. Ik weet het niet... Ik dacht er gewoon niet aan dat het Inés zou kunnen zijn.'

'Heeft hij het gedaan?'

'Hij zat in de politiewagen, ik ben naar hem toe gegaan. Hij zei alleen: "Ik heb het niet gedaan."'

Ramírez schudde zijn hoofd. Ontkenning was een veel voorkomende gemoedstoestand bij mannen die hun vrouw hadden vermoord.

'Dit gaat een hoop opwinding veroorzaken,' zei Ramírez. 'Veel mensen hebben hierop zitten wachten.'

'Weet je, José Luis, het ergste was nog...' zei Falcón moeizaam, 'dat haar lichaam bont en blauw was, vooral de linkerkant... En het waren oude kneuzingen.'

'Sloeg hij haar?'

'Op haar gezicht was niets te zien.'

'Je mag de oproerpolitie wel naar die persconferentie meenemen,' zei Ramírez. 'Ze zullen door het dolle heen zijn als ze dat horen.'

'Eergisteravond kwam Inés bij mij thuis,' zei Falcón. 'Ze gedroeg zich heel vreemd. Ik dacht zelfs even dat ze me terug wilde, maar nu denk ik dat ze me duidelijk wilde maken wat er met haar aan de hand was.'

'Had je de indruk dat ze pijn had?' vroeg Ramírez, die het liever bij de feiten liet.

'Ze vloekte zoals ik haar nog nooit had horen vloeken, en ja, ze greep op een gegeven moment naar haar zij,' zei Falcón. 'Ze was woedend dat hij altijd...'

'Ja, dat weten we,' zei Ramírez, die niet op zulke ontboezemingen zat te wachten.

Falcóns ogen liepen vol tranen, het verdriet kwam in golven. Ramírez kneep met zijn enorme, kastanjebruine hand in zijn schouder.

'We kunnen ons maar beter met vandaag bezighouden,' zei Falcón. 'Is het je nog gelukt dat dossier te lezen over het niet-geïdentificeerde lijk dat maandag op de vuilnisstortplaats is gevonden?'

'Nog niet.'

'Zo veel lijken zien we niet in Sevilla,' zei Falcón. 'En ik ben in mijn hele carrière nog nooit een lijk tegengekomen dat zo was verminkt of dat met cyanide was vergiftigd. En dat gebeurt heel toevallig ook nog eens een paar dagen voordat er in de stad een bom ontploft.'

'Dat hoeft niet per se iets met elkaar te maken te hebben,' zei Ramírez, bang dat hij met nog meer zinloos werk zou worden opgezadeld.

'Maar voordat we al die forensische informatie uit de moskee binnenkrijgen, wil ik graag weten of er een verband is,' zei Falcón. 'Ik wil op z'n minst het lijk geïdentificeerd hebben. Misschien dat het een nieuw licht op deze zaak werpt.'

'Heb je voor ik begin te lezen, nog aanwijzingen?'

'De Médico Forense dacht dat hij halverwege de veertig was, lang haar had, zijn werk achter een bureau deed, regelmatig in de zon zat en niet vaak schoenen droeg. Er zaten sporen van hasjiesj in zijn bloed. In de lymfknopen zaten resten tatoeage-inkt, wat meteen aangeeft waarom zijn handen waren verwijderd: er zaten tatoeages op, kleintjes, maar vermoedelijk wel karakteristiek.'

'Klinkt als een universitair type,' zei Ramírez die iedereen met te veel opleiding wantrouwde. 'Een promovendus?'

'Of een hoogleraar die zijn jeugd probeert terug te krijgen?'

'Is het een Spanjaard?'

'Zijn huid is olijfkleurig,' zei Falcón. 'En hij heeft een liesbreukoperatie gehad. De Médico Forense heeft de mesh verwijderd. Kijk maar eens of je die kunt vinden, zoek het bedrijf dat dat spul levert, en aan welk ziekenhuis. Natuurlijk kan hij zich ook in het buitenland hebben laten opereren.'

'Wil je dat ik dit in mijn eentje doe?'

'Neem Ferrera maar mee,' zei Falcón. 'Ze heeft al aan deze zaak gewerkt. Dan kunnen Pérez, Serrano en Baena de bouwterreinen in Sevilla afgaan, vooral die waar veel immigranten werken. Zeg maar dat ze die elektriciens móeten vinden.'

'Klopt het gerucht dat je een model laat maken van het hoofd van die vent – die van de vuilnisstortplaats?'

'De beeldhouwer is een vriend van de Médico Forense,' zei Falcón. 'Ik zal eens gaan kijken hoe het daarmee staat.'

'Je bent gisteravond niet gekomen,' zei Alicia Aguado.

'Er kwam iets tussen,' zei Consuelo. 'Iets dat me een vreselijk rotgevoel bezorgde.'

'Daarvoor zitten we hier.'

'Je hebt tegen me gezegd dat ik ervoor moest zorgen dat er na mijn sessie van dinsdagavond een familielid voor me klaar zou staan,' zei Consuelo. 'Daar heb ik mijn zus voor gevraagd. Ze was er, maar ze kon niet lang blijven. We hebben over de sessie gesproken. Ze zag dat ik rustig was, dus ze vertrok. Gisteravond belde ze om te vragen of alles nog steeds in orde was. We kletsten wat en toen herinnerde ze zich iets wat ze me de avond daarvoor had willen vragen. Over mijn nieuwe zwembadman.'

'Zwembadman?'

'Hij onderhoudt mijn zwembad. Hij controleert de zuurgraad, stofzuigt de bodem, verwijdert het oppervlaktevuil, maakt de...' zei Consuelo, die zich door de details liet meeslepen.

'Goed, Consuelo. Ik was niet van plan me in het onderhoud van zwembaden te verdiepen,' zei Aguado.

'Maar ik heb helemaal geen nieuwe zwembadman,' zei Consuelo. 'Sinds ik het huis heb gekocht, komt elke dinsdag dezelfde man. Ik heb hem van de vorige eigenaars overgenomen.'

'Dus?'

Consuelo probeerde te slikken, maar dat lukte niet.

'Mijn zus beschreef hem en het was die smerige *chulo* van Plaza del Pumarejo.'

'Dat is inderdaad doodeng,' zei Aguado. 'Ik kan me goed voorstellen dat je bent geschrokken. Dus je hebt de politie gebeld en bent bij je kinderen gebleven. Dat snap ik.'

Consuelo zweeg. Ze hing aan een kant uit de stoel, alsof ze iets had laten vallen.

'Goed,' zei Aguado. 'Vertel maar wat je wel hebt gedaan. Of niet hebt gedaan.'

'Ik heb de politie niet gebeld.'

'Waarom niet?'

'Ik schaamde me te veel,' zei ze. 'Dan had ik alles moeten uitleggen.'

'Je had ook gewoon kunnen zeggen dat er een ongewenst persoon bij je huis rondsnuffelde.'

'Je hebt waarschijnlijk weinig ervaring met de politie,' zei Consuelo. 'Ik ben vijf jaar geleden een paar weken van moord verdacht geweest. Wat ze me daar hebben laten ondergaan, verschilt niet veel van wat jij hier met me doet. Zodra je begint te vertellen, vangen zij geuren op. Ze weten het wanneer mensen de rotzooi uit hun leven verbergen. Dat zien ze elke dag. Ze zouden bijvoorbeeld vragen: "Is het mogelijk dat u die man kent?" Wat zou er dan gebeuren? In de labiele toestand waarin ik verkeer?'

'Ik snap dat het voor jou moeilijk is om dit te geloven,' zei Aguado, 'maar ik vind dit een positieve ontwikkeling.'

'Ik voel me juist een mislukkeling,' zei Consuelo. 'Ik weet niet of die persoon een gevaar voor mijn kinderen is, maar omwille van mijn schaamtegevoel ben ik bereid het risico te nemen.'

'Maar ik weet nu in ieder geval dat hij echt bestaat,' zei Aguado.

Consuelo zweeg; zij had niet aan deze schrikwekkende mogelijkheid gedacht.

'Ons verstand heeft verschillende manieren om onevenwichtigheden te corrigeren,' zei Aguado. 'Zo kan een invloedrijke directeur die het leven van duizenden werknemers beheerst, de balans herstellen door ervan te dromen dat hij op school zit waar de leraar hem vertelt wat hij moet doen. Dat is een erg goedaardige manier om ergens balans in te brengen. Er bestaan ook agressievere vormen. Het is niet uitzonderlijk dat een succesvolle zakenman een meesteres bezoekt om zich vast te laten binden, zich machteloos te voelen en zich te laten straffen. Een psycholoog uit New York vertelde dat hij cliënten had die naar een kinderdagverblijf gingen waar ze luiers konden dragen en in een grote box konden zitten. Het wordt pas gevaarlijk als niet langer duidelijk is wat fantasie, wat realiteit en wat waanvoorstelling is. Het verstand raakt in de war en kan het onderscheid niet meer maken, en dan kan er een zenuwinstorting plaatsvinden, met mogelijk blijvende gevolgen.'

'Je bedoelt dat ik een fantasie heb gehad en vervolgens ben gaan bekijken hoe de realiteit eruitziet.'

'Maar je beschreef tenminste geen waanvoorstelling,' zei Aguado. 'Voordat je zus bevestigde dat hij bestond, wist ik niet zeker in welk stadium je je bevond. Ik heb tegen je gezegd dat je je op weg hiernaartoe niet moest laten afleiden, omdat de realiteit die jij wilt zien, gevaarlijk voor je kan zijn... Voor jou persoonlijk. Deze man heeft geen idee van jouw problemen. Hij heeft alleen maar aangevoeld dat je kwetsbaar bent en hij is waarschijnlijk gewoon een roofdier.'

'Hij weet hoe ik heet en hij weet dat mijn man is overleden,' zei Consuelo. 'Dat bleek toen hij me maandagavond lastigviel.'

'Dan moet je er echt met de politie over praten,' zei Aguado. 'Als ze vinden dat je je vreemd gedraagt, stuur je ze maar naar mij.'

'Dan weten ze meteen dat ik gek ben en besteden ze er geen aandacht aan,' zei Consuelo. 'Er is hier een bom ontploft, en dan zeurt een rijke trut over een *chulo* in haar tuin.'

'Probeer met hen te praten,' zei Aguado. 'Die man kan je aanranden of verkrachten.'

Stilte.

'Wat doe je nu, Consuelo?'

'Ik kijk naar je.'

'En je denkt...'

'Dat ik nog nooit zoveel vertrouwen in iemand heb gehad als in jou.'

'In niemand? Zelfs niet in je ouders?'

'Ik hield van mijn ouders, maar ze begrepen niets van me,' zei Consuelo.

'Wie heb je dan wel vertrouwd?'

'Ik vertrouwde een kunsthandelaar in Madrid een beetje, tot hij hier kwam wonen,' zei Consuelo.

'En wie nog meer?' vroeg Aguado. 'Raúl?'

'Nee, hij hield niet van me,' zei Consuelo. 'Bovendien leefde hij in een afgesloten wereld, hij zat in zijn eigen ellende gevangen. Hij praatte niet over zijn problemen en ik niet over die van mij.'

'Hadden jij en die kunsthandelaar iets met elkaar?'

'Nee, de aantrekkingskracht die wij op elkaar hadden, had helemaal niets met seks of romantiek te maken.'

'Waarmee dan wel?'

'We herkenden in elkaar dat we complex waren, met geheimen waar we niet over konden praten. Maar uiteindelijk heeft hij me toch verteld dat hij een man had vermoord.'

'Het valt niet mee om iemand te doden,' zei Aguado, die voelde dat ze dichter bij de kern van de verwarde knoop waren dan Consuelo vermoedde.

'We dronken brandy in een bar aan de Gran Via. Ik was neerslachtig. Ik had hem net alles over mijn abortussen verteld. In ruil vertelde hij dat geheim van hem. Hij zei dat het een ongeluk was geweest, terwijl het eigenlijk iets veel ergers was.'

'Erger dan in een pornofilm mee doen om een abortus te betalen?'

'Natuurlijk. Hij had iemand vermoord omdat...'

Consuelo zweeg alsof een dolk in haar keel werd gestoken. Het volgende woord wilde er niet uitkomen. Ze wist alleen een hese klank uit te brengen, alsof er een lemmet door haar luchtpijp was gestoken. Er ging een krachtige rilling door haar heen. Aguado liet haar pols los en pakte haar arm om haar te kalmeren. Consuelo maakte een vreemd geluid en gleed op de vloer. Het had iets van een orgastische kreet, een kreet van ontlading – maar niet van genot. Het was een kreet van plotselinge pijn.

Aguado had niet verwacht dat ze dit punt in de behandeling zo snel zouden bereiken, maar de ziel was nu eenmaal een onvoorspelbaar verschijnsel. Het braakte voortdurend dingen op en kotste de afschuwelijkste beelden het bewustzijn in. Soms kon het bewustzijn, dat was nog wel het vreemdst, die vreselijke revelaties overwinnen of ontwijken, of het sprong over de plotseling geopende afgrond heen, terwijl het er andere keren door tegen de vlakte werd geslagen. Consuelo had net iets meegemaakt waarvan het equivalent was dat een stier van vijfhonderd kilo je van achteren te grazen nam. Ze belandde in foetushouding op het Afghaanse tapijt, piepend, alsof iets gruwelijks naar buiten probeerde te komen.

27

Sevilla, donderdag 8 juni 2006, 09.28 uur

De perskamer in het Andalusische parlementsgebouw was tot de laatste stoel bezet, en buiten op de gang stonden nog meer mensen. De dubbele deuren stonden open. Falcón kon zich niet voorstellen dat er niemand had gelekt. Voor een gewone persconferentie was nooit zo'n gigantische belangstelling.

De ernst van de onthullingen had ook Comisario Lobo naar de persconferentie gevoerd, en zijn norse verschijning was hen tot steun. Lobo dwong respect af. Hij boezemde angst in. Geen mens onderschatte die enorme verschijning met de grove, komijnkleurige huid. Hij was de hoogste politieman van Sevilla, maar zag eruit alsof hij er maar net in slaagde een buitengewoon gewelddadig temperament in toom te houden.

Op het verhoogde podium stonden zes stoelen achter twee tafels waarop zes microfoons waren gezet. De zes sterren van de persconferentie – Comisario Lobo en Comisario Elvira, Juez del Rey, Magistrado Juez Decano de Sevilla Spinola en de Inspectors Jefe Barros en Falcón – stonden achter de coulissen en hielden zich bezig met de gevouwen kaartjes waarop hun naam stond. Del Rey was nog maar vijf minuten geleden gearriveerd met de taxi die hij vanaf Estación Santa Justa had genomen. Voor iemand die om kwart over zes 's ochtends was gewekt met de boodschap dat hij de eerste AVE-trein naar Sevilla moest pakken om de leiding van het grootste rechercheonderzoek in Andalucía ooit op zich te nemen, zag hij er opmerkelijk rustig uit.

Om halftien precies liet Lobo hen aantreden, als gladiatoren die aan het publiek worden getoond. Er volgde een spervuur van klikkende sluiters en flitsende lichten van de fotografen. Lobo zat in het midden. Hij stak een grote vinger op en vorste zijn publiek, dat er veiligheidshalve meteen het zwijgen toedeed.

'Deze persconferentie is belegd voor de presentatie van het nieuwe team dat het onderzoek leidt naar de bomaanslag in Sevilla, waaraan ik vanaf nu zal refereren als 6 juni.'

Hij introduceerde elk lid van het team en legde uit wat zijn rol was. Toen Sergio del Rey werd voorgesteld als de nieuwe rechter die het onderzoek zou gaan leiden, vond er een menselijke aardbeving plaats, waardoor de rol van Falcón in de nabevingen verloren ging.

'Waar is Juez Calderón?' riep iemand achter in de zaal.

Lobo's enorme vinger ging opnieuw de lucht in, dit keer vermanend. Het werd stil.

'De Magistrado Juez Decano de Sevilla legt nu uit waarom we de Juez de Instrucción hebben vervangen.'

Spinola ging staan. Zijn beschrijving van wat er eerder die ochtend bij de Guadalquivir was gebeurd, was net zo bondig en feitelijk als die van Elvira een uur eerder. Toen hij klaar was, viel er een ijzingwekkende stilte. Daarna klonk er een brul alsof het publiek in een overdekte basketbalzaal getuige was van een smerige overtreding. Ze staken hun handen in de lucht en zwaaiden met pennen, notitieboekjes en dictafoons. Toen hun geschreeuw geen succes bleek te hebben, begonnen ze te gillen, als krankzinnig geworden handelaren in het oog van een beurskrach. Het was onmogelijk ook maar één vraag te verstaan. Lobo ging staan, maar zelfs de kolos van de Jefatura maakte geen indruk meer. Het schandaal was eenvoudigweg té groot, en de kudde te ver heen om zich nog iets van deze immense autoriteit aan te trekken. De journalisten bestormden het podium. Falcón was blij dat de tafel een barrière vormde. Lobo was resoluut. De zes mannen verlieten het podium en slaagden er nog net in om naar de achteruitgang te lopen en het niet op een rennen te zetten. Barros was de laatste en moest zijn arm uit de greep van de bloedrood gelakte nagels van een vrouw losrukken. De deur werd door beveiligingsmedewerkers dichtgedaan en op slot gedraaid. De journalisten timmerden op de andere kant van de deur. De dubbele deuren leken bol te staan, alsof ze ieder moment open konden barsten.

'Er valt niet met ze te praten,' zei Lobo. 'Bovendien hebben we buiten deze verklaring niets te melden. We beleggen later wel een nieuwe persconferentie en verzoeken hun dan vooraf vragen in te leveren.'

Ze verlieten het gebouw en Juez del Rey, Barros en Falcón werden naar de kleuterschool gereden. De rechter had het dossier, dat nu al enorm was, nog niet helemaal gelezen. Hij zei dat hij tot die middag nodig zou hebben om het te bekijken en dat hij daarna met het onderzoeksteam wilde vergaderen.

Falcón belde dr. Pintado, de Médico Forense die over het niet-geïdentificeerde lijk van de vuilstortplaats ging. Hij vertelde hem dat hij het nummer van Miguel Covo nodig had omdat hij zo snel mogelijk moest zien wat de beeldhouwer ervan had weten te maken. Pintado antwoordde dat Covo zou bellen zodra hij iets kon tonen.

Hij werd op zijn eigen mobiele telefoon gebeld. Het was Angel. Hij had dat rotding uit moeten zetten.

'Ik was er ook,' zei Angel. 'Zoiets heb ik nog nooit meegemaakt.'

'Ik dacht even dat we jullie met traangas uit elkaar zouden moeten slaan,' zei Falcón in een poging het luchtig te houden.

'Dit is een ramp voor het onderzoek.'

'Juez del Rey is zeer capabel.'

'Je hebt het tegen mij, Javier – Angel Zarrías, de PR-expert. Waar jullie nu mee geconfronteerd worden, is...'

'Dat weten we, maar wat kun je eraan doen? We kunnen de klok niet terugzetten en Inés tot leven brengen.'

'Sorry,' zei hij. Haar naam herinnerde hem eraan voorzichtiger te zijn. 'Ik vind het echt heel erg voor je, Javier. Ik liet me even meeslepen door dat gekkenhuis daarbinnen. Het moet vreselijk moeilijk voor je zijn. Zelfs voor jou, met al je ervaring, zal dit een enorme klap zijn.'

Het speeksel in Falcóns mond werd dik toen hij opnieuw onverwacht door bitter verdriet werd overvallen. Hij dacht dat hij zich uit de emotionele verstrengeling met Inés had losmaakt, en toch waren hier die oude residuen. Hij had van haar gehouden, in ieder geval had hij gedacht dat hij van haar hield, en hij was verbaasd dat die liefde haar wreedheid en egoïsme blijkbaar had overleefd.

'Wat kan ik voor je doen, Angel?' vroeg hij zakelijk.

'Hoor eens, Javier, ik ben niet gek. Ik weet dat je, als je al wist wat er is gebeurd, nergens over kunt praten. Ik wilde je alleen even laten weten dat de *ABC* achter je staat. Ik heb de hoofdredacteur gesproken. Als Comisario Elvira hulp nodig heeft, zijn we bereid hem volledig te steunen.'

'Ik zal het doorgeven,' zei Falcón. 'Ik moet nu ophangen, ik krijg een nieuw gesprek binnen.'

Falcón verbrak de verbinding en klapte zijn andere telefoon open. Het was de beeldhouwer, Miguel Covo. Hij kon hem iets laten zien. Hij legde uit waar zijn atelier was en Falcón zei dat hij er over tien minuten zou zijn. Onderweg belde hij Elvira en gaf hem door wat Angel Zarrías had gezegd.

'Voor niets gaat de zon op,' zei Elvira, 'maar we zullen alle hulp die we kunnen krijgen hard nodig hebben. Ik heb net het autopsierapport gelezen en... Sorry, Javier, dat kan ik misschien beter voor me houden.'

'Ik heb haar gezien,' zei Falcón, die zijn maag voelde samentrekken.

Maar hij wilde het niet horen. Hij had genoeg autopsierapporten van mishandelde vrouwen en vriendinnen gelezen, en het had hem altijd verbaasd dat een lichaam zulke afstraffingen kon incasseren zonder er de brui aan te geven. Hij luisterde niet meer naar Elvira's stem. Hij wilde niet weten hoe Inés had geleden.

'...een beschaafde man, een gerespecteerde, briljante jurist, een cultuurliefhebber. We liepen elkaar regelmatig tegen het lijf bij de opera. Je weet het nooit, Javier. Het is een vreselijke gedachte dat je zelfs dergelijke zekerheden niet kunt vertrouwen.'

'Misschien had ik voor me moeten houden wat Angel Zarrías aanbood.'

'Ik kan je niet volgen.'

'Daar is Angel Zarrías goed in. Hij is geniaal in het manipuleren van een imago.'

'Wij zullen ervan worden verdacht dat we van Calderóns gedrag afwisten, en dat we het vanwege zijn uitzonderlijke kwaliteiten door de vingers zagen.' Elvira leek de macht van de media meer te vrezen nu hij Calderón, zijn briljante woordvoerder, kwijt was. 'Als Inspector Jefe Zorrita gaat graven zullen er dingen naar boven komen. En dan zijn er al die vrouwen met wie hij... Je weet wel.'

'Neukte?'

'Dat was niet het woord dat ik zocht,' zei Elvira. 'Maar inderdaad, het waren er meer dan één of twee. Kranten met minder scrupules dan de ABC zullen er lucht van krijgen, en er zullen verhalen uit het verleden opduiken... We zullen allemaal als stomme idioten of erger worden afgeschilderd, omdat we zijn zwakke karaktertrekken niet hebben onderkend.'

'Niemand van ons wist er ook maar iets van,' zei Falcón. 'Dus hoeven we ons ook niet schuldig te voelen. En de wereld zit nu eenmaal zo in elkaar dat dit soort zaken via de media wordt gespeeld. Maar er zal uiteindelijk iets goeds uit voortkomen.'

'Hoe dat zo?'

'Het zal de perceptie van de mensen veranderen. Vanaf nu weten ze dat iedereen iemand kan zijn die een vrouw mishandelt. Dat het niet alleen is voorbehouden aan laag opgeleide bruten zonder zelfbeheersing, maar ook aan beschaafde, cultuurminnende, intelligente mannen die door *Tosca* tot tranen toe worden ontroerd.'

Ze verbraken de verbinding. Covo's atelier lag bij Plaza de Pelicano, een lelijk, modern plein met appartementencomplexen uit de jaren zeventig. In het midden, waar bankjes stonden, lieten mensen hun hond poepen. Falcón parkeerde voor het atelier in een aangrenzend ommuurd terrein met kleine werkplaatsen en haalde zijn digitale camera uit het handschoenenkastje.

'Vroeger deed ik alles thuis,' zei Covo terwijl hij Falcón door een met staal verzwaarde deur voorging naar een kamer waar geen enkele decoratie was en alleen een tafel en twee stoelen stonden. 'Maar mijn vrouw begon te klagen toen ik steeds meer kamers in bezit nam.'

Covo zette sterke koffie, brak het filter van een Ducado af en stak hem op. Zijn haar was gemillimeterd tot witte stoppels. Hij droeg een bril waarvan de glazen halvemaantjes waren, met een gouden montuur, zodat hij er vanaf zijn hals als een accountant uitzag. Hij was slank en had een notenbruine huid, en zijn armen en benen waren een en al pees en taaie spier. Dat was goed zichtbaar omdat hij een zwart nethemd, een korte sportbroek en sandalen droeg.

'Het enige nadeel van deze plek is dat het hier in de zomer wel erg heet wordt.'

Ze dronken koffie. Covo bood verder geen informatie aan. Hij bestudeerde Falcóns gezicht, zijn ogen schoten van onder naar boven en van links naar rechts. Hij knikte, rookte en dronk koffie. Falcón voelde zich niet ongemakkelijk. Hij vond het prettig zich vanuit de waanzin van de wereld even in het gezelschap van dit vreemde individu te bevinden.

'We zijn allemaal uniek,' zei Covo na een tijdje, 'en toch lijken we buitengewoon veel op elkaar.'

'Er zijn types,' zei Falcón. 'Dat is mij ook opgevallen.'

'Het probleem is dat we in een deel van Europa wonen waar veel genetisch materiaal is uitgewisseld,' zei Covo. 'Daardoor vind je de genetische marker e3b bijvoorbeeld niet alleen in Noord-Afrika, maar ook op het Iberisch schiereiland. Hoe graag we ook zouden willen, we kunnen onmogelijk zeggen waar jullie lijk precies vandaan komt. We komen niet verder dan dat hij Spaans of Noord-Afrikaans is.'

'Dat is al iets,' zei Falcón. 'Hoe heeft u de genetische marker gevonden?'

'Dr. Pintado heeft een beroep gedaan op laboranten die hij eerder een dienst heeft bewezen,' zei Covo. 'Jullie lijk heeft een goed gebit. Jullie weten al dat hij orthodontisch behandeld is om de tanden recht te krijgen; dat is duur en ongebruikelijk voor iemand van zijn generatie. Het werk is niet in Spanje uitgevoerd.'

'U heeft grondig werk geleverd.'

'Ik ging ervan uit dat de dood van deze man iets met de bom heeft te maken, dus ik heb hard en snel gewerkt,' zei Covo. 'Het is belangrijk te achterhalen hoe het de vorm van het gezicht bepaalt. De invloed van een goed gebit op het geheel is erg groot. Hoofdhaar en gezichtsbegroeiing zijn ook belangrijk.'

'Denkt u dat hij een baard had?'

'Ze zijn minder grondig met het zuur geweest dan mogelijk was geweest. Ik weet zeker dat hij een baard had, maar dat leidt weer tot nieuwe problemen. Hoe zag de baard eruit? Ik weet alleen dat hij niet lang en onverzorgd was. De tanden geven aan dat deze man om zijn uiterlijk gaf.'

'En hij had lang haar.'

'Ja, en uitstekende jukbeenderen,' zei Covo. 'En een grote neus – een deel van het neustussenschot was nog in tact. Ik denk dat het een nogal opvallend figuur geweest moet zijn, en dat ze om die reden ook zo veel moeite hebben gedaan om zijn gelaatstrekken te verwoesten.'

'Het verbaast me dat ze zijn tanden niet kapot hebben gemaakt.'

'Om zeker te zijn zouden ze allemaal getrokken moeten worden,' zei Covo. 'Dat kostte waarschijnlijk te veel tijd. Ik zal u laten zien wat ik heb gedaan.'

Covo nam een laatste lange trek van zijn Ducado en drukte hem uit. Ze liepen naar het atelier. Op bepaalde plekken gingen lampen aan. Midden in de ruimte stond een brok steen waaruit verschillende gezichten verschenen. Ze maakten een strijdlustige indruk, alsof ze vanuit de steen een blik op de wereld wierpen en niets liever wilden dan uit die botte materie bevrijd te worden. Langs de muren, in het halfduister, stonden de toeschouwers: honderden hoofden, sommige van klei, andere van was, angstaanjagend echt.

'Ik laat hier zelden iemand binnen,' zei Covo. 'De meeste mensen vinden het doodeng.'

'Omdat het zo stil is, denk ik,' zei Falcón. 'Je zou verwachten dat die gezichten iets zeggen.'

'Het doet mensen te veel aan de dood denken,' zei Covo. 'Mijn talent is niet kunstzinnig. Ik ben een vakman. Ik kan een gezicht reproduceren, ik kan het niet tot leven wekken. Ze zijn zielloos, zonder de motivatie van een ziel. Ik gebruik klei en was om mensen te balsemen.'

'Ik vind dat die gezichten die uit de steen komen, wel een ziel hebben,' zei Falcón.

'Ik geloof dat ik de beperking van mijn sterfelijkheid begin te voelen,' zei Covo. 'Maar ik zal u uw vriend laten zien.'

Rechts van de brok steen stond een tafel. Zo te zien stonden er vier hoofden met een laken erover.

'Ik heb vier kopieën van zijn gezichtloze hoofd gemaakt,' zei Covo. 'Daarna heb ik schetsen gemaakt van hoe ik dacht dat hij eruitzag. Ten slotte ben ik gaan bouwen.'

Hij trok het laken van het eerste hoofd. Het had geen neus, geen mond en geen oren.

'Hier probeer ik me een voorstelling te maken van hoeveel huid en vet er op zijn botten zat,' zei Covo. 'Ik heb het hele lichaam bekeken en op basis daarvan een inschatting gemaakt.'

Hij verwijderde het laken van de twee volgende hoofden.

'Bij deze ben ik met de gelaatstrekken aan de slag gegaan,' zei Covo. 'Ik heb geprobeerd de juiste neus, mond, oren en ogen op het gezicht te zetten. Het derde hoofd is, zoals u ziet, meer uitgesproken. Als ik dit stadium eenmaal heb bereikt, maak ik nieuwe schetsen, met haar en kleur. Het laatste beeld heb ik vannacht gemaakt. Vanmorgen heb ik hem beschilderd en van haar voorzien. Het is mijn beste gok.'

Het laken gleed weg en onthulde een hoofd met bruine ogen, lange wimpers, een haviksneus, scherpe jukbeenderen en enigszins ingevallen wangen. Het had een getrimd baardje, donker haar dat lang en golvend was, en perfecte witte tanden.

'Mijn enige zorg is dat ik me een beetje heb laten meeslepen,' zei Covo. 'Misschien heb ik hem iets te elegant gemaakt.'

Falcón nam foto's en Covo maakte een selectie van de tekeningen van andere gezichten die realistisch zouden kunnen zijn. Om elf uur reed Falcón weer over de rivier, terug naar de Jefatura. Hij liet de tekeningen inscannen en de afbeelding van het slachtoffer op de computer zetten. Hij belde Pintado en verzocht hem de röntgenfoto's van het gebit te e-mailen. Hij zette een pagina in elkaar met de geschatte leeftijd van het lijk, zijn lengte en gewicht en de informatie over de liesbreukoperatie, de tatoeages en de schedelbasisfractuur. Daarna belde hij Pablo. Die gaf hem het e-mailadres van de CNI-agent in Madrid die het onder alle inlichtingendiensten en de FBI en Interpol zou verspreiden.

Ramírez belde op het moment dat hij wilde vertrekken.

'Ik heb de vasculair chirurg van het ziekenhuis gesproken,' zei hij, 'en die heeft de liesbreukmesh van het lijk herkend. Hij staat in het vak bekend als *surumesh* en wordt gemaakt door Suru International Ltd uit Mumbai, in India.'

'Gebruikt hij dat spul ook?'

'Voor liesbreuken gebruikt hij een Duits fabrikaat dat *timesh* heet.'

'Zo leer je nog eens wat, José Luis.'

'Het interesseert me mateloos,' zei Ramírez droogjes. 'Hij zegt dat Suru International ziekenhuizen waarschijnlijk via medische groothandels bevoorraadt.'

'Ik praat wel even met Pablo. Het CNI kan een lijst van Suru International krijgen.'

'Dan moeten ze alle ziekenhuizen bellen die door deze groothandels worden bevoorraad. Het is best mogelijk dat een ziekenhuis mesh van verschillende fabrikanten afneemt. En dan zijn er nog klinieken die in liesbreuken zijn gespecialiseerd. Dat gaat veel tijd kosten.'

'We strijden op meerdere fronten,' zei Falcón. 'Ik werk nu aan het gezicht. We hebben röntgenfoto's van het gebit. Ik denk eerder aan Amerika. Hij heeft een orthodontische behandeling ondergaan...'

'De meeste mensen die aan een liesbreuk worden geopereerd, zijn over de veertig,' zei Ramírez. 'Dr. Pintado schat dat de man drie jaar geleden is geopereerd. Dus we hebben het over de liesbreukoperaties van de afgelopen vier, maximaal vijf jaar aan. Dat zijn er wereldwijd ongeveer tweeënhalf miljoen.'

'Hou de moed erin, José Luis.'

'Ik zie je over een jaar.'

Falcón lichtte hem nog in over de afspraak die ze die middag met Juez del Rey hadden en verbrak de verbinding. Hij stuurde zijn contactpersoon bij het CNI nog een e-mail over Suru International en stond op. Op dat moment trilde zijn privételefoon. Er verscheen geen naam op de display. Hij nam hem toch.

'*Diga*,' zei hij.

'Ik ben het. Consuelo.'

Hij ging voorzichtig zitten en dacht: mijn god. Zijn maag schoot in zijn keel en zijn bloed begon te bruisen. Zijn hart bonkte in zijn hoofd.

'Dat is lang geleden,' zei hij.

'Ik zag wat er met Inés is gebeurd,' zei ze. 'Ik wilde even laten weten hoe erg ik het voor je vind, en dat ik aan je denk. Je zult het wel heel erg druk hebben... Dus ik zal je niet langer ophouden.'

'Dank je, Consuelo,' zei hij. Schoot hem maar iets beters te binnen. 'Het doet me goed je stem te horen. Toen ik je op straat tegenkwam...'

'Dat vond ik ook vervelend,' zei ze. 'Daar was niets aan te doen.'

Hij begreep niet wat ze daarmee bedoelde. Hij moest iets zeggen om te zorgen dat ze aan de lijn bleef. Niets leek relevant. Zijn gedachten waren te veel vervuld van het lijk, de liesbreukmesh en de tweeënhalf miljoen operaties wereldwijd.

'Ik zal je aan je werk laten,' zei ze. 'De druk zal wel groot zijn.'

'Ik vind het fijn dat je belt.'

'Dat was wel het minste wat ik kon doen,' zei ze.

'Ik zou het fijn vinden als je nog eens van je liet horen.'

'Ik denk aan je, Javier,' zei ze. Toen was het voorbij.

Hij leunde achterover en keek naar de telefoon alsof haar stem er nog in zat. Ze had zijn nummer vier jaar bewaard. Ze dacht aan hem. Hebben die dingen betekenis? Of was het gewoon sociaal correct gedrag? Zo voelde het niet. Hij sloeg haar nummer op.

Op de parkeerplaats achter de Jefatura was het snikheet, en de zon in de strakblauwe hemel blindeerde de ramen van de auto's. Falcón ging in de auto zitten. De airco blies in zijn gezicht. Die paar zinnen en haar stemgeluid hadden een jaren geleden gesloten hoofdstuk opnieuw geopend. Hij schudde zijn hoofd en reed de parkeerplaats van de Jefatura af. Hij reed naar El Cerezo, via het Expo-terrein en over de Puente del Alamillo. Hij kwam tegelijk met Ramírez op de rampplek aan.

'Nog nieuws over de elektriciens?' vroeg Falcón.

'Pérez belde. Ze hebben zeventien bouwterreinen gehad, maar het heeft niets opgeleverd.'

'En wat is Ferrera aan het doen?'

'Ze zoekt naar getuigen die hebben gezien dat onze vriend met de liesbreuk in de afvalcontainer op de Calle Boteros werd gedumpt.'

Ze liepen de kleuterschool in. Juez del Rey zat in z'n eentje in het klaslokaal op hen te wachten. Ze gingen op schoolbankjes zitten. Del Rey vouwde zijn armen over elkaar, staarde naar de vloer en gaf een perfecte samenvatting van de belangrijkste bevindingen van het onderzoek tot op dat moment. Hij gebruikte geen aantekeningen. De namen van alle Marokkaanse getuigen kende hij uit zijn hoofd. Het tijdschema van wat er wanneer in en rondom de moskee was gebeurd ook. Hij wilde indruk op de twee rechercheurs maken, en dat lukte. Falcón voelde dat Ramírez ontspande. De vervanger van Calderón was niet op zijn achterhoofd gevallen.

'De twee recentste belangrijke ontwikkelingen in het onderzoek baren me de meeste zorgen,' zei Del Rey. 'Ricardo Gamero's zelfmoord en de mogelijkheid dat zijn informant een dubbelspion was.'

'Gamero is gezien door een suppoost van het archeologisch museum in Parque María Luisa,' zei Falcón. 'Een politietekenaar werkt aan schetsen van de oudere man met wie hij daar stond te praten.'

'Ik bel Serrano wel even,' zei Ramírez. 'Kijken hoe het ervoor staat.'

'Ik ben er niet van overtuigd dat een man als Gamero zelfmoord pleegt omdat hij het gevoel heeft dat deze bomaanslag door zijn falen niet is voorkomen,' zei Del Rey. 'Er is meer aan de hand. Falen is te algemeen. Mensen moeten zich persoonlijk verantwoordelijk houden om zelfmoord te plegen.'

'De tekenaar van de politie had gisteravond geen geluk met de suppoost,' zei Ramírez toen hij terugkwam nadat hij had gebeld. 'Hij heeft hem vanmorgen pas te pakken gekregen. Tegen de lunch denkt hij iets op papier te hebben.'

'Ik ben er ook niet van overtuigd dat Miguel Botín een dubbelspion was,' zei Del Rey. 'Zijn broer is god nog aan toe verminkt door een bom van islamitische terroristen. Geloven jullie dat hij dan zo'n omslag maakt?'

'Hij had zich al bekeerd,' zei Falcón. 'En hij nam zijn geloof erg serieus. Het is moeilijk voor te stellen hoeveel invloed een charismatische radicale preker dan kan hebben. We hebben het voorbeeld van Mohammed Sisique Khan, een van de plegers van de aanslagen in Londen. Hij was eerst leraar in het bijzonder onderwijs, en is uiteindelijk een radicale militant geworden.'

'Bovendien weten we niet hoe de relatie tussen Miguel Botín en zijn verminkte broer was,' zei Ramírez.

'De elektriciens en die gemeente-inspecteurs zitten me ook niet lekker. Ik geloof niets van de zienswijze van het CNI dat zij een terreurcel vormden. Mijns inziens probeert het CNI informatie die vierkant is in een rond gat te rammen.'

Er werd op de deur geklopt. Een politieman stak zijn hoofd om de hoek.

'De technische recherche is door het puin boven de opslagkamer van de moskee gekomen,' zei hij. 'Ze hebben een vuurvaste, schokbestendige metalen kist gevonden. Hij is naar de forensische tent gebracht. Ze dachten dat jullie er wel bij wilden zijn als hij open wordt gemaakt.'

28

Sevilla, donderdag 8 juni 2006, 12.18 uur

Iedereen buiten de kleuterschool droeg een masker tegen de stank, en Falcón, Ramírez en Del Rey liepen met hun handen voor hun neus en mond. In het vertrek vóór de grote ruimte van de forensische tent droeg iedereen een overall en beschermende mondkapjes. In de tent hield de airconditioner het onder de tweeëntwintig graden Celsius. Op de rampplek waren op dat moment vijf teams van de technische recherche aan het werk. Iedereen had zijn bezigheden voor het openen van de kist onderbroken. Iets in de menselijke geest maakte het, zelfs voor leden van de technische recherche, onmogelijk de raadselachtigheid van een afgesloten, beveiligde kist te weerstaan.

Een dictafoon werd uitgeprobeerd en in het midden van de tafel neergezet. De man die de leiding over de technische recherche had, knikte naar de rechter en de rechercheurs. Hij had zijn handen, in rubberen handschoenen, op de zijkanten van de rode metalen kist gelegd. Naast hem stond een ondiepe kartonnen doos voor bewijsstukken. Op de klep stonden een datum en het adres van het appartement van de imam. Verder lagen er drie doorzichtige plastic zakjes met sleutels. Een man in een wit pak stootte Falcón aan. Het was Gregorio.

'Het zou interessant zijn als een van die sleutels op dat kistje past,' zei hij. 'Twee sleutelbosjes komen uit het bureau en één uit een keukenla van de imam.'

'Is iedereen er klaar voor?' vroeg de leider van het forensische team. 'Het is donderdag 8 juni 2006, 12.24 uur. We hebben hier een afgesloten metalen kist. Het deksel is enigszins beschadigd door de explosie, maar het slot lijkt intact. We gaan proberen de kist open te maken met de sleutels uit de woning van de imam, die daar tijdens de huiszoeking van woensdag 7 juni 2006 zijn gevonden.'

Hij liet het eerste zakje met sleutels voor wat het was, koos het volgende en liet de twee sleutels in zijn hand glijden. Hij stak een van beide identieke sleutels in het slot en draaide hem om. Het deksel sprong open.

'De kist ging open met de sleutel die in het keukenlaatje van het appartement van de imam is gevonden.'

Hij opende het deksel en haalde er drie gekleurde plastic mappen uit. Er zaten opgevouwen papieren in. Verder zat er niets in de kist, die op een andere tafel werd gezet. Hij maakte de eerste, groene map open.

'We hebben hier een vel papier dat in het Arabisch is beschreven. Het zit met een paperclip vast aan wat nog het meest op een bouwtekening lijkt.'

Hij vouwde de tekeningen open. Het bleek de gedetailleerde plattegrond van een middelbare school in San Bernardo te zijn. In de twee andere mappen zaten soortgelijke papieren. Het tweede pakket bevatte de plattegrond van een basisschool in Triana, het derde de plattegrond van de biologiefaculteit aan de Avenida de la Reina Mercedes.

De mannen en vrouwen van de forensische teams bekeken de vondst in een doodse stilte. Falcón voelde dat iedereen conclusies trok die steeds onaangenamer werden. Met iedere islamitisch terroristische gruweldaad werd de virale druk op het lichaam van het Westen opgevoerd. Het Westen had zich er net bij neergelegd dat een man een bom kon zijn, toen het werd geconfronteerd met vrouwen en zelfs kinderen die als bom dienden. Vervolgens werd, hoe misselijkmakend ook, duidelijk gemaakt dat auto's, boten en zelfs vliegtuigen in bommen konden veranderen. En de gruweldaden bleven niet ver weg in het Midden-Oosten, Verre Oosten of Amerika, maar kwamen naar Madrid en Londen. En ten slotte was ook het onvoorstelbare gebeurd. Hetgeen waarvan zelfs een schrijver van horrorverhalen 's nachts wakker lag: de beelden van mannen en vrouwen die met een keukenmes werden onthoofd, gingen de hele wereld over, net als de gijzeling in Beslan, waar kinderen, die geen eten en drinken kregen, met explosieven werden behangen. Hoe moet een normaal mens onder een zo besmettelijke ziekte blijven functioneren?

'Wilden ze die gebouwen allemaal opblazen?' vroeg iemand.

'Ze wilden gijzelaars nemen,' zei een vrouw. 'Moet je kijken, ze hadden het op kinderen tussen de vijf en vijfentwintig jaar begrepen.'

'De klootzakken.'

'Deinzen die mensen dan nergens voor terug? Zijn er dan helemaal geen grenzen meer?'

'Ik denk,' zei Juez del Rey, die zich haastte om de groeiende hysterie de kop in te drukken, 'dat we, voordat we overhaaste conclusies trekken, moeten wachten tot we een vertaling van de Arabische tekst in handen hebben.'

Maar de mensen zaten niet op de stem van de rede te wachten. Nu in ieder geval nog niet. Ze hadden lang op concreet bewijs gewacht en nu ze iets spectaculairs hadden, wilden ze hun woede ventileren. Del Rey voelde dat aan. Hij reageerde opnieuw snel.

'Uit voorzorg moeten deze drie gebouwen onmiddellijk worden doorzocht. Als ze van plan waren daar hun slag te slaan, is het mogelijk dat er wapentuig ligt opgeslagen.'

Iedereen knikte, blij dat de man uit Madrid aan dezelfde paranoia leed, dat ook zijn brein was aangetast.

'De technische recherche moet haar onderzoek naar de Arabische tekst en de tekeningen zo snel mogelijk afronden. We hebben de vertaling meteen nodig,' zei hij.

'Er is nog iets,' zei de leider van de technische recherche. 'De explosievenopruimingsdienst heeft een interessante ontdekking gedaan.'

Een legerofficier in een witte overall met een groene band om zijn arm baande zich een weg naar de tafel.

'Dat we onmiddellijk toegang tot de ruimte boven de voorraadkamer hadden, was te danken aan het feit dat er geen lijken of menselijk weefsel werden aangetroffen. We denken nog steeds dat de zware, vernietigende explosie is veroorzaakt door een grote hoeveelheid hexogeen, maar we hebben ook sporen van Goma 2 Eco gevonden. Die springstof uit de mijnbouw is ook bij de aanslagen in Madrid gebruikt.'

'Is de ene explosie door de andere veroorzaakt?'

'Dat is zeker mogelijk, maar dat kunnen we niet bewijzen.'

'Is er een reden om twee soorten springstof te gebruiken?'

'Goma 2 Eco is van industriële kwaliteit, hexogeen van militaire. Als je een grote hoeveelheid hexogeen hebt met een veel grotere ontploffingskracht dan Goma 2 Eco, zou ik niet weten waarom je een minder krachtig explosief zou gebruiken. Tenzij je andere, afleidende explosies wilt veroorzaken, of mensen angst aan wilt jagen.'

'U schatte dat er rond de honderd kilo hexogeen in het gebouw lag,' zei Del Rey.

'Dat is een conservatieve inschatting.'

'Hoeveel schade kan honderd kilo hexogeen aan de scholen en de faculteit op deze plattegronden aanrichten?'

‘Een expert, die de architectuur van de gebouwen begrijpt, zou ze waarschijnlijk alle drie tegen de vlakte krijgen,’ zei de legerofficier. ‘Maar dat zou een echte sloopklus zijn. Om daarin te slagen moet je gaten in het geraamte van gewapend beton boren en de springladingen met elkaar verbinden om een gelijktijdige explosie te krijgen.’

‘En wat gebeurt er met de mensen?’

‘Als iedereen zich in een of twee zalen van ieder gebouw zou bevinden, zouden er met dertig kilo hexogeen geen of heel weinig overlevenden zijn.’

‘Kunt u zeggen hoeveel Goma 2 Eco er in de opslagkamer van de moskee is ontploft?’

‘Ik zou zeggen hooguit vijfentwintig kilo, maar dat durf ik niet voor de rechter te herhalen, want daar is het hexogeenspoor te dominant voor.’

‘Wordt er in Spanje hexogeen geproduceerd?’

‘Nee. Alleen in Groot-Brittannië, Italië, Duitsland, de Verenigde Staten en Rusland,’ zei hij. ‘Waarschijnlijk maken ze het ook in China, maar als dat zo is, vertellen ze het ons niet.’

‘Waarom hebben ze de moeite genomen het te importeren?’

‘Omdat het beschikbaar is,’ zei de legerofficier. ‘Als er ergens in de wereld een conflict is, dan is er ook militair materieel, en hexogeen is gemakkelijk te pikken. Het is een hyperexplosieve springstof met relatief weinig volume. De herkomst is lastig te traceren en het is eenvoudig te transporteren, op te slaan en te verbergen. Nationale wapenopslagterreinen worden sinds 11 maart veel beter beveiligd – al wordt er toch nog weleens iets gestolen, zoals vorig jaar in Portugal. Ik moet ook zeggen dat de kans dat hexogeen in het open Europese transportsysteem opvalt, niet groot is. En daar staat dus tegenover dat diefstal in een wapenopslag in dit land minder krachtige springstof oplevert en onmiddellijk de aandacht van de autoriteiten trekt.’

‘En bommen van eigen fabrikaat, zoals die bij de aanslagen in Londen zijn gebruikt?’ vroeg Del Rey. ‘Is het niet gemakkelijker om overal verkrijgbare ingrediënten bij elkaar te gooien, dan moeite te doen en hexogeen te importeren of risico’s te nemen en Goma 2 Eco te stelen?’

‘U heeft gelijk, het is tamelijk eenvoudig triaceton triperoxide te maken, maar ik kom niet graag in de buurt van iemand die daarmee bezig is, tenzij hij een postdoctorale titel heeft en in een laboratorium werkt waar de temperatuur stabiel is. Het vervliegt snel. Bovendien ligt het er ook maar net aan welke gruweldaad je wilt uitvoeren. TATP werkt goed als je veel mensen wilt doden, maar heb je liever een spectaculaire explosie met doden én flinke schade, dan heb je veel meer aan hexogeen. Bovendien is hexogeen stabiel en niet temperatuurgevoelig, wat in deze tijd van het jaar in een stad als Sevilla ook van belang is, want de temperatuur overdag kan twintig graden verschillen.'

De werkdruk werd groter. Er kwam nu een constante stroom materiaal van de rampplek. Stukjes van een creditcard, half doormidden gescheurde identiteitspapieren, rijbewijzen, flarden van kleding, schoenen. De echt macabere spullen, zoals lichaamsdelen, werden naar de lijkentent naast de forensische tent gebracht. Terwijl Del Rey naar het werk van de technische recherche keek, lichtte Falcón Elvira in. Elvira kwam net terug van het gemeentehuis, waar hij had vergaderd met de burgemeester, Comisario Lobo en Magistrado Juez Decano Spinola. Elvira gaf onmiddellijk opdracht de drie gebouwen te doorzoeken. De lokale politie kreeg de verantwoordelijkheid voor de evacuatie, de huiszoekingen zouden door de explosievenopruimingsdienst worden geleid, voor het geval er boobytraps lagen. Elvira vreesde dat andere terreurcellen waren geactiveerd, en dat die al voorbereidingen voor de aanslagen op de scholen en het faculteitsgebouw hadden getroffen. De CGI moest gewaarschuwd worden. Gregorio van het CNI had contact gehad met Pablo, die hem had gevraagd de vertalingen, zodra ze af waren, per beveiligde e-mail naar hem toe te sturen.

Falcón, Ramírez en Del Rey trokken in de antichambre van de forensische tent hun overall uit en liepen samen terug naar de kleuterschool om hun vergadering voort te zetten.

'Wat denkt u van deze nieuwe ontwikkeling, Inspector Jefe?' vroeg Del Rey.

'Die hoge CNI-agent heeft ons gevraagd in dit onderzoek overal voor open te staan,' zei Falcón. 'Maar sinds de ontdekking van de Peugeot Partner leiden bijna alle bevindingen naar de overtuiging dat er in de moskee een islamitische terreurcampagne werd bekokstoofd.'

'Bijna alle bevindingen?'

'Er is geen bevredigende verklaring voor die nep gemeente-inspecteurs en die elektriciens. Toch staan we zeer argwanend tegenover hun betrokkenheid,' zei Falcón. 'Het ziet ernaar uit dat ze een wezenlijk aandeel in de ontploffing hebben gehad. Uit het verhaal van de explosievenruimingsdienst maak ik op dat er een kleinere bom is geplaatst en dat die het opgeslagen hexogeen tot ontploffing heeft gebracht. We hebben de link tussen

Miguel Botín en de elektriciens. Iemand heeft gezien dat hij het visitekaartje aan de imam gaf. Maar voor wie werkte Botín?'

'U gelooft dus niet in dat scenario van het CNI?'

'Ik zou het best willen geloven, maar er is geen enkel bewijs voor.'

'En die sleutels uit de woning van de imam waarmee de kist is geopend?' vroeg Ramírez. 'Wat voor invloed heeft dat op de positie van de imam?'

'Hij zit in het complot,' zei Del Rey.

'Alleen zijn de sleutels wel in de keukenla gevonden,' zei Falcón. 'Terwijl hij de andere sleutels in zijn bureau bewaarde. En de twee sleutels waren identiek. Zou u ze bij elkaar bewaren?'

'Als Miguel Botín een dubbelspion was, en hij heeft, zoals het CNI schijnt te geloven, de imam in opdracht van een terroristische bevelhebber aan de CGI gevoerd, wat moeten we dan van die tekeningen in het metalen kistje denken?' vroeg Del Rey.

'Het kistje werd geopend met de sleutel van de imam,' zei Falcón. 'Dus alles wat uit dat kistje komt, is waardeloos en het CNI moet toegeven dat ook dit een afleidingsmanoeuvre is.'

'Denkt u dat zelf ook, Inspector Jefe?'

'Ik heb niet genoeg informatie om er iets van te denken,' zei Falcón.

'U zei dat u alle opties openhield, Inspector Jefe. Wat houdt dat precies in? Onderzoekt u nog andere mogelijkheden?'

Falcón vertelde hem over Informáticalidad en schetste de achtergrond van Horizonte en I4IT. Hij vertelde waarom ze het appartement hadden gekocht en hoe het door de vertegenwoordigers werd gebruikt. En hij legde uit hoe Informáticalidad rekruteert.

'Dat klinkt inderdaad allemaal vreemd, maar ik zie niet in wat in dit scenario op hun betrokkenheid wijst.'

'Ik heb nooit van zoiets gehoord,' zei Ramírez.

'Hun enige illegale activiteit waar ik tot zo ver weet van heb, is dat ze het appartement met zwart geld hebben gekocht,' zei Falcón. 'Ik heb naar een verband tussen hen en de gebeurtenissen in de moskee gezocht.'

'En heeft u die gevonden?'

'Er is één connectie. Een van de kerken die Informáticalidad gebruikt voor het rekruteren van personeel, werd bezocht door Ricardo Gamero van de antiterreurafdeling van de CGI. De San Marcos.'

'Maar u heeft geen bewijs dat Gamero iemand van Informáticalidad ontmoette?'

'Nee. Ik heb de pastoor van de San Marcos gesproken en ik zou sommige van zijn antwoorden als zeer voorzichtig omschrijven, maar dat is alles.'

'Hoopt u dat de politietekening van de man met wie Gamero in het museum heeft gesproken in de richting van Informáticalidad wijst?'

'Het is natuurlijk riskant om een suppoost een portret te laten schetsen van iemand aan wie hij niet speciaal aandacht heeft besteed,' zei Falcón. 'Zij letten op lastpakken, niet op twee volwassenen die met elkaar staan te praten.'

'Daarom hebben we, na vijf uur, ook nog niets,' zei Ramírez.

'We werken ook verder aan een onderzoek waaraan we de dag voor de aanslag zijn begonnen,' zei Falcón. Hij beschreef de situatie met het verminkte lijk.

'En vanwege de timing denkt u dat er een verband is met de aanslag?' vroeg Del Rey.

'Niet alleen daarom. Nadat het lijk buitengewoon cru onder handen was genomen om identificatie te voorkomen, is het in een doodskleed genaaid. Dat getuigt van respect en geloof. Het lijk had ook een Berberse genetische marker, wat betekent dat hij van het Iberische schiereiland of uit Noord-Afrika kwam.'

'U zei dat hij was vergiftigd.'

'Hij heeft gif binnengekregen,' zei Falcón. 'Dat kan betekenen dat hij werd "geëxecuteerd" zonder het te weten. Daarna hebben ze zijn identiteit verwijderd, maar ze behandelden hem wel met respect.'

'Kan dat ons helpen bij het opsporen van die zogenaamde gemeente-inspecteurs en de elektriciens?'

'Dat weet ik pas als de vermoorde man is geïdentificeerd,' zei Falcón. 'Hopelijk laat dat niet lang meer op zich wachten. Er zijn een afbeelding van zijn gezicht en een serie röntgenfoto's van zijn gebit naar inlichtingendiensten over de hele wereld gestuurd, waaronder de FBI en Interpol.'

Del Rey knikte en maakte een aantekening.

'Als we op de conventionele manier naar die elektriciens blijven zoeken, komen we nergens,' zei Ramírez.

'Tijdens het verhaal van de explosievendeskundige bedacht ik dat iemand die verstand heeft van springstoffen ook verstand moet hebben van elektronica, en dus van elektriciteit in het algemeen,' zei Falcón. 'Goma 2 Eco is een springstof uit de mijnbouw, dus misschien moeten we onze getuigen foto's laten bekijken van iedereen in Spanje die toestemming heeft om explosieven te verkopen.'

'Konden jullie getuigen de elektriciens beschrijven?'

'De meest betrouwbare getuige is een Spanjaard die zich heeft bekeerd, José Duran. Hij kon hen niet goed beschrijven. Ze waren onopvallend.'

'Getuigen, zei u.'

'Er is nog een oude Marokkaan, maar die had niet eens door dat twee van de drie werklieden niet Spaans waren.'

Misschien moeten we de tekenaar bij José Duran langs sturen als hij die springstofhandelaren bekijkt,' zei Ramírez. 'Dat regel ik wel.'

Falcón gaf hem zijn mobiele telefoon voor het nummer van Duran. Ramírez verliet het lokaal.

'Ik ben bang dat het CNI de zaken niet goed ziet of dat ze dingen voor ons achterhouden,' zei Del Rey. 'Ik begrijp niet waarom ze jullie nog niet in de woning van de imam hebben toegelaten.'

'Wat hier is gebeurd, interesseert hen niet meer,' zei Falcón. 'De explosie was óf een fout, óf een afleidingsmanoeuvre. In beide gevallen heeft het geen zin er veel energie te steken. Het levert weinig op, en ondertussen wordt er misschien een andere, nog veel verwoestendere aanslag gepland.'

'Maar u bent het niet met het CNI eens?'

'Ik denk dat hier twee krachten in het spel zijn,' zei Falcón. 'De ene kracht is een islamitische terreureenheid, die blijkbaar een aanslag voorbereidde waarvoor ze hexogeen wilden gebruiken. Die is hier met een Peugeot Partner gebracht en in de moskee opgeslagen.'

'Een aanslag op die scholen en op de biologiefaculteit?'

'Laten we afwachten wat de tekeningen en de teksten opleveren,' zei Falcón. 'En wat er uit de vertalingen blijkt.'

'En de tweede kracht?'

'Geen idee.'

'Maar waaruit blijkt het bestaan van een tweede kracht?'

'Uit een lacune in de logica van het scenario,' zei Falcón. 'De gemeente-inspecteurs en de elektriciens passen er niet in. En voor de Goma 2 Eco hebben we ook geen verklaring.'

'Maar aan wat voor kracht denkt u dan?'

'Waar vechten islamitische terreurbewegingen tegen?' vroeg Falcón. 'Of tegen wie?'

'Dat is moeilijk te zeggen. Het ziet er niet naar uit dat ze een coherente agenda of strategie hebben. Het heeft er eerder de schijn van dat ze in het wilde weg straffen uitdelen. Londen en Madrid werden waarschijnlijk vanwege Irak getroffen. Nairobi, de USS Cole en de Twin Towers omdat ze denken dat Amerika een duivels rijk is. Bali omdat Australië zich in Oost-Timor tegen de islamitische natie Indonesië had gekeerd. Casablanca was waarschijnlijk tegen Spaanse en joodse doelen gericht. Karachi... Ik weet het niet meer. De Sheraton, toch?'

'En dat is ons probleem hier,' zei Falcón. 'We weten helemaal niet wie onze vijand is. Misschien bestaat die andere kracht gewoon uit mensen die er genoeg van hebben, die hebben besloten dat ze zich niet langer zomaar laten terroriseren. Ze willen terugvechten. Ze willen hun manier van leven behouden – of die nou decadent is of niet. Het zouden de personen achter VOMIT kunnen zijn. Maar het zou ook een onbekende Andalusische beweging kunnen zijn die van de MILA heeft gehoord en daar een bedreiging voor henzelf en hun gezin in ziet. Misschien is het een religieuze beweging die de onschendbaarheid van het katholieke geloof in Spanje in stand wil houden en de islam wil terugdrijven naar Noord-Afrika. En misschien zijn we nog veel decadenter dan we weten en is dit pure machtspolitiek. Iemand heeft ingezien hoeveel er in politiek of economisch opzicht valt te winnen door de bevolking angst aan te jagen. Sinds de twee vliegtuigen in de Twin Towers vlogen, is alles veranderd. Mensen zien dingen anders – zowel goede als slechte mensen. Zodra er een nieuw hoofdstuk in de geschiedenis van gruweldaden wordt geopend, wenden allerlei mensen hun creativiteit aan om er een paragraaf aan toe te voegen.'

29

Sevilla, donderdag 8 juni 2006, 13.10 uur

'Ben je er nog in geslaagd je voormalige mentor bij Informáticalidad, Marco Barreda, te spreken?' vroeg Falcón.

'Beter nog,' zei David Curado, 'ik heb hem opgezocht.'

'Hoe ging dat?'

'Ik belde hem op en begon te vertellen wat wij besproken hadden, en toen onderbrak hij me en zei dat het jammer was dat we elkaar niet meer hadden gezien sinds ik uit het bedrijf weg was. Waarom spraken we niet af om een biertje te drinken en tapas te eten?'

'Is dat eerder gebeurd?'

'Echt niet! We hebben elkaar alleen weleens over de telefoon gesproken,' zei Curado. 'Ik was verbaasd: je mag niet eens met oud-werknemers práten, laat staan dat je een biertje met ze gaat drinken.'

'Waren jullie met z'n tweeën?'

'Ja, en het was behoorlijk vreemd,' zei Curado. 'Door de telefoon was hij heel enthousiast geweest, maar toen we elkaar zagen, leek het alsof hij van gedachten was veranderd. Hij maakte een afwezige indruk, maar ik wist dat hij dat speelde.'

'Hoezo?'

'Ik vertelde hem over ons gesprek en hij reageerde nauwelijks,' zei Curado. 'Maar toen ik hem naar Ricardo Gamero vroeg, was hij stomverbaasd. Ik vroeg hem wie die Ricardo Gamero was, en hij zei dat ze naar dezelfde kerk gingen en dat hij die middag zelfmoord had gepleegd. Zoals u weet, kwam ik vroeger zelf ook in de San Marcos, maar ik ben Ricardo Gamero er nooit tegengekomen. Ik vroeg of hij zelfmoord had gepleegd omdat de politie achter hem aan zat en toen zei Marco dat die man zelf agent was.'

'Hoe denk je dat hij op het nieuws van de zelfmoord van Ricardo Gamero heeft gereageerd?'

'Hij was ontdaan, dat zag ik duidelijk. Hij was echt van streek.'
'Waren ze bevriend?'
'Dat denk ik, maar hij zei er niets over.'
Falcón wist dat hij Marco Barreda onmiddellijk moest spreken. Curado gaf hem zijn nummer. Ze verbraken de verbinding. Falcón leunde achterover in zijn autostoel en tikte met zijn mobiele telefoon op het stuur. Had de zelfmoord van Gamero Marco Barreda kwetsbaar gemaakt? En als dat zo was, en Falcón kon een beetje druk op hem uitoefenen, zou dat dan voldoende zeggen? Zou het überhaupt wel íets zeggen?
Hij had geen idee waar het naartoe ging. Hij had tegen Juez del Rey over twee krachten gesproken – over moslimterreur en over een andere, die vooralsnog onbekend was. Beiden hadden laten zien meedogenloos te zijn, maar hij wist niets van hun structuur of doelstellingen. Hij wist alleen dat ze bereid waren te doden. Misschien had de ene beweging geleerd van de andere: maak geen coherente agenda bekend, werk met een losse bevelstructuur en creëer autonome cellen die niet met elkaar in verbinding staan en die op afstand geactiveerd kunnen worden om hun vernietigende opdracht uit te voeren.
Dit moment van overpeinzing leverde hem een heldere gedachte op. Dát was een cultuurverschil tussen het Westen en de islam: als er een islamitische aanslag plaatsvond, zocht het Westen altijd naar het 'meesterbrein'. Er moest een kwade genius aan ten grondslag liggen, want zo stelde het westerse verstand zich dat voor: een hiërarchie en een plan dat kans van slagen had. Welke stappen hadden elkaar opgevolgd?
Hij beredeneerde hoe de elektricien de bom geplaatst kon hebben. Hij was na een telefoontje van de imam ten tonele verschenen. De imam had zijn kaartje van Miguel Botín gekregen. Het kaartje vormde de link tussen de missie en de commandant die haar uitvoering had bevolen. De elektriciens, en de gemeente-inspecteurs, waren tijdens de explosie niet in het gebouw, en beide groepjes maakten net zo zeer deel uit van het plan als het kaartje. Zo ging een islamitische terreurcel niet te werk. Dus kon Miguel Botín, logischerwijs, alleen door Ricardo Gamero geactiveerd zijn. Waarom had Ricardo Gamero zelfmoord gepleegd? Omdat hij niet had beseft dat hij Miguel Botín tot het instrument van de vernietiging van een gebouw en de mensen erin had gemaakt, door hem met behulp van het kaartje van de elektricien te activeren.
Dat zou voldoende reden zijn om je het leven te benemen.
Op de dag van de aanslag kon de antiterreurafdeling van de CGI niets

uitrichten omdat er onder de manschappen mogelijk een lek was. Ricardo Gamero kon pas een dag later naar buiten en vroeg toen een hogere medewerker om tekst en uitleg. Dat was de oudere man in het archeologisch museum. De uitleg was niet zo goed dat hij van zijn zelfmoord afzag. Falcón belde Ramírez.

'Is de tekenaar al klaar met de schets van de man die Gamero in het museum heeft ontmoet?'

'We hebben hem net gescand en naar het CNI en de CGI gestuurd.'

'Stuur een kopie naar de computer in de kleuterschool,' zei Falcón.

'Getuige José Duran kan hier ieder moment zijn,' zei Ramírez. 'We laten hem de foto's van de officiële springstofhandelaren zien, maar ik heb niet veel hoop. De bom kan ook door iemand anders gemaakt zijn en in de moskee zijn achtergelaten. Of de maker heeft ooit voor een springstoffendeskundige gewerkt die hem alles heeft geleerd wat hij moest weten.'

'Ga zo door, José Luis!' zei Falcón. 'Als je echt aan een onmogelijke opgave wilt beginnen, moet je proberen die zogenaamde gemeente-inspecteurs op te sporen.'

'Dat zet ik wel op de lijst met de tweeënhalf miljoen liesbreukoperaties waar ik nog achteraan moet,' zei Ramírez.

'Even iets anders,' zei Falcón. 'Neem contact op met alle Hermandades die zijn gelieerd aan de volgende drie kerken: de San Marcos, de Santa María La Blanca en de Magdalena.'

'En wat moet dat opleveren?'

'Wat er ook mag spelen, het heeft een religieus motief. Informáticalidad rekruteert onder leden van de kerk. Ricardo Gamero was een vrome katholiek en ging naar de San Marcos. De tekst van Abdullah Azzam is naar de *ABC* gestuurd, de grootste katholieke krant, en bevatte een ondubbelzinnig dreigement aan het adres van het katholieke geloof in Andalucía.'

'En wat zouden de broederschappen in deze kerken daarmee te maken hebben?'

'Misschien niets. Als bekend broederschap loop je te veel in de kijker, maar je weet maar nooit. Misschien hebben ze iets over een geheim genootschap opgevangen, of hebben ze gezien dat er vreemde dingen in die kerken gebeuren waarmee wij op de een of andere manier druk op de priesters kunnen uitoefenen. We moeten alles proberen.'

'Dit kan vervelend worden,' zei Ramírez.

'Nog vervelender?'

'De media zitten weer overal bovenop,' zei Ramírez. 'Ik hoor net dat

Comisario Lobo en de Magistrado Juez Decano de Sevilla nog een persconferentie geven om uit te leggen wat de situatie is nu Juez Calderón van het onderzoek is af gehaald. Ik heb begrepen dat de persconferentie in het parlementsgebouw rampzalig is verlopen. En nu blijkt het bij de tv en radio te stikken van de klootzakken die tegen ons zeggen dat ons onderzoek iedere geloofwaardigheid heeft verloren nu Calderón is gearresteerd op verdenking van de moord op en mishandeling van zijn vrouw.'

'Hoe heeft dat allemaal naar buiten kunnen komen?'

'Het wemelde op het Palacio de Justicia van de journalisten die met vrienden en collega's van Inés wilden praten. Ze hebben het niet alleen meer over het niet te ontkennen fysieke geweld, maar ook over langdurige geestelijke mishandeling en openbare vernederingen.'

'Daar was Elvira al bang voor.'

'Veel mensen hebben lang moeten wachten om Esteban Calderón onderuit te zien gaan, en nu het zover is, staan ze klaar om hem een flinke trap na te geven, ook al heeft dat tot gevolg dat ons onderzoek in feite om zeep wordt geholpen.'

'En wat hopen Lobo en Spinola met die persconferentie te bereiken?' vroeg Falcón. 'Over een lopend onderzoek naar moord kunnen ze niets zeggen.'

'Ze proberen de schade te beperken,' zei Ramírez. 'En ze gaan Del Rey ophemelen. Hij moet aan het einde, samen met Comisario Elvira, opkomen om het onderzoek tot nu toe kort samen te vatten.'

'Vandaar dat hij tijdens ons gesprek alles tot in detail wilde weten,' zei Falcón. 'Misschien is het beter wanneer hij niets zegt over datgene waar wij nu aan werken.'

'Daar heb je gelijk in,' zei Ramírez. 'Ik zou hem maar even bellen.'

De mobiele telefoon van Del Rey stond uit. Misschien was hij al in de studio. Falcón belde Elvira en vroeg hem Del Rey een nogal cryptische boodschap door te geven. Er was geen tijd om details uit te leggen. Vervolgens haalde Falcón de schets op bij de man die in de kleuterschool achter de computer zat. Het was in ieder geval wel een tekening van een echt mens. Het was een man van achter in de zestig, begin zeventig, met een pak en een stropdas. Zijn dunne haar zat in een scheiding en hij had geen baard of snor. De tekenaar had de lengte en het gewicht die door de suppoost waren geschat erbij gezet. Hij was aan de kleine kant, één meter vijfenzestig, en woog vijfenzeventig kilo. Maar leek hij ook echt op de man die ze zochten?

Toen hij weer in zijn auto zat, nam hij de lijsten door die Diego Torres, de directeur personeelszaken van Informáticalidad, hem had gegeven. Marco Barreda was niet in het appartement in de Calle Los Romeros geweest. Misschien was hij daar te belangrijk voor. Hij toetste het nummer in dat David Curado hem had gegeven en stelde zich, met zijn volledige rang, voor.

'Ik zou u graag ontmoeten,' zei Falcón.

'Ik heb het druk.'

'Het kost u niet meer dan een kwartier.'

'Ik heb het nog steeds druk.'

'Ik onderzoek een terreurdaad, een meervoudige moord en een zelfmoord,' zei Falcón. 'U moet daar tijd voor vrijmaken.'

'Ik zou niet weten hoe ik u kan helpen. Ik ben geen terrorist en ik ben geen moordenaar en ik ken niemand die dat wel is.'

'Maar u kent wel een man die zelfmoord heeft gepleegd,' zei Falcón. 'Ricardo Gamero. Waar bent u nu?'

'Op kantoor. Maar ik sta op het punt te vertrekken.'

'Noem maar een plek.'

Barreda haalde diep adem. Hij begreep dat hij hem niet kon afpoeieren en noemde een bar in Triana.

Falcón belde weer naar Ramírez.

'Heb je al een uitdraai van de nummers die Ricardo Gamero met zijn mobiele telefoon heeft gebeld?'

Ramírez zocht lawaaierig in zijn kamer en kwam na een minuut weer aan de lijn. Falcón gaf hem het nummer van Barreda.

'Interessant,' zei Ramírez. 'Dat is het laatste nummer dat hij heeft gebeld.'

'Dat doet me eraan denken,' zei Falcón, 'dat we een lijst nodig hebben van de nummers die de imam met zijn mobiele telefoon heeft gebeld. Vooral het nummer dat hij zondagochtend in het bijzijn van José Duran heeft ingetoetst, want dat is het nummer van de elektricien.'

De bar zat halfvol. Iedereen keek naar de tv, niemand had aandacht voor zijn drankje. Het journaal was net afgelopen en Lobo en Spinola kwamen nu. Maar Ramírez had er naast gezeten: het was geen persconferentie, maar een interview. Falcón liep de bar door, op zoek naar een jonge man die in zijn eentje was. Niemand knikte naar hem. Hij ging aan een tweepersoonstafeltje zitten.

De interviewster viel Spinola aan. Ze kon zich niet voorstellen dat hij niet wist dat Calderón zijn vrouw allang mishandelde. De Magistrado Juez Decano de Sevilla, een dikhuid van de oude stempel met hagedisachtige ogen en een ontspannen maar vreeswekkende glimlach, werd niet warm of koud van dit moment in de hete schijnwerpers.

Falcón luisterde niet verder naar het zinloze gesprek. Spinola zou zich niet uit de tent laten lokken. De interviewster was zichzelf in de emotionele kant van de zaak verloren. Ze had Spinola moeten aanpakken op het feit dat Calderóns capaciteit en integriteit om als rechter van instructie te functioneren in het geding waren geweest. Maar in plaats daarvan probeerde ze een sensationele persoonlijke ontboezeming los te krijgen. Dat hoefde ze bij deze man niet te proberen.

Falcón zag een jonge man in een pak. Ze stelden zich aan elkaar voor en gingen zitten. Falcón bestelde koffie en water.

'Jullie hebben het zwaar,' zei Barreda met een knikje naar de tv.

'We zijn wel wat gewend,' zei Falcón.

'O ja? Hoe vaak wordt een Juez de Instrucción die een groot, internationaal terrorismeonderzoek leidt, gesnapt op het moment dat hij het lijk van zijn vrouw probeert te dumpen?'

'Ongeveer net zo vaak als een gewaardeerd lid van een antiterreurafdeling tijdens een groot, internationaal terrorismeonderzoek zelfmoord pleegt,' antwoordde Falcón. 'Sinds wanneer ken je Ricardo Gamero?'

'Al een paar jaar,' zei Barreda, die door Falcóns scherpe antwoord wat gedweeër was geworden.

'Waren jullie bevriend?'

'Ja.'

'Dus je zag hem niet alleen tijdens de mis op zondag?'

'We spraken weleens doordeweeks af. We hielden allebei van klassieke muziek. Vandaar dat we samen naar concerten gingen. Informáticalidad had een abonnement.'

'Wanneer heb je hem voor het laatst gezien?'

'Zondag.'

'Ik heb begrepen dat Informáticalidad de San Marcos en andere kerken gebruikt om te rekruteren. Waren er nog meer mensen van het bedrijf die Ricardo Gamero kenden?'

'Natuurlijk. Na de mis gingen we altijd koffie drinken en dan stelde ik hem aan iedereen voor. Dat is toch normaal? Dat hij bij de politie zit, wil niet zeggen dat hij niet kan praten.'

'Dus je wist dat hij voor de antiterreurafdeling van de CGI werkte.'

Barreda besefte dat hij zijn mond voorbij had gepraat en verstijfde een beetje.

'Ik heb hem twee jaar gekend. Op een gegeven moment kwam het ter sprake.'

'Weet je nog wanneer dat was?'

'Na een halfjaar. Ik probeerde hem voor Informáticalidad te rekruteren. Ik deed hem steeds betere aanbiedingen, tot hij het me vertelde. Hij zei dat het een roeping was en dat hij geen andere baan wilde.'

'Een roeping?'

'Dat woord gebruikte hij,' zei Barreda. 'Hij nam zijn werk zeer serieus.'

'En zijn geloof ook,' zei Falcón. 'Waren die twee dingen voor zijn gevoel met elkaar verweven?'

Barreda staarde Falcón aan in een poging in zijn ziel te kijken.

'Hij had je tenslotte in de kerk leren kennen,' zei Falcón. 'Zo bezien lag het voor de hand dat jullie het over de dreiging van de islam zouden hebben. En toen het eenmaal ter sprake was gekomen... wat voor werk hij deed, bedoel ik. Het is dan toch logisch dat jullie het in ieder geval over dat verband zouden hebben.'

Barreda leunde achterover, ademde in en keek om zich heen, alsof hij op zoek was naar een goed idee.

'Heb je Paco Molero weleens ontmoet?' vroeg Falcón.

Hij knipperde even met zijn ogen. Ja dus.

'Mooi,' zei Falcón. 'Volgens Paco was Ricardo, naar hijzelf toegaf, een fanaticus die er maar net in was geslaagd van een extremist in een vrome persoon te veranderen. En dat dit hem was gelukt dankzij een vruchtbare relatie met een priester die onlangs aan kanker is gestorven. Waar zou je jezelf op de integrale schaal van afvallige tot fanaticus neerzetten?'

'Ik ben altijd vroom geweest,' zei Barreda. 'Iedere generatie van mijn familie heeft een priester voortgebracht.'

'Ook die van jou.'

'Niet die van mij.'

'Ben je daar... teleurgesteld in?'

'Ja.'

'Was dat een van de dingen die je aantrekkelijk vond aan de cultuur van Informáticalidad?' vroeg Falcón. 'Het klinkt een beetje als een seminarium, maar dan met een kapitalistisch oogmerk.'

'Ze zijn daar altijd heel goed voor me geweest.'

'Denk je dat mensen met gelijkgestemde gedachten en hetzelfde vurige geloof, tot extremistische standpunten kunnen komen als de balans niet wordt hersteld door een invloed van buitenaf?'

'Ik heb weleens gehoord van sektes waarin dat is gebeurd,' zei Barreda.

'Wat versta je onder een sekte?'

'Een organisatie met een charismatische leider die discutabele psychologische technieken gebruikt om macht over zijn volgelingen uit te oefenen.'

Falcón liet die zin even in de lucht hangen. Hij nipte van zijn koffie, draaide de dop van zijn water en zag op de televisie dat Lobo en Spinola waren afgelost door Elvira en Del Rey.

'Ben je weleens in het appartement van Informáticalidad in de Calle Los Romeros bij de moskee geweest?'

'Voordat het gekocht werd, vroegen ze mij te kijken of het geschikt was.'

'Geschikt voor wat?' vroeg Falcón. 'Diego Torres zei...'

'Dat is waar. Er viel niet veel aan te zien. Het was heel geschikt.'

'Schokte de dood van Ricardo je erg?' vroeg Falcón. 'Voor een vrome katholiek is het vreselijk om zelfmoord te plegen. Geen laatste sacramenten, geen generale absolutie. Weet jij waarom mensen zelfmoord plegen?'

Op Marco's voorhoofd was een frons verschenen. Een trillende frons. Hij staarde naar zijn koffie, beet op de binnenkant van zijn wang en probeerde zijn emoties de baas te blijven.

'Sommige mensen doden zichzelf omdat ze zich verantwoordelijk voelen voor een ramp. Andere mensen zijn de stimulans om door te gaan kwijt. We hebben allemaal iets wat ons een anker geeft: een geliefde, vrienden, familie, werk, de plek waar je woont. Maar er zijn ook mensen die een groot ideaal als anker hebben. Ricardo was zo'n mens: een bijzondere man met een groot geloof in God én met een roeping. Raakte hij die plotseling kwijt toen op 6 juni die bom ontplofte?'

Barreda nipte van zijn koffie, likte het bittere schuim van zijn lippen en zette het kopje rammelend op het schoteltje.

'Zijn dood heeft me heel erg geschokt,' zei hij, alleen maar om de woordenstroom uit Falcóns mond te onderbreken. 'Ik heb geen idee waarom hij zelfmoord heeft gepleegd.'

'Maar je weet wel wat het voor iemand met zijn geloof betekent?'

Barreda knikte.

'Je weet wie Ricardo's andere goede vriend was?' vroeg Falcón. 'Miguel Botín. Heb je hem gekend?'

Geen reactie van Barreda. Hij kende hem. Falcón voerde de druk op.

'Miguel was Ricardo's informant in de moskee. Een Spanjaard die zich tot de islam had bekeerd. Ze hadden een hechte band. Ze hadden veel respect voor elkaars geloof. Ik heb het gevoel dat Ricardo niet alleen dankzij de oude priester uit de greep van het extremisme is gebleven, maar ook dankzij Miguel Botín. Wat denk jij?'

Barreda steunde met zijn ellebogen op de tafel. Zijn vingertoppen drukten tegen zijn voorhoofd, en zijn duimen tegen zijn jukbeenderen. Hij drukte zo hard dat zijn huid wit werd.

Falcón wist dat Barreda op het randje stond, maar hij kreeg hem er niet overheen. Zijn gedachten leken in onzekerheid en twijfel te zijn vastgelopen. Falcón had zijn grootste troef nog achter de hand, maar wat moest hij met de tekening doen? Als hij hem nu liet zien en de man was onherkenbaar, zou hij het voordeel dat hij had opgebouwd, kwijt zijn. Als de gelijkenis groot was, kon het hem over de streep trekken. Hij besloot zijn troef uit te spelen.

'Je hebt Ricardo zondag voor het laatst gezien,' zei hij, 'maar dat was niet de laatste keer dat je hem sprak, nietwaar? Weet je wie de laatste persoon op aarde is met wie Ricardo heeft gesproken voordat hij zich uit zijn slaapkamerraam ophing? Van wie het laatste nummer is dat met zijn mobiele telefoon is gebeld?'

Afgezien van het geratel op de televisie bleef het stil.

'Wat heeft hij tegen je gezegd, Marco?' vroeg Falcón. 'Heb jij hem zijn zonden kunnen vergeven?'

Plotseling ontplofte de bar. Iedereen sprong overeind en schreeuwde beledigingen naar de televisie. Er werden lege plastic flesjes naar de tv gesmeten. Ze schampten het scherm, dat volledig door het hoofd van Del Rey werd gevuld.

'Wat heeft hij gezegd?' vroeg Falcón aan de man die het dichtst bij hem stond en samen met de rest van de bar *'Cabrón! Cabrón!'* riep.

'Hij probeert ons wijs te maken dat het toch geen moslimterroristen zijn,' zei de man, wiens enorme pens van woede trilde. 'Hij probeert ons wijs te maken dat het misschien onze eigen mensen zijn die dit hebben gedaan. Onze eigen mensen zouden een appartementencomplex en scholen willen opblazen en onschuldige mannen, vrouwen en kinderen willen vermoorden? Laat die vuile rukker naar Madrid teruggaan.'

Falcón draaide zich weer naar Marco Barreda die verbaasd naar de reacties om zich heen keek.

'Rot op naar Madrid, *cabrón*!'

De eigenaar van de bar greep in en zette de tv op een ander kanaal voordat iemand een glazen flesje door het scherm zou gooien. Iedereen ging weer zitten. De dikzak stootte Falcón aan.

'Die andere rechter sloeg zijn vrouw, maar die wist tenminste wel waar hij het over had.'

Op de tv was nu een ander actualiteitenprogramma. De presentator stelde twee gasten voor. De eerste was Fernando Alanis, wat door het applaus in de bar niet te verstaan was. Iedereen kende hem. Hij was de man die zijn vrouw en zoon had verloren en wiens dochter op miraculeuze wijze had overleefd en nu in het ziekenhuis voor haar leven vocht. Falcón besefte dat dit de man was die iedereen zou geloven. Het maakte niet uit wat hij zei, de rampspoed die hem had getroffen verleende hem een legitimiteit waar Juez del Rey met al zijn ervaring en feitenkennis alleen maar van kon dromen. In de andere stoel zat Jesús Alarcón, de nieuwe leider van Fuerza Andalucía. Het was doodstil in de bar, iedereen luisterde aandachtig.

Barreda excuseerde zich en ging naar het toilet. Falcón leunde beduusd achterover. De druk die hij had opgebouwd, was in één keer weggevallen. Waarom had Elvira niet aan Del Rey doorgegeven dat hij niet over de andere invalshoek van het onderzoek moest beginnen? Nu de fout was gemaakt, maakte de plaatselijke bevolking duidelijk dat het een onderzoek hiernaar volstrekt onacceptabel vond, laat staan dat het zou geloven dat het waar was.

Het gesprek op de tv ging over immigratie. De vraag van de presentator was in feite irrelevant, aangezien Fernando goed voorbereid naar de studio was gekomen. Toen hij begon te praten, kon je een speld horen vallen.

'Ik ben geen politicus. Het spijt me dit te zeggen in de nabijheid van señor Alarcón, een man voor wie ik sinds de explosie veel respect heb gekregen, maar politici mag ik niet. Ik geloof geen woord van wat ze zeggen, en ik weet dat ik niet de enige ben. Ik ben hier vandaag om u te vertellen hoe het zit. Ik ben geen opiniemaker. Ik ben een bouwvakker, en ik had een gezin.' Fernando moest even stoppen want zijn adamsappel schoot op en neer. 'Ik woonde in het appartementencomplex in El Cerezo dat dinsdag is opgeblazen. De journalisten die ik de afgelopen dagen heb gesproken, willen geloven, en willen dat de wereld gelooft, dat we hier in Spanje in een harmonieuze en tolerante, moderne samenleving wonen. Toen ik die mensen sprak, besefte ik hoe dat komt. Zij zijn allemaal heel intelligent, veel intelligenter dan een eenvoudige bouwvakker als ik. Maar zij leiden een heel ander leven dan ik. Ze hebben het goed voor elkaar. Ze hebben een mooi huis in een goede buurt, ze gaan regelmatig op vakantie en hun kinderen gaan naar een goede school. En vanuit dat standpunt bekijken ze hun land. En ze willen dat alles blijft zoals zij denken dat het is. Maar ik woon in... ik bedoel: ik woonde in een rotwoning in een lelijk appartementencomplex. Om ons heen stonden andere lelijke appartementencomplexen. Bij ons hebben weinig mensen een auto. Bij ons gaan weinig mensen op vakantie. Bij ons verdienen weinig mensen genoeg geld om het de hele maand uit te kunnen zingen. En wíj zijn degenen die met de Marokkanen en andere Noord-Afrikanen wonen. Ik ben tolerant. Ik zal wel moeten. Ik werk op bouwterreinen waar veel werk voor goedkope arbeidskrachten is. Ik respecteer het recht van ieder mens om in zijn eigen god te geloven en zelf te bepalen naar welke kerk of moskee hij gaat. Maar sinds 11 maart 2004 ben ik wel argwanend. Sinds die dag waarop 191 mensen in de treinen hun leven verloren, heb ik me afgevraagd waar de volgende aanslag zou worden gepleegd. Ik ben geen racist en ik weet dat terroristen maar een klein deel van een grote bevolkingsgroep uitmaken, maar het probleem is... dat we niet weten wie zij zijn. Ze wonen bij mij in de buurt, ze leven in mijn maatschappij, zij genieten van onze welvaart. En op een dag besluiten ze een bom onder mijn woning te leggen en mijn vrouw en mijn zoon te vermoorden. Veel mensen zoals ik hebben tussen 11 maart 2004 en afgelopen dinsdag 6 juni in angst en wantrouwen geleefd. En nu zijn we kwaad.'

Barreda kwam van het toilet. Hij moest weg. Falcón liep achter hem aan naar buiten, de hitte en het felle licht op straat in. Zijn voordeel was weg, hij had het initiatief verloren. Ze stonden onder het zonnescherm van de bar en gaven elkaar een hand. Barreda was zichzelf weer. Hij had zich in de wc hervonden en was misschien gesterkt door de woorden van Fernando.

'Je hebt me niet verteld wat Ricardo in dat laatste telefoongesprek tegen je heeft gezegd,' zei Falcón.

'Daar praat ik liever niet over na... wat we over hem hebben gezegd.'

'Praat je daar liever niet over?'

'Ik had me niet gerealiseerd wat hij voor me voelde,' zei Barreda. 'Maar goed, ik ben dan ook geen... homo.'

30

Sevilla, donderdag 8 juni 2006, 14.05 uur

'Waarom is er geen rapport waarin staat dat jullie ook andere mogelijkheden onderzoeken?' vroeg Comisario Elvira. Hij keek van Del Rey naar Falcón.

'Je weet dat ik het CNI heb geholpen bij een van haar missies,' zei Falcón. 'Verder heb ik de leiding over het onderzoek naar een moord die vóór de aanslag is gepleegd, en na de aanslag heb ik er nog een zelfmoord bij gekregen. Hoe dan ook, ik heb het gevoel dat deze drie onderzoeken met elkaar te maken hebben en dat ze daarom als één onderzoek moeten worden behandeld. Ondertussen ben ik geen moment afgeweken van mijn oorspronkelijke plan, namelijk uitzoeken wat er in het opgeblazen gebouw is gebeurd. Je moet toegeven dat er iets mankeert aan de logica van het scenario, en het is mijn werk om alle mogelijkheden onder de loep te nemen en op basis van logica tot de oplossing te komen. Ik heb niet kunnen horen wat er op tv gebeurde, maar inmiddels heb ik begrepen dat de presentator Juez del Rey onderbrak en vroeg: "Dus u denkt dat deze gruweldaad door onze eigen mensen is gepleegd?" Díe vraag heeft deze slechte PR veroorzaakt.'

'Slecht? Catastrofaal,' zei Elvira. 'En dat na het debacle van vanmorgen.'

'Heb je Angel Zarrías van de *ABC* gesproken?' vroeg Falcón?

'We zijn inmiddels enigszins mediaschuw,' zei Elvira. 'Comisario Lobo en ik vergaderen zo meteen over de strategie waarmee we de schade gaan repareren.'

'De snelheid waarmee Juez del Rey zich een zeer gecompliceerd en gevoelig onderzoek eigen heeft gemaakt, is indrukwekkend,' zei Falcón. 'We kunnen het ons niet veroorloven de drijvende kracht achter ons onderzoek in dienst van de media te stellen. Die grijpen gewoon hun kans om een nerveuze bevolking te manipuleren door op tv spelletjes met ons te spelen.'

'Wij spelen hier met de waarheid,' zei Elvira. 'De toonbare, acceptabele waarheid. En het draait allemaal om...'

'En wat dacht je van de échte waarheid?' vroeg Falcón.

'En het draait allemaal om timing,' zei Elvira die zijn faux pas met een knikje terzijde schoof. 'Wanneer breng je welke waarheid naar buiten.'

'Is de vertaling van de Arabische tekst bij de tekeningen al af?' vroeg Falcón.

'Dus je hebt het journaal niet gezien,' zei Elvira. 'Wij ook niet, terwijl die rotpresentator om die reden zo gretig op de woorden van Juez del Rey inging. We kwamen er na dat interview pas achter dat de evacuatie van de twee scholen en de biologiefaculteit was gefilmd, en dat de beelden daarvan tegelijkertijd met de vertaling van een van de Arabische teksten werd uitgezonden.'

'In elke tekst,' zei Juez del Rey, 'stond tot in detail hoe ieder gebouw moest worden afgesloten, waar de gijzelaars moesten worden vastgehouden en waar de explosieven moesten worden geplaatst om, mochten commando's het gebouw bestormen, voor een zo groot mogelijk aantal doden te zorgen. Onderaan iedere tekst stond de opdracht dat er ieder uur één gijzelaar moest worden vrijgelaten, in het geval van de scholen te beginnen met het jongste kind. De gijzelaar zou dan, op weg naar de vrijheid, ten overstaan van de voltallige pers, worden neergeschoten. Daarmee zouden ze doorgaan tot de Spaanse regering de Islamitische Staat Andalucía zou uitroepen en daar de sharia zou erkennen.'

'Dat verklaart wel waarom in de bar waar ik zat zo'n tumult uitbrak,' zei Falcón. 'Hoe zijn de media aan die tekst gekomen?'

'Die is door iemand met een motor in een bruine bubbeltjesenvelop bij de receptie van Canal Sur bezorgd,' zei Del Rey. 'En hij was geadresseerd aan de producent van het actualiteitenprogramma.'

'Dat wordt al onderzocht,' zei Elvira. 'Wat deed je in die bar?'

'Ik had een afspraak met de man die Ricardo Gamero als laatste heeft gesproken, vlak voordat hij zelfmoord pleegde,' zei Falcón. 'Hij is vertegenwoordiger bij Informáticalidad.'

'Is dat iemand anders dan de oude man die Gamero in het archeologisch museum zou hebben gesproken?' vroeg Del Rey.

'Ja,' zei Falcón. 'Met deze man heeft Gamero zijn laatste telefoongesprek gevoerd. Ik neem aan, Comisario, dat leden van de antiterreurafdeling van de CGI grondig worden doorgelicht, ook op seksuele geaardheid?'

'Natuurlijk,' zei Elvira. 'Iedereen die toegang krijgt tot geclassificeerde informatie wordt gescreend om zeker te weten dat hij niet chantabel is.'

'Dus als Gamero homo was, zou dat bekend zijn?'

'Beslist... tenzij hij, je weet wel, niet praktiserend was... zogezegd.'

'Die vent met wie ik heb zitten praten, stond op het punt iets op te biechten toen ineens iedereen in die bar uit z'n dak ging. Hij weet iets. Ik denk dat hij het gevoel heeft dat hij in iets betrokken is geraakt wat uit de hand is gelopen. Om te beginnen is hij diepbedroefd over de dood van Gamero. Dat stond duidelijk niet in het script.'

'In welk script?' vroeg Elvira, die er dolgraag een wilde hebben.

'Dat weet ik niet,' zei Falcón. 'Maar het is wel een verklaring voor wat er dinsdag in de moskee is gebeurd. Als we genoeg mankracht hadden, zouden we de hele Informáticalidad naar de Jefatura halen en ze verhoren tot ze erbij neervallen.'

'En, wat waren de laatste woorden van Gamero volgens Marco Barreda?' vroeg Elvira.

'Dat Gamero verliefd op hem was,' zei Falcón. 'Hij had er liever over gezwegen, want hij schaamde zich ervoor. Ik vond het erg typisch dat hij naar de wc ging. Ik weet zeker dat hij iemand heeft gebeld en advies heeft gevraagd over wat hij moest zeggen. Eerst stond hij op instorten, maar plotseling was hij zichzelf weer meester.'

'Wat hebben we tegen Informáticalidad?'

'Niets, behalve dat het appartement met zwart geld is gekocht.'

'En waar denk je dat ze dat appartement voor hebben gebruikt?'

'Om de moskee in de gaten te houden.'

'Met welk doel?'

'Met het doel er een aanslag op te plegen, of anderen daartoe in staat te stellen.'

'Om een speciale reden?'

'Ik weet niet zeker of er meer achter zit dan dat ze in een katholieke kerk rekruteren, tot uiterst religieus rechts behoren en zich fel tegen de invloed van de islam in Spanje keren. Misschien is er ook nog een politiek of financieel aspect, daar heb ik nog geen kijk op.'

'Dat is niet genoeg,' zei Elvira. 'Je hebt alle vertegenwoordigers gehoord en geprobeerd van de kwetsbare kant van Marco Barreda te profiteren, en dat heeft helemaal niets opgeleverd. Alles is gebaseerd op een ongefundeerde theorie. Waarmee denk je de druk verder op te kunnen voeren? Als je ze hier laat komen, nemen ze hun advocaten mee. En je haalt je de media op de hals. Om Informáticalidad open te breken, heb je zwaarder geschut dan je instinct nodig.'

'Ik vermoed ook dat ze verder niets gedaan hebben,' zei Falcón knikkend. 'Dat ze alleen de informatie van hun surveillance doorgaven. In dat geval zouden we ze dagen kunnen verhoren zonder een stap vooruit te komen. Ik heb nog een link nodig. Die oude kerel die ze met Gamero in het museum hebben zien praten.'

'Heb je Marco Barreda de tekening laten zien?' vroeg Del Rey.

'Nee. Ik was bang dat hij er niet genoeg op leek, en wilde hem onder druk zetten op zijn zwakke punt. Dat was Ricardo Gamero.'

'Wat ga je nu doen?'

'Ik neem eerst de bestuursleden van Informáticalidad en de andere bedrijven uit het concern, waaronder de holding Horizonte, onder de loep,' zei Falcón. 'Misschien dat er iemand bij zit die op de tekening lijkt. Waar zijn de CGI en het CNI mee bezig?'

'Die houden zich alleen nog met de toekomst bezig,' zei Elvira. 'Juan is naar Madrid teruggegaan. De anderen gebruiken de namen uit dit onderzoek om te zien of die naar andere cellen of netwerken leiden.'

'Dus we staan er in dit zoek alleen voor?'

'Ze komen alleen bij ons terug als uit de DNA-monsters blijkt dat de imam of Hammad en Saoudi tijdens de explosie níet in de moskee waren,' zei Elvira. 'Verder valt er voor hen niets meer bij ons te halen. Zij houden zich vooral met toekomstige aanslagen bezig.'

Toen Falcón achter zijn bureau zat, surfte hij naar Informáticalidad en Horizonte en haalde de foto's van de directeuren van alle bedrijven, hun moederbedrijven en de holding van internet. Hij zocht op Horizonte, scrollde door de zoekresultaten en stuitte op een webpagina die aan hun veertigste verjaardag in 2001 was gewijd. Er waren meer dan vijfentwintig foto's van het banket, waarop alle prominente figuren stonden.

Het geheugen is een vreemd mechaniek. Het lijkt willekeurig te functioneren, maar het kan door zintuigen in een bepaalde richting worden geduwd. Falcón herkende hem tussen al die andere gezichten op het met kaarsen verlichte en met bloemen opgesierde diner van Horizonte, omdat hij hem net op tv had gezien. Hij scrollde terug. Er was geen twijfel mogelijk: het was José Alarcón. Zijn prachtige vrouw zat drie plaatsen naar rechts. Hij keek naar het bijschrift, waarop alleen stond dat het de tafel met de bankiers van Horizonte was – Banco Omni. Ja, dat lag voor de hand. Voor Alarcón naar Sevilla was gekomen, had hij als bankier in Madrid gewerkt. Hij printte de pagina met de foto's en verliet de Jefatura nadat Serrano hem had verteld hoe de suppoost uit het archeologisch museum heette.

De suppoost werd naar de kassa's geroepen en Falcón liet hem de foto's zien. Hij bekeek ze snel en schudde zijn hoofd. Hij liet zijn vinger over de foto's van het veertigjarig jubileum gaan, maar hij pikte er niemand uit.

Het was zelfs te heet om even snel iets onder de paarse bloemen van de *jacaranda's* in het park te eten, dus reed Falcón terug naar de stad. Hij had te veel aan zijn hoofd. Pablo van het CNI belde en ze spraken af in een bar in de Calle Leon XII, in de buurt van het opgeblazen appartementencomplex.

Falcón was er het eerst. Het was een afgetrapt zootje. Het personeel had niet de moeite genomen de sigarettenpeuken, suikerzakjes en papieren servetjes na de drukte van de koffiepauze op te vegen. Falcón bestelde gazpacho, die een beetje leek te mousseren, en een stuk tonijn dat minder smaak had dan het bord waar op het lag. De frieten waren doorweekt van de olie. Mooi was dat. Pablo arriveerde en bestelde koffie.

'Ten eerste,' zei hij terwijl hij ging zitten, 'heeft Yacoub contact opgenomen en hebben we hem namens jou instructies gegeven. Hij weet nu wat hij moet doen.'

'En dat is?'

'Yacoub komt in twee moskeeën. De ene staat in Rabat: de Grote Ahl-Fès-moskee, bezocht door mensen die geld en macht hebben. Voorzover we weten is die niet radicaal gezind. Maar hij komt ook in een moskee in Salé, in de buurt van zijn werk. Dat is andere koek, en dat weet Yacoub. Hij hoeft er alleen maar naartoe te gaan en te laten merken dat hij zich erbij betrokken voelt. Hij kent de mensen...'

'Hoezo kent hij die mensen?'

'Javier,' zei Pablo met een berispende blik, 'vraag er niet naar. Dat hoef jij niet te weten.'

'Hoe gevaarlijk wordt dit voor hem?' vroeg Falcón. 'Ik bedoel, de radicale islam staat niet bepaald bekend om zijn vergevensgezinde karakter. Ik stel me voor dat ze in geval van verraad al helemaal geen vergeving kennen.'

'Zolang hij zijn rol speelt, is er geen gevaar. We communiceren op afstand. We ontmoeten hem niet – als het misloopt, is dat meestal de oorzaak. Als hij toch iemand moet zien, regelt hij een zakenreis naar Madrid.'

'Wat gebeurt er als zij het doorhebben en verkeerde informatie naar ons beginnen te mailen?'

'Hij moet in zijn correspondentie met ons een bepaalde zin gebruiken. Doet hij dat niet, dan weten we dat hij niet degene is die de mail heeft geschreven en nemen we passende maatregelen.'

'Hoe lang gaat het duren voor ze hem vertrouwen?' vroeg Falcón. 'Je bent altijd van mening geweest dat deze bom een vergissing is geweest, of een afleidingsmanoeuvre. Misschien verwacht je te snel informatie als je denkt dat hij kan helpen aanslagen die al zijn gepland te voorkomen.'

'Ze zullen onmiddellijk begrijpen hoe waardevol hij is...'

'Is hij nog nooit door de GICM benaderd?' vroeg Falcón, die nu voor het eerst aan dat soort dingen dacht.

'Dankzij zijn zaken zit hij in een unieke positie,' zei Pablo, die de vraag van Falcón gewoon negeerde. 'Hij kan onbelemmerd reizen, is bekend in het wereldje en wordt door zijn zakenpartners gerespecteerd en vertrouwd. Hij wekt geen wantrouwen bij de Marokkaanse autoriteiten die naar radicalen zoeken, en evenmin bij Europese autoriteiten die achter terroristen en hun meesterbreinen aan zitten. Ook voor een terreurbeweging is hij perfect.'

'Maar ze zullen hem toch wel eerst uitproberen?' vroeg Falcón. 'Ik weet niet hoe dat in zijn werk gaat, maar ze zouden hem waardevolle informatie kunnen geven om te zien wat hij daarmee doet. Bijvoorbeeld om te zien of het ergens anders opduikt. Nu ik het erover heb, schiet me te binnen dat het CNI het hier in Sevilla net zo met de CGI de heeft gedaan.'

'Laat dat maar aan óns over, Javier,' zei Pablo. 'We weten wat we wel en wat we niet van hem kunnen gebruiken. We weten dat we voorzichtig moeten zijn met informatie die logischerwijs alleen van hem kan komen. Als hij ons vertelt dat er vanaf een bepaald adres in Barcelona een GICM-cel opereert, bestormen we niet simpelweg het gebouw.'

'Wat was het tweede punt?'

'We willen dat je vanavond contact met Yacoub opneemt. Je hoeft niets te zeggen, we willen alleen dat hij weet dat je er bent en dat jullie met elkaar in verbinding staan.'

'Was dat alles?'

'Niet helemaal. De CIA heeft ons de identiteit van de mysterieuze man zonder handen en zonder gezicht gegeven.'

'Dat hebben ze snel gedaan.'

'Ze hebben daar een speciaal systeem ontwikkeld voor het opsporen van mensen met een Arabische afkomst, ook als ze Amerikaans staatsburger zijn geworden,' zei Pablo. 'Die beeldhouwer van jou heeft knap werk verricht met het gezicht. Vervolgens is zijn identiteit bevestigd met behulp van de liesbreukoperatie, de tatoeages en de röntgenfoto's van zijn gebit.'

'Wat voor tatoeages had hij?'

'Tussen de duim en wijsvinger van zijn rechterhand zaten vier stippen, tussen die van zijn linkerhand vijf.'

'Was daar een bepaalde reden voor?'

'Misschien hielpen ze hem bij het tellen,' zei Pablo.

'Tot negen?'

'Blijkbaar hadden vrouwen er iets mee.'

'Staat dat in zijn dossier?' vroeg Falcón verbaasd.

'Ik zal je vertellen waarom,' zei Pablo. 'Tot maart vorig jaar was hij hoogleraar Arabische Studies aan Columbia University. Hij werd ontslagen nadat hij met een van zijn studentes in bed was betrapt. Weet je hoe ze daar achter waren gekomen? Hij werd verlinkt door een andere studente van hem, met wie hij ook het bed deelde. Het wordt aan een Amerikaanse universiteit niet gewaardeerd als je op zoiets wordt betrapt. De politie werd erbij gehaald. De ouders van het meisje dreigden de universiteit en hem persoonlijk voor de rechter te slepen. Het was het einde van zijn carrière, en het heeft hem een lieve duit gekost. Zijn advocaat, die wist dat hij een rechtszaak zou verliezen en dat hij dan niet betaald zou krijgen, adviseerde hem te schikken. Dat lukte. Hij moest het appartement op Manhattan dat zijn ouders hem hadden nagelaten, verkopen. Nadat de zaak was overgewaaid, kwam hij alleen nog aan de slag als privéleraar wiskunde in Columbus, Ohio. Hij hield het drie wintermaanden uit in het middenwesten en vloog in april naar Madrid. Sindsdien is onze informatie nogal schaars. We weten dat hij eind april voor drie weken naar Marokko is gegaan. Hij vertrok op 24 april met de ferry van Algeciras naar Tanger en is op 12 mei teruggekomen. Dat is alles.'

'Heeft hij een naam?'

'Zijn echte naam is Tateb Hassani,' zei Pablo. 'In 1984, het jaar waarin zijn ouders stierven, de één bij een auto-ongeluk, de ander aan kanker, werd hij Amerikaans staatsburger en veranderde hij zijn naam in Jack Hansen. Het is niet ongebruikelijk dat immigranten hun naam verengelsen. Hij is in 1961 in Fès geboren en in 1972 met zijn ouders naar Amerika vertrokken. Zijn vader was zakenman en vloog regelmatig heen en weer. Tateb is in dertig jaar tijd maar twee keer naar Marokko teruggekeerd. Hij vond het daar niet prettig. Zijn ouders drongen hem een Arabische opvoeding op en zijn moeder sprak alleen Frans met hem. Hij schreef en sprak vloeiend Arabisch. Hij studeerde af in wiskunde, maar vond geen plek in een postdoctorale opleiding. Daarom stapte hij over op Arabische Studies en schreef hij een proefschrift over Arabische wiskundigen. Hij kwam in 1986 met een doctorstitel van Princeton. Voor hij in New York belandde, werkte hij aan universiteiten in Maddison, Minesota en San Francisco. Hij leefde er goed van: zijn universitaire salaris werd aangevuld met de huur van het appartement van zijn ouders. Toen hij het professoraat aan Columbia in de wacht sleepte, trok hij in het appartement en leidde hij het perfecte leventje. Tot hij met zijn studentes begon te slapen.'

'Hoe zit het met zijn geloof?'

'Hij staat ingeschreven als moslim, maar hij is, zoals je misschien uit zijn levensloop hebt kunnen opmaken, van zijn geloof gevallen.'

'Zijn er uitspraken van hem bekend over radicale moslims?'

'Je mag het dossier lezen dat de CIA heeft gestuurd,' zei Pablo. Hij haalde het uit zijn diplomatenkoffertje en legde het op tafel. Zo te zien besloeg het een pagina of tien.

'Staan er voorbeelden van zijn handschrift in?' vroeg Falcón.

'Niet dat ik weet.'

'Kan de CIA die opsturen?' vroeg Falcón terwijl hij het dossier doorbladerde. 'Zowel in het Engels als het Arabisch?'

'Ik zorg dat ze erachteraan gaan.'

'Sprak hij behalve Frans, Engels en Arabisch nog meer talen?'

'Hij sprak en schreef ook Spaans,' zei Pablo. 'Vroeger gaf hij ieder jaar een zomercursus wiskunde aan de universiteit van Granada.'

'Volgens Comisario Elvira interesseert ons onderzoek jullie niet meer zo en is Juan naar Madrid teruggegaan,' zei Falcón. 'Houdt dat in dat jullie de code van de korans met de aantekeningen hebben gekraakt?'

'Juan is naar Madrid teruggeroepen omdat er berichten zijn dat cellen die niets met Hammad en Saoudi hebben te maken, actief zijn geworden. We zijn nog steeds in het onderzoek geïnteresseerd, maar op een andere manier dan jullie. En nee, we hebben de code niet gekraakt.'

'En hoe staat het met de theorie dat het een afleidingsmanoeuvre was?'

'Het onderzoek dat Madrid naar de connecties van Hammad en Saoudi heeft ingesteld, is op niets uitgelopen,' zei Pablo. 'Er zijn arrestaties verricht, maar het is het oude liedje. Ze wisten alleen wat ze zelf deden. Ze ontvingen gecodeerde e-mails en voerden uit wat hen was opgedragen. Tot nog toe hebben we alleen een paar "compagnons" van Hammad en Saoudi opgepakt, dus er is niet echt sprake van dat we het hele netwerk hebben opgerold – als er al sprake van een netwerk is. We hopen dat Yacoub ons verder kan helpen.'

'En de MILA?'

'Dat verhaal is verzonnen door de media en gebaseerd op een halve waarheid: de groep bestaat wel, maar ze hebben hier niets mee te maken. Het was een mooi vervolg op de teksten van Abdullah Azzam die naar de *ABC* waren gestuurd. Iets om de aandacht van het publiek vast te houden, maar uiteindelijk onzin. Ik vind het onverantwoorde journalistiek.'

'En VOMIT?' vroeg Falcón. 'Daar hebben jullie zeker ook geen spaan van heel gelaten?'

'Zij hebben geen prioriteit voor ons,' zei Pablo zonder zich aan Falcóns ironie te storen. 'Wij houden ons liever bezig met aanslagen die in de toekomst vanuit Spanje in andere Europese landen gepleegd kunnen worden dan dat we in het verleden blijven leven.'

'Dus alles blijft bij het oude,' zei Falcón. 'Jullie denken nog steeds dat Miguel Botín een dubbelspion was en dat hij van iemand uit zijn islamitische netwerk opdracht heeft gekregen om het kaartje van de elektricien aan de imam te geven.'

'Ik weet dat je daar niet veel vertrouwen in hebt,' zei Pablo. 'Maar wij hebben meer informatie dan jij.'

'En die informatie geven jullie niet aan mij?'

'Vraag het je ouwe vriend Mark Flowers maar,' zei Pablo. 'Ik moet ervandoor.'

'Wist je dat de brandkast uit de voorraadkamer van de moskee werd geopend met sleutels die uit het keukenlaatje van de imam kwamen?' vroeg Falcón. 'Gregorio was er ook bij, en hij vond dat heel interessant, al zei hij, zoals gebruikelijk, niet waarom het CNI er zo veel belangstelling voor had.'

'Zo staan de zaken er nu eenmaal voor, Javier,' zei Pablo. 'Het is niet persoonlijk, het ligt gewoon in de aard van ons werk en van het werk van anderen die in ons vak zitten.'

'Vergeet me niet te bellen als de CIA de handschriften heeft gestuurd,' zei Falcón.

'Wat ben je ermee van plan?'

'Jullie hebben toch een schriftexpert in Madrid?'

'Inderdaad.'

Falcón boog zich over het dossier van Tateb Hassani en begon erin te bladeren. Hij wist dat het kinderachtig was, maar hij wilde laten zien dat Pablo niet de enige was die informatie kon achterhouden.

'Gregorio en ik komen vanavond bij je langs.'

Hij knikte en wachtte tot Pablo was vertrokken. Toen sloeg hij het dossier dicht, leunde achterover en liet zijn gedachten de vrije loop. De tv stond aan en op het journaal van vier uur waren beelden te zien van de evacuatie van de scholen en de biologiefaculteit, terwijl de explosievenopruimingsdienst met honden naar binnen ging. Langzaam maar zeker schoof een palimpsest met Arabische teksten op bouwtekeningen over de beelden heen. Tegelijkertijd las een stem de vertaling voor. Daarna kwam een journalist in beeld. Hij stond voor de school en probeerde conclusies te trekken uit het feit dat er, vooralsnog, niets in het gebouw was aangetroffen.

Falcóns oog viel op de stoel waar Pablo net op had gezeten. Hij bekeek de foto's van het veertigjarige jubileum van Horizonte en van de tafel met de bankiers van Banco Omni nog een keer. Dat had hij gezien. De lege stoel naast de vrouw van Jesús Alarcón, Mónica. Nu hij beter keek, zag hij dat de lege stoel net moest zijn verlaten door de man in het donkere pak, die wegliep. Tegen de donkere achtergrond zag je alleen een manchet van zijn overhemd, zijn hand en zijn boord met wat grijs haar erboven.

Afgezien van een politieagente bij de deur en een man achter de computer in een van de lokalen, was de kleuterschool leeg. De stank van de rampplek zorgde ervoor dat niemand er langer bleef dan noodzakelijk was. Falcón logte in op internet en tikte 'Horizonte veertigjarig jubileum' in. Hij dubbelklikte op de eerste tekst, die van de economiepagina van de ABC kwam. De naamregel sprong hem in het oog: A. Zarrías. Hij scande het artikel om te zien of er iets over Banco Omni in stond. De bank werd genoemd, maar er stonden geen namen bij. Op de foto stond het bestuur van Horizonte tijdens het diner. Hij ging naar het volgende artikel, dat uit een zakenblad kwam. Opnieuw stond in de naamregel: A. Zarrías. Falcón klikte nog vijf artikelen aan, waarvan er drie door Angel waren geschreven. Blijkbaar had hij de PR voor het jubileum van Horizonte gedaan. Interessant. Hij tikte Banco Omni en Horizonte in de zoekmachine.

Duizenden hits. Hij scrollde naar beneden tot hij bij artikelen uit 2001 kwam. Hij klikte ze aan en keek wie ze had geschreven. Tachtig procent kwam van Angel Zarrías. Dus toen hij de politiek verliet en de journalistiek in ging, had Angel er een lucratief bijbaantje als PR-man voor Banco Omni bijgenomen. Waarschijnlijk was hij op die manier met Horizonte in contact gekomen. Hij tikte 'raad van bestuur Banco Omni' in de zoekmachine in. Opnieuw ging hij terug in de tijd en haalde hij artikelen naar het scherm. Er stonden wel namen in, maar geen foto's. Sterker, de enige foto met medewerkers van Banco Omni die hij kon vinden, was de foto die tijdens het banket op het veertigjarige bestaan van Horizonte was genomen.

31

Sevilla, donderdag 8 juni 2006, 17.30 uur

'Het heeft me uren gekost om deze man te vinden,' zei Ferrera, 'maar ik denk dat hij al die moeite waard is. Ik heb een... "betrouwbare" getuige, die heeft gezien dat het lijk dat we op de vuilstortplaats hebben gevonden in een vuilniscontainer werd gedumpt.'

'Dat lijk heeft een naam gekregen,' zei Falcón. 'Hij heet Tateb Hassani. Maar je klinkt niet erg zeker over het woord betrouwbaar.'

'Hij drinkt, wat het in een rechtszaal nooit goed doet. En het is nog maar de vraag of we hem überhaupt de rechtszaal in krijgen.'

'Vertel eerst maar eens wat die kerel heeft gezien. Als we daar iets aan hebben, doen we wel iets aan zijn geloofsbrieven.'

'Hij woont aan het eind van een doodlopend straatje aan de Calle Boteros. Zijn dochter is eigenaar van de derde en vierde verdieping van het huis. Zij woont op de derde, haar vader op de vierde. Beide woningen hebben een perfect uitzicht op de vuilniscontainers op de hoek met de Calle Boteros.'

'Daarom heeft zijn dochter die verdiepingen natuurlijk ook gekocht,' zei Falcón. 'Waarom zit die kerel 's nachts om drie uur klaarwakker uit het raam te kijken?'

'Hij lijdt aan slapeloosheid,' zei ze. 'Dat wil zeggen, 's nachts. Overdag slaapt hij wel. Van acht uur 's ochtends tot vier uur 's middags. Ik mocht hem van zijn dochter niet storen voordat ze hem zijn lunch had gegeven, want als ze zijn routine doorbreekt, leeft ze een week in een hel.'

'Begint hij meteen met de lunch?' vroeg Falcón. 'Geeft ze hem niet eerst ontbijt?'

'Hij drinkt graag wijn, daarom geeft ze hem iets substantieels.'

'Wat is zijn probleem precies?'

'Hij heeft iets was je in Sevilla niet vaak tegenkomt: pleinvrees. Hij kan niet naar buiten en hij kan er niet tegen als er meer dan twee mensen in een ruimte zijn.'

'Dan begrijp ik dat het lastig wordt om hem voor een rechter te laten verschijnen,' zei Falcón. 'Maar goed, hij was dus om drie uur 's nachts wakker, en niet zo dronken dat hij niet kon zien wat er bij de vuilniscontainers gebeurde.'

'Hij was wel dronken, maar hij zegt dat het zijn waarnemingsvermogen niet beïnvloedt,' zei Ferrera. 'In de nacht van zaterdag op zondag zag hij, iets na drieën, een stationcar in het doodlopende straatje stoppen en in zijn achteruit naar de vuilniscontainers rijden. De bestuurder en de man naast hem stapten uit, evenals een derde man, die achterin zat. De bestuurder bleef midden op de Calle Botero staan en keek om zich heen. De twee andere mannen openden de achterbak. Ze keken even in de containers, die op dat tijdstip nog leeg waren, en zetten er een op zijn kant tegen de achterkant van de auto. Toen bogen ze zich over de achterbak en duwden iets in de vuilnisbak. Ze zetten de vuilnisbak, die nu zwaar leek, terug op de stoep en liepen weer naar de achterkant van de auto. Ze haalden er twee vuilniszakken uit die volgens de getuige uitpuilden maar licht waren, en gooiden die in de vuilniscontainer, boven op wat ze er net in hadden gestopt. Ze deden de container dicht en de chauffeur sloot de achterklep. Daarna stapten ze in de auto, reden in z'n achteruit de Calle Boteros in en vertrokken in de richting van het Alfalfa.'

'Kon hij iets over de drie mannen vertellen?'

'Hij dacht aan de manier waarop ze bewogen gezien te hebben dat de twee mannen die het zware werk deden, jong waren – daarmee bedoelde hij rond de dertig. De bestuurder was ouder en had een buikje. Ze droegen allemaal donkere kleren, maar leken witte handschoenen aan te hebben. Ik neem aan dat dat rubberhandschoenen waren. De bestuurder en een van de twee jongere mannen hadden zwart haar; de derde was kaal of kaalgeschoren.'

'Niet slecht voor een ouwe zuiplap op een zolder,' zei Falcón.

'Er is wat straatverlichting in die hoek,' zei Ferrera. 'Maar toch... Inderdaad niet slecht voor iemand van wie de dochter zegt dat hij drinkt tot hij omvalt.'

'Zet dat maar niet in zijn getuigenverklaring,' zei Falcón. 'En zei hij nog meer over die "uitpuilende maar lichte" vuilniszakken die boven op het lijk werden gegooid?'

'Hij dacht dat er tuinafval in zat, van een gesnoeide heg of zo.'

'Waarom?'

'Hij heeft wel vaker gezien dat dat soort rommel werd weggegooid, maar dan aan het eind van de middag, niet om drie uur 's nachts.'

'Heb je daar in de buurt grote huizen gezien waar zo veel tuinafval vandaan zou kunnen komen?' vroeg Falcón. 'In de buurt van het Alfalfa heb je bijna alleen maar appartementen.'

'Ze kunnen de vuilniszakken of de inhoud ervan overal vandaan gehaald hebben,' zei Ferrera.

'Als ze dat hadden gedaan, zouden ze die vuilniszakken er eerst uit hebben gehaald, terwijl ze volgens jouw vriend eerst met iets zwaars in de weer waren.'

'Ik zal zien wat ik kan vinden.'

'Ik herinner me nu dat Felipe en Jorge zeiden dat ze in de buurt van het lijk op de vuilstortplaats een vuilniszak met snoeiafval van een heg hadden gevonden,' zei Falcón. 'Ik zal eens vragen of ze al tijd hebben gehad ernaar te kijken.'

Terwijl Falcón naar de forensische tent liep, belde Ramírez.

'Het CNI heeft de gegevens van de telefoon van de imam,' zei hij, 'en wil ze niet aan mij geven. Dat wil zeggen, Pablo heeft gezegd dat hij erachteraan zou gaan, maar hij neemt niet op en belt niet terug.'

'Laat mij maar even,' zei Falcón.

In de forensische tent liepen meer dan twintig mensen rond die een overall en een mondkapje droegen en daardoor niet van elkaar waren te onderscheiden. Falcón riep Felipe en vroeg hem even mee naar buiten te lopen. Felipe herinnerde zich het tuinafval en had er al naar gekeken.

'Het kwam allemaal van één soort heg,' zei hij. 'Een variëteit die je veel in siertuinen ziet: de buxus. De blaadjes zijn klein, glanzend en donkergroen.'

'Hoe vers was het?'

'Het was dat weekend gesnoeid. Vrijdagmiddag of zaterdag.'

'Enig idee hoe groot die heg geweest moet zijn?'

'Vergeet niet dat het misschien maar een deel van het snoeiafval was,' zei Felipe. 'En ik woon in een appartement. Heggen zijn niet mijn specialiteit.'

Calderón lag op het opklapbed in zijn politiecel. Zijn hoofd rustte op zijn handen en hij staarde naar vier blokjes wit zonlicht hoog op de muur boven de deur. Als hij zijn ogen dichtdeed, brandden de vier blokjes rood tegen de binnenkant van zijn oogleden. Als hij de donkere cel rondkeek, gloeiden ze groenachtig. Hij was kalm. Eigenlijk was hij al kalm sinds hij was betrapt op het dumpen van het lijk van Inés. Het dumpen van het lijk van Inés .... Hoe was dat zinnetje zijn woordenschat binnengeslopen?

Ze hadden hem in het vroege zomerochtendlicht naar de Jefatura gebracht. Hij droeg geen overhemd, want de mannen van de technische recherche hadden dat kledingstuk, dat onder de afschuwelijk bloedvlekken zat, in een zak gedaan. De agenten hadden zelfs op dat tijdstip de airco aanstaan en hij had gerild en zijn tepels waren hard geworden. Toen ze de rivier overstaken waren twee achten op een vroege training onder de brug door komen roeien en had hij het gevoel gehad dat er een zware last van zijn schouders gleed. De ontspanning van de spieren in zijn nek en tussen zijn schouderbladen voelde bijna erotisch aan. In het scheikundelokaal van zijn lichaam werd een krachtig post-angstdrug gebrouwen, waarvan de wonderlijke uitwerking opwinding was.

Hij had het hele proces van gevangenneming willoos ondergaan, als een dier dat naar de slachtbank gaat. Hij was naar het politiebureau gebracht en in een cel vastgezet zonder een idee te hebben van wat hem overkwam. Er was een DNA-monster uit de binnenkant van zijn wang genomen, hij was gefotografeerd en ze hadden hem een oranje T-shirt met korte mouwen gegeven. Toen hij eindelijk met rust werd gelaten, zonder eigendommen, zonder riem, alleen nog in het bezit van een pakje sigaretten, was zijn opluchting immens. Zijn vermoeidheid lokte hem naar de brits. Hij schopte zijn instappers uit, ging op het harde bankje liggen en viel onmiddellijk in een droomloze slaap. Hij sliep tot drie uur 's middags, toen hij werd gewekt voor de lunch. Terwijl hij at probeerde hij na te denken over wat hij tegen de rechercheur zou gaan zeggen; daarna verviel hij in een doezelige stemming waarin hij naar de vierkantjes licht op de muur lag te kijken. Het was een onverwacht genoegen om van de druk van de tijd verlost te zijn. Om vijf uur kwam de bewaker zeggen dat Inspector Jefe Luis Zorrita hem zou gaan verhoren.

'U heeft natuurlijk recht op juridische bijstand,' zei Zorrita toen hij de verhoorkamer binnenkwam.

'Ik bén jurist,' zei Calderón, nog altijd in het bezit van de arrogantie die hem voor zijn misdaad had getypeerd. 'Laten we maar meteen beginnen.'

Zorrita sprak de inleiding in op de band en vroeg Calderón te bevestigen dat hem op zijn recht op juridische bijstand was gewezen, maar dat hij daarvan afzag.

'Ik wilde u pas spreken nadat ik het volledige autopsierapport van de Médico Forense had,' zei Zorrita. 'Nu ik dat heb en ik mijn vooronderzoek heb kunnen afronden...'

'Wat voor vooronderzoek?' vroeg Calderón, alleen maar om te laten zien dat hij zich niet lijdzaam zou opstellen.

'Ik heb min of meer kunnen vaststellen wat u en uw vrouw in de vierentwintig uur voordat ze werd vermoord, hebben gedaan.'

'Min of meer?'

'Het is nog niet helemaal duidelijk waar uw vrouw gistermiddag was, dat is alles,' zei Zorrita. 'Nu wil ik graag in uw eigen woorden van u horen, señor Calderón, wat er vannacht is gebeurd.'

'Vanaf hoe laat?'

'Laten we beginnen vanaf het moment dat u uit de studio's van Canal Sur bent vertrokken en in het appartement van uw geliefde aankwam,' zei Zorrita. 'Van de tijd daarvoor hebben we ons al rekenschap gegeven.'

'Mijn geliefde?'

'Zo omschreef Marisa Moreno jullie relatie,' zei Zorrita terwijl hij door zijn aantekeningen bladerde. 'Ze stond er op geen minnares genoemd te worden.'

Dat Marisa dat gezegd had, maakte hem emotioneel. Bizar dat er een politieonderzoek aan te pas moest komen om haar dat woord te laten uitspreken. Sinds zijn arrestatie had hij nauwelijks aan haar gedacht, maar nu miste hij haar plotseling.

'Vindt u dat een juiste omschrijving?' vroeg Zorrita.

'Ja, ik zou ons geliefden willen noemen. We kennen elkaar een maand of negen.'

'Dat zou verklaren waarom ze zo haar best deed om u te beschermen.'

'Mij te beschermen?'

'Ze beweerde dat u haar woning later had verlaten dan waar was, zodat het moeilijker voor u zou zijn om uw vrouw vermoord te hebben.'

'Ik heb mijn vrouw niet vermoord,' zei Calderón met een strengheid die hij beroepshalve in zijn stem kon leggen.

'...maar ze "vergat" dat ze een taxi voor u heeft gebeld, en dat wij toegang hebben tot alle telefoongegevens van het taxibedrijf, en dat we natuurlijk ook met de taxichauffeur zelf hebben gesproken. Haar pogingen om u te helpen, waren, vrees ik, tamelijk zinloos.'

Het verhoor zoals de jurist Calderón zich dat op zijn brits had voorgesteld. Hij was in zijn carrière als rechter maar een paar keer bij een politieverhoor aanwezig geweest, dus hij had eigenlijk nauwelijks een idee hoe zo'n gesprek verliep. Daardoor kwam hij in de eerste minuut van Zorrita's verhoor al in een lastig parket. Hij was gevleid doordat Marisa hem haar geliefde had genoemd en geschokt omdat zij dacht dat hij haar hulp nodig had – met alle nare gevolgen van dien. De gevolgen van deze tegenstrijdige emoties ondermijnden zijn evenwicht. Zijn gedachten verliepen niet op de voor hem gebruikelijke, geordende manier, maar renden in het wilde weg rond, als kinderen op een schoolplein.

'Dus vertelt u mij, señor Calderón, hoe laat u in het appartement van uw geliefde aankwam.'

'Dat moet om ongeveer kwart voor één geweest zijn.'

'En wat heeft u toen gedaan?'

'We zijn naar het balkon gegaan en hebben daar de liefde bedreven.'

'De liefde bedreven?' vroeg Zorrita met een stalen gezicht. 'U heeft niet toevallig anale seks met haar gehad?'

'Beslist niet.'

'Dat zegt u met veel overtuiging,' zei Zorrita. 'Ik stel u die persoonlijke vraag omdat uit de autopsie is gebleken dat uw vrouw gewend was op die manier te worden gepenetreerd.'

De schrik sloeg Calderón om het hart. Hij was de controle over het gesprek in een mum van tijd volledig kwijtgeraakt. Zijn arrogantie kwam hem duur te staan. Zijn vooronderstelling dat hij Zorrita verbaal en intellectueel wel even zou inpakken, bleek volkomen misplaatst. Deze man was sluwe criminelen gewend en benaderde het verhoor met een heldere strategie waar Calderóns analytische denkvermogen niet van terughad.

'We hebben de liefde bedreven,' zei Calderón, niet in staat daar iets aan toe te voegen zonder het als een biologische transactie te laten klinken.

'Was dat het patroon waarop deze twee verhoudingen verliepen?' vroeg Zorrita. 'U behandelde uw geliefde met respect en mishandelde uw vrouw als een goedkope hoer?'

De eerste emotie die Calderón bij de keel greep, was woede. Maar hij leerde snel. Hij had door welke wapens Zorrita in de strijd wierp: hij haalde uit naar zijn gevoel en deelde dan een mokerslag uit op zijn verstand.

'Ik behandel mijn vrouw niet als een goedkope hoer.'

'U heeft gelijk. Zelfs een goedkope hoer laat zich niet gratis in elkaar slaan en anaal penetreren.'

Stilte. Calderón greep de tafelrand zo stevig vast dat zijn nagels wit werden. Zorrita bleef onbewogen.

'U begaat in ieder geval niet de domheid te ontkennen dat u uw vrouw zo schandelijk behandelde,' zei Zorrita. 'Ik neem aan dat uw geliefde niet met deze twee kanten van uw persoonlijkheid vertrouwd was?'

'Wie denkt u verdomme dat u bent, om zo over mijn relatie met mijn vrouw en mijn geliefde te oordelen?' vroeg Calderón, de lippen bloedeloos van woede. 'Dat komt als een of andere Inspector Jefe uit Madrid...'

'Nu begrijp ik dat uw vrouw bang voor u kon zijn, señor Calderón,' zei Zorrita. 'Onder dat briljante juristenbrein van u, gaat razernij schuil.'

'Ik ben verdomme niet razend,' zei Calderón terwijl hij hard op de tafel sloeg. 'U irriteert me, Inspector Jefe.'

'Als ik u irriteer, komt dat niet doordat ik tegen u schreeuw of doordat ik u beledig. Ik stel u alleen maar vragen die op bewezen feiten zijn gebaseerd. Uit de autopsie is gebleken dat u sodomie met uw echtgenote pleegde en dat u haar zo ernstig heeft mishandeld dat vitale organen zijn beschadigd. In het verleden heeft u haar vaker vernederd. U ging zelfs zover dat u een verhouding met een andere vrouw begon op de dag dat u uw huwelijk had aangekondigd.'

'Hoe komt u aan die informatie?' vroeg Calderón, nog altijd niet in staat zijn woede te verbergen.

'Zoals u weet, heb ik niet meer dan een dag gehad om aan deze zaak te werken, maar ik heb een aantal collega's van u en van uw vrouw gesproken en ik heb een gesprek met uw geliefde gevoerd – dat was overigens erg interessant. Daarnaast heb ik een paar secretaresses in het Edificio de los Juzgados en het Palacio de Justicia gesproken, en de beveiligingsmedewerkers natuurlijk, die zien alles. In de twintig en nog wat gesprekken die ik tot nog toe heb gevoerd, heeft helemaal niemand het voor u opgenomen. De neutraalste beschrijving van uw persoon was die van "onverbeterlijke rokkenjager".'

'Waarom was dat gesprek met Marisa zo interessant?' vroeg Calderón, niet in staat de verleiding te weerstaan.

'Ze vertelde over een gesprek dat jullie over het huwelijk hadden gehad,' zei Zorrita. 'Herinnert u zich dat?'

Calderón probeerde orde in de stroom herinneringen aan te brengen, maar er was in te korte tijd te veel gebeurd.

'Trouwde u met Inés vanwege... Maddy Krugman? Gaf Inés u na die desastreuze affaire stabiliteit?'

'Waar bent u mee bezig, Inspector Jefe?'

'Ik probeer uw geheugen op te frissen, señor Calderón. U was erbij, ik niet. Ik heb alleen maar met Marisa gesproken. Jullie hadden het over "het instituut van het kleinburgerdom", en over het feit dat Marisa daar niet in geïnteresseerd was. U was het met haar eens, of niet?'

'Hoe bedoelt u?' vroeg Calderón.

'U was niet gelukkig met uw huwelijk, maar u wilde niet scheiden. Waarom niet?'

Calderón geloofde zijn oren niet. Hij zat opnieuw in een valstrik. Maar dit keer liet hij zich niet kennen.

'Ik vind dat je een verbintenis die je in de kerk tegenover God bent aangegaan, moet naleven.'

'Dat zei u niet tegen uw geliefde, of wel?'

'Wat zei ik dan?'

'U zei: "Zo simpel is dat niet." Wat bedoelde u daarmee, señor Calderón? Voor excommunicatie zijn we vandaag de dag niet bang meer. En om het verbreken van uw beloften lijkt u zich niet druk te maken. Waar maakt u zich dan wel zorgen over?'

Zelfs voor het enorme brein van Calderón was het onmogelijk uit alle mogelijke antwoorden op deze vraag binnen een minuut de juiste te kiezen. Zorrita leunde achterover en keek toe hoe de rechter met alles behalve de waarheid worstelde.

'Zo moeilijk is die vraag niet,' zei Zorrita na een tijdje. 'Iedereen weet wat de onaangename gevolgen van een scheiding zijn. Als je je uit een wettelijke verbintenis wilt terugtrekken, schiet je erbij in. Wat was u bang te verliezen, señor Calderón?'

Als je het zo voorstelde, leek het wel mee te vallen. Sterker nog, iedere man die ging scheiden, was er bang voor. En bij hem lag dat niet anders.

'De gebruikelijke dingen,' zei hij ten slotte. 'Ik maakte me zorgen over mijn financiën en over mijn woning. Het is nooit een serieuze optie geweest. Inés is de enige vrouw met wie ik ooit...'

'Maakte u zich ook zorgen over de invloed die een scheiding op uw sociale status en misschien zelfs uw baan zou kunnen hebben?' vroeg Zorrita. 'Ik heb begrepen dat uw vrouw u na het debacle met Maddy Krugman geweldig heeft gesteund. Volgens uw collega's heeft ze u geholpen uw carrière weer op de rails te krijgen.'

Hadden zijn collega's dat gezegd?

'Mijn carrière is nooit in gevaar geweest,' zei Calderón. 'Het stond bijvoorbeeld buiten kijf dat ik de Juez de Instrucción voor het onderzoek naar de aanslag zou zijn.'

'Evengoed wees uw geliefde u op een mogelijke oplossing voor het probleem, nietwaar?' vroeg Zorrita.

'Welk probleem?' vroeg Calderón verward. 'Ik heb net gezegd dat er met mijn carrière geen probleem was, en Marisa...'

'Het lastige probleem van de echtscheiding.'

Stilte. Calderóns geheugen danste door zijn hoofd, als een mot die het licht zoekt.

' "De burgerlijke oplossing voor een burgerlijk probleem." '

'O, u bedoelt dat ik haar zou vermoorden,' zei Calderón. Hij lachte spottend. 'Dat was een grapje.'

'Van haar wel, ja,' zei Zorrita. 'Maar wat voor invloed had het op u? Dat is de vraag.'

'Het was bespottelijk. Een absurd idee. We hebben er allebei om gelachen.'

'Dat zei Marisa ook, maar wat voor invloed had het op u?'

Stilte.

'Het is nooit ook maar een seconde in me opgekomen om mijn vrouw te vermoorden,' zei Calderón. 'En ik heb haar ook helemaal niet vermoord.'

'Wanneer heeft u uw vrouw voor het eerst geslagen, señor Calderón?'

Dit verhoor was net een hordeloop, en naarmate hij verder kwam, werden de hordes hoger. Zorrita sloeg het interne gevecht gade dat hij zo vaak had gezien: de onacceptabele waarheid gevolgd door het noodzakelijke waandenkbeeld, en de poging uit deze twee onbetrouwbare bronnen een leugen op te bouwen.

'Had u haar vóór deze week weleens geslagen?' vroeg Zorrita.

'Nee,' zei hij stellig. Maar hij besefte meteen dat hij daarmee impliciet schuld bekende.

'Dat verklaart het een en ander,' zei Zorrita terwijl hij een aantekening maakte. 'Het viel voor de Médico Forense niet mee om vast te stellen wanneer u uw vrouw voor het eerst heeft geslagen. Het dateren van kneuzingen is, heb ik begrepen, veel moeilijker dan bijvoorbeeld het vaststellen van de lichaamstemperatuur. Het is verdomd lastig te bepalen wanneer kneuzingen zijn toegebracht... Net als orgaanbreuken en interne bloedingen.'

'Luister,' zei Calderón. Zijn adem stokte bij het aanhoren van deze schokkende onthullingen. 'Ik weet waar u naartoe wilt.'

'Ik wil echt graag vaststellen wanneer u uw vrouw de eerste keer afranselde. Was het zondagavond of maandagochtend?'

'Het waren geen afranselingen,' zei Calderón, die tot zijn eigen schrik het meervoud gebruikte. 'En ook al waren het dat wel, dat wil nog niet zeggen dat ik mijn vrouw heb vermoord... Want dat heb ik niet gedaan.'

'Maar sloeg u haar nou op zondag of op maandag voor het eerst?' vroeg Zorrita. 'Of was het dinsdag? Ach ja, u gebruikte het meervoud. Dus waarschijnlijk sloeg u haar zondag, maandag én dinsdag. En dan ook nog, tragisch genoeg voor de laatste keer, op woensdag. En we zullen er nooit achter komen wat u haar wanneer heeft aangedaan. Hoe laat kwam u dinsdagmorgen, nadat u de nacht met Marisa had doorgebracht, thuis?'

'Rond halfzeven 's ochtends.'

'Goed, dat komt overeen met wat Marisa zegt. Sliep Inés?'

'Dat dacht ik.'

'Maar ze sliep niet,' zei Zorrita. 'Ze werd wakker. En toen?'

'Goed dan. Ze vond mijn digitale camera en bekeek de foto's die erop stonden. Twee ervan waren van Marisa.'

'U zult wel flink kwaad zijn geworden toen u daar achter kwam. Toen u haar op heterdaad betrapte.' Zorrita kon niet voorkomen dat hij hoorbaar genoot. 'Ze was erg fragiel, uw vrouw. De Médico Forense schat dat ze vóór het catastrofale bloedverlies zevenenveertig kilo woog.'

'Luister, we stonden in de keuken, ik duwde haar opzij,' zei Calderón. 'Ik besefte niet hoe sterk ik was, en hoe licht zij. Ze maakte een vervelende val tegen het aanrecht. Dat is van graniet.'

'Dat verklaart niet waarom ze een vuistafdruk in haar onderbuik en een teenafdruk op haar linkernier had, en evenmin waarom overal in de woning plukken haar lagen.'

Calderón leunde achterover. Zijn handen gleden van de tafelrand. Hij was geen beroepscrimineel en het viel hem zwaar zich te verdedigen. Alleen als klein jochie had hij zo veel leugens gefabriceerd.

'Waarschijnlijk heb ik haar een tik tegen haar middenrif gegeven toen ik haar opzij duwde. Ze kwam tegen het aanrecht en viel op mijn voet.'

'Uit de autopsie bleek dat haar milt was gescheurd en een nier bloedde,' zei Zorrita. 'Ik denk dat het eerder een dreun dan een tik was, denkt u zelf ook niet, señor Calderón? En vanwege de vorm van de kneuzing in haar lende en de donkerrode afdruk van een teennagel denkt de Médico Forense eerder dat ze met een blote voet is getrapt dan dat ze op een voet is "gevallen", want die zou dan natuurlijk plat op de vloer hebben gestaan.'

Stilte.

'En dat is dinsdagochtend gebeurd?'

'Ja,' antwoordde Calderón.

'Hoe lang was dat nadat uw geliefde het onbeduidende grapje over het oplossen van het echtscheidingsprobleem had gemaakt?'

'Dat grapje had daar niets mee te maken.'

'Goed. Wanneer sloeg u uw vrouw opnieuw? Nadat u had ontdekt dat uw vrouw en uw geliefde elkaar bij toeval in het Murillopark waren tegengekomen?'

'Hoe weet u dat verdomme?' vroeg Calderón.

'Ik vroeg Marisa of ze uw vrouw ooit had ontmoet,' zei Zorrita. 'Eerst antwoordde ze met een leugen. Waarom denkt u dat ze dat deed?'

'Ik zou het niet weten.'

'Ze zei eerst van niet. Ach, weet u, ik heb meer dan de helft van mijn werkzame bestaan leugenaars verhoord. Na een tijdje wordt het net alsof je met kinderen omgaat: je raakt zo bedreven in het doorzien van de symptomen dat hun pogingen lachwekkend worden. Dus waarom denkt u dat ze voor u loog?'

'Voor mij?' vroeg Calderón. 'Ze deed helemaal niets voor mij.'

'Waarom wilde ze niet dat ik van haar... verbale confrontatie met wijlen uw vrouw op de hoogte zou zijn?'

'Geen idee.'

'Omdat zij nog steeds kwaad was, señor Calderón. Dáárom. En als ze nog steeds kwaad was dat ze door uw vrouw was beledigd, dat ze door uw vrouw voor hoer was uitgemaakt, in het openbaar... Dan vraag ik me af wat voor gevoel ze u daarover gaf... Enfin, ze heeft het me gezegd.'

'Heeft ze dat tegen u gezegd?'

'O, ze probeerde u opnieuw in bescherming te nemen, señor Calderón. Ze deed haar best het als een onbeduidend voorval te laten klinken. Ze herhaalde steeds dat "Esteban niet gewelddadig" was en dat u het gewoon "irritant" vond. Maar ik denk dat ze wel besefte hoe ontzettend kwaad u was. Wat heeft u gedaan nadat Marisa u had verteld dat Inés haar voor hoer had uitgemaakt?'

Calderón zweeg opnieuw. Het was hem nog nooit zo zwaar gevallen te articuleren. Zijn emoties waren zo verward dat hij niet meer wist wat hij moest antwoorden.

'Heeft u die nacht haar borsten met uw vuisten bewerkt en haar met uw riem afgeranseld zodat de gesp in haar billen en dijen sneed?'

Hij was het verhoor begonnen met de onverzettelijkheid en de kracht van een stuwdam, maar binnen een halfuur waren er alleen nog wat gespleten, breekbare bonenstaken over. En die begaven het nu ook. Hij zag al voor zich hoe hij deze vragen ten overstaan van de openbare aanklager het hoofd zou moeten bieden en besefte dat zijn situatie hopeloos was.

'Ja,' zei hij werktuiglijk. Hij was niet langer in staat de jongensachtige vindingrijkheid aan te boren waarmee hij een bizarre leugen had kunnen fabriceren om zijn wrede gedrag enigszins te verdoezelen. De striem van een riem en de groef van een gesp waren erg ondubbelzinnig.

'Laten we de laatste avond van het leven van uw vrouw samen doornemen,' zei Zorrita. 'We zijn blijven steken op het moment dat u en Marisa op het balkon hadden gevreeën.'

De ogen van Calderón vonden een plek, ergens tussen Zorrita en hemzelf in, waarop hij zich kon concentreren met de zenuwslopende intensiteit van een man die naar de donkerste regionen van zijn ziel gaat afdalen. Nooit eerder was er zo tegen hem gesproken. Nooit eerder waren er onder zulke emotionele omstandigheden zulke dingen tegen hem gezegd. Zijn eigen wreedheid sloeg hem met stomheid. Hij zag zichzelf als een wellevend mens, hij begreep niet waar zij vandaan was gekomen. Hij probeerde te visualiseren dat hij Inés toetakelde, maar dat lukte hem niet. Zo zag hij zichzelf niet. Hij slaagde er niet in zich een beeld te vormen van de Esteban Calderón die zijn vuisten op zijn fragiele vrouw liet neerdalen. Dat hij dat wel degelijk had gedaan, betwijfelde hij niet. Hij zag zichzelf ervoor en erna. Hij herinnerde zich hoe de woede zich in de aanloop naar de mishandeling had opgebouwd en erna weer was weggeëbd. Hij had het gevoel dat hij in de greep van een blinde razernij terecht was gekomen, in een gewelddadigheid die zo intens was dat er binnen het raamwerk van zijn beschaafd-zijn geen plaats voor was. In zijn borst welde een verschrikkelijke twijfel, die zijn weerslag had op zijn motorische reflexen. Hij moest zich op zijn ademhaling concentreren: in, uit, in, uit. En daar was het, in de onderste, donkerste cirkel van zijn neerwaarts gaande gedachten, in het volkomen van licht verstoken deel van zijn ziel: het besef dat hij haar vermoord zou kunnen hebben. Javier Falcón had hem ooit verteld dat niemand zo goed kan ontkennen als een man die zijn vrouw heeft vermoord. Die gedachte joeg hem zo veel angst aan dat het tot een ongekende concentratie leidde. Nooit eerder had hij zijn ziel zo tot in microscopisch detail gezien. Hij begon te praten alsof hij filmbeelden beschreef, de ene verschrikkelijke scène na de andere.

'Hij was uitgeput. De gebeurtenissen van die dag hadden hem leeggezogen. Hij wankelde de slaapkamer in, viel op bed en sliep onmiddellijk. Hij was zich alleen bewust van pijn. Hij gaf een wilde trap. Hij werd wakker zonder te weten waar hij was. Ze zei tegen hem dat hij op moest staan. Het was na drieën. Hij moest naar huis. Hij kon niet in dezelfde kleren als de dag daarvoor op tv verschijnen. Ze belde een taxi. Ze bracht hem met de lift naar beneden. Op straat wilde hij tegen haar schouder in slaap vallen. De taxi kwam en ze sprak met de chauffeur. Hij zakte op de achterbank en zijn hoofd viel achterover. Hij was zich maar vaag bewust van bewegingen of van het licht dat door zijn oogleden flitste. Het portier ging open. Handen trokken hem naar buiten. Hij gaf zijn huissleutels aan de chauffeur. De chauffeur maakte de voordeur van het gebouw open. Hij sloeg het licht aan. Ze liepen samen de trap op. De chauffeur opende de voordeur van zijn woning. Twee slagen van het slot. De chauffeur liep de trap af. Het licht in het trappenhuis ging uit. Hij ging zijn woning binnen en zag licht uit de keuken komen. Dat irriteerde hem. Hij wilde haar niet zien. Hij had geen zin om het haar uit te leggen... Niet opnieuw. Hij liep naar het licht...'

Calderón pauzeerde, omdat hij plotseling niet zeker wist wat hij zou gaan zien.

'Zijn voet stapte over de rand van de schaduw, het licht in. Hij liep het kader in.'

Calderón knipperde de tranen in zijn ogen weg. Tot zijn opluchting zag hij haar in haar nachtjapon tegen het aanrecht staan. Ze draaide zich om toen ze zijn voetstappen hoorde. Hij zou om de tafel heen lopen en haar tegen zich aantrekken en zijn liefde in haar persen. Maar hij bewoog niet, omdat ze, toen ze zich omdraaide, haar armen niet naar hem uitstak en niet naar hem glimlachte. Haar zwarte ogen glansden niet van vreugde... ze waren wijd opengesperd en van afgrijzen vervuld.

'En toen?' vroeg Zorrita.

'Wat?' vroeg Calderón alsof hij weer bijkwam.

'U liep de keuken binnen,' zei Zorrita. 'Wat deed u vervolgens?'

'Dat weet ik niet,' zei Calderón, die tot zijn verbazing natte wangen had. Hij droogde ze met zijn handpalmen en veegde zijn handen aan zijn broek af.

'Het is niet ongebruikelijk dat mensen zich iets vreselijks wat ze hebben gedaan niet kunnen herinneren,' zei Zorrita. 'Vertel me wat u zag toen u de keuken binnenkwam.'

'Ze stond tegen het aanrecht geleund,' zei hij. 'Ik was blij dat ik haar zag.'

'Blij?' vroeg Zorrita. 'Ik dacht dat u geïrriteerd was.'

'Nee,' zei hij met zijn handen tegen zijn hoofd. 'Nee, het was... Ik lag op de vloer.'

'Lag ú op de vloer?'

'Ja. Ik werd wakker op de vloer in de gang en ik liep terug naar het licht in de keuken en toen zag ik Inés op de vloer liggen. Er was vreselijk veel bloed en het was heel, heel rood.'

'Maar hoe is ze op de vloer terechtgekomen?' vroeg Zorrita. 'Het ene moment stond ze nog, en het volgende ligt ze in een plas bloed op de vloer. Wat heeft u met haar gedaan?'

'Ik herinner me niet dat ze daar stond,' zei Calderón. Hij speurde zijn geheugen af om te zien of dat beeld er echt in voorkwam.

'Ik zal u een paar feiten over de moord op uw vrouw vertellen, señor Calderón. Zoals u zei heeft de chauffeur de deur van uw woning voor u opengemaakt, met twee slagen van het slot. Dat betekent dat de deur van binnenuit was gesloten. Alleen uw vrouw was in uw woning.'

'Jáááá,' zei Calderón, die zich, in de hoop op een essentiële aanwijzing waarmee zijn geheugen kon worden ontsloten, concentreerde op iedere lettergreep die Zorrita uitsprak.

'Toen de Médico Forense bij de rivier de lichaamstemperatuur van uw vrouw opnam, was die 36,1 graden Celsius. Ze was nog warm. De omgevingstemperatuur was gisteravond negentwintig graden Celsius. Dat betekent dat uw vrouw nog maar net was vermoord. Uit de autopsie is gebleken dat de schedel van uw vrouw van achteren is ingeslagen. Ze heeft een fatale cerebrale bloeding gehad en er waren twee nekwervels verbrijzeld. Bij het onderzoek op de plaats delict zijn op het zwarte, granieten aanrecht bloed en haren gevonden. Er lag een grote hoeveelheid bloed op de vloer bij de plek waar het hoofd van uw vrouw heeft gelegen. Daar zijn ook botsplinters en hersenweefsel aangetroffen. In uw woning hebben we alleen uw DNA en het DNA van uw vrouw gevonden. Het overhemd dat u bij uw arrestatie droeg, zat onder het bloed van uw vrouw. Op het lichaam van uw vrouw zijn sporen van uw DNA teruggevonden: op haar gezicht, in haar hals en op haar onderarmen en onderbenen. Uit de situatie die we in uw keuken aantroffen, maken wij op dat Inés bij haar schouders of nek is gepakt en tegen het granieten werkblad is geslagen. Heeft u dat gedaan, señor Calderón?'

'Ik wilde haar alleen maar omhelzen,' zei Calderón. Zijn gezicht bevond zich in dezelfde staat van ontreddering als zijn ziel. 'Ik wilde haar alleen maar tegen me aandrukken.'

32

Sevilla, donderdag 8 juni 2006, 18.30 uur

De Taberna Coloniales zat aan het eind van Plaza de Cristo de Burgos. De groene ramen, de lange houten bar en de stenen vloer hadden iets koloniaals. De Taberna stond bekend om zijn uitstekende tapas en was populair vanwege zijn traditionele interieur en het terras op het plein. Angel en Manuela waren er vaste klant. Falcón wilde niet dat Angel zijn journalistenneus in de buurt van het politiewerk bij het vernielde appartementencomplex liet zien, en hij had evenmin zin om gevoelige onderwerpen in de glazen cilinder van het ABC-gebouw aan de Isla de la Cartuja te bespreken. Maar nog belangrijker was dat ze in de buurt van Angels huis waren, zodat het voor hem een kleine moeite zou zijn Falcón te geven wat hij wilde hebben. Daarom zat Falcón onder een veelkleurige parasol voor de Taberna Coloniales een biertje te drinken en grote groene olijven te eten, wachtend tot Angel kwam opdagen.

Hij beantwoordde een telefoontje van Pablo.

'De Amerikanen hebben de handschriftenvoorbeelden waar je me om vroeg opgestuurd – het Arabische en Engelse handschrift van Jack Hansen.'

'Ik vind hem meer Tateb Hassani dan Jack Hansen,' zei Falcón.

'Wat wil je dat we ermee doen?'

'Vraag jullie schriftexpert of hij het Arabische handschrift van Tateb Hassani wil vergelijken met de aanwijzingen bij de bouwtekeningen uit de brandkast van de moskee. En of hij het Engelse handschrift wil vergelijken met de aantekeningen in de korans die in de Peugeot Partner en het appartement van Miguel Botín zijn gevonden.'

'Denk je dat hij bij hen hoorde?' vroeg Pablo. 'Ik begrijp het niet.'

'Laten we eerst de vergelijkingen maken en dan pas conclusies trekken,' zei Falcón. 'En trouwens, we hebben de gegevens van de mobiele telefoon van de imam nodig. Een van de nummers die hij zondagochtend heeft gebeld, is van de elektricien.'

'Ik heb het daar met Juan over gehad,' zei Pablo. 'Gregorio heeft de nummers die de imam zondagochtend gebeld heeft, gecontroleerd. Het enige nummer waar geen verklaring voor was, staat op naam van een vierenzeventig jaar oude dame uit Sevilla Este. Zij is nooit elektricien geweest.'

'Ik zou die gegevens graag willen zien,' zei Falcón.

'Ook dat moet je dan maar met je oude vriend Mark Flowers bespreken,' zei Pablo. Hij hing meteen op.

Falcón nam een slok bier en probeerde zichzelf wijs te maken dat hij kalm bleef, en dat de huidige strategie de juiste was. Hij had Baena en Serrano gezegd dat ze de bouwterreinen niet meer hoefden af te zoeken naar de elektriciens en ze opdracht gegeven Ferrera te helpen de heg te lokaliseren waarvan het snoeiafval samen met het lijk was gedumpt. Ramírez en Pérez liepen in de buurt van het Alfalfa met foto's van Tateb Hassani rond, in de hoop dat iemand hem zou herkennen. Dat betekende dat geen enkele rechercheur nu aan iets werkte wat in direct verband met de aanslag stond. Maar voorlopig maakte hij zich niet druk om Elvira. De Comisario werd te veel door zijn PR-problemen opgeslokt om zich druk te maken over de risico's die Falcón nam.

'Voor een man die leiding moet geven aan het grootste misdaadonderzoek uit de geschiedenis van Sevilla, zie je er opmerkelijk ontspannen uit, Javier,' zei Angel. Hij ging zitten en bestelde een biertje.

'We moeten de nerveuze bevolking, die moet kunnen geloven dat de zaak onder controle is, uiterlijk kalm tegemoet treden,' zei Falcón.

'Wil dat zeggen dat de zaak niet onder controle is?' vroeg Angel.

'Comisario Elvira doet zijn werk goed.'

'Vanuit de politie bekeken misschien wel,' zei Angel. 'Maar de gewone man loopt niet bepaald over van vertrouwen in zijn bekwaamheid. Hij is een PR-ramp, Javier. Hoe haalt hij het in zijn hoofd om die arme drommel... die rechter...'

'Sergio del Rey.'

'Precies, hij. Om hem op de nationale tv te laten verschijnen terwijl hij nauwelijks tijd heeft gehad om de dossiers te lezen, laat staan de emotionele aspecten van de zaak te doorgronden. De Comisario moet inmiddels toch weten dat het op de tv niet om de waarheid gaat. Of is hij iemand die naar reality-tv kijkt en dan denkt dat dat ook echt de realiteit is?'

'Veroordeel hem niet te snel, Angel. Hij heeft allerlei kwaliteiten die via de televisie wat minder uit de verf komen.'

'Helaas leven we in het televisietijdperk,' zei Angel. 'Calderón, dat was de man. Hij gaf de tv wat het zo hard nodig heeft: drama, humor, emotie en een uitstekende eerste indruk. Dat jullie hem kwijt zijn, is een groot verlies.'

'Je zei het zelf al, "een uitstekende eerste indruk". Als je hem beter leert kennen, wordt het minder fraai.'

'En hoe denk je dat jullie nu overkomen?' vroeg Angel. 'Herinner je je de aanslagen in Londen? Wat was het verhaal dat je in de eerste dagen na die aanslagen bleef horen? Het verhaal dat het gretigst aftrek vond en alle emoties bezighield? Dat ging niet over de slachtoffers. Niet over de terroristen. Niet over de bommen en niet over de ontwrichting. Daar ging het allemaal óók over, maar het grote verhaal was het ten onrechte neerschieten van een Braziliaan, Jean Charles de Menezes, door een politieman in burger.'

'En wat is ons grote verhaal?'

'Dat is jullie probleem. De arrestatie van de Juez de Instrucción van het onderzoek wegens verdenking van moord op zijn vrouw. Heb je gezien wat er op tv allemaal over Calderón wordt uitgezonden? Luister maar...'

De tafeltjes om hen heen waren allemaal bezet en voor de openstaande deuren van de bar had zich een groepje verzameld. Ze hadden het over Esteban Calderón: had hij het gedaan of niet?

'Niemand heeft het over jullie onderzoek,' zei Angel. 'Of over de terreurcellen die nu misschien nog steeds in Sevilla actief zijn. Zelfs niet over het kleine meisje dat het instorten van het gebouw heeft overleefd. Het gaat alleen maar over Esteban Calderón. Zeg dat maar tegen Comisario Elvira.'

'Ik moet zeggen, Angel, dat je, voor een man die meer dan wie ook van Sevilla houdt, een nogal uitgelaten indruk maakt.'

'Erg, hè? Dat ben ik ook. Ik heb me in geen jaren zo energiek gevoeld. Manuela is witheet. Ik denk dat ze me leuker vond toen ik me dood verveelde.'

'Hoe gaat het met haar?'

'Ze is depressief. Ze is bang dat ze het huis in El Puerto de Santa María moet verkopen. Sterker nog, daar is ze mee bezig. Ze ziet het niet meer zitten. Dat gedoe over de islamitische "bevrijding" van Andalucía houdt haar in zijn greep. Dus verkoopt ze nu de goudmijn in de hoop de tin- en de kopermijn te kunnen behouden.'

'Als ze zo is, valt er niet met haar te praten,' zei Falcón. 'Maar waarom ben jij zo uitgelaten, Angel?'

'Je ziet het journaal waarschijnlijk te weinig om te weten dat het nogal goed gaat met mijn kleine hobby.'

'Heb je het over Fuerza Andalucía?' vroeg Falcón. 'Een paar uur geleden zag ik Jesús Alarcón met Fernando Alanis op de tv.'

'Heb je dat gezien? Het was geweldig! Na die uitzending steeg Fuerza Andalucía in de peilingen naar veertien procent. Volkomen onbetrouwbaar, ik weet het. Het is een emotionele reactie, maar het is wel tien procent meer dan we ooit eerder in de peilingen hadden. Links is het spoor bijster.'

'Wanneer heb je Jesús Alarcón leren kennen?' vroeg Falcón, oprecht geïnteresseerd.

'Jaren geleden,' zei Angel. 'En ik was niet erg onder de indruk. Ik vond hem een saai bankiertje en was verbijsterd toen hij zei dat hij de politiek in wilde. Ik dacht dat niemand op hem zou stemmen. Hij was een stijve hark in een pak. En je weet, vandaag de dag gaat het niet om je beleid of om de mate waarin je de regionale politiek begrijpt. Het draait er alleen om hoe je overkomt. Maar ik leerde hem beter kennen toen hij hier kwam wonen, en ik kan je vertellen dat de relatie die hij met Fernando Alanis heeft opgebouwd een goudmijn is. Als PR-man kun je van zoiets alleen maar dromen.'

'Heb je hem toen voor het eerst ontmoet? Toen je PR deed?'

'Toen ik uit de politiek ging, deed ik een PR-opdracht voor Banco Omni.'

'Dat zal een leuk klusje geweest zijn,' zei Falcón.

'Wij katholieken blijven elkaar trouw,' zei Angel met een knipoog. 'Nee, de president van de raad van bestuur en ik zijn oude vrienden. We zaten samen op school, studeerden samen en zaten samen in dienst. Toen ik op die zakkenwassers van de Partido Popular was afgeknapt, wist hij dat ik niet gewoon met pensioen zou gaan. Dus hij gaf me een opdracht. Van het een kwam het ander. De PR rondom het veertigjarige jubileum van een bankiersgroep uit Barcelona. Een verzekeringsgroep uit Madrid. Een onroerendgoedbedrijf aan de Costa del Sol. Als ik het interessant had gevonden, had ik veel geld kunnen verdienen. Maar weet je, Javier, bedrijfs-PR is zo... onbetekenend. Met dergelijke onzin verander je de wereld niet.'

'Dat is je in de politiek ook niet gelukt.'

'Om je de waarheid te vertellen, bij de PP was het niet anders. Het was net alsof je voor een groot concern werkte: op veilig spelen, je aan de partijlijn houden. Alles speelt zich op een vierkante millimeter af, niemand streeft ernaar grenzen te verleggen en de manier waarop mensen denken en leven te veranderen.'

'Wie wil er nou verandering?' vroeg Falcón. 'De meeste mensen hebben zo'n afkeer van veranderingen dat er oorlogen gevoerd en revoluties uitgeroepen moeten worden om ze teweeg te brengen.'

'Maar kijk eens naar ons, Javier, hoe we hier op een terras zitten te praten. Waarom doen we dat? Omdat er een crisis is uitgebroken. Onze manier van leven wordt bedreigd.'

'Je hebt het zelf gezegd, Angel: de meeste mensen kunnen het helemaal niet aan. Dus waar praten ze over?'

'Je hebt gelijk,' zei Angel. 'De naam van Esteban Calderón ligt op ieders lippen. Maar het is tenminste weer eens iets anders dan de gebruikelijke trivia. Het is tragedie. Een groot man wordt door overmoed ten val gebracht.'

'Maar wat zou jij nu tegen Comisario Elvira zeggen?' vroeg Falcón.

'Aha! Dus daar is het je om te doen, Javier,' zei Angel gniffelend. 'Je hebt me hier voor een gratis advies voor je baas laten komen.'

'Ik wil horen hoe de PR-man de wereld ziet.'

'Jullie moeten je concentreren op wat zeker is. Vanwege de aard van de aanslag was dat moeilijk, maar nu jullie eindelijk in de moskee zijn geweest, is het tijd om meer te onthullen en specifieke mededelingen te doen. Waarom werden die scholen en de faculteit ontruimd? De mensen willen een bot om op te bijten: onzekerheid werkt geruchten in de hand en geruchten leiden tot paniek. Juez del Rey maakte de fout niet eerst de stemming in de stad te polsen. Dus toen hij nieuwe onzekerheden begon te verspreiden...'

'De vraag van die presentator verspreidde onzekerheid,' zei Falcón.

'Zo zagen de kijkers het niet.'

'Del Rey kwam er pas na de uitzending achter dat iemand informatie over de Arabische tekst had laten uitlekken.'

'Del Rey had nooit de waarheid mogen vertellen: dat het nog steeds onduidelijk is wat zich in de moskee heeft afgespeeld. Hij had moeten uitbuiten wat zeker is. Als uiteindelijk blijkt dat de waarheid er anders uitziet, dan verander je het verhaal. Jullie onderzoek verloor veel geloofwaardigheid toen jullie woordvoerder werd gearresteerd voor moord. Je verdient die geloofwaardigheid alleen terug door te bevestigen wat de bevolking vermoedt. De presentator wist dat de kijkers niet in de stemming waren om te horen dat er een binnenlandse component in het terroristische complot zou kunnen zitten.'

'Elvira vindt het lastig om te beslissen wanneer hij zich van welke waarheid moet bedienen, op een manier die geen belemmering vormt voor de voortgang van het onderzoek naar wat er echt is gebeurd,' zei Falcón.

'Als je dat ergens leert, is het in de politiek,' zei Angel.

'Dus jij denkt dat Jesús Alarcón over de benodigde eigenschappen beschikt?'

'Hij is goed begonnen, maar het is te vroeg om dat te zeggen,' zei Angel. 'Het is belangrijk wat er in de komende zes, zeven maanden gaat gebeuren. Hij surft nu mee op een grote emotiegolf, maar zelfs de grootste golf eindigt kabbelend op het strand.'

'Als het niet lukt, kan hij altijd nog terug naar Banco Omni.'

'Daar willen ze hem niet meer hebben,' zei Angel. 'Je vertrekt niet bij Banco Omni. Als ze je een baan geven, nemen ze je in vertrouwen. Als je weggaat en een buitenstaander wordt, blijf je dat.'

'Dus Jesús neemt risico's?'

'Niet echt. Hij werd geïntroduceerd door een vriend van me die hoge verwachtingen van hem heeft. Mocht het allemaal nergens toe leiden, dan vindt die vriend wel weer wat anders voor hem.'

'Ken ik die mysterieuze vriend?'

'Lucrecio Arenas? Dat weet ik niet. Manuela heeft hem weleens ontmoet. Sinds zijn pensionering is hij niet meer zo mysterieus.'

'Daarvoor dus wel?'

'Banco Omni is een particuliere bank. Het beheert een fors percentage van de financiën van de katholieke kerk. Het is een geheimzinnige organisatie. Je zult geen foto's van bestuursleden van Banco Omni tegenkomen. Ik heb één PR-klus voor ze gedaan, maar dat had ik volledig aan Lucrecio te danken. Ik kwam alleen over de bank te weten wat ik nodig had om mijn opdracht uit te voeren. Maar waarom hebben we het over Banco Omni?'

'Omdat Jesús Alarcón de man van het moment is,' zei Falcón. 'Na Esteban Calderón.'

'O, ja. Je hebt me nog niet verteld waarom je me wilde zien,' zei Angel.

'Ik hoor je uit, Angel,' zei Falcón schouderophalend. 'Ik heb Elvira verteld over ons gesprek van vanmorgen en dat je je hulp hebt aangeboden, maar hij is behoedzaam. Als ik hem weer zie, wil ik hem een beter gevoel kunnen geven over het eventueel aanwenden van jouw talent. Hij heeft een duwtje in de rug nodig, dat is alles.'

'Ik ben alleen bereid in tijden van nood bijstand te verlenen,' zei Angel. 'Ik zoek geen vaste baan.'

'Het probleem met Elvira is dat hij je als journalist ziet – als vijand dus. Als ik hem meer kan vertellen over je PR-activiteiten en over de cliënten die je hebt vertegenwoordigd, ziet hij je in een ander perspectief.'

'Ik wil jullie wel advies geven, maar ik wil niet voor jullie werken,' zei Angel. 'Dan zouden mensen kunnen vinden dat ik tegenstrijdige belangen dien.'

'Noem nog eens een paar bedrijven waarvoor je hebt gewerkt,' zei Falcón. 'Hoe heet het bedrijf dat je vertegenwoordigde bij hun veertigjarige jubileum?'

'Horizonte,' zei Angel. 'Het onroerendgoedbedrijf heet Mejorvista en de verzekeringsgroep Vigilancia. Maar maak niet te veel reclame voor me, Javier. Het kost me al genoeg moeite om Fuerza Andalucía door de mazen van de media te loodsen.'

'Het is alleen wel een probleem dat het concept PR zich lastig laat verkopen. Krantenknipsels zeggen zo weinig. Als ik Elvira het niveau kan laten zien van de mensen voor wie je hebt gewerkt, zou dat enorm helpen. Heb je foto's van mensen van Horizonte, of van Banco Omni? Of van dat jubileum van Horizonte? Elvira houdt van tastbare dingen.'

'Prima, Javier. Voor jou doe ik alles. Als je me maar niet overdreven aanprijst.'

'We zitten in een crisis,' zei Falcón. 'Twee rechters van instructie zijn in diskrediet geraakt. We moeten ons imago opnieuw opbouwen, voor het te laat is. Elvira is een goede politieman en ik wil niet dat hij faalt omdat hij niet weet hoe hij het spelletje met de media moet spelen.'

Ze liepen de trap naar de woning op. Manuela was niet thuis. Het was een enorm appartement met vier slaapkamers, waarvan er twee als werkkamer werden gebruikt. Angel liep naar de muur van zijn werkkamer en wees op een foto die in het midden hing.

'Dat is de foto die jij wilt hebben,' zei hij terwijl hij op het lijstje tikte. 'Het is een uniek kiekje met alle topmanagers van Horizonte en Banco Omni bij elkaar. Hij is vlak voor het jubileum gemaakt. Ik moet ergens nog een afdruk hebben liggen.'

Angel ging achter zijn bureau zitten, opende een la en nam een stapel foto's door. Ondertussen bekeek Falcón de foto om te zien of er iemand bij zat die leek op de politietekening van de man die met Ricardo Gamero was gezien.

'Wie is Lucrecio Arenas?' vroeg Falcón. 'Ik herken niemand. Als ik hem heb ontmoet, waar zou dat dan geweest zijn?'

'Hij heeft een huis in Sevilla,' zei Angel. 'Maar zijn vrouw kan niet tegen de hitte, dus ze wonen de helft van het jaar in een paleisje in Marbella dat Mejorvista voor hem heeft gebouwd. Herinner je je dat grote diner dat ik vorig jaar oktober in Restaurante La Juderia had? Daar was hij ook.'

'Ik volgde toen een cursus aan de politieacademie.'

Angel gaf hem de foto en wees Lucrecio Arenas aan. Hij stond in het midden, Angel stond helemaal aan de buitenkant van de twee rijen met mannen. Arenas had wel dezelfde leeftijd als de man van de politieschets, maar verder leek hij niet op hem.

'Bedankt hiervoor,' zei Falcón.

'Raak hem niet kwijt,' zei Angel, die de foto in een envelop had gestopt.

'Heb je ook een kopie van die foto van jou en koning Juan Carlos?' vroeg Falcón.

Ze lachten.

'De koning heeft mij niet nodig voor zijn PR,' zei Angel. 'Hij is een natuurtalent.'

'Levert het iets op, José Luis?' vroeg Falcón.

'Het is niet te geloven, maar we zijn geen steek verder gekomen,' zei Ramírez. 'Als Tateb Hassani al bij iemand in deze buurt heeft gelogeerd, dan ging hij nooit ergens koffie drinken, tapas eten of bier drinken. En dan haalde hij nooit brood, kwam hij niet in de supermarkt en kocht hij geen krant. Niets. Niemand herkent die vent, en dat gezicht van hem vergeet je niet.'

'Heb je al iets van Cristina en Emilio gehoord?'

'Ze hebben de meeste grote huizen in de buurt gezien, en die hadden geen heg. Ze hebben binnenplaatsen, geen tuinen. En dan heb je nog het Convento de San Leandro en het Casa Pilatos, maar dat schiet ook niet op.'

'Ik wil dat je nog een ander huis opzoekt en controleert,' zei Falcón. 'Ik heb geen adres, maar het staat op naam van ene Lucrecio Arenas. En ik heb het CNI over de telefoongegevens van de imam gesproken. Ze hadden het nummer van de elektriciens al gecheckt. Het leverde niets op.'

'Mogen wij die gegevens zien?'

'Het is geheime informatie geworden,' zei Falcón, en hij hing op.

Falcón reed naar het huis van de suppoost, wiens werk in het archeologisch museum er voor die dag op zat. Hij woonde in het noordoosten van de stad. Onderweg werd hij door Pablo gebeld.

'Dit zal je deugd doen,' zei de CNI-man. 'Onze schriftexpert heeft de Arabische tekst vergeleken met de aantekeningen bij de bouwtekeningen van de scholen en de biologiefaculteit. En hij heeft de Engelse tekst van Tateb Hassani vergeleken met de aantekeningen in de korans. Ze komen overeen. Wat houdt dat in, Javier?'

'Dat weet ik nog niet precies. Maar ik kan je wel vertellen dat jullie kunnen stoppen met het ontcijferen van het geheimschrift in de korans, want dat is er niet. Ze zijn in de Peugeot Partner en in het huis van Miguel Botín achtergelaten om ons in verwarring te brengen.'

'En meer kun je er nu niet over zeggen?'

'Kom later maar bij me langs,' zei Falcón. 'Ik hoop dat het dan duidelijker is.'

De lift naar de woning van de suppoost op de zesde verdieping deed het niet. Toen Falcón de deurbel indrukte, zweette hij. Vrouw en kinderen werden naar de slaapkamers gestuurd en Falcón legde de foto op de eettafel. Zijn hart klopte hard en snel, zo graag wilde hij dat de suppoost Lucrecio Arenas zou herkennen.

'Staat die oudere man op deze foto?'

Twee rijen met mannen, zo'n dertig in totaal. De suppoost had dit eerder gedaan. Hij pakte twee vellen papier, isoleerde ieder gezicht van de rest en bekeek het goed. Hij begon links en bestudeerde elk gezicht zorgvuldig. Falcón kon de spanning niet aan en keek uit het raam. De suppoost nam de tijd. Als een Inspector Jefe helemaal naar zijn woning kwam om hem een foto te laten zien, moest het wel belangrijk zijn, en dat begreep hij.

'Dat is hem,' zei hij. 'Dat weet ik honderd procent zeker.'

Falcóns hart bonkte toen hij omlaag keek. Maar de suppoost wees niet naar Lucrecio Arenas. Hij tikte met zijn vinger op het gezicht van de man die helemaal rechts op de tweede rij stond. Het gezicht van Angel Zarrías.

33

Sevilla, donderdag 8 juni 2006, 20.15 uur

De derde dag na de explosie liep bijna ten einde. Terwijl Falcón naar de oude stad terugreed, richtten zijn gedachten zich volledig en diepgaand op Angel Zarrías.

Bij de suppoost thuis was hij woedend geworden. Hij had de politietekening uit zijn zak getrokken, hem op de tafel plat gestreken en de arme man gevraagd hem de overeenkomsten aan te wijzen. Falcón had moeten toegeven dat oude mensen, althans voor jongere mensen, op elkaar lijken, dat Angel één meter vijfenzestig was en maar iets meer dan vijfenzeventig kilo woog, dat Angel geen baard of snor had, en dat hij zijn haar, al was het dun en moest hij alles wat beschikbaar was bij elkaar halen om het nog wat te laten lijken, in een scheiding droeg. Pas toen de suppoost hem op de kaaklijn en de neus wees, herkende Falcón Angel in de tekening, als een volwassene die de vorm van een gezicht in een wolk pas herkent nadat hij er door een gefrustreerd kind op is gewezen.

Hij zag Ramírez op de parkeerplaats bij de kleuterschool.

'We hebben het huis van Lucrecio Arenas gevonden,' zei Ramírez. 'Het staat aan Plaza Mercenarias. Ik heb Cristina ernaartoe gestuurd, maar het was volledig afgesloten. De buren vertelden dat ze er in de zomer nauwelijks zijn en dat er geen tuin is, alleen een binnenplaats. Zij herkenden Tateb Hassani ook niet.'

Ze gingen naar het klaslokaal waar Juez Del Rey en Comisario Elvira zaten te wachten. Acht uur slaap in drie dagen – Elvira was gesloopt. Ze gingen zitten. Niet alleen Elvira was bekaf. Zelfs Del Rey, die nog fris had moeten zijn, zag er verfomfaaid uit, alsof hij door een ontstemde menigte onder de voet was gelopen.

'Goed of slecht nieuws?' vroeg Elvira.

'Allebei,' zei Falcón. 'Het goede nieuws is dat ik de man heb geïdentificeerd met wie Ricardo Gamero een paar uur voordat hij zelfmoord pleegde in het archeologisch museum is gezien.'

'Naam?'

'Angel Zarrías.'

Er viel een stilte, alsof ze allemaal hadden gezien hoe iemand een nare klap incasseerde.

'Dat is toch de vriend van je zus?' vroeg Ramírez.

'Hoe heb je hem geïdentificeerd?' vroeg Elvira.

Falcón lichtte hen in over het gesprek dat hij met Angel had gevoerd op het terras van de Taberna Coloniales en hoe hij hem de foto van Horizonte/Banco Omni afhandig had gemaakt.

'Maar dat is maar een deel van het slechte nieuws,' zei Falcón. 'Ik weet namelijk niet of dit ons verder helpt.'

'Waarom niet?'

'Waarmee kunnen wij Zarrías onder druk zetten om te zorgen dat hij meer loslaat?'

'Precies,' zei Falcón. 'Hij heeft als laatste met Ricardo Gamero gesproken, maar wat zegt dat? Hij kende Gamero uit de kerk en daarmee uit. Waarom ging hij naar Zarrías, en niet naar zijn pastoor? Zijn pastoor is dood. Waar hebben ze het over gehad? Gamero was van streek. Waarom? Misschien geeft Zarrías hetzelfde antwoord als Marco Barreda. Misschien heeft Zarrías wel tegen Barreda gezegd dat hij tegen mij moest zeggen dat Gamero eigenlijk homo was. We weten niet genoeg om hem te laten doorslaan.'

'Het is ongelooflijk dat Ricardo Gamero op zo'n moment met zijn emotionele problemen naar Angel Zarrías gaat,' zei Del Rey.

'Je zou Zarrías de foto van Tateb Hassani kunnen laten zien om te kijken hoe hij reageert,' zei Elvira.

Elvira en Del Rey hadden niets van Pablo gehoord, dus vertelde Falcón hun dat het handschrift van Tateb Hassani overeenkwam met het handschrift op de papieren uit de brandkast en met de aantekeningen in de twee korans.

'Waarom heb je ze eigenlijk gevraagd ernaar te kijken?' vroeg Elvira.

'Dat is terug te voeren op een vraag die ik een van mijn agenten stelde toen we het lijk op de vuilnisbelt hadden ontdekt: waarom zou je een man vermoorden en zulke verregaande stappen nemen om zijn identiteit uit te wissen? Dat doe je alleen als de identiteit van het slachtoffer de politie naar bekenden van het slachtoffer kan leiden, of omdat kennis van zijn knowhow een toekomstige operatie in gevaar zou kunnen brengen. De identiteit van Tateb Hassani heeft het een en ander onthuld. Zijn knowhow als hoogleraar Arabische Studies hield in dat hij Arabische teksten kon schrijven en een goede kennis van de koran had. Hij gaf ook zomercursussen wiskunde in Granada, waardoor hij Spaans sprak en schreef. Hij stond niet als militant bekend – hij was een afvallige, hij was een seksueel roofdier en dronk alcohol. Hij raakte zijn baan aan de Colombia University en zijn appartement in New York kwijt en kwam zo in geldnood dat hij privélessen wiskunde in Columbus, Ohio, ging geven. Dat is tevens de thuishaven van 141T, eigenaar van Horizonte, dat op zijn beurt weer eigenaar is van Informáticalidad. Wat het 'm uiteindelijk deed was het feit dat de sleutels uit het appartement van de imam, waarmee de brandkast uit de moskee werd geopend, in de keukenla werden gevonden, en niet in het kantoor van de imam, waar zijn andere sleutels lagen. Ik kreeg het gevoel dat ze daar waren neergelegd door iemand die wel toegang had tot het appartement van de imam, maar niet tot zijn werkkamer.'

'Wie heeft de sleutels daar dan neergelegd?'

'Botín, in opdracht van Gamero?' vroeg Ramírez.

'In het begin van dit onderzoek zei Juan tegen ons dat we voor alle mogelijkheden open moesten blijven staan en de aanslag niet vanuit historisch perspectief moesten bekijken omdat moslimterroristen niet volgens een vast patroon werken. Dat klopt. Elke aanslag komt als een volslagen verrassing en heeft een extraatje dat de angst in de ziel van het Westen een nieuwe impuls geeft. Kijk maar naar de virtuositeit waarmee de aanslagen tot nu toe zijn uitgevoerd.

Toen ik na mijn bezoek aan de suppoost terugreed, besefte ik plotseling dat de aanslag hier in Sevilla juist helemaal niet origineel was. Natuurlijk was dat niet mijn eerste gedachte. Mijn eerste gedachte was: deze terroristen zijn bereid woonhuizen aan te vallen. Maar nu begin ik in te zien dat de bom hier refereert aan elementen van aanslagen die eerder zijn gepleegd. Het instorten van het appartementencomplex herinnert ons aan de ingestorte flatgebouwen van Moskou in 1999. De ontdekking van de islamitische sjerp, hoofdkap en korans in de Peugeot Partner lijken op de tapes met koranteksten en de ontsteker die in de Renault Kangoo bij het station in Alcalá de Henares werden gevonden. Het Goma 2 Eco, waarmee de bom in de moskee werd geactiveerd, is dezelfde springstof als die op 11 maart werd gebruikt. De dreiging van de twee scholen en de biologiefaculteit roept herinneringen op aan Beslan. Het is net alsof degene die deze operatie heeft gepland, zich door vorige aanslagen heeft laten inspireren.'

'VOMIT,' zei Ramírez. 'Als er íemand is die alles van islamitische terreuraanslagen weet, is het de auteur van die website.'

'En nu de suppoost Angel Zarrías heeft aangewezen, is het ook te begrijpen,' zei Falcón. 'Hij is niet alleen journalist, hij doet ook PR. Hij weet hoe de menselijke ziel werkt. Ik vraag me nu af wie de Arabische teksten die in de brandkast zijn gevonden naar Canal Sur heeft laten uitlekken. Of liever gezegd, ze hoefden ze niet te laten uitlekken, want ze waren al in hun bezit. En wie heeft die geruchten over MILA verspreid? Wie heeft de tekst van Abdullah Azzam vanuit Sevilla naar de *ABC* in Madrid gestuurd?'

'Hoe ver gaat het, denk je?' vroeg Elvira. 'Hebben ze de koran, de hoofdkap en de sjerp neergelegd omdat ze wisten dat er hexogeen lag?'

'Dat denk ik niet,' zei Falcón. 'Ik denk dat het in eerste instantie de bedoeling was om een aanslag te plegen op de moskee en de mensen die daar binnen waren. Ze hoorden via Ricardo Gamero van Miguel Botín dat daar iets stond te gebeuren. De CGI had tevergeefs geprobeerd toestemming te krijgen om afluisterapparatuur te plaatsen. Gamero bedacht een andere mogelijkheid. Althans, Zarrías fluisterde hem die mogelijkheid in: plaats de moskee onder surveillance van de vertegenwoordigers van Informáticalidad. Toen bleek dat Hammad en Saoudi sinistere voorbereidingen troffen, besloten ze hen, voor ze hun plannen zouden kunnen uitvoeren, om het leven te brengen, samen met iedereen die de pech had op dat moment ook in de moskee te zijn.

De beslissing werd genomen. De surveillance werd beëindigd. Het appartement aan de Calle Los Romeros werd weer verhuurd. Ondertussen gingen die gemeente-inspecteurs naar de moskee om ervoor te zorgen dat de stoppenkast zou springen en de elektriciens naar binnen zouden kunnen. Ze gaven Miguel Botín het kaartje van de elektriciens en droegen hem op het aan de imam te geven. Het is niet ondenkbaar dat Botín geen deel uitmaakte van de samenzwering en dat Gamero hem alleen maar had verteld dat ze toestemming hadden om af te luisteren en dat de elektriciens de CGI-microfoon zouden plaatsen. Botín bleef erbij om ervoor te zorgen dat de imam de goede elektricien zou bellen. De Goma 2 Eco-bom en de brandkast werden geplaatst. De plannen voor de aanslagen moesten de indruk wekken dat er vroegtijdig een bom was ontploft. Er zouden geen overlevenden zijn en het ultieme, monsterlijke plan voor de aanslagen zou in de brandkast worden gevonden.

Ze wisten dat Hammad en Saoudi weinig goeds van zins waren, maar ik denk niet dat ze op de hoogte waren van de kracht van de springstof die in de moskee lag opgeslagen. De ontsteking van honderd kilo hexogeen, waardoor het hele gebouw instortte en de kleuterschool zwaar werd beschadigd, was niet gepland. Daarom pleegde Ricardo Gamero zelfmoord. Niet alleen omdat zijn vriend en informant was overleden, maar omdat hij zich voor alle slachtoffers verantwoordelijk voelde.'

'Dit zet het scenario volledig op zijn kop,' zei Elvira. 'Ten eerste geloof ik niet dat Angel Zarrías in z'n eentje achter deze samenzwering zit. En ten tweede weet ik niet hoe je dit in godsnaam denkt te bewijzen zodat er in de rechtszaal iets van overeind blijft.'

'Als dit scenario klopt, kan ik niet naar Angel Zarrías gaan en mijn kaarten op tafel leggen. Want de enige kaarten die ik heb, is dat hij Gamero als laatste persoonlijk heeft gesproken en het schokkende feit dat we Tateb Hassani hebben geïdentificeerd.'

'Je moet erachter zien te komen wie na Angel Zarrías de volgende schakel in de ketting is,' zei Del Rey. 'Hij is journalist, hij doet PR. Welke PR-connecties heeft hij?'

'Langs die route ben ik er in eerste instantie achter gekomen,' zei Falcón. 'Ik was ervan overtuigd dat de mensen van Informáticalidad niet zelfstandig opereerden. Ik nam aan dat ze opdrachten kregen van hun moederbedrijf. Ik keek naar Horizonte en kwam hun bank tegen: Banco Omni. En...'

'En?'

'Jesús Alarcón werkte voor Banco Omni,' zei Falcón. Terwijl hij sprak, kreeg hij een nieuwe inval. 'Een oude vriend van Angel Zarrías, de voorzitter van de raad van bestuur van Banco Omni, Lucrecio Arenas, schoof hem naar voren als politieke kandidaat.'

'Politieke kandidaat voor wat?' vroeg Del Rey.

'Hij is de nieuwe leider van Fuerza Andalucía.'

'Maar Fuerza Andalucía stelt regionaal niets voor,' zei Elvira. 'Volgens de peilingen halen ze hooguit vier procent.'

'Na het televisieoptreden van Jesús Alarcón met Fernando Alanis vandaag haalden ze veertien procent,' zei Falcón. 'Zarrías was erg enthousiast. Hij zegt dat zijn PR-werk voor Fuerza Andalucía zijn hobby is, maar ik denk dat er meer achter zit. Hij wil met de Partido Popular een regering vormen zodat hij voor één keer in zijn politieke leven iets kan veranderen. Ik denk dat hij probeert Jesús Alarcón in een zodanige positie te manoeuvreren dat hij het leiderschap van de Partido Popular kan opeisen. Ik denk dat ik niet overdrijf als ik zeg dat hij voor Jesús Alarcón is, wat Karl Rove voor George Bush was.'

'Dus wat is de volgende schakel in de ketting?' vroeg Del Rey.

'Tateb Hassani verbleef ergens terwijl hij aan het werk was,' zei Falcón. 'Waarschijnlijk is hij daar ook vermoord. Ik dacht eerst dat het een huis moest zijn in de buurt van de plek waar hij is gedumpt. De containers stonden in het doodlopende zijstraatje van een stille straat. Dat impliceert voorkennis. Die voorkennis, realiseer ik me nu, kwam van Zarrías, die woont vlakbij op Plaza Cristo de Burgos. Ik bedenk nu dat Tateb Hassani waarschijnlijk in het hoofdkwartier van Fuerza Andalucía aan de Calle Castelar logeerde, dat eigendom is van Eduardo Rivero.'

'Heeft dat een tuin?' vroeg Ramírez. 'Met een heg?'

'Er is een soort geometrisch aangelegde tuin tussen het voorhuis, waar Rivero kantoor houdt, en het achterhuis, dat voor de familie is. Ik ben er een keer met Manuela en Angel op een feest geweest, maar het was donker en ik lette niet op heggen. We moeten iemand vinden die Tateb Hassani dat huis heeft zien binnengaan. Dat is de volgende schakel in de ketting.'

'En Angel Zarrías?' vroeg Ramírez. 'Moeten we hem niet vierentwintig uur per dag gaan schaduwen?'

'Dat lijkt me een goed idee, temeer omdat het waarschijnlijk niet lang hoeft te gebeuren,' zei Falcón. 'Maar er is iets anders wat me dwarszit: de moord.'

'Tateb Hassani is met cyanide gedood,' zei Ramírez. 'Dat is geen schot, messteek of wurging.'

'Maar hoe kwamen ze aan cyanide?' vroeg Falcón. 'En het slachtoffer was ook nog verminkt. De amputatie van de handen was keurig uitgevoerd. Ik denk dat er een arts of een chirurg aan te pas is gekomen.'

'En de bom?' vroeg Ramírez. 'Om hiertoe in staat te zijn, moet je de meedogenloosheid van een echte crimineel hebben.'

Falcón belde Angel Zarrías om een afspraak te maken voor een ontmoeting met Comisario Elvira, waarop ze zouden bespreken hoe ze het imago van het onderzoeksteam konden verbeteren. Ze zouden tegen Zarrías zeggen dat ze in zijn PR-talent waren geïnteresseerd. Bijkomend voordeel was dat Zarrías naar hen toe kwam, zodat Serrano en Baena meteen met de surveillance konden beginnen.

Het was te riskant voor Falcón om bij het huis van Eduardo Rivero in de Calle Castelar gezien en herkend te worden. Ferrera, Pérez en Ramírez kregen opdracht te bewijzen dat Tateb Hassani in Rivero's huis had gelogeerd.

Elvira, Del Rey en Falcón wachtten in de kleuterschool op Angel.

'Je zit ergens mee, Javier,' zei Elvira. 'Maak je je zorgen om het effect dat dit op de relatie met je zus kan hebben?'

'Nee,' antwoordde Falcón. 'Daar maak ik me wel zorgen om, maar dat is het niet. Ik besef net dat de vraag wat Hammad en Saoudi met honderd kilo hexogeen in Sevilla moesten, onbeantwoord blijft als mijn scenario juist blijkt te zijn.'

'Dat moet het CNI maar uitzoeken, niet jij,' zei Elvira.

'Het boezemt me angst in dat je, als je Andalucía zonder leger en, zonder vloot in de schoot van de islam, wilt laten terugkeren, de grootste kans maakt met een slijtageslag zoals in Beslan,' zei Falcón. 'Ik dacht toentertijd dat de Russische speciale eenheden het vuur waarschijnlijk openden omdat Poetin inzag hoe uitzichtloos de situatie was. Hij moest optreden voordat het mondiale mediacircus er een intens, emotioneel brandpunt van zou maken. Zodra dat zou gebeuren, zou hij concessies moeten doen. Poetins reputatie is gebaseerd op kracht en onverzettelijkheid. Hij kon niet toestaan dat hij door een stelletje terroristen als een zwakkeling zou worden afgeschilderd. Dus stelde hij zijn eigen meedogenloosheid tegenover hun meedogenloosheid en stierven er meer dan driehonderd mensen. Kun je je de reacties in Spanje, Europa en de rest van de wereld voostellen als hier iets soortgelijks zou gebeuren, met kinderen die vlak voor de grote vakantie worden gegijzeld? Een mededogenloos optreden à la Poetin zou niet worden geaccepteerd.'

'Er zijn maatregelen genomen,' zei Elvira. 'Het is onmogelijk om alle scholen in Andalucía op dezelfde manier als de drie gebouwen hier in Sevilla te controleren, maar we hebben alle scholen opgedragen het schoolterrein af te zoeken. Daar is lokale politie bij betrokken.'

'Je hebt ons ook verteld dat je denkt dat het idee om de MILA bij de media te betrekken door Zarrías is bedacht,' zei Del Rey. 'In dat geval hebben we geen idee wat de moslimterroristen aanvankelijk van plan waren.'

'Waarom breng je zo'n hoeveelheid krachtige springstof naar Sevilla, de hoofdstad van Andalucía?' vroeg Falcón. 'Het idee dat de MILA een genadeloze poging doet om Andalucía in de schoot van de islam terug te brengen, getuigt van een verontrustende brille. Fictie en werkelijkheid lijken in elkaar over te lopen. Hebben we al resultaten van de DNA-monsters? Weten we zeker dat Hammad en Saoudi in de moskee zijn omgekomen?

Weten we al of ze, toen ze van hun opslagplaats in Valmojado naar Sevilla reden, van hun route zijn afgeweken?'

'Het gerechtelijk lab belt me zodra ze iets kunnen bevestigen, maar ik betwijfel of dat vandaag nog zal gebeuren,' zei Elvira. 'En de Guardia Civil heeft niets meer laten horen over de route van de Peugeot Partner. Pas op dat je niet over te veel aspecten van de zaak nadenkt, Javier. Concentreer je op jouw taak.'

Angel Zarrías kwam om negen uur. Falcón stelde hem aan Elvira en Del Rey voor en liet hen alleen. Hij liep naar de forensische tent. Op de ramp-plek, die nu bijna vlak was, werd onder lampen doorgewerkt. De hijskraan en de graafmachines waren vertrokken. Er stond alleen nog een kiepauto, die stond te wachten tot er weer puin moest worden weggereden. Falcón trok een overall aan en ging de tent in. De halogeenlampen gaven hel licht. Hij vond het hoofd van de technische recherche bij een berg gehavende kledingstukken, schoenen, plastic en stukken leer. Hij stelde zich voor de tweede keer voor.

'Ik zoek iets wat kan worden gezien als een handleiding voor het maken of het plaatsen van een bom,' zei hij.

'Zoiets hebben we toch in de brandkast aangetroffen?'

'Gedetailleerde aanwijzingen voor het maken van een bom moet ik hebben,' zei Falcón. 'Die zouden in de voering van een jas genaaid kunnen zijn, of in een portemonnee.'

'Het is nog een hoop werk om in de moskee te komen. We waren zo snel bij de brandkast omdat die door de explosie omhoog was geblazen. We banen ons nu een weg omlaag, maar het is handwerk, en alles wat we tegenkomen moet worden gedocumenteerd. We zijn op z'n vroegst morgenochtend in de centrale ruimte van de moskee.'

'Ik wilde alleen even laten weten dat we nog een stukje van de legpuzzel zoeken,' zei Falcón. 'Misschien is het gecodeerd, in cijfers, of in het Arabisch.'

Onder de lampen buiten waren tien mannen aan het werk. Het had wel wat weg van archeologiewerkzaamheden, met een plattegrond van de moskee onder een raster op een tafel waar iedere vondst werd geregistreerd. De mannen van de technische recherche werkten op nog geen dertig centimeter onder grondniveau. De stank van bederf hing zwaar in de warme lucht. De stilte waarin ze werkten werd af en toe door gemompel verbroken. Het werk was zwaar en gruwelijk. Falcón belde Mark Flowers en vroeg of ze konden afspreken.

'Tuurlijk. Waar ben je?'

'Ik ben nu op de rampplek, maar het lijkt me een goed idee om in het appartement van imam Abdelkrim Benaboura af te spreken,' zei Falcón. 'Dat weet je wel te vinden, toch, Mark?'

Flowers ging niet in op zijn sarcasme. Falcón liep naar het nabijgelegen appartement van de imam, in net zo'n appartementencomplex als het opgeblazen gebouw. De deur werd vierentwintig uur per dag bewaakt. Falcón liet zijn insigne zien, maar de bewaker zei dat hij hem niet naar binnen kon laten gaan.

'Weet u wie ik ben?'

'Ja, Inspector Jefe. Maar u staat niet op mijn lijst.'

'Mag ik uw lijst zien?'

'Het spijt me. Die is geheim.'

De mobiele telefoon van de bewaker ging. Hij nam op en luisterde aandachtig.

'Hij is er al,' zei hij, en verbrak de verbinding.

Hij maakte de deur open en liet Falcón binnen.

De CNI-mannen hadden het aantal boeken in het appartement niet overdreven. Langs de wanden van de woonkamer en de eetkamer stonden rijen boeken, en op de vloer in de slaapkamer lagen overal stapels. Ze bestreken alle kennisgebieden, en de meeste waren Engels- of Franstalig, maar in één kamer stonden alleen Arabische teksten. De kamer achterin, normaalgesproken de grootste slaapkamer, was de werkkamer van de imam. Aan de ene kant stond een eenpersoonsbed, aan de andere zijn bureau. Ook hier gingen de muren achter boeken schuil. Falcón ging op de houten draaistoel achter het bureau zitten. Hij keek in de laden, die leeg waren. Hij draaide zich om en pakte een boek van de plank die het dichtst bij was. De titel was *Riemann's Zeta Function*. Hij zette het boek terug zonder het te hebben geopend.

'Hij heeft ze allemaal gelezen,' zei Flowers, die in de deuropening stond. 'Onvoorstelbaar dat al die kennis in het hoofd van één vent past. In Langley hadden we ook mensen die zo belezen waren, maar het waren er niet veel.'

'Hoe lang heb je hem gekend?' vroeg Falcón. 'Ervan uitgaande dat hij dood is.'

'Ik weet zeker dat hij dood is,' zei Flowers. 'We hebben elkaar in 1982 in Afghanistan ontmoet. Hij was toen nog maar een jochie, maar hij was een van de weinige mujahedeen die Engels spraken, omdat hij, hoewel geboren in Algerije, in Egypte op school had gezeten. We voorzagen hen van wapens en tactieken om tegen de Russen te vechten. Hij waardeerde dat we hielpen die atheïstische communisten het land van Allah uit te krijgen. Zoals je weet, deed niet iedereen dat. Zeggen ze niet dat hulp de snelste weg naar haat is?'

'En jullie hebben al die tijd contact gehouden?'

'Met tussenpozen, zoals je kunt vermoeden. Ik verloor hem in de jaren negentig uit het oog, maar in 2002 werd het contact hervat. Ik kwam hem op het spoor toen ik in Tunesië werkte. Hij heeft die flauwekul van de Taliban en Wahhabieten nooit geaccepteerd. Je hebt vast wel begrepen dat hij een intelligente jongen was; volgens hem stond er in de hele koran geen enkele regel die je als een instemming met zelfmoordaanslagen kon interpreteren. Hij was een van hen, maar hij zag de dingen heel scherp.'

'En je overwoog niet een van je nieuwe informanten, die een onderzoek leidt naar...'

'Moet je horen, Javier,' zei Flowers. 'Ik heb je vanaf het begin informatie gegeven. Juan heeft je gezegd dat hij zijn geschiedenis niet kon opvragen, maar dat de Amerikanen voor hem instonden toen hij een visum aanvroeg. Wat wil je nog meer? Zijn cv? Je moet niet denken dat je in dit spel met een lepeltje wordt gevoerd. Ik moet niet hebben dat bekend wordt dat de imam van een moskee in Sevilla voor me spioneert.'

'En daarom mochten we hier niet naar binnen,' zei Falcón. 'En kregen we geen inzage in zijn telefoongegevens.'

'Ik moest eerst zorgen dat er niets meer in de woning lag wat hem met de CIA in verband kon brengen. Dat hield in dat we al die boeken moesten doornemen. En ik ben niet onverantwoordelijk. Ik heb me ervan vergewist dat het CNI het nummer van de elektriciens heeft gecheckt.'

'Goed, dat geloof ik,' zei Falcón. 'Ik had beter moeten... opletten. Heeft Benaboura het tegen jou weleens over Hammad en Saoudi gehad?'

'Nee.'

'Dat zal je niet leuk hebben gevonden.'

'Jij begrijpt niet onder welke druk deze mensen staan,' zei Flowers. 'Hij heeft me heel veel nuttige informatie gegeven. Namen, bewegingen, van alles. Hij vertelde me niet over Hammad en Saoudi omdat hij dat niet kon.'

'Je bedoelt dat hij niet kon riskeren dat hij je over hen zou vertellen en dat jullie op basis van die informatie zouden ingrijpen en dat vervolgens alle vingers in zijn richting zouden wijzen?'

'Je begint het te begrijpen, Javier.'

'Wist hij hoe het met Miguel Botín zat?'

'Benaboura was ervaren.'

'Aha,' zei Falcón terwijl hij daarover nadacht. 'Hij vond het dus acceptabel om de informatie over Hammad en Saoudi via Miguel Botín naar buiten te laten komen, en daarom gebruikte hij de elektriciens die door Botín naar voren waren geschoven.'

'Hij doorzag de situatie uitstekend,' zei Flowers. 'Hij begreep waarom de zogenaamde gemeente-inspecteurs langskwamen, en interpreteerde het doorslaan van de stoppen en de geadviseerde elektricien op de juiste manier. Hij had er alleen geen rekening mee gehouden dat de elektriciens niet alleen een microfoon, maar ook een bom zouden plaatsen.'

'Was er een microfoon?'

'Natuurlijk. En hij moest weten waar, zodat hij zijn gesprekken daar kon voeren. Ze hebben hem in een stopcontact in zijn kantoor verstopt.'

'Ik zou weleens willen weten of die microfoon heeft gewerkt en wie ernaar heeft geluisterd,' zei Falcón. 'Wat vond het CNI ervan?'

'Hij zou door de CGI geplaatst worden,' zei Flowers. 'Botín werkte voor Gamero, en Gamero werkte voor de CGI. Ik heb er nooit met hen over gesproken, omdat ik had gehoord dat er in de gelederen van de CGI veiligheidsproblemen waren.'

'En waarom liet Benaboura een extra stopcontact in de opslagkamer aanleggen?'

'Dat is waarschijnlijk op verzoek van Hammad en Saoudi gebeurd,' zei Flowers. 'Hij heeft daar niet met mij over gesproken.'

'Dus jullie wisten ook niet dat er hexogeen lag?'

'Dat zou naar buiten zijn gekomen op het moment dat Benaboura de tijd rijp daar voor achtte.'

'Klaagde hij over de surveillance?'

'In het appartement aan de overkant van de straat?' vroeg Flowers. 'Hij was zo verbaasd over hun amateuristische niveau dat hij begon te denken dat het helemaal geen surveillance was.'

'Heb je er namens hem met iemand over gesproken?'

'Ik heb Juan ernaar gevraagd en die zei dat zij er niets mee te maken hadden. Hij heeft nog voor me geïnformeerd bij de CGI, en zei dat die er ook niets mee te maken hadden. Op een avond ben ik zelf in dat appartement gaan kijken. Het stond leeg. Er was geen apparatuur. Daarna heb ik er geen aandacht meer aan besteed.'

'Je laat me tegen je gewoonte in een hoop vragen stellen.'

'Het is allemaal oud nieuws.'

'Je lijkt je niet erg druk te maken over het feit dat die elektriciens van Botín een bom in de moskee hebben geplaatst.'

'O, daar maak ik me echt wel druk over, Javier. Daar maak ik me heel druk over. Ik ben een van mijn beste agenten kwijt.'

'Geloof jij het verhaal van het CNI?'

'Dat Botín een dubbel was?' vroeg Flowers. 'Dat hij voor moslimterroristen werkte die van Benaboura af wilden?'

'En van Hammad en Saoudi.'

'Flauwekul,' zei Flowers bitter. 'Maar daar hou ik me nu niet mee bezig. Het is jouw werk het verleden te doorzoeken.'

'En jij vraagt je nu af wat Hammad en Saoudi in Sevilla met honderd kilo hexogeen wilden gaan doen.'

'Het gaat het GICM er niet echt om Andalucía in de schoot van de islam terug te krijgen,' zei Flowers. 'Ze willen van Marokko een islamitisch land maken, met de sharia. Maar hun ideeën over het Westen komen overeen met wat we al-Qaeda noemen.'

'Staat het vast dat Hammad en Saoudi van het GICM zijn?'

'Ze hebben al eerder voor hen gewerkt.'

'Waar zou het hexogeen dan voor gebruikt gaan worden?'

'En lag er nog meer op een andere plek?' vroeg Flowers. 'Dat zijn de grote vragen waar we geen antwoord op hebben. Bij de ontploffing was het hexogeen waarschijnlijk nog ruw. We kunnen alleen maar hopen dat we in de moskee meer aanwijzingen vinden.'

'Wat had er mee gedaan moeten worden om het bruikbaar te maken?'

'Normaliter wordt het gemengd met een plastiek, zodat het gegoten kan worden en je het kunt kneden. Het zou erg mooi zijn als ze het element vinden waarin het verpakt moest worden.'

'Maar als je een gebouw wilt vernietigen, kun je toch ook gewoon alles in een koffer stoppen, die in de achterbak van een auto leggen en door de voordeur naar binnen rijden?'

'Dat klopt.'

'Weet jij waar het CNI aan werkte?' vroeg Falcón. Hij besefte dat het gesprek zich niet verder ontwikkelde.

'Dat moet je hun vragen,' zei Flowers. 'Maar ik adviseer je om te doen waar je voor betaald wordt. Blijf bij het verleden.'

Falcóns mobiele telefoon trilde. Het was Ramírez. Hij nam op in de keuken, op veilige afstand van Flowers.

'We hebben bewijs dat Tateb Hassani in het huis van Rivero is geweest,' zei Ramírez. 'Buiten hadden we niet veel geluk, maar Cristina zag een vrouw uit het huis komen en dat bleek het dienstmeisje te zijn dat voor Hassani's kamer zorgde. Ze zag hem voor het eerst op 29 mei en voor het laatst op 2 juni. Ze werkte niet in het weekeind, de andere dienstmeisjes ook niet. Ze weet het niet helemaal zeker, maar ze dacht niet dat hij het huis gedurende zijn verblijf ook maar één keer heeft verlaten. Hij werkte in het kantoor van Fuerza Andalucía aan de voorkant van het huis, en nam zijn maaltijd daar meestal mee naartoe.'

'Is er al nieuws over Angel Zarrías?'

'Daar belde ik voor. Hij is net bij het huis van Rivero aangekomen, zo'n vijf minuten nadat Jesús Alarcón daar verscheen. Iedereen is er. Fuerza Andalucía zal wel over de strategie gaan vergaderen.'

'Zeg tegen Cristina dat ze iemand moet zoeken die zaterdagavond in het huis van Rivero heeft gewerkt. Ze moeten een soort diner voor Tateb Hassani hebben gegeven: koks dus, en bedienden, dat werk.'

34

Sevilla, donderdag 8 juni 2006, 21.50 uur

'Ik vind dat we Eduardo Rivero in zijn eentje moeten aanpakken,' zei Falcón. 'Zonder dat hij het gevoel heeft dat hij door Jesús Alarcón en Angel Zarrías wordt gesteund. Tateb Hassani zat in zijn huis, als zijn gast, en hij is in zijn kantoor vermoord. Als we zijn verzet hebben gebroken, geeft hij ons de rest vast en zeker ook.'

'En het transport?' vroeg Elvira. 'Kunnen we de auto opsporen waarmee het lijk van Rivero's huis naar de vuilniscontainers in de Calle Boteros is vervoerd?'

'Die auto is alleen gezien door een alcoholist op leeftijd, in het donker, vanaf een hoogte van ongeveer tien meter,' zei Falcón. 'Hij kon ons alleen vertellen dat het een donkere stationcar was. Ramírez zoekt nu met Pérez in die buurt naar een betrouwbaardere getuige. We controleren bovendien alle auto's die op naam van Rivero en zijn vrouw staan, om te zien of er een bij is die aan die summiere omschrijving voldoet.'

'En wie houdt Rivero's huis in de gaten?'

'Serrano en Baena schaduwen Angel Zarrías vierentwintig uur per dag,' zei Falcón. 'Zij vertrekken pas als hij vertrekt. Kunnen we een huiszoekingsbevel voor Rivero's huis krijgen?'

'Daar ben ik huiverig voor, Javier,' zei Elvira. 'Rivero is misschien geen leider van een belangrijke partij, maar hij heeft heel veel aanzien in de Sevilliaanse gemeenschap. Hij kent iedereen. Hij heeft in alle rangen en standen belangrijke vrienden, ook in de rechtspraak. De troefkaart die je nu hebt, is de overrompeling. Hij weet niet dat je Tateb Hassani hebt geïdentificeerd en dat je weet dat hij in de dagen voor zijn dood bij hem in huis zat. Als ik om een huiszoekingsbevel wil vragen, moet ik er een zaak van maken en de rechter inlichten. Dan stijgt de kans dat het cruciale voordeel dat je nu hebt, verdwijnt door een lek.'

'Heb je liever dat ik hem eerst probeer te breken?'

'Ook dat brengt risico's met zich mee.'

'Ze zijn nu bijeen en waarschijnlijk gaan ze daarna eten,' zei Falcón. 'Laten we afwachten wat de komende uren opleveren en nog één keer overleggen voor we definitief optreden.'

Falcón ging naar huis om iets te eten en na te denken over de beste manier om Rivero aan het praten te krijgen. Inspector Jefe Luis Zorrita belde. Hij wilde hem over de moord op Inés spreken. Falcón zei dat hij dan meteen naar zijn huis moest komen.

Encarnación had een vers varkenshaasje voor hem achtergelaten. Hij maakte een salade en sneed een paar aardappels en het vlees in plakken. Hij plette een paar teentjes knoflook en deed die met de plakjes aardappel en het vlees in de koekenpan. Daar goot hij nog een scheut goedkope whisky over en liet de vlam in de pan slaan.

Hij at zonder aandacht voor het eten en dronk er een glas rode rioja bij om zijn geest een beetje te ontspannen. In plaats van met Rivero bezig te zijn, waren zijn gedachten bij Inés, en ze namen een loopje met hem: hoewel hij haar daar bij de rivier had zien liggen, kon hij zich niet voorstellen dat ze echt dood was. Ze was de avond ervoor nog bij hem geweest... Of was dat al weer twee avonden geleden?

Het was benauwd in de keuken, en hij liep met zijn glas in zijn hand naar de fontein in de patio. Hij ging op de rand zitten, in de hitte die de lucht als een enorme, onzichtbare pers langs de muren naar beneden leek te drukken. Ze hadden de liefde bedreven in die fontein, Inés en hij. Dat was een wilde, opwindende tijd geweest: ze waren met z'n tweeën in dat enorme huis, renden naakt door de galerij, de trappen af, het klooster in en uit. Ze was toen zo mooi, in die tijd dat de jeugd het nog voor het zeggen had. Hij daarentegen droeg toen al zijn kruis, alleen wist hij dat nog niet en kon hij het niet zien. Het kwam in hem op dat hij haar waarschijnlijk zelf in de armen van Esteban Calderón had gedreven, in de armen van de man die haar ten slotte zou vermoorden.

De deurbel ging. Hij liet Zorrita binnen, gaf hem een biertje en liet hem in de patio plaats nemen. Falcón had net zijn huwelijk met Inés, haar affaire met Calderón, hun breuk en de uiteindelijke scheiding beschreven, toen zijn mobiele telefoon trilde. Hij nam op in zijn werkkamer en sloot de deur naar de patio.

'We hebben een mazzeltje met de auto,' zei Ramírez. 'In de Calle Boteros zit een bar die Garlochi heet. Een vreemde tent. Helemaal volgeplakt met plaatjes en beeldjes van de Maagd. Boven de bar hangt een baldakijn als op een praalwagen tijdens de Semana Santa. Er branden kaarsjes en wierook, en de cocktail van het huis heet "Sangre de Cristo". Die wordt in een glazen miskelk geserveerd.'

'Lekker decadent.'

'Tot nog toe was het café iedere keer dat wij in de buurt waren gesloten. Maar nu heeft de eigenaar me verteld dat hij net afsloot was toen hij de auto het doodlopende steegje in zag draaien en in z'n achteruit naar de containers zag rijden. Zijn beschrijving was identiek aan die van Cristina's getuige, behalve dat hij de auto wel goed heeft gezien. Hij zag dat het een Mercedes E500 was omdat hij er zelf ook zo een wil, maar hem niet kan betalen. Hij heeft nog naar het kenteken gekeken, omdat hij vond dat de drie inzittenden zich verdacht gedroegen, maar dat is nu bijna een week geleden. Hij herinnert zich alleen dat het een tamelijk nieuw nummer was en dat het begon met 82. Verder dacht hij dat de laatste letter een M was.'

'Heeft dat je verder gebracht?'

'Baena belde net om te zeggen dat er nog drie auto's bij het huis van Rivero zijn aangekomen,' zei Ramírez. 'We hebben de nummerborden gecheckt, en ze staan op naam van Lucrecio Arenas, César Benito en Agustín Cárdenas. Die worden nu nagetrokken.'

'Lucrecio Arenas heeft er via Angel Zarrías voor gezorgd dat Jesús Alarcón bij Fuerza Andalucía kwam,' zei Falcón. 'Die andere twee ken ik niet.'

'Moet je horen, Agustín Cárdenas heeft een zwarte Mercedes Estate E500 en het kentekennummer is 8247 BHM.'

'Hem moeten we hebben,' zei Falcón.

'Ik bel terug zodra ik meer weet.'

Falcón liep terug naar Zorrita en maakte zijn excuses. Zorrita woof ze weg. Falcón vertelde hem over de laatste keer dat hij Inés had gezien. Dat ze dinsdagavond onverwacht bij hem thuis was opgedoken en haar man en zijn eeuwige affaires had vervloekt.

'Mocht jij Esteban Calderón?' vroeg Zorrita.

'Vroeger wel. Dat verbaasde sommigen. Ik kwam er later pas achter dat zijn affaire met Inés al in het laatste deel van ons korte huwelijk was begonnen. Ik vond hem intelligent, goed geïnformeerd en ontwikkeld, en dat is hij waarschijnlijk nog steeds. Maar hij is ook arrogant, ambitieus, narcistisch en nog van alles wat ik nu even niet paraat heb.'

'Interessant,' zei Zorrita. 'Hij vroeg me of jij bij hem langs wilde gaan.'

'Waarom?' vroeg Falcón. 'Hij weet dat ik niets kan zeggen.'

'Hij zei dat hij je iets wil uitleggen.'

'Ik weet niet of dat wel zo'n goed idee is.'

'De keuze is aan jou,' zei Zorrita. 'Mij maakt het niet uit.'

'Onder ons gezegd en gezwegen,' zei Falcón, 'heeft hij bekend?'

'Bijna,' zei Zorrita. 'Hij stortte op een gegeven moment in, maar niet op de gebruikelijke manier. Hij werd niet door zijn geweten gedwongen de waarheid op te hoesten, het leek eerder alsof hij plotseling aan zichzelf begon te twijfelen. In het begin was hij een en al arrogantie en was hij vastbesloten zich te verzetten. Hij weigerde een advocaat, waardoor ik hem op tamelijk grove wijze kon confronteren met de manier waarop hij zijn vrouw had mishandeld. Ik denk dat hij zelf niet heeft beseft hoe kwaad hij is geweest, wat een woesteling hij is geweest, wat hij zijn vrouw heeft aangedaan. Hij schrok ontzettend van de details van de autopsie. Zijn zelfvertrouwen begon te wankelen en hij begon te geloven dat hij het gedaan zou kúnnen hebben.

Hij beschreef hoe hij hun huis binnenkwam alsof hij een film navertelde en niet meer precies wist hoe die afliep. Eerst zei hij dat hij Inés bij het aanrecht had zien staan, maar toen veranderde hij van gedachten. Uiteindelijk denk ik dat er twee Calderóns waren. De rechter en die andere persoon, die het grootste deel van de tijd was opgesloten maar soms naar buiten kwam en het heft in handen nam.'

'Inés zei dat hij psychologische hulp nodig had,' zei Falcón. 'Maar ik denk niet dat ze zoiets heftigs als schizofrenie in gedachten had.'

'Geen klinische schizofrenie,' zei Zorrita. 'In bijna iedereen gaat een beest schuil, alleen komt dat bij de meeste mensen niet aan het daglicht. Om wat voor reden dan ook is het beest van Calderón uit zijn kooi ontsnapt.'

'Weet je zeker dat hij het heeft gedaan?'

'Ik weet zeker dat er verder niemand bij betrokken was, dus is het alleen de vraag of hij het met voorbedachten rade of per ongeluk heeft gedaan. Ik geloof niet dat zijn geliefde iets met de dood van Inés dacht te winnen. Ze wilde niet met hem trouwen. Ze is geen vrouw voor het huwelijk. Ze heeft toegegeven dat ze een "grapje" maakten over de "burgerlijke oplossing voor het instituut van het kleinburgerdom", namelijk moord, maar ik denk niet dat het haar bedoeling was hem ertoe aan te zetten zijn vrouw te vermoorden. Hij zal zeker proberen het als een ongeluk af te schilderen, maar de rechter zal natuurlijk gevoelig zijn voor de mishandelingen die eraan voorafgingen.'

Zorrita dronk zijn bier op en Falcón liep met hem naar de deur. Ramírez belde weer. Zorrita stak zijn hand op en verdween in de avond.

'Oké, César Benito is algemeen directeur van bouwbedrijf Construcciones PLM S.A. en zit in de raad van bestuur van Horizonte, waar hij verantwoordelijk is voor het onroerend goed, waar ook bedrijven als Mejorvista en Playadoro onder vallen. De andere man, Agustín Cárdenas, is interessanter. Hij is chirurg en heeft klinieken voor cosmetische chirurgie in Madrid, Barcelona en Sevilla. Hij zit ook in het bestuur van Horizonte, waar hij de leiding heeft over de afdeling voor medische hulpverlening, waar Quirúrcalidad, Ecográficalidad en Optivisión onder vallen.'

'Het lijkt erop dat de samenzweerders bijeen zijn om hun volgende stap te plannen nu de eerste fase succesvol is afgerond,' zei Falcón.

'Maar ik ben er niet van overtuigd dat het plaatje compleet is,' zei Ramírez. 'Ik kan me voorstellen dat Rivero, Zarrías, Alarcón en Cárdenas Hassani hebben vergiftigd, en Cárdenas zal het lijk wel bewerkt hebben, maar geen van hen lijkt op de beschreven mannen uit de Mercedes E500 die het lijk hebben gedumpt.'

'En wie heeft de bom gelegd, of daar de opdracht toe verstrekt?'

'Er ontbreekt een element,' zei Ramírez. 'Ik zie het geld, ik zie de macht en ik zie de hardheid om met Tateb Hassani af te rekenen. Maar hoe kwamen ze aan de mensen die het werk in de moskee deden en hoe wisten ze dat zij hun mond zouden houden?'

'De enige manier om daar achter te komen is hen aan een kruisverhoor in de Jefatura te onderwerpen,' zei Falcón, die de deurbel hoorde gaan. 'Licht Elvira in. Ik heb nu een afspraak met het CNI. En zeg tegen Cristina dat ze een getuige moet zoeken die Tateb Hassani zaterdagavond zo laat mogelijk heeft gezien. Het is belangrijk om die te hebben voordat we met Rivero gaan praten.'

Pablo en Gregorio liepen regelrecht naar de computer. Gregorio startte de computer op en verschafte zich toegang tot de gecodeerde site van het CNI, die ze zouden gebruiken om met Yacoub Diouri te chatten.

Pablo zei: 'We hebben geregeld dat je iedere avond om elf uur met Yacoub chat, tenzij jullie van tevoren anders afspreken. Dat is elf uur Spaanse tijd, het is dan negen uur in Marokko. Vanzelfsprekend ben je dan alleen. Er mag niemand anders in huis zijn. Jullie kunnen elkaar herkennen doordat jullie iedere keer dat jullie contact maken, beginnen met een terloops gesprek waarin een zinsnede uit dit boek is opgenomen...'

Pablo gaf hem *Denk morgen op het slagveld aan mij* van Javier Marías.

'De eerste dag kiest hij een stukje uit de eerste alinea van de eerste pagina,' zei Pablo. 'Als jullie elkaar eenmaal hebben herkend, kunnen jullie vrijuit spreken.'

'En als hij die zinsnede niet gebruikt?'

'Dan mag je hem daar niet aan herinneren en mag je niet met geheime informatie antwoorden. Je verstuurt dan gewoon jouw zinsnede in je eerste paragraaf. Herstelt hij zijn fout niet, dan verbreek je de verbinding. Je mag dan geen contact meer met hem hebben tot wij hebben gecontroleerd wat er met hem aan de hand is. Verder is het belangrijk dat je de chatsessies niet uitprint. Wij houden een bestand bij. Daartoe heb je alleen toegang als wij hier bij jou zijn.'

'Ik snap nog steeds niet waarom jullie denken dat de GICM Yacoub zo gemakkelijk zal accepteren,' zei Falcón.

'Dat hebben we niet gezegd,' zei Pablo. 'We zeiden alleen dat hij door de radicale elementen van de moskee in Salé geaccepteerd zou worden. Vergeet niet welke achtergrond Yacoub heeft, wat zijn echte vader, Raúl Jiménez, heeft gedaan en hoe zijn surrogaatvader Abdullah Diouri wraak nam. Dat is niet in een zeepbel gebeurd. De hele familie wist ervan. Het is de bron waaruit een zekere mate van sympathie voor de radicalere elementen van de islam voort is gekomen. Vraag niet verder... laten we gewoon afwachten of Yacoub contact legt met de radicale elementen in de moskee en, als dat lukt, hoe snel hij met de bevelvoerders van de GICM praat.'

'En wat is het doel van het gesprek dat ik nu met hem ga voeren?'

'In dit stadium gaat het er alleen maar om dat je laat weten dat je er bent,' zei Pablo. 'Uiteindelijk willen we erachter zien te komen wat ze hier in Sevilla van plan waren, en of ze in staat zijn dat alsnog uit te voeren. Maar misschien moeten we in deze fase al blij zijn als wordt bevestigd wat we al weten.'

De communicatie kwam om drie minuten over elf tot stand. Ze begroetten elkaar en Falcón stelde de eerste vraag.

'Hoe was de eerste schooldag?'

'Het leek meer op mijn eerste dag als lid van een club. Iedereen taxeerde me, sommige vriendelijk, andere argwanend, een enkeling vijandig. Het werkt in iedere organisatie hetzelfde: ik ben op een bepaald niveau binnengekomen en door mijn gelijken verwelkomd; maar degenen die dachten net belangrijk te worden, behandelen me als een usurpator. Er is een hiërarchie. Dat moet ook wel. Het is een organisatie met een militaire vleugel. Alleen is de opperbevelhebber van die vleugel geen man, maar

Allah. De groep doet niets zonder dat er wordt gerefereerd aan de ultieme bron waaruit de bevelen komen. Dat geldt ook voor andere groepen, waarover ze lezen. We worden er voortdurend aan herinnerd dat we een heilige oorlog voeren. Het is krachtig en inspirerend en toen ik thuiskwam, was ik duizelig. Als je de hele dag doorbrengt met mensen die zo zeker zijn van hun plaats en lot binnen de wil van Allah, is thuis een vreemde, of liever gezegd een extreem banale plek. Ik begrijp hoeveel aantrekkingskracht dit op jonge mensen moet hebben. Ze depersonaliseren de vijand, die afgezien van Bush en Blair nooit uit specifieke mensen bestaat, heel slim. Ze hebben het liever over de decadentie en de goddeloosheid dan over mannen, vrouwen en kinderen.'

'Heb je nog iets opgevangen over wat er op 6 juni in Sevilla is gebeurd?'

'Ze praten over niets anders. Het Spaanse nieuws wordt via de satelliet met argusogen gevolgd. Maar het is niet eenvoudig te achterhalen in welke mate ze betrokken zijn.'

'En heb je iets gehoord over Djamel Hammad en Smail Saoudi en wat zij in Sevilla met honderd kilo hexogeen van plan waren?'

'Het is me niet altijd duidelijk wanneer ze speculeren en wanneer het over harde feiten gaat. Vergeet niet dat deze mensen niet bij de GICM horen. Ze steunen hun acties, en sommige leden zijn bij hun activiteiten betrokken geweest, maar dan vooral vanaf de thuisbasis. Denk niet dat ik in een tent vol mujahedeen met AK-47's ben beland. Op dit moment kan ik eerder zeggen wat er is gebeurd, dan wat er gaat gebeuren, want dat is alleen bekend bij de gezagvoerders van de GICM, en die zijn hier, voorzover ik weet, niet aanwezig.

Mijn vrienden hebben me verteld dat Hammad en Saoudi niet alleen voor de GICM, maar voor meerdere groepen hebben gewerkt. Ze komen aan geld door met bankautomaten te frauderen. Ze waren alleen betrokken bij verkenningsexpedities, bij de logistiek en bij identiteitsbewijzen. Ze maakten geen bommen. Het hexogeen kwam uit Irak. Het is begin 2005 uit een Amerikaanse opslagplaats gestolen en via Syrië naar Turkije gegaan. Daar is het verpakt als waspoeder en in containers naar Duitsland gestuurd, waar het aan de Turkse gemeenschap werd verkocht. Niemand weet hoe het in Spanje is terechtgekomen. In totaal zou er zo'n driehonderd kilo hexogeen als waspoeder naar Duitsland zijn gestuurd.'

'Wordt er gespeculeerd over wat ze ermee wilden doen?' vroeg Falcón.

'Nee. Ze zeggen wel dat de berichtgeving in de Spaanse media op verzinsels is gebaseerd: de tekst van Abdullah Azzam, de MILA, het plan voor de aanval op de scholen en de biologiefaculteit en het idee om Andalucía terug te brengen in de schoot van de islam. Ze willen Andalucía wel in de schoot van de islam terugbrengen, maar niet nu. Voorlopig ligt de prioriteit bij het islamiseren van de Marokkaanse staat, en daar hebben we over gesproken, maar dat doet er voor jou niet toe. De strategie met betrekking tot buitenlandse operaties staat niet vast, al zijn ze nog steeds erg kwaad op de Denen en vinden ze dat die gestraft moeten worden. Ze willen de Europese Unie economisch verzwakken door ze te dwingen enorme bedragen aan antiterreurmaatregelen te spenderen. Ze plannen aanslagen op financiële centra in het noorden van Europa, met name in Londen, Frankfurt, Parijs en Milaan. Verder willen ze kleinere campagnes in toeristengebieden aan de Middellandse zee beginnen.'

'Ambitieus.'

'Er worden veel grote woorden gebruikt. Maar wat ze kunnen waarmaken... Wie zal het zeggen?'

'Het hexogeen in Sevilla lijkt niet in hun strategie te passen.'

'Ze zeggen dat zij niet voor de explosie van het hexogeen verantwoordelijk zijn.'

'En hoe weten ze dat?'

'Omdat de "hardware" waarmee de bom gemaakt moest worden, nog niet was gearriveerd,' schreef Yacoub. 'Aangezien Hammad en Saoudi alleen verkenning en logistiek deden, neem ik aan dat die hardware – de verpakking, de ontstekers en de timers – ergens anders vandaan moest komen.'

'Geloof jij dat?'

'Er speelt zeker iets. Er hangt spanning en onzekerheid in de lucht. Meer kan ik niet zeggen. Deze informatie is op mij afgekomen. Ik heb nog niets zelf onderzocht. Ik heb bijvoorbeeld niet naar actieve cellen in Spanje gevraagd. Wat ik weet, heb ik opgepikt uit gesprekken over mannen in het veld die ergens mee bezig zijn.'

Falcóns mobiele telefoon, die op het bureau lag, trilde. Het was Ramírez. Hij nam op terwijl Pablo en Gregorio over zijn hoofd met elkaar praatten.

'Cristina heeft een dienstbode gevonden die Tateb Hassani zaterdagavond voor het eten heeft gezien. Hij heet Mario Gómez. Hij zegt dat het avondeten niet aan tafel werd opgediend, maar als buffet werd klaargezet.

Maar vlak voordat hij vertrok, rond kwart voor tien, zag hij Tateb Hassani, Eduardo Rivero en Angel Zarrías naar het kantoor van Fuerza Andalucía gaan.'

'Heeft hij verder niemand gezien?'

'Hij zegt dat er, toen hij wegging, geen auto's waren gearriveerd.'

'Ik denk dat dat voldoende is,' zei Falcón. Hij hing op.

'Vraag hem of hij namen heeft gehoord, of iets anders wat een aanwijzing zou kunnen zijn voor een netwerk dat hier actief is,' zei Pablo.

Falcón tikte de vraag in.

'Ze gebruiken geen namen. Van operaties in het buitenland weten ze niet veel af. Ze zijn beter op de hoogte van de huidige situatie in Marokko dan van die in het buitenland.'

'Zijn er buitenlanders?' vroeg Pablo. 'Afghanen, Pakistani, Saoedi-Arabiërs...?'

Falcón stelde de vraag.

'Eén opmerking dat er eerder dit jaar Afghanen waren, verder niet.'

'Context?'

'Geen idee.'

'Waar komt de groep bijeen?'

'In een woning in de medina van Rabat. Maar ik ben hier gebracht. Ik weet niet of ik de weg zelf zou kunnen terugvinden.'

'Verzamel aanwijzingen in je omgeving. Documenten. Boeken. Alles wat erop wijst dat het wordt onderzocht.'

'Ze hebben me een bibliotheek laten zien, maar daar heb ik geen tijd doorgebracht.'

'Zorg dat je er binnenkomt en vertel ons welke boeken er staan.'

'Ze hebben me verteld/gewaarschuwd dat er een initiatierite zal plaatsvinden waarin ik mijn loyaliteit aan de groep zal moeten tonen. Het is iets wat iedereen ondergaat, welke connecties je ook hebt. Ze hebben me verzekerd dat er geen geweld aan te pas komt.'

'Weten ze dat wij vrienden zijn?' vroeg Falcón.

'Natuurlijk, en daar maak ik me zorgen over. Ik weet hoe zij werken. Ze zullen me vragen mijn loyaliteit aan hen te tonen door me te dwingen het vertrouwen van iemand die me dierbaar is te verraden.'

De chat werd beëindigd. Falcón leunde achterover, enigszins van slag door het laatste tekstje. De CNI-mannen keken naar hem om te zien hoe hij met dit nieuwe niveau van betrokkenheid omging.

'Mochten jullie het willen weten,' zei Falcón, 'dat zit me niet lekker.'

‘We kunnen het spel niet spelen door alleen informatie te ontvangen,’ zei Gregorio.

‘Ik ben een agent met een hoge rang,’ zei Falcón. ‘Die positie kan ik niet in gevaar brengen door vertrouwelijke informatie door te spelen.’

‘We weten nog niet wat voor informatie hij gaat vragen,’ zei Pablo.

‘Het woord “verraden” zat me niet lekker,’ zei Falcón. ‘Dat wekt niet de indruk dat ze tevreden zullen zijn met mijn favoriete kleur, of wel soms?’

Pablo keek naar Gregorio en schudde zijn hoofd.

‘En verder?’ vroeg Pablo.

‘Wie zegt dat ze, als ze van mijn bestaan afweten, niet weten welke stap wij hebben genomen? Dat ik naar Marokko ben gevlogen om Yacoub voor ons te gaan laten spioneren. Er werken tien, vijftien mensen in en rond zijn huis. Hoe weten jullie dat hij “veilig” blijft, dat hij geen omslag maakt, dat zij blijven denken dat ik gewoon een vriend ben?’

‘Onze mensen zitten in zijn huis,’ zei Pablo.

‘En ze werken voor Yacoub?’

‘We toveren deze operatie echt niet uit onze hoge hoed,’ zei Gregorio. ‘Er werken mensen van ons in zijn huis en in zijn fabriek. We hebben hem in de gaten gehouden tijdens zakenreizen. De Engelsen ook. Hij is van onder tot boven doorgelicht. Het enige wat we niet hadden was een ingang. Daar hadden we jou voor nodig.’

‘Je moet er niet te veel over nadenken, Javier,’ zei Pablo. ‘We bevinden ons op onbekend terrein, dat we stapje voor stapje zullen veroveren. Als je vindt dat je iets niet kunt doen... dan doe je het niet. Je wordt nergens toe gedwongen.’

‘Ik maak me minder zorgen om dwang dan om druk.’

35

Sevilla, donderdag 8 juni 2006, 23.55 uur

Flowers had gezegd: 'Jij begrijpt niet onder welke druk deze mensen staan.' Falcón zat alleen voor het lege computerscherm en greep de armleuningen van zijn stoel. Hij had er niet meer dan een glimp van opgevangen, maar hij begreep nu wel wat Flowers had bedoeld. Hij zat daar in zijn gerieflijke huis in het hart van een van de minst gewelddadige steden van Europa, en natuurlijk, hij had een veeleisende baan. Maar het was geen baan waarin hij dagelijks moest veinzen en waarin je met initiatieriten van doen kreeg en misschien iemand moest 'verraden'. Hij hoefde niet samen te leven met rechtlijnige fanaten die in het vermoorden van onschuldige mensen Gods plan zagen, die niet vonden dat hun slachtoffers onschuldig waren, maar 'schuldig aan democratie', of het product van 'decadentie en goddeloosheid', en dus een terecht doelwit. Falcón kwam echt weleens voor morele dilemma's te staan, maar dat waren geen levensbedreigende situaties die niet alleen Yacoub, maar ook zijn vrouw en zijn kinderen in gevaar konden brengen.

Yacoub wist 'hoe ze dachten': hij wist dat ze zijn verraad zouden eisen om zo zijn vriendschap met Falcón te verbreken. Ze waren niet in de informatie van een rechercheur uit Sevilla geïnteresseerd. Maar ze wilden wel dat Yacoub de vriendschap die hem met de buitenwereld verbond, zou beëindigen. Yacoub was nog geen vierentwintig uur bij de groep of ze probeerden zijn ziel al in te kapselen.

Het trillen van zijn mobiele telefoon op het bureaublad rukte hem los uit zijn overpeinzingen.

'Ik wilde je alleen even laten weten,' zei Ramírez, 'dat Arenas, Benito en Cárdenas net zijn vertrokken. Rivero, Zarrías en Alarcón zijn er nog. Weten we al hoe we het aanpakken?'

'We kunnen pas iets doen als ik Elvira heb gebeld,' zei Falcón. 'Maar als het aan mij ligt gaan jij en ik naar binnen zodra Rivero alleen is. Dan vegen we de vloer met hem aan zodat hij alle samenzweerders erbij lapt, en niet alleen de kleinere spelers.'

'Ken jij Eduardo Rivero?' vroeg Ramírez.

'Ik heb hem een keer op een feestje ontmoet,' zei Falcón. 'Het is een ongelooflijke ijdeltuit. Angel Zarrías heeft jarenlang geprobeerd hem uit het leiderschap van Fuerza Andalucía te wrikken, maar Rivero hield te veel van de status die hij eraan ontleende.'

'Hoe heeft Zarrías hem er dan uit gekregen?'

'Geen idee,' zei Falcón. 'Maar Rivero is er niet de man naar zijn ego zomaar opzij te zetten.'

'Het is toch op de dag van de aanslag gebeurd?'

'Toen hebben ze het bekendgemaakt.'

'Maar het zat er natuurlijk al langer aan te komen,' zei Ramírez. 'Heeft Zarrías er nooit iets over gezegd?'

'Heb jij vertrouwelijke informatie, José Luis?'

'Een paar jongens van de pers die ik ken, vertelden me dat er geruchten waren dat Rivero in een seksschandaal zou zijn verwikkeld,' zei Ramírez. 'Minderjarige meisjes. De aanslag heeft hun belangstelling verslapt, maar ze vonden de machtsoverdracht aan Jesús Alarcón wel verdacht.'

'Wat heb je in gedachten, José Luis?' vroeg Falcón. 'Je klinkt alsof je van plan bent jezelf weer eens impopulair te gaan maken.'

'Dat klopt. Ik heb me een beetje in Eduardo Rivero verdiept en ik denk dat we hem op die manier een ongemakkelijk gevoel kunnen geven. We zorgen ervoor dat hij opgelucht ademhaalt omdat we niet serieus ingaan op aanwijzingen dat er een seksschandaal is, en drukken hem dan het dubbelloops jachtgeweer Tateb Hassani op de slaap.'

'Dat is inderdaad jouw stijl, José Luis.'

'Hij haalt zijn neus op voor een man als ik,' zei Ramírez. 'Maar jou kent hij. Hij weet dat je de zus van Zarrías' vriendin bent. Van jou verwacht hij dat je zorgt dat het er een beetje waardig aan toe gaat. Hij denkt dat hij jouw hulp krijgt. Ik denk dat hij van zijn stuk wordt gebracht als je hem vervolgens plotseling met Tateb Hassani bestookt.'

'Laten we het hopen.'

'IJdeltuiten zijn zwak.'

Falcón belde Elvira en gaf hem de meest recente gegevens. Hij kon bijna door de telefoon ruiken hoe de man zweette.

‘Heb je daar vertrouwen in, Javier?’ vroeg hij, alsof hij Falcón smeekte voor hem te beslissen.

‘Hij is de zwakste van de drie, de kwetsbaarste,’ zei Falcón. ‘Als we hem niet aan de praat krijgen, zal het veel moeite kosten om de anderen aan de praat te krijgen. We kunnen hem wijsmaken dat het bewijs tegen hem overweldigend is.’

‘Comisario Lobo denkt dat dat de beste manier is.’

Falcón stak zijn mobieltje en een foto van Tateb Hassani in zijn zak. Hij gebruikte de weerspiegeling in de glazen deur naar de patio om zijn das te knopen. Hij trok zijn jasje schokschouderend aan. Toen hij naar zijn auto liep, was hij zich bewust van het geluid dat zijn schoenen op de marmeren tegels in de patio maakten. Hij reed de nacht in. De stille, door lantaarns verlichte straten waren zo goed als verlaten. Ramírez belde om te zeggen dat Alarcón was vertrokken. Falcón gaf hem opdracht iedereen naar huis te sturen, behalve Serrano en Baena, die Zarrías moesten volgen.

Rivero’s huis was vlakbij en hij kon op het plein parkeren. Hij stapte bij Ramírez in de auto. Serrano en Baena zaten in een onopvallende auto tegenover Rivero’s huis.

Er kwam een taxi aan die voor Rivero’s eikenhouten deuren keerde. De chauffeur stapte uit en drukte op de deurbel. Kort daarop kwam Angel Zarrías naar buiten. Hij stapte in de taxi, die wegreed. Serrano en Baena wachtten tot hij bijna uit beeld was en zetten de achtervolging in.

Cristina Ferrera was met de taxi naar huis gegaan. Ze was zo moe dat ze vergat de chauffeur om een bonnetje te vragen. Ze pakte haar sleutels en liep naar de voordeur. Op het trapje voor de deur zat een man. Hij stak zijn handen op om te laten zien dat hij geen kwaad in de zin had.

‘Ik ben het, Fernando,’ zei hij. ‘Ik ben je telefoonnummer kwijtgeraakt, maar ik herinnerde me je adres. Je hebt me gezegd dat ik altijd kon blijven slapen, en daar wil ik nu graag gebruik van maken. Mijn dochter, Lourdes, is vanavond van de intensive care gekomen. Ze ligt nu op een gewone ziekenhuiszaal, en dat betekent dat ik er niet meer mag slapen.’

‘Wacht je allang?’ vroeg ze.

‘Sinds de bom let ik niet meer op de tijd,’ zei hij, ‘dus ik zou het niet weten.’

Ze gingen naar haar appartement op de vierde verdieping.

‘Je zult wel moe zijn,’ zei hij. ‘Het spijt me, ik had niet moeten komen, maar ik kon nergens anders heen. Ik bedoel, nergens waar ik me op mijn gemak zou voelen.'

'Het is goed,' zei ze. 'Het was een lange dag, maar dat ben ik wel gewend.'

'Hebben jullie ze al te pakken?'

'Bijna,' zei ze.

Ze legde haar tas op de eetkamertafel, trok haar jasje uit en hing hem over de stoel. Aan de riem om haar middel zat een holster met een pistool.

'Slapen de kinderen?' vroeg hij fluisterend.

'Als ik tot laat werk, slapen ze bij de buren,' zei ze.

'Ik had ze graag even zien slapen,' zei hij. Hij bewoog zijn hand op en neer, alsof dat zijn behoefte aan iets normaals verklaarde.

'Ze zijn nog niet oud genoeg om 's avonds alleen gelaten te worden,' zei ze. Ze liep haar slaapkamer in, haalde de holster van haar riem en legde die in de bovenste la van de ladekast. Ze trok haar blouse uit haar broek.

'Heb je al gegeten?' vroeg ze.

'Maak je over mij maar geen zorgen.'

'Ik zet een pizza in de magnetron.'

Cristina maakte twee biertjes open, dekte de tafel en legde schone lakens op het bed van een van de kinderen.

'Roddelen je buren?'

'Je bent inmiddels beroemd, dus de kans is groot dat ze over je praten,' zei Ferrera. 'Maar ze weten dat ik vroeger non was, dus om mijn zedelijkheid maken ze zich geen zorgen.'

'Was je vroeger non?'

'Dat zeg ik toch? En, hoe is het?'

'Hoe is wat?'

'Beroemd zijn?'

'Ik begrijp er niets van,' zei Fernando. 'De ene dag ben ik een bouwvakker, de volgende dag ben ik de stem van het volk, en niet vanwege mijzelf, maar vanwege het feit dat Lourdes het heeft overleefd. Snap jij dat?'

'Je vertegenwoordigt wat er is gebeurd,' zei ze terwijl ze de pizza uit de magnetron haalde. 'De mensen willen niet naar politici luisteren, maar naar iemand die heeft geleden. Jouw tragedie maakt je geloofwaardig.'

'Het is gek,' zei hij. 'Ik zeg precies hetzelfde als wat ik altijd in de bar zei waar ik 's ochtends koffie dronk, maar toen luisterde niemand naar me. Nu hangt heel Spanje aan mijn lippen.'

'Dat zou vanaf morgen weleens anders kunnen zijn,' zei Ferrera.

'Wat zou anders zijn?'

'Sorry, niets. Ik kan er niet over praten. Ik had mijn mond moeten houden. Ik ben hier veel te moe voor.'

Fernando kneep zijn ogen samen boven een stuk pizza.

'Jullie hebben ze bijna,' zei Fernando. 'Dat zei je. Wil dat zeggen dat jullie weten wie ze zijn, of dat jullie ze al hebben opgepakt?'

'Het betekent dat we ze bijna hebben,' zei ze schouderophalend. 'Ik had mijn mond moeten houden. Het zijn politiezaken. Ik flapte het eruit omdat ik moe ben. Ik dacht niet na.'

'Vertel me dan tenminste de naam van hun groep,' zei Fernando. 'Ze hebben allemaal van die idiote afkortingen, zoals MIEDO – Mártires Islámicos Enfrentados a la Dominación del Occidente.'

Islamitische Martelaren tegen de Dominantie van het Westen.

'Je luistert niet.'

Hij fronste zijn wenkbrauwen en herhaalde in gedachten wat er gezegd was.

'Bedoel je dat het geen terroristen waren?'

'Het waren wel terroristen, maar het waren geen moslims.'

Fernando schudde ongelovig het hoofd.

'Ik snap niet hoe je dat kunt zeggen.'

Ferrera haalde haar schouders op.

'Ik heb alles gelezen,' zei Fernando. 'Achter in een bestelbusje lagen explosieven, samen met de koran, de islamitische sjerp en de zwarte hoofdkap. Ze hebben de explosieven in de moskee gelegd. De moskee explodeerde en...'

'Dat klopt allemaal.'

'Dan snap ik niet waar je het over hebt.'

'Daarom moet je het uit je hoofd zetten. Het komt morgen op het journaal.'

'Waarom kun je het dan niet gewoon vertellen?' vroeg hij. 'Ik ga niet weg.'

'Omdat de verdachten nog verhoord moeten worden.'

'Welke verdachten?'

'De mensen die ervan worden verdacht achter de bom in de moskee te zitten.'

'Nu probeer je me in verwarring te brengen.'
'Ik zal je dit vertellen als je belooft er daarna over op te houden,' zei Ferrera. 'Ik snap dat het belangrijk voor je is, maar dit is een politieonderzoek en deze informatie is strikt vertrouwelijk.'
'Vertel maar.'
'Je moet het me eerst beloven.'
'Ik beloof het,' zei hij terwijl hij het met zijn hand wegwuifde.
'Dat klinkt als de belofte van een politicus.'
'Dat krijg je als je met ze omgaat. Je leert te veel en te snel,' zei Fernando. 'Ik beloof het je, Cristina.'
'Er lag nóg een bom in de moskee. Toen die explodeerde, ontstak hij een grote hoeveelheid hexogeen, die daar door moslimterroristen was opgeslagen. Daardoor is jouw appartementencomplex ingestort.'
'En weten jullie wie die bom daar heeft gelegd?'
'Je hebt beloofd dat je nu op zou houden.'
'Dat weet ik, maar ik... Ik moet het weten.'
'We gaan er vannacht achter proberen te komen.'
'Je moet me vertellen wie zij zijn.'
'Dat kan niet. Discussie gesloten. Het is uitgesloten. Als het bekend zou worden, ben ik mijn baan kwijt.'
'Ze hebben mijn vrouw en mijn zoon vermoord.'
'En als ze verantwoordelijk zijn, komen ze voor de rechter.'
Fernando maakte een pakje sigaretten open.
'Als je wilt roken moet je naar het balkon.'
'Kom je bij me zitten?'
'Geen vragen meer?'
'Beloofd. Je hebt gelijk. Ik kan je dit niet aandoen.'

Falcón en Ramírez drukten op de bel toen Zarrías' taxi de Calle Castelar uitreed. Eduardo Rivero deed open in de verwachting dat het Angel was, omdat hij zijn notitieboekje was vergeten. Tot zijn verbazing stonden er twee grimmige agenten in de deuropening, hun insigne in de hand. Zijn gezicht verloor iedere uitdrukking, alsof de spieren het contact met de hersens kwijt waren. Hartelijkheid bracht hen weer tot leven.
'Heren, wat kan ik voor u doen?' vroeg hij. Zijn witte snor verdubbelde de omvang en warmte van zijn glimlach.
'We willen even met u praten,' zei Falcón.
'Het is al laat,' zei Rivero met een blik op zijn horloge.

'Het kan niet wachten,' zei Ramírez.

Rivero wendde zijn gezicht met een zweem van afkeer van hem af.

'Kennen wij elkaar niet?' vroeg hij aan Falcón. 'U komt me bekend voor.'

'Ik ben hier een paar jaar geleden op een feestje geweest,' zei Falcón. 'Mijn zus is de partner van Angel Zarrías.'

'O, ja, ja, ja, ja, ja...' zei Rivero. 'Javier Falcón, natuurlijk. Mag ik u vragen waarover u zo laat nog met me wilt praten?'

'We zijn van de afdeling moordzaken,' zei Ramírez. 'Zo laat komen we echt alleen om over moord te praten.'

'En wie bent u?' vroeg Rivero. Hij toonde zijn afgunst nog openlijker.

'Inspector Ramírez,' zei hij. 'Wij kennen elkaar niet, señor Rivero. Anders zou u het zich wel herinneren.'

'Ik zou niet weten hoe ik u zou kunnen helpen.'

'We willen maar een paar vragen stellen,' zei Falcón. 'Het zal niet lang duren.'

Dat nam de weerstand weg. Rivero zag zichzelf binnen een uur in zijn bed liggen. Hij deed de deur verder open en de twee agenten kwamen binnen.

'Laten we naar mijn werkkamer gaan,' zei Rivero. Ondertussen liep hij achter Ramírez aan, die onder de boog naar de patio was doorgelopen en met zijn grote, onderzoekende handen over de ruwe bovenkant van de lage heg streek.

'Hoe heet dit?' vroeg hij.

'Dat is een buxus,' zei Rivero. 'Van de Buxaceae-familie. Ze gebruiken hem in Engeland voor doolhoven. Zullen we naar boven gaan?'

'Hij ziet eruit alsof hij net gesnoeid is,' zei Ramírez. 'Wanneer is dat gebeurd?'

'Waarschijnlijk afgelopen weekend, Inspector Ramírez,' zei Rivero. Hij stak zijn hand uit om hem terug in het gelid te brengen. 'Laten we nu maar naar boven gaan, goed?'

Ramírez brak een twijgje af, draaide het tussen zijn duim en wijsvinger heen en weer en liep mee de trap op naar Rivero's werkkamer. Rivero bood hen een stoel aan en zakte weg in zijn eigen stoel aan de lange zijde van het bureau. Tot zijn ergernis begon Ramírez de foto's aan de muur te bekijken: kiekjes van Rivero met de partijtop van de Partido Popular, met aristocraten, stierenfokkers en een paar lokale *toreros*.

'Zoekt u iets, Inspector?' vroeg Rivero.

'Tot een paar dagen geleden was u de leider van Fuerza Andalucía,' zei Ramírez. 'Sterker nog, heeft u de leiding niet overgedragen op de dag van de explosie?'

'Dat was geen onverwachte beslissing. Ik heb er lang over nagedacht, maar zo'n gebeurtenis luidt een nieuw hoofdstuk in de Sevilliaanse politiek in en het leek me dat bij een nieuw hoofdstuk nieuwe krachten moeten worden aangeboord. Jesús Alarcón is de man die de partij vooruit kan helpen. Ik denk dat is bewezen dat mijn beslissing goed heeft uitgepakt. We staan er in de peilingen beter voor dan ooit tevoren.'

'Ik heb begrepen dat het leiderschap erg belangrijk voor u was,' zei Ramírez. 'Er zouden eerder pogingen zijn gedaan om u te overtuigen de macht over te dragen, maar u weigerde. Wat heeft u van gedachten doen veranderen?'

'Ik dacht dat ik dat net had uitgelegd.'

'Begin dit jaar zijn twee oudgedienden van uw partij vertrokken.'

'Daar hadden ze hun redenen voor.'

'Volgens de kranten stapten ze op omdat ze ontevreden waren over uw leiderschap.'

Stilte. Het verbaasde Falcón altijd hoe leuk Ramírez het vond om zich bij 'belangrijke' mensen impopulair te maken.

'Ik meen me zelfs te herinneren dat een van hen zei dat er een bom nodig was om u zover te krijgen dat u het leiderschap opgeeft, en, ik citeer: "Dat zou als bevredigend bijeffect hebben dat Don Eduardo uit de politiek verwijderd zou zijn." Dat klinkt niet bepaald alsof u overwoog uw positie vrijwillig op te geven, señor Rivero.'

'De man die dat zei, verwachtte dat het leiderschap aan hem zou worden overgedragen. Ik vond hem geen geschikte opvolger omdat hij maar zeven jaar jonger is dan ik. Het is jammer dat we daar onenigheid over hebben gekregen.'

'Zo stond het niet in de kranten,' zei Ramírez. 'Die berichtten dat uw twee vooraanstaande partijgenoten niet zozeer zichzelf als wel Jesús Alarcón naar voren hadden geschoven. Ik vroeg me af wat er tussen toen en nu is voorgevallen waardoor u plotseling van gedachten bent veranderd.'

'Het doet me deugd dat u zo goed van onze partij op de hoogte bent,' zei Rivero die vertrouwen putte uit de gedachte dat deze rechercheurs van moordzaken kwamen, en niet van zedendelicten. 'Maar u zei toch dat u me over iets anders wilde spreken? Het is laat, misschien kunnen we een beetje opschieten.'

'Ja, natuurlijk,' zei Ramírez. 'Waarschijnlijk was het ook niet meer dan een kwaadaardig gerucht.'

Ramírez ging zitten. Hij was erg tevreden met zichzelf. Rivero keek hem over het gouden montuur van de bril die hij net had opgezet strak aan. Het was moeilijk te raden wat hem op de lippen brandde. Wilde hij weten wat het gerucht was, of had hij liever dat Ramírez eindelijk zijn mond dichthield?

'We zoeken een vermist persoon, Don Eduardo,' zei Falcón.

Rivero's blik schoot van Ramírez naar Falcón.

'Een vermist persoon?' vroeg hij. Er kroop een spoor van opluchting over zijn gezicht. 'Ik geloof niet dat ik iemand ken die wordt vermist, Inspector Jefe.'

'We zijn hier omdat de man in kwestie het laatst in uw huis is gezien, door iemand van uw personeel,' zei Falcón. Hij sprak de woorden rustig en duidelijk uit, zodat hij goed kon zien hoe ze langzaam maar zeker als een sonde in het brein van Rivero doordrongen.

Rivero was een ervaren politicus, maar zelfs hij slaagde er niet in te ontspannen en zich met verve door het uitspreken van deze zin heen te slaan. Misschien omdat hij al die tijd voor deze ene zin bang was geweest en hem naar de duisterste regionen van zijn ziel had weggedrukt.

'Ik weet niet wie u zou kunnen bedoelen,' zei hij. Hij dacht zich aan de laatste strohalm vast te klampen, maar kwam er meteen achter dat het niet meer dan een gerafeld draadje was.

'Zijn naam is Tateb Hassani, hoewel hij in Amerika als Jack Hansen door het leven ging. Hij was professor in de Arabische Studies aan Columbia University in New York.' Falcón haalde een foto uit zijn binnenzak en gooide hem voor Rivero op het bureau. 'Ik neem aan dat u iemand die bij u te gast is geweest wel herkent, Don Eduardo.'

Rivero leunde voorover en zette zijn ellebogen op het bureau. Hij wierp een vluchtige blik op de foto, wreef over zijn kin en masseerde zijn kaak met zijn duim. Daar ging hij mee door terwijl hij in het interieur van zijn brein naar de ingeving zocht die hem door dit moment kon helpen.

'Inderdaad,' zei Rivero. 'Tateb Hassani was tot afgelopen zaterdag in dit huis te gast. Sindsdien heb ik niets meer van hem vernomen.'

'Hoe laat is hij hier zaterdag vertrokken, en hoe heeft hij het pand verlaten?' vroeg Falcón.

'Ik weet niet precies hoe laat hij wegging...'

'Was het overdag?'

'Ik was hier niet toen hij vertrok,' zei Rivero.
'Wanneer heeft u hem voor het laatst gezien?'
'Na de lunch, dat moet rond halfvijf geweest zijn. Ik zei dat ik siësta ging houden. Hij zei dat hij zou vertrekken.'
'Hoe laat werd u weer wakker?'
'Ongeveer halfzeven.'
'En toen was Tateb Hassani vertrokken?'
'Inderdaad.'
'Dat kan uw personeel natuurlijk bevestigen.'
Stilte.
'Wanneer heeft u de plastische chirurg Agustín Cárdenas voor het laatst gezien?'
'Hij was hier vanavond... Hij kwam eten.'
'En daarvoor?'
Rivero zweeg terwijl in zijn verziekte hoofd monstrueuze beelden opdoemden, dreigend naderden, wegzakten en terugkeerden.
'Op zaterdagavond, toen kwam hij ook eten.'
'Hoe is hij hier gekomen?'
'Met zijn auto.'
'Kunt u zijn auto beschrijven?'
'Het is een zwarte Mercedes Estate E500. Hij heeft hem vorig jaar gekocht.'
'Waar parkeerde hij zijn auto?'
'Achter de voordeur, onder de boog.'
'Heeft Agustín Cárdenas de nacht hier doorgebracht?'
'Ja.'
'Hoe laat vertrok hij zondag?'
'Om een uur of elf 's ochtends.'
'Heeft u gezien of gehoord dat de auto van Agustín Cárdenas tussen zijn aankomst en zijn vertrek op zondagochtend, is weg geweest?'
'Nee,' zei Rivero. Het zweet stroomde over zijn rug.
'Wie waren er zaterdagavond nog meer op dat etentje?'
Rivero schraapte zijn keel. Het water steeg en stond hem nu aan de lippen.
'Ik begrijp niet goed wat dat met de verdwijning van Tateb Hassani heeft te maken.'
'Tateb Hassani is die nacht met cyanide vergiftigd,' zei Falcón. 'Zijn handen zijn geamputeerd, zijn gezicht is met zuur weggebrand en de hoofdhuid is van zijn schedel verwijderd.'

Rivero kneep zijn billen samen om te voorkomen dat zijn darmen de vrije loop kregen.

'Ik heb u net verteld dat Tateb Hassani hier voor het eten is vertrokken,' zei hij. 'Een uur of vier voor het eten.'

'En dat kan natuurlijk worden bekrachtigd door het personeel dat hier op dat moment in functie was,' zei Falcón.

'We beschuldigen u er niet van dat u liegt, Don Eduardo,' zei Ramírez. 'We willen alleen weten wat zich precies in dit huis heeft afgespeeld, in de hoop dat dat kan verklaren wat er later is gebeurd.'

'Wat er láter is gebeurd?'

'Laten we het stukje bij beetje doen,' zei Falcón. 'Wie waren er behalve Agustín Cárdenas en uzelf nog meer bij het etentje?'

'Wie er bij dat etentje waren, werpt geen licht op de verdwijning van Tateb Hassani want HIJ HAD HET HUIS AL VERLATEN!' brulde Rivero, die de laatste zes woorden met vuistslagen op het bureau bekrachtigde.

'U hoeft zich niet zo op te winden, Don Eduardo,' zei Ramírez. Hij leunde vol geveinsde bezorgdheid naar voren. 'Iemand is vermoord en op brute wijze verminkt. U begrijpt vast wel dat de Inspector Jefe enige vragen moet stellen die misschien raadselachtig zijn maar, neemt u dat van mij aan, wel met de zaak in verband staan.'

'Laten we een stapje terug gaan,' zei Falcón om minder meedogenloos over te komen. 'Vertelt u me door wie het eten zaterdagavond is klaargemaakt en door wie het werd opgediend.'

'De kok heeft het klaargemaakt, en het werd niet opgediend. Het is in de kamer hiernaast neergezet, als buffet.'

'Heeft u de namen van de personeelsleden voor ons, alstublieft?' vroeg Falcón.

'Ze zijn meteen daarna vertrokken en naar huis gegaan.'

'Toch willen we hun namen en telefoonnummers graag hebben,' zei Falcón. Ramírez reikte hem zijn opschrijfboekje aan, maar Rivero weigerde het aan te nemen.

'U maakt inbreuk op...'

'Vertel ons wat er na het etentje is gebeurd,' zei Falcón. 'Hoe laat was het afgelopen, wie vertrokken, wie bleven en wat hebben degenen die bleven de rest van de avond gedaan?'

'Nee, dat gaat te ver. Ik heb u alles verteld wat relevant is voor de verdwijning van Tateb Hassani. Ik heb volledig meegewerkt. Alle overige vragen beschouw ik als een ongehoorde inbreuk op mijn privacy. Ik zou niet weten waarom ik er antwoord op zou geven.'

'Waarom was Tateb Hassani vijf dagen te gast in uw huis?'

'Zoals ik al zei, beantwoord ik geen vragen meer.'

'In dat geval moeten we u ervan op de hoogte brengen dat Tateb Hassani wordt verdacht van terreurmisdaden die in direct verband met de aanslag in Sevilla staan. Zijn handschrift staat op documenten die in de vernielde moskee zijn teruggevonden. U heeft dus onderdak aan een terrorist verleend, Don Eduardo. Ik denk dat u begrijpt wat dat voor ons onderzoek betekent. Daarom verzoek ik u nu mee te komen naar de Jefatura, waar we dit gesprek zullen voortzetten onder de antiterreur...'

'Inspector Jefe, laten we ons niet overhaasten,' zei Rivero. Hij was lijkbleek geworden. 'U kwam hier om onderzoek te doen naar de verdwijning van Tateb Hassani. Ik heb zo goed mogelijk meegewerkt. Nu geeft u een wending aan uw onderzoek zonder mij in de gelegenheid te stellen de zaak in dat nieuwe licht te beschouwen.'

'We willen u nergens toe dwingen, Don Eduardo,' zei Falcón. 'Laten we teruggaan naar de vraag waarom Tateb Hassani vijf dagen in uw huis te gast was.'

Rivero slikte en moest zich aan zijn bureau vastgrijpen om deze nieuwe ronde aan te kunnen.

'Hij hielp ons bij het bepalen van onze immigratiepolitiek. Hij vond, net als wij, dat Europa en Afrika onverenigbaar zijn en net als wij geloofde hij niet dat islam en christendom harmonieus kunnen samengaan. We hebben veel aan zijn specifieke inzichten in de Arabische ziel gehad. En zijn naam en aanzien geven onze opvattingen natuurlijk extra gewicht.'

'Ondanks het feit dat hij zelden in zijn geboorteland kwam, zijn hele volwassen leven in de Verenigde Staten doorbracht en de Columbia University moest verlaten onder de donkere wolk van een aanklacht wegens ongewenste intimiteiten die hem zijn appartement en spaargeld heeft gekost?' vroeg Falcón.

'Inderdaad,' zei Rivero. 'Zijn inzichten zijn van onschatbare waarde.'

'Hoeveel heeft Fuerza Andalucía hem voor zijn werk betaald?'

Rivero staarde ontzet naar zijn bureau. Zijn improvisatietalent werd meer en meer op de proef gesteld. Hoe moest hij zich dit allemaal gaan herinneren? De vermoeidheid kreeg vaste voet aan de grond in zijn ingewanden. Hij schudde haar venijnig van zich af. Hij moest volhouden, als een dodelijk gewonde man die moest blijven praten om zich te verzetten tegen het verlangen op te geven. De scheurtjes in zijn persoonlijkheid werden groter. Zijn pantser was stelselmatig verzwakt vanaf het moment dat de dvd anoniem in zijn bezit was gekomen en hij zijn weerzinwekkende misstappen onder ogen had moeten komen. De scheurtjes waren groter geworden toen Angel hem kwam opzoeken en Angel had hem verteld hoe hij hem had gered, en hij had geluisterd en zijn witte manen waren in de war geraakt en zijn gezicht was vervormd door excessief alcoholgebruik. Het gerucht was snel verspreid, als een vuur in kurkdroog en licht ontvlambaar kreupelhout, waar het kracht verzamelde om uit te monden in een vuurzee. Angel had hem gered, maar daar betaalde hij een hoge prijs voor. Hij moest aftreden, anders zou hij kapotgemaakt worden.

Dat onderhoud met Angel had hem meer uitgeput dan hij had beseft. In de dagen die volgden verspreidden de scheurtjes zich door zijn lichaam, tot elk deel van hem geruïneerd was. Iedere stap die hij nu nog zette, was een stap in het donker. Er was een moord in zijn huis gepleegd en het heiligdom van het lichaam was er geschonden. Toen dat eenmaal was gebeurd, kon hij niet bevatten wat hem in een paar weken tijd was overkomen. Het ene moment stralend en één, het volgende moment onherstelbaar gecorrumpeerd, gebroken en gespleten. Hij moest weer vat op zichzelf zien te krijgen. Zijn hart moest stand houden.

'U herinnert zich toch wel hoeveel u voor zulke waardevolle informatie heeft betaald?' vroeg Falcón die deze immense worsteling vanaf de andere kant van het bureau gade had geslagen.

'Vijfduizend euro,' zei Rivero.

'Heeft u dat met een cheque betaald?'

'Nee, contant.'

'Heeft u hem met zwart geld betaald?'

'Iedere agent weet hoe dat in dit land gaat,' zei Rivero wrang.

'Ik moet zeggen, Don Rivero, dat ik bewondering heb voor de manier waarop u onder deze zenuwslopende omstandigheden uw rust bewaart,' zei Falcón. 'Als ik u was, en ik was er net achtergekomen dat de man die ik vijfduizend euro had betaald voor adviezen over immigratie, was betrokken bij terroristische plannen om twee scholen en een faculteit te bezetten, dan was ik me kapot geschrokken. Als ik u was, en ik had net gehoord dat deze man de weerzinwekkende instructies heeft geschreven om schoolkinderen één voor één dood te schieten tot zijn eisen werden ingewilligd, dan zou ik gebroken zijn.'

'Maar goed, u bent natuurlijk wel politicus,' zei Ramírez glimlachend.

Het zweet stroomde van Rivero's slapen, zijn darmen protesteerden fel, zijn bloeddruk was zo hoog dat zijn oren ervan suisden, zijn hart ging zo tekeer dat hij nauwelijks kon ademen en zijn hersens smachtten naar zuurstof. Toch bleef hij gewoon op de zijkant van zijn neus trommelen en zich aan zijn bureau vastklampen.

'Ik moet zeggen,' zei Rivero, 'dat ik geen idee heb wat ik hiervan moet denken.'

'Dus u gaf zaterdagavond een etentje,' zei Falcón. 'Het werd niet opgediend, het was een buffet. Hoeveel mensen waren er op dat etentje? Tot nog toe hebben we Agustín Cárdenas en uzelf, maar voor twee mensen richt je geen buffet aan, nietwaar?'

'Angel Zarrías was er ook,' zei Rivero poeslief. Hij dacht: ja, Angel mogen ze hebben, die sleep ik mee in mijn ondergang, de kleine rotzak. 'Ik geef wel vaker een buffet op zaterdagavond. Dan kunnen de bedienden naar huis om met hun gezin te eten.'

'Hoe laat arriveerde Angel?'

'Hij was hier denk ik rond halftien.'

'En Agustín Cárdenas?'

'Tegen tienen.'

'Arriveerde hij met iemand anders?'

'Nee.'

'Hij zat alleen in zijn auto?'

'Ja.'

'Dus u beweert dat er maar drie mensen kwamen eten?'

Rivero maakte zich niet meer druk om het liegen. Het was één grote leugen. Hij staarde naar zijn bureau en liet de leugens van zijn tong rollen, als gouden munten die glad waren van het veelvuldig gebruiken.

'Ja. Ik geef regelmatig een buffet en wie komt... die komt.'

Falcón keek even snel naar Ramírez. Die haalde zijn schouders op en knikte: dit was het moment om definitief toe te slaan.

'Ken u uw personeelslid Mario Gómez?'

'Natuurlijk.'

'Hij heeft het buffet in de kamer hiernaast neergezet.'

'Dat is zijn taak, ja.'

'Hij heeft ons verteld dat hij Tateb Hassani vanaf het moment dat hij bij u in huis was, minstens één maaltijd per dag heeft geserveerd, hierboven, in deze kamers.'

'Dat is mogelijk.'

'Hij wist wie Tateb Hassani was, en hij heeft gezien dat u die zaterdagavond met hem en Angel Zarrías heeft gedineerd. Tateb Hassani is een paar uur daarna vergiftigd met cyanide en afschuwelijk verminkt, om vervolgens met de auto van Agustín Cárdenas naar de Calle Boteros te worden gereden en in een vuilniscontainer te worden gedumpt.'

Rivero sloeg zijn handen ineen, duwde ze tussen zijn dunne bovenbenen en liet zijn kin snikkend op zijn borst zakken. Eindelijk bevrijd.

36

Sevilla, vrijdag 9 juni 2006, 01.45 uur

'Maar dat is geweldig,' zei Elvira. Hij zat achter zijn bureau in zijn kamer in de Jefatura.

'Niet helemaal,' zei Falcón. 'We zijn er niet in geslaagd Rivero de hele samenzwering te laten onthullen. Hij heeft ons maar twee namen gegeven. Het is goed mogelijk dat we ze alle drie in staat van beschuldiging kunnen stellen, maar dan alleen voor de moord op Tateb Hassani en niet voor het beramen van de aanslag op de moskee.'

'Maar nu kunnen we een huiszoekingsbevel voor het huis van Eduardo Rivero en het kantoor van Fuerza Andalucía krijgen,' zei Elvira. 'Dat levert echt wel iets op.'

'Maar niets op papier,' zei Falcón. 'Zoiets schets je niet even tijdens een vergadering van Fuerza Andalucía. Dat Angel Zarrías en Ricardo Gamero elkaar kenden, kunnen we aantonen. Maar wat ze in het archeologisch museum hebben besproken, weten we niet. Bovendien hebben we geen idee van de band tussen deze mensen en degenen die de bom daadwerkelijk hebben geplaatst. José Luis en ik denken allebei dat er nog een element in de samenzwering ontbreekt.'

'Een crimineel element,' voegde Ramírez daaraan toe.

'We zijn ervan overtuigd dat Lucrecio Arenas en César Benito er op de een of andere manier bij betrokken zijn,' zei Falcón. 'Maar we kregen Rivero niet zover dat hij hun namen noemde. Misschien zijn zij de andere helft van de samenzweerders. Arenas heeft Jesús Alarcón als kandidaat voor het leiderschap naar voren geschoven, dus we gaan ervan uit dat hij er ook bij betrokken is. Maar hebben Arenas en Benito contact gelegd met het criminele element dat de bom heeft gelegd? We betwijfelen of we dat ooit zullen achterhalen, of zullen weten wat het ontbrekende element is.'

'Maar jullie kunnen Rivero, Zarrías en Cárdenas onder zware druk zetten...'

'Die hebben wel zo veel gevoel voor zelfbehoud dat ze weten wanneer ze hun mond moeten houden,' zei Falcón. 'We kunnen een van hen moord in de schoenen schuiven, en ze zijn alle drie schuldig aan samenzwering met moord als oogmerk, maar meer niet. En Lucrecio Arenas, Jesús Alarcón en César Benito kunnen we niets maken. Ferrera heeft alles gedaan om uit te zoeken wie Tateb Hassani het laatst heeft gezien. Toen die twee laatste werknemers vertrokken, was er verder niemand thuis, dus het zal nog genoeg moeite kosten om te bewijzen dat Arenas, Benito en Alarcón daar zijn geweest. Dat wil zeggen, als ze er voor de moord waren.'

'En als ik hen was, zou ik me daar verre van hebben gehouden,' zei Ramírez.

'Tateb Hassani is de link met de samenzwering,' zei Elvira. 'Verhoor de verdachten net zolang tot ze bekennen waarom Hassani moest sterven. Als ze dat hebben bekend...'

'Als míjn leven ervan afhing,' zei Ramírez, 'zou ik gewoon mijn mond blijven houden.'

'Rivero en Cárdenas ken ik niet,' zei Falcón, 'maar van Zarrías weet ik dat hij erg religieus en diepgelovig is – hoe misplaatst dat ook mag lijken. Ik weet zeker dat hij overtuigd is dat zijn zonden hem zullen worden vergeven. Angel is heel wellevend. Hij weet wat in de moderne Spaanse samenleving getolereerd wordt als het om het uiten van je religiositeit gaat. Maar ik denk niet dat zijn mentaliteit wezenlijk minder fanatiek is dan de mentaliteit van een jihadist.'

'Rivero, Zarrías en Cárdenas brengen de rest van de nacht in een cel door,' zei Elvira. 'We zien wel wat de dag van morgen brengt. Jullie tweeen moeten zorgen dat je een beetje slaap krijgt. Morgenochtend liggen huiszoekingsbevelen voor al hun huizen klaar.'

'Ik zal op z'n minst een halfuur aan mijn zus moeten besteden,' zei Falcón. 'Haar partner is net in het holst van de nacht van zijn bed gelicht. Waarschijnlijk heeft ze al honderd keer op mijn mobiele telefoon ingesproken.'

Cristina Ferrera kwam met een ruk bij haar positieven. Ze wist het absoluut zeker. Ze zat rechtop in haar bed en wiegde zacht heen en weer, als een boot die in de wind voor anker ligt. Zo werd ze alleen wakker als haar moederinstinct alarmfase één afkondigde. Hoewel ze diep had geslapen, was ze onmiddellijk volkomen lucide: ze wist dat haar kinderen niet in het appartement en niet in gevaar waren, maar dat er toch iets helemaal mis was.

In het licht van de straatverlichting zag ze dat er niemand in haar kamer was. Ze zwaaide haar benen uit bed en scande de woonkamer. Haar handtas lag niet meer midden op de eettafel, maar op de hoek ervan. Ze liep op haar tenen naar de slaapkamer waar ze het bed voor Fernando had opgemaakt. Het bed was leeg. Er zat een deuk in het kussen, maar de lakens waren niet teruggetrokken. Ze keek op haar horloge. Het was bijna halfvijf. Waarom had hij zo kort geslapen?

Ze deed het licht boven de eettafel aan en trok haar handtas open. Haar notitieboekje lag boven op haar portemonnee. Ze legde hem met een klap op tafel. Ze miste niets, zelfs de vijftien euro zat er nog in. Toen ze ging zitten, schoot haar hun gesprek te binnen. Fernando was om informatie blijven zeuren. Haar ogen gingen van haar handtas naar haar notitieboekje. De aantekeningen waren persoonlijk. Ze hield altijd twee kolommen bij: één met feiten, en één met gedachten en observaties. Die tweede kolom werd niet altijd door de eerste begrensd en was soms een beetje al te creatief. Ze sloeg het notitieboekje open. Eén observatie sprong onmiddellijk in het oog. Hij stond naast de namen van de mensen die Mario Gómez met Tateb Hassani de trap op had zien gaan naar diens 'laatste avondmaal'. In de kolom voor observaties stond de enige logische conclusie die ze uit haar speurwerk kon trekken: Fuerza Andalucía had de bom geplaatst. Geen vraagteken. Een boude stelling, gebaseerd op de feiten die ze had verzameld.

Het was plotseling koud in de kamer, alsof de airco een hogere versnelling had gevonden. De adrenaline golfde door haar heen, en ze slikte moeizaam. Ze rende naar haar slaapkamer. Haar bovenbenen trilden onder het te grote T-shirt waarin ze altijd sliep. Ze sloeg op de lichtschakelaar en trok de la met ondergoed en bh's open. Haar hand ging heen en weer door de la. Ze trok hem eruit en hield hem op z'n kop. Ze trok de andere la uit de kast en deed er hetzelfde mee. Er werden nu zo veel chemicaliën door haar lichaam rondgepompt dat ze bang was flauw te vallen.

Haar pistool was verdwenen.

Dit kon ze niet alleen. Ze moest de Inspector Jefe bellen. Ze ramde de toetsen in en luisterde een eeuwigheid naar de beltoon terwijl ze tegen zichzelf zei dat ze moest blijven ademen. Toen de telefoon acht keer was overgegaan, nam Falcón op. Hij lag net anderhalf uur te slapen. In precies drie seconden had ze hem het hele verhaal verteld. Het vloog als een gecomprimeerd bestand door de lijn.

'Dat zul je me nog een keer moeten vertellen, Cristina,' zei hij. 'Een beetje langzamer. Adem. Doe je ogen dicht. Vertel.'

Dit keer kwam het er in een stroom van dertig seconden uit.

'Fernando kent maar één persoon van Fuerza Andalucía die op dit moment niet in bewaring is gesteld, en dat is Jesús Alarcón,' zei Falcón. 'Ik kom je over tien minuten ophalen.'

'Maar hij gaat hem vermoorden, Inspector Jefe,' zei Ferrera. 'Hij gaat hem met mijn pistool vermoorden. Moeten we geen...'

'Als we er een patrouillewagen op afsturen, wordt hij misschien bang. Dan zal hij het zeker doen. Ik denk dat Fernando hem eerst iets wil vertellen. Hij begint ermee hem te straffen, daarna zal hij hem pas proberen te vermoorden.'

'Met een pistool is er geen sprake van proberen.'

'Het lijkt eenvoudig, maar dat is het niet,' zei Falcón. 'Hopelijk ben je wakker geworden toen hij je woning verliet. Als hij te voet is, heeft hij geen grote voorsprong.'

Fernando hurkte neer naast twee vuilniscontainers aan de rand van Parque María Luisa. Het licht van de straatverlichting viel alleen op zijn handen. Hij keek vanuit de duisternis naar het blauwe metaal van de kleine .38 revolver. Hij draaide hem om en om, verbaasd over het gewicht. Een echt pistool had hij nooit vastgehouden, alleen speelgoedpistooltjes van aluminium. Het echte werk woog net zo veel als een stuk gereedschap dat veel groter was dan deze revolver. Alles was gecomprimeerd in efficiëntie en draaggemak.

Hij haalde de kogels uit de kamers van de cilinder en stak ze in zijn zak. Daarna duwde hij de cilinder met een klik terug. De revolver lag lekker in zijn hand. Hij speelde met het wapen en wende aan het gewicht en de eenvoudige, dodelijke mechanismen. Toen hij zich er vertrouwd mee voelde, stopte hij de kogels één voor één terug in de kamers. Hij was er klaar voor. Hij kwam overeind en deed wat hij mensen in films had zien doen: hij stak hem achter de broekrand op zijn rug en trok het Fuerza Andalucía-poloshirt, dat hij van Jesús Alarcón had gekregen, eroverheen.

De brede Avenida, die het park van de chique woonwijk El Porvenir scheidde, was verlaten. Hij wist waar Jesús Alarcón woonde, want Alarcón had hem gezegd dat hij altijd bij hem kon logeren. Daar was hij niet op ingegaan omdat hij zich niet op zijn gemak voelde bij het standsverschil tussen hen.

Hij stond voor het enorme metalen schuifhek van het huis. Voor de garage stond een zilverkleurige Mercedes. Als Fernando had geweten dat die auto twee keer zo duur was als zijn verwoeste appartement, zou zijn woede nog groter zijn geworden. Maar zijn boosaardigheid groeide nu al zo snel dat hij haar nauwelijks kon bevatten. Zijn razernij over wat Jesús Alarcón had gedaan dijde uit en schuurde tegen zijn ribben. Niet alleen vanwege de explosie, maar vooral omdat hij had geprobeerd van Fernando, wiens gezin door zijn toedoen kapot was gemaakt, een vriend te maken. Dat was een vorm van verraad waartoe alleen een politicus in staat geacht kon worden. Jesús Alarcón, met zijn oprechte bezorgdheid en sympathie, had een spelletje met hem gespeeld.

Er was geen verkeer. De straten van El Porvenir waren leeg. Mensen in deze huizen kwamen niet voor zonsopgang uit hun bed. Fernando belde Alarcón op zijn mobiele telefoon. Hij ging een paar keer over en schakelde toen door naar de voice-mail. Hij belde Alarcóns huistelefoon en keek naar het raam waarvan hij dacht dat het de ouderlijke slaapkamer was. Jesús en Mónica in een of ander reusachtig bed, onder beddengoed van de hoogste kwaliteit, in zijden pyjama's. Achter het gordijn werd een zwakke gloed waarneembaar. Alarcón nam slaapdronken op.

'Jesús, ik ben het, Fernando. Sorry dat ik je zo vroeg bel. Ik sta hier buiten, voor de deur. Ik ben de hele nacht op geweest. Ze hebben me het ziekenhuis uit gegooid. Ik kon nergens anders heen. Ik moet met je praten. Kun je beneden komen? Ik ben... ik ben wanhopig.'

Dat klopte. Hij was wanhopig. Wanhopig op zoek naar wraak. Hij kende die verschrikkelijke emotie tot dan toe alleen uit verhalen. De manier waarop het iedere lichaamsholte vulde, overrompelde hem. Zijn buik riep om wraak. Zijn botten schreeuwden mee. Zijn gewrichten brulden. Zijn bloed jankte. Het was zo onverdraaglijk dat hij ervan af moest zien te komen. Had hij stelten gehad, dan zou hij over dat hek stappen, een ruit ingooien, Alarcóns knappe vrouw uit bed grissen en naar beneden smijten, zodat haar botten zouden breken en haar hersenpan zou verbrijzelen. En ten slotte zou hij met één stelt haar hart vertrappen. Eens zien wat Jesús Alarcón daarop te zeggen zou hebben. Ja, hij wilde een reus zijn, dan zou hij zijn arm om Alarcóns huis slaan alsof het een poppenhuis was. Hij zag zijn hand al in de slaapkamers naar Alarcóns kleine kinderen graaien, ze zouden gillend voor zijn grijpende hand wegrennen. Hij wilde dat Alarcón zou zien dat ze vermorzeld waren en onder lakentjes voor zijn huis lagen.

'Ik kom eraan,' zei Alarcón. 'Geen probleem, Fernando.'

Als hij de heimelijke honger in de ogen die door de tralies staarden had gezien, dan was Jesús Alarcón in zijn bed gebleven. Dan had hij de politie gebeld en om de groene baretten gesmeekt.

Bij de voordeur ging het buitenlicht aan. De deur werd opengedaan. Alarcón, in een zijden kamerjas, richtte de afstandsbediening op het hek. Fernando dook in elkaar alsof hij onder vuur werd genomen. Het hek ratelde over de rails. Fernando schoot door de opening en liep snel naar het huis. Alarcón had zich al naar de voordeur teruggedraaid, hij hield zijn arm uitgestoken om hem om Fernando's schouder te kunnen slaan en hem in zijn huis te verwelkomen.

Om het licht in het portiek zwermden nachtvlinders die gek werden van het vooruitzicht dat de duisternis weer zou invallen, maar dat gebeurde niet. Alarcón was nog veel te slaperig om te beseffen wat er op hem afkwam. Tot zijn verbijstering werd hij vanachter bij de kraag van zijn kamerjas gegrepen. Hij zag de deur uit beeld verdwijnen toen Fernando hem met de kracht van de handarbeider omtrok. Alarcón verloor zijn evenwicht en viel op zijn knieën. Fernando trok hem achterover en knelde zijn hoofd tussen zijn bovenbenen. De revolver had hij al uit zijn broekband getrokken. Alarcón tastte achter zich en greep Fernando bij zijn broek en poloshirt. Fernando zwaaide de revolver voor zijn neus heen en weer en drukte de loop in Alarcóns oogkas. Alarcón snakte naar adem van de pijn.

'Zie je dat?' vroeg Fernando. 'Zie je dat, kleine rotzak?'

Alarcón was verlamd van angst. Er kwam alleen maar wat geknor uit zijn fijngeknepen strot. Fernando duwde de revolver tussen Alarcóns lippen. Hij voelde de loop over de tanden glijden en het staal in de zachte tong drukken.

'Voel het. Proef het. Nu weet je wat het is.'

Hij rukte de loop uit de mond, waarbij een stukje van een tand afbrak. Hij zette de loop in Alarcóns nek.

'Ben je er klaar voor? Doe je schietgebedje maar, Jesús, want je laatste uur heeft geslagen.'

Fernando duwde de loop hard in Alarcóns trillende nek en haalde de trekker over. Er klonk een droge klik. Alarcón slaakte een zucht en er kwam stank van achter hem – hij had zich in zijn pyjama ontlast.

'Die was voor Gloria,' zei Fernando. 'Nu weet je hoe bang zij is geweest.'

Fernando bewoog de revolver naar Alarcóns slaap en drukte hem in zijn bakkebaard. Alarcón trok zijn hoofd weg. Er klonk weer een droge klik, gevolgd door een snik van Alarcón.

'Die was voor mijn kleine Pedro.' Fernando hoestte om de emotie in zijn keel de baas te blijven. 'Hij kende geen angst. Daar was hij te jong voor. Te onschuldig. Kijk naar de revolver, Jesús. Je ziet de cilinder. Er zijn twee lege kamers en vier volle. We gaan nu naar boven en daar mag jij zien hoe ik je vrouw en je kinderen doodschiet. Dan weet je hoe dat voelt.'

'Waar ben je mee bezig, Fernando?' vroeg Alarcón. Nu de eerste golf van de woeste aanval voorbij was, had hij de controle over zijn stem en zijn tegenwoordigheid van geest terug. 'Waar ben je in godsnaam mee bezig?'

'Jij en je vrienden. Jullie zijn allemaal hetzelfde. Er is geen enkel verschil tussen jou en al die andere politici. Jullie zijn stuk voor stuk egoïstische leugenaars en bedriegers. Ik snap niet dat ik in die idiote kletspraat van je ben getrapt. Jesús Alarcón, de man die ook met je praat als er geen camera's draaien en er geen fotografen zijn om die mooie kop van hem vast te leggen.'

'Waar heb je het over, Fernando? Wat heb ik je misdaan? Waarom ben ik een leugenaar en een bedrieger?' smeekte Alarcón.

'Jij hebt mijn vrouw en mijn kind vermoord,' zei Fernando. 'En omdat je me daarna nodig had, heb je vriendschap met me gesloten.'

'Hoe kom je erbij dat ik ze heb vermoord?'

'Ik heb het in de aantekeningen van de politie gelezen. Jullie waren er allemaal bij betrokken. Rivero, Zarrías, Cárdenas. Jullie hebben de bom in de moskee geplaatst. Jullie hebben mijn vrouw en mijn zoon vermoord. En waarom?'

'Fernando?'

Hij keek op. Er kwam een stem van achter het hek. Van een vrouw. Het was geen verbeelding. Het bloed in zijn hersens naderde het kookpunt en baande zich schuimend van woede een weg door zijn aders. Hij raakte in de war.

'Gloria?' vroeg hij.

'Ik ben het, Cristina. Ik ben hier samen met Inspector Jefe Falcón. Leg die revolver neer, Fernando. Hier los je niets mee op. Je hebt het verkeerd begrepen...'

'Nee, nee, nee. Dat is niet waar. Ik heb het juist heel goed begrepen. Veel te goed. Eindelijk. Luister maar. Luister maar naar mijn zogenaamde vriend Jesús Alarcón.'

Fernando hurkte naast Alarcón.

‘Ik schiet jou en je gezin niet dood,’ fluisterde hij met een krakende stem in zijn oor. ‘Op één voorwaarde. En die voorwaarde is dat je ze de waarheid vertelt. Zij zijn van de politie. Jij gaat hen met die gladde politicuslippen van je vertellen hoe het zit. Vertel ze dat je de bom hebt gelegd, dan laat ik je leven. Als je liegt, schiet ik. En als jij dood bent, loop ik naar binnen en pak ik Mónica en schiet haar ook dood. Vooruit, vertel het ze.’

Fernando ging weer staan en porde met de revolver in Alarcóns nek. Alarcón schraapte zijn keel.

‘De waarheid,’ zei Fernando. ‘Zo niet, dan help ik je naar de eeuwige duisternis. Vooruit.’

Alarcón sloeg een kruis.

‘Hij heeft me gevraagd jullie te vertellen hoe het met de bom zit,’ zei hij. Zijn kin lag op zijn borst en zijn armen hingen slap naar beneden. ‘Hij zegt dat hij, als ik de waarheid niet vertel, mij en mijn vrouw doodschiet. Ik kan alleen maar zeggen wat ik weet, wat misschien niet alles is, maar een deel.’

Fernando deed een stap achteruit, de armen gestrekt. De loop van de revolver rustte op Alarcóns kruin.

‘Ik heb niets met de bom in de moskee te maken. Zo waarlijk helpe mij God almachtig.’

37

Sevilla, vrijdag 9 juni 2006, 05.03 uur

Fernando schoot niet. Er stroomde een kracht vanuit Alarcóns hoofd door de loop van de revolver naar Fernando's hand, arm en schouder en vervolgens naar zijn hoofd. Zijn bovenlichaam begon te trillen, waardoor de loop van de revolver van zijn doelwit afdreef. Hij leidde hem opnieuw naar Alarcóns kruin, niet één of twee, maar drie keer. Steeds gleed zijn vinger even liefkozend over de trekker. Hij knipperde met zijn ogen, ademde krachtig in en keek naar de man die net nog het object van zijn diepste haat was geweest. Hij kon het niet. Op de een of andere manier was zijn vastberadenheid met Alarcóns woorden weggevloeid. Ze hadden zijn kwaadaardige wraakzucht op miraculeuze wijze genezen. Hij wist honderd procent zeker dat hij de waarheid had gehoord.

In het eerste licht, tegen de achtergrond van een hemel die van nachtblauw naar indigo kleurde, liet Fernando zijn hand met de revolver zakken. Ferrera kwam naar voren, nam de revolver uit de verslapte greep en stak hem in haar holster. Ze duwde hem weg van Alarcón, die op handen en voeten vooroverviel.

'Breng Fernando naar de auto,' zei Falcón. 'Doe hem handboeien om.'

Nu de spanning opeens was gebroken, begon Alarcón te kokhalzen en te snikken. Falcón liep naar hem toe, trok hem overeind en bracht hem naar zijn vrouw, die met opengesperde ogen en verstijfd van angst bij de voordeur stond. Falcón vroeg waar de badkamer was. Dat verzoek bracht Mónica Alarcón terug in de realiteit. Ze nam Falcón en haar man mee naar boven. Daar stonden de kinderen, de een met een pluizige tijger, de andere met een blauw dekentje in de hand. Dit grotemensendrama was voor hen onbegrijpelijk. Mónica bracht de kinderen terug naar hun slaapkamer en liep met Falcón naar de badkamer, waar haar man probeerde de knoopjes van zijn pyjama los te krijgen. Falcón zei haar zijn pyjama uit te trekken en hem onder de douche te zetten. Hij zou beneden in de keuken wachten.

De uitputting hing als een grote domme hond over Falcón heen. Hij trok de voordeur dicht en ging aan de keukentafel zitten. Hij staarde de tuin in. Er speelde maar één gedachte door zijn hoofd. Jesús Alarcón zat niet in de samenzwering. Het leek erop dat hij hun gehoorzame, onwetende stroman was.

Mónica kwam de keuken in en bood hem koffie aan. Ze was overstuur, haar handen boven het servies trilden. Ze moest hem vragen de espressomachine te bedienen.

'Had hij een pistool?' vroeg ze. 'Had Fernando echt een pistool?'

'Uw man heeft het heel goed gedaan,' zei Falcón met een knikje.

'Maar Fernando en Jesús konden het zo goed met elkaar vinden.'

'Fernando heeft iets gelezen wat niet voor zijn ogen was bestemd en interpreteerde een observatie als een feit,' zei Falcón. 'Dankzij de moed van uw man is dit geen tragedie geworden.'

'We hadden allebei grote bewondering voor de manier waarop Fernando zijn verlies droeg,' zei ze. 'Ik had geen idee dat hij zo labiel was.'

'Hij dacht dat uw man hem had verraden en dat hij alleen maar vriendschap met hem had gesloten om er politiek gewin uit te halen. En Fernando is inderdaad labiel. Iemand die op zo'n manier zijn vrouw en zoon verliest, kan niet stabiel zijn.'

Jesús verscheen in de deuropening. Er zat weer wat kleur op zijn wangen. Hij had zich geschoren en een wit overhemd en een zwarte pantalon aangetrokken. Falcón maakte koffie voor hem. Mónica ging weer naar boven om naar de kinderen te kijken. Jesús en Falcón gingen aan de keukentafel zitten.

'Er is vannacht veel gebeurd,' zei Falcón. 'Kunt u, voordat we het daarover gaan hebben, een paar vragen beantwoorden?'

Alarcón knikte en roerde de suiker door zijn koffie.

'Kunt u me vertellen waar u zaterdag 3 juni was?' vroeg Falcón.

'We waren een weekendje weg, ten noorden van Madrid,' zei Alarcón. 'Een vriend van Mónica ging trouwen. De bruiloft was op een *finca* op de weg naar El Escorial. We zijn daar zondag gebleven en maandagochtend vroeg met de AVE-trein teruggekomen.'

'Bent u in de week daarvoor in het hoofdkwartier van Fuerza Andalucía in het huis van Eduardo Rivero geweest?'

'Nee,' zei Alarcón. 'Op advies van Angel Zarrías bleef ik bij Eduardo uit de buurt. Angel probeerde hem nog steeds zover te krijgen het leiderschap op te geven, en hij dacht dat Eduardo het als vernederend zou ervaren als hij voortdurend met de nieuwe jonge spruit van de partij zou worden geconfronteerd. Dus heb ik geen van hen gezien, op Angel na – die kwam me een paar keer vertellen hoe de zaken ervoor stonden.'

'Als u zegt dat u geen van hen heeft gezien, over wie heeft u het dan?'

'Over Eduardo Rivero en de drie belangrijkste geldschieters van de partij, die mij alle drie steunen: Lucrecio Arenas, César Benito en Agustín Cárdenas.'

'Wanneer heeft u Eduardo Rivero voor het laatst gezien?'

'Dinsdagochtend, toen hij het leiderschap formeel aan mij overdroeg.'

'En daarvoor?'

'Ik denk dat we op 20 mei samen hebben geluncht. Maar dan zou ik even in mijn agenda moeten kijken.'

'Heeft u deze man weleens gezien?' vroeg Falcón. Terwijl hij de foto van Tateb Hassani over de tafel schoof, keek hij naar Alarcón. Het was duidelijk dat hij de man niet kende.

'Nee,' zei hij.

'Heeft u de naam Tateb Hassani of Jack Hansen ooit horen vallen?'

'Nee.'

Falcón pakte de foto terug en liet hem in zijn hand ronddraaien.

'Heeft die man iets te maken met waar Fernando het over had?' vroeg Alarcón. 'Hij ziet eruit als een Noord-Afrikaan. Die eerste naam die u noemde...'

'Hij komt uit Marokko en is Amerikaans staatsburger geworden,' zei Falcón. 'Hij is vermoord. Rivero, Zarrías en Cárdenas zijn gearresteerd. Ze worden ervan verdacht hem vermoord te hebben.'

'Ik kan u niet volgen, Inspector Jefe.'

'Don Eduardo heeft me een paar uur geleden verteld dat hij Tateb Hassani vijfduizend euro heeft betaald als vergoeding voor zijn adviezen bij het formuleren van de immigratiepolitiek van Fuerza Andalucía.'

'Dat is belachelijk. Onze immigratiepolitiek staat al maanden vast. Daar zijn we in oktober mee begonnen, toen Europa de deur voor Turkije openzette en al die Afrikaanse immigranten over het prikkeldraad naar Melilla probeerden te klimmen. Fuerza Andalucía vindt dat een islamitisch land, al heeft het een seculiere regering, niet met christelijke landen is te verenigen. Europeanen hebben door de eeuwen heen laten zien dat ze intolerant zijn ten opzichte van andere religies. We hebben geen idee van de sociale consequenties die de toetreding van Turkije met zich zou meebrengen, terwijl het zou betekenen dat éénvijfde van de bevolking van de Europese Unie islamitisch wordt.'

'U hoeft nu geen campagne te voeren, señor Alarcón,' zei Falcón. Hij had zijn handen opgestoken om zich te beschermen tegen de opinievloedgolf.

'Neemt u mij niet kwalijk,' zei hij hoofdschuddend. 'Het is een automatisme. Maar waarom worden Rivero, Zarrías en Cárdenas ervan verdacht een man te hebben vermoord die ze eerder hebben betaald voor zijn politieke adviezen? Waarom denkt Fernando dat Fuerza Andalucía verantwoordelijk is voor de bom in de moskee?'

'Ik ga u een onbetwistbaar feit voorleggen en wil van u horen hoe u dat interpreteert,' zei Falcón. 'U heeft op het nieuws gehoord dat in de vernielde moskee een brandkast is gevonden en dat daar bouwtekeningen van twee scholen en een biologiefaculteit in zaten, met daarbij aantekeningen in het Arabisch.'

'Die met die weerzinwekkende instructies.'

'Die zijn geschreven door Tateb Hassani.'

'Dus hij was terrorist?'

Falcón wachtte even. Hij tikte met de hoekjes van de foto, de een na de ander, op het tafelblad. In een hoek van de keuken stond de espressomachine rustig te stomen. Alarcón keek met gefronste wenkbrauwen naar de rug van zijn handen en probeerde de nieuwe informatie te verwerken. Falcón verstrekte hem meer inlichtingen die niet openbaar waren gemaakt: dat Tateb Hassani's handschrift ook overeenkwam met de aantekeningen in de twee korans uit de Peugeot Partner en het appartement van Miguel Botín en dat Angel Zarrías de laatste was die Ricardo Gamero had ontmoet voordat hij zelfmoord pleegde. Alarcón draaide zijn handen en keek naar zijn handpalmen, alsof zijn politieke toekomst hem door de vingers liep.

'Ik weet niet wat ik moet zeggen.'

Falcón gaf hem een kort overzicht van het leven van Tateb Hassani en vroeg hem of hij dat op het profiel van een gevaarlijke moslimradicaal vond lijken.

'Waarom hebben ze Hassani betaald voor het in elkaar flansen van documenten die moeten verwijzen naar een geplande terreuraanval, terwijl moslimterroristen materiaal verzamelden om een bomaanslag te plegen, zoals blijkt uit de ontdekte sporen in de Peugeot Partner?' vroeg Alarcón. 'Ik snap er niets van.'

'Het bestuur van Fuerza Andalucía wist niet dat er hexogeen lag,' zei

Falcón. 'En het hexogeen leidde naar de surveillance door Informáticalidad, de zogenaamde gemeente-inspecteurs, de elektriciens, de secondaire Goma 2 Eco-bom en de brandkast.'

Alarcón was met stomheid geslagen. Hij kende alle directeuren van Informáticalidad die Falcón als 'onderdeel van de samenzwering' omschreef. Het drong tot hem door hoe hij was gebruikt.

'En ik werd neergezet als het frisse nieuwe gezicht van Fuerza Andalucía,' zei Alarcón. 'Ik moest, in de nasleep van de gruweldaad, de anti-immigrantenstemmen gaan trekken waarmee we het benodigde percentage zouden halen om de natuurlijke coalitiepartner van de Partido Popular in de campagne voor de parlementsverkiezingen van volgend jaar te worden.'

De onthullingen hadden het laatste beetje energie verbruikt waarover Alarcón nog beschikte. Hij leunde met zijn armen slap langs zijn lichaam achterover en bezag de catastrofe waar hij zonder het te weten middenin stond.

'Ik besef dat dit moeilijk voor u moet zijn...' zei Falcón.

'Dit heeft natuurlijk enorme implicaties,' zei Alarcón terwijl een vreemde mix van verbijstering en opluchting van zijn gezicht was af te lezen. 'Maar daaraan dacht ik niet. Ik bedacht dat Fernando's waanzin als onbedoeld bijeffect heeft gehad dat ik ten overstaan van de Inspector Jefe die het onderzoek leidt mijn onschuld heb kunnen bewijzen.'

'Tegenwoordig voeren we bij onze verhoren geen schijnexecuties meer uit,' zei Falcón. 'Maar het heeft ons wel een hoop tijd gescheeld.'

'Bij het uitbreiden van de bevoegdheden van de politie voor het nemen van antiterreurmaatregelen had ik ook iets anders in gedachten,' zei Alarcón.

'Toch zult u meer moeten doen om mijn stem te krijgen,' zei Falcón. 'Hoe zou u uw relatie met Lucrecio Arenas omschrijven?'

'Ik overdrijf niet als ik zeg dat hij als een vader voor mij is geweest,' zei Alarcón.

'Hoelang heeft u hem gekend?'

'Elf jaar,' zei Alarcón. 'Eigenlijk had ik hem daarvoor al ontmoet, toen ik voor McKinsey's in Zuid-Amerika zat. Maar we raakten bevriend toen ik een baan kreeg bij Lehman Brothers en met Spaanse industriëlen en bankiers ging werken. In 1997 heeft hij me via een headhunterbureau overgehaald voor hem te komen werken, en sindsdien is hij een surrogaatvader voor me geworden... Hij heeft mijn carrière vormgegeven. Hij heeft me zelfvertrouwen gegeven. Voor mij komt hij direct na God.'

Het was het antwoord dat Falcón had verwacht.

'Als u denkt dat hij is betrokken bij wat dit ook moge zijn, dan moet u nog maar eens goed nadenken,' zei Alarcón. 'U kent deze man niet zoals ik hem ken. Deze intrige is in Sevilla gesmeed, door Zarrías en Rivero.'

'Rivero is verleden tijd,' zei Falcón. 'Dat was hij al voordat dit gebeurde. Er deden geruchten de ronde dat hij bij een schandaal was betrokken. Ik ken Angel Zarrías. Hij is geen leider. Hij maakt leiders, maar hij brengt zelf geen veranderingen teweeg. Wat kunt u me over Agustín Cárdenas en César Benito vertellen?'

'Ik heb nog een kop koffie nodig,' zei Alarcón.

'Er is nog een interessant verband,' zei Falcón. 'Informáticalidad hoort bij Horizonte, bij Banco Omni en bij... 141T?'

De espressomachine gorgelde, druppelde, siste en stoomde terwijl Alarcón eromheen drentelde en met half toegeknepen ogen over de nieuwe invalshoek nadacht en die aan zijn eigen informatie toetste. De twijfel zocht zich een weg over zijn wenkbrauwen. Falcón wist dat het niet genoeg was, maar meer had hij niet. Als Rivero, Zarrías en Cárdenas niet bezweken, zou Alarcón weleens de enige ingang tot de samenzwering kunnen zijn, maar de deur zou moeilijk opengaan. Hij wist niet voldoende van Lucrecio Arenas om Alarcón kwaad genoeg te maken over de schaamteloze manier waarop hij door zijn zogenaamde vader was geëxploiteerd.

'Ik begrijp wat u van me wilt,' zei Alarcón. 'Maar dat kan ik niet. Ik besef dat het niet in zwang is om loyaal te zijn, vooral niet in zaken en in de politiek, maar ik kan er niets aan doen. Als ik deze mensen alleen al verdacht, zou ik het gevoel hebben dat ik mijn familie afval. Ik bedoel, het ís mijn familie. Mijn schoonvader zit erbij...'

'Daarom hebben ze u uitgekozen,' zei Falcón. 'U vormt een buitengewone combinatie. Ik ben het niet met uw politiek eens, maar ik zie dat u erg moedig bent en dat uw intenties met Fernando volstrekt eerbaar waren. U bent intelligent en begaafd. Uw kwetsbaarheid zit 'm in uw verklaarde loyaliteit. Dat zien machtige mensen graag, want u heeft alle kwaliteiten die zij zelf niet hebben, en u bent te manipuleren, zodat zij hun doelen kunnen bereiken.'

'Als u loyaliteit als een zwakheid ziet, leeft u in een wonderlijke wereld,' zei Alarcón. 'Uw werk moet u cynisch gemaakt hebben, Inspector Jefe.'

'Ik ben niet cynisch, señor Alarcón,' zei hij. 'Ik besef alleen dat voorspelbaarheid bij deugd hoort. Het is altijd het kwaad, met zijn onvoorstelbare, schaamteloze virtuositeit, dat je met stomheid slaat.'

'Dat zal ik in mijn oren knopen.'

'Ik wil geen koffie meer,' zei Falcón. 'Ik moet gaan slapen. Misschien moeten we nog eens met elkaar praten als u tijd heeft gehad om na te denken over wat ik u heb verteld en als ik Rivero, Zarrías en Cárdenas onder handen heb genomen.'

Alarcón liep met hem mee naar de deur.

'Overigens heb ik er geen behoefte aan dat Fernando wordt gestraft voor wat hij mij heeft aangedaan,' zei hij. 'Mijn gevoel voor loyaliteit stelt me ook in staat te begrijpen wat de gevolgen van ontrouw en verraad zijn. U wilt hem misschien het een en ander ten laste leggen, maar ik niet.'

'Als dit bij de pers bekend wordt, heb ik geen andere keus dan hem te vervolgen,' zei Falcón. 'Hij heeft een politiewapen gestolen, en het had er alle schijn van dat dit een poging tot moord was.'

'Ik praat niet met de pers. Dat verzeker ik u op mijn erewoord.'

'Dan heeft u net de carrière van een van mijn veelbelovendste agenten gered,' zei Falcón terwijl hij het portaal uit stapte.

Hij liep naar het hek, maar keerde nog een keer terug naar Alarcón.

'Ik neem aan dat Lucrecio Arenas en César Benito na de bijeenkomst van gisteravond nog in Sevilla zijn,' zei hij. 'Ik stel voor dat u een van hen, of hen allebei, ontmoet voordat alles wat ik u net heb verteld openbaar wordt.'

'César zal er niet zijn,' zei Alarcón. 'Hij zit voor een conferentie in de Holiday Inn in Madrid. Zou het binnen tweeënzeventig uur ter ziele gaan van een politieke toekomst een Spaans record zijn?'

'U heeft het voordeel dat u persoonlijk geen vuile handen heeft,' zei Falcón. 'Als u dat zo houdt, heeft u altijd een toekomst. Pas als je je met corruptie ingeeft, ga je ter ziele. Uw oude vriend Rivero zou u dat vanuit het diepst van zijn ervaringen hebben kunnen vertellen.'

Cristina Ferrera en Fernando zaten op de achterbank van Falcóns auto. Ze had zijn handen achter zijn rug geboeid. Hij zat voorover en liet zijn voorhoofd op de rugleuning van de stoel voor hem rusten. Falcón had de indruk dat ze met elkaar gesproken hadden en nu doodmoe waren. Hij draaide zich om, zodat hij ze vanaf de bestuurdersstoel kon aankijken.

'Señor Alarcón dient geen aanklacht in en vertelt de media niets over dit incident,' zei hij. 'Als ik zou vervolgen, zou ik een van mijn beste agenten kwijtraken. Je dochter zou haar vader en enige ouder kwijt zijn en bij de jeugdzorg of bij haar grootouders terechtkomen. Jij zou minstens tien jaar krijgen, Lourdes zou je niet meer herkennen. Vind je dat een bevredigend resultaat van een uitbarsting van oncontroleerbare woede, Fernando?'

Cristina Ferrera keek uit het raam en was zo opgelucht dat ze met haar ogen moest knipperen. Fernando hief zijn hoofd van de rugleuning van de achterbank.

'En als je woede de bovenhand had gekregen, als je haat zo afschrikwekkend was geweest dat geen enkele rede er nog invloed op had kunnen uitoefenen, en je had Alarcón daadwerkelijk vermoord, dan zou alles wat ik hiervoor zei waar zijn geweest, maar zou je gevangenisstraf nog langer hebben uitgepakt en zou je de dood van een onschuldige man op je geweten hebben gehad. Hoe voelt dat, bij het aanbreken van een nieuwe dag?'

Fernando keek recht voor zich uit, door de voorruit, de straat in die nu ieder moment lichter werd.

Hij zei niets. Er viel niets te zeggen.

38

Sevilla, vrijdag 9 juni 2006, 08.17 uur

'Je bent gisteravond niet gekomen,' zei Alicia Aguado.

'Ik was er niet toe in staat,' zei Consuelo. 'Ik vertrok hier bij jou, ging met het recept dat je me had gegeven naar de apotheek en kocht de medicijnen, maar heb ze niet geslikt. Ik ben naar het huis van mijn zus gegaan, en heb het grootste deel van de dag in haar logeerkamer gezeten. Soms huilde ik zo hard dat ik niet meer kon ademen.'

'Wanneer had je voor het laatst gehuild?'

'Ik denk dat ik dat nog nooit heb gedaan... echt gehuild,' zei Consuelo. 'Niet van verdriet. Ik kan me niet eens herinneren als kind gehuild te hebben, behalve wanneer ik me had bezeerd. Mijn moeder zei altijd dat ik een stille baby was. Ik denk niet dat ik een huilerig type was.'

'En hoe voel je je nu?'

'Merk je dat niet?' vroeg Consuelo. Ze draaide haar pols onder de vingers van Aguado heen en weer.

'Zeg jij het maar.'

'Mijn gemoedstoestand laat zich niet gemakkelijk beschrijven,' zei Consuelo. 'Ik wil niet als een of ander halfzachte idioot overkomen.'

'Een halfzachte idioot, dat is een goed begin.'

'Ik voel me beter dan ik me in lange tijd gevoeld heb,' zei Consuelo. 'Ik kan niet zeggen dat ik me echt goed voel, maar die angstaanjagende gewaarwording dat er iets afschuwelijks staat te gebeuren, is verdwenen. En die vreemde seksuele aandriften ook.'

'Dus je denkt niet meer dat je gek wordt?' vroeg Aguado.

'Daar ben ik nog niet zeker van,' antwoordde Consuelo. 'Ik ben totaal uit balans. Het lijkt wel alsof ik niet in staat ben maar één emotie te hebben, ik ben alle extremen tegelijkertijd. Ik voel me leeg én vol, moedig én angstig, kwaad én vredig, blij en toch door verdriet overmand. Daar tussenin vind ik niets.'

'Verwacht niet dat je in vierentwintig uur van zo'n huilbui bent hersteld,' zei Aguado. 'Denk je dat je kunt beschrijven wat er gisterochtend gebeurde? Je kwam tot een besef dat je in één klap velde. Ik wil graag dat je daarover praat.'

'Ik weet niet of ik me wel herinner wat er precies is gebeurd,' zei Consuelo. 'Het was net zoiets als de ontploffing van de bom hier in Sevilla. Sindsdien is er zoveel gebeurd dat het lijkt alsof het al tien jaar geleden is.'

'Ik vertel je zo wat er gebeurde,' zei Aguado. 'Maar probeer het eerst zelf terug te roepen. Beschrijf het zo goed als je kunt.'

'Het begon als een druk, alsof er een membraan over mijn gedachten was gespannen, een ondoorzichtig rubber vel, waar iets tegenaan drukte. Dat heb ik weleens eerder gehad. Ik word er misselijk van, alsof ik op de grens tussen aangeschotenheid en dronkenschap sta. Als het me in het verleden overkwam, zorgde ik ervoor dat het wegging door iets te doen, zoals in mijn handtas rommelen. De fysieke daad hielp me dan ervoor te zorgen dat ik me in de realiteit kon handhaven. Maar als het voorbij was, hield ik het gevoel dat er een dreiging was geweest die voorbij was gegaan. Het gekke is dat dit me sinds een paar jaar niet meer is overkomen.'

'Kwam er iets anders voor in de plaats?'

'Dat gevoel had ik toen niet,' zei Consuelo. 'Ik was gewoon blij dat ik ervan af was. Maar nu denk ik dat die seksuele driften toen zijn begonnen. Zoals die druk me altijd tijdens een kort moment van mentale rust overkwam, zo overvielen die driften me tijdens een vergadering, als ik met de kinderen speelde of als ik een paar nieuwe schoenen paste. Het was heel vervelend dat ik absoluut niet kon bepalen wanneer het me overkwam, want die driften gingen vergezeld van grafische beelden die me van mezelf deden walgen.'

'En wat gebeurde er gisteren?' vroeg Aguado.

'Dat membraan kwam terug,' zei Consuelo die voelde dat de binnenkant van haar hand vochtig werd. 'De druk was er weer, maar nu veel groter, en hij steeg tot een onverdraaglijk niveau, het leek alsof mijn hoofd zou exploderen. Sterker, ik had echt het gevoel dat ik explodeerde, of nee, dat ik open werd gespleten. En tegelijkertijd had ik de sensatie die je hebt als je droomt dat je eindeloos valt. Ik dacht dat het was afgelopen. Dat het met me gedaan was. Het monster is uit de diepte naar boven gekomen en ik word gek.'

'Maar dat is niet gebeurd, of wel?'

'Nee. Er was geen monster.'

'Wat was er dan wel?'

'Ik. Een eenzame, jonge vrouw in een regenachtige straat, vol verdriet, schuldgevoel en wanhoop. Ik wist niet wat ik met mezelf aan moest.'

'Toen het gebeurde, spraken we over iemand die jij kent,' zei Aguado. 'Die Madrileense kunsthandelaar.'

'O ja, hij. Heb ik je verteld dat hij een man heeft vermoord?'

'Ja, maar je vertelde het me op een bepaalde manier.'

'Ik weet het weer,' zei Consuelo. 'Ik zei het alsof zijn misdaad groter was dan die van mij.'

'Wat houdt dat in?'

'Dat ik het gevoel had dat ik een misdaad had gepleegd?' zei Consuelo vragend. 'Behalve dat ik wist wat ik deed. Ik ben altijd onder ogen gekomen dat ik die abortussen heb gehad, en ik ben nooit vergeten op welke weerzinwekkende manier ik het geld voor de eerste heb verdiend.'

'Wat altijd verwarring veroorzaakte,' zei Aguado. 'En die grafische seksuele beelden?'

'Ik begrijp je niet.'

'De pijn die je voelt als je je slapende kinderen ziet, en vooral je jongste – waar denk je dat die vandaan komt?'

Consuelo slikte. Het slijm in haar mond werd dik en de tranen rolden over haar wangen.

'Je zei tegen me dat de liefde pijn deed,' zei Aguado. 'Denk je nu nog steeds dat het de liefde is?'

'Nee,' zei Consuelo na een lange stilte. 'Het is het schuldgevoel over wat ik heb gedaan en het verdriet om wat er had kunnen zijn.'

'Keer terug naar het moment waarop je in die regenachtige straat bent. Ik meen me te herinneren dat je vertelde dat je naar chique mensen keek die een galerie uitliepen. Weet je nog waar je aan dacht, voordat je besefte dat je net zoals hen wilde zijn, dat je jezelf opnieuw wilde "uitvinden"?'

Er viel weer een lange stilte. Aguado bewoog niet. Ze staarde met haar blinde ogen recht voor zich uit en voelde de pols onder haar vingers, het touw dat zichzelf ontwarde.

'Aan spijt,' zei Consuelo. 'Ik wilde dat ik het niet had gedaan, en toen ik die mensen de straat op zag gaan, dacht ik dat dat soort mensen niet in zo'n positie zou komen. Toen besloot ik dat ik niet langer die pathetische, eenzame, meelijwekkende persoon in die natte straat wilde zijn, maar dat ik iemand anders wilde worden.'

'Dus hoewel je altijd "onder ogen bent gekomen" wat je hebt gedaan, miste er wel iets. Wat dan?'

'Degene die het had gedaan,' zei Consuelo. 'Ik.'

De huiszoekingsbevelen voor het huis van Eduardo Rivero, het kantoor van Fuerza Andalucía, het appartement van Angel Zarrías en de woning van Agustín Cárdenas werden om halfacht afgegeven. Om kwart over acht hadden de mannen van de technische recherche de harde schijf van de computers gekopieerd en het bewijsmateriaal verzameld en waren ze bezig dat naar de Jefatura af te voeren. Comisario Elvira, zes rechercheurs van moordzaken en drie leden van de antiterreureenheid van de CGI kwamen om kwart voor negen bijeen om hun strategie te bespreken. Het idee was de drie verdachten met negen man gedurende dertienenhalf uur met een minimum aan onderbrekingen te verhoren. Om te voorkomen dat de verdachten een relatie met hun ondervrager konden opbouwen of aan een bepaalde verhoorstijl zouden kunnen wennen, zou iedereen iedere verdachte anderhalf uur verhoren. Terwijl de eerste drie verhoorden, zouden de tweede drie toekijken. De derde drie kon dan uitrusten en de ontwikkelingen bespreken. De lunch, die voor drie uur werd gepland, zou worden gebruikt om nog een keer over de tactiek te praten. De volgende sessie duurde van vier tot tien. Als er dan nog niemand was gaan praten, zouden ze even pauzeren voor het avondeten en nog anderhalf uur doorgaan, tot middernacht.

Het ging er bij de verhoren niet zozeer om de verdachten over te halen de moord op Tateb Hassani te bekennen als wel hen ertoe te dwingen te onthullen wie hem met Fuerza Andalucía in contact had gebracht, waarom hij was ingehuurd, waar de documenten die hij had gemaakt naartoe waren gegaan en wie er nog meer aanwezig waren bij het etentje waar Tateb Hassani werd vergiftigd.

Iedereen was de uitputting nabij. Na het overleg werd er gezucht en haalde menigeen zijn handen door het haar. Jasjes werden uitgetrokken, mouwen opgerold. Ze hadden afgesproken dat Falcón eerst Angel Zarrías onder handen zou nemen, Ramírez Eduardo Rivero aan zou pakken en Barros met Agustín Cárdenas zou beginnen. Toen werd doorgegeven dat de verdachten in de verhoorkamers klaarzaten, gingen ze naar beneden.

Ferrera zou toekijken bij het verhoor dat Falcón Angel Zarrías afnam. Ze bleven even met z'n tweeën voor de spiegelwand naar Zarrías staan kijken. Hij zat in een wit overhemd met lange mouwen aan de tafel, de handen gevouwen, de ogen op de deur gericht. Hij zag er kalm uit. Falcón voelde zich veel te moe om deze confrontatie aan te kunnen gaan.

'Je zult merken dat Angel Zarrías zeer charmant is,' zei Falcón. 'Hij houdt van vrouwen. Ik ken hem niet erg goed, want hij is het soort man dat je met zijn charmes op afstand houdt. Onder die charmes zit een mens van vlees en bloed. Een fanaat die wilde dat deze samenzwering zou slagen. Die persoon moeten we naar boven halen. En als we hem hebben, moeten we hem zo lang mogelijk boven houden, aan de oppervlakte.'

'En hoe denk je dat te gaan doen?' vroeg Ferrera. 'In feite is hij gewoon je zwager.'

'Ik heb het een en ander van José Luis geleerd,' zei Falcón. Hij knikte in de richting van Rivero's verhoorkamer, waar Ramírez net binnenkwam.

Angel Zarrías' ogen lichtten op toen Falcón de deur van de verhoorkamer opendeed. Hij glimlachte en stond op.

'Ik ben blij dat jij het bent, Javier,' zei hij. 'Heel blij. Heb je Manuela gesproken?'

'Ik heb Manuela gesproken,' zei Falcón. Hij ging zitten, maar hij zette de opnameapparatuur niet aan en volgde evenmin de gebruikelijke procedure bij de aanvang van een verhoor. 'Ze is heel boos.'

'Tja, niet iedereen reageert even enthousiast als haar partner midden in de nacht op verdenking van moord wordt gearresteerd,' zei Zarrías. 'Ik kan me voorstellen dat sommige mensen boos worden. Ik weet niet hoe ik me zou voelen.'

'Ze was niet boos omdat je gearresteerd werd,' zei Falcón.

'Ze deed nogal vinnig tegen je rechercheurs,' zei Angel.

'Pas nadat ík haar had gesproken werd ze... razend,' zei Falcón. 'Ja, dat lijkt me de juiste omschrijving.'

'Hoe laat heb je haar dan gesproken?' vroeg hij geschrokken, en verbaasd.

'Om ongeveer twee uur vanmorgen,' zei Falcón. 'Tegen die tijd had ze al zo'n vijftig berichten op mijn voice-mail ingesproken.'

'Natuurlijk... Typisch iets voor haar.'

'Zoals je weet kan ze, als ze emotioneel is, angstaanjagend zijn,' zei Falcón. 'Ik kon niet gewoon zeggen dat je was gearresteerd op verdenking van moord en het daarbij laten. Ze wilde er meer van weten.'

'En wat heb je haar gezegd?'

'Ik heb het haar stukje bij beetje verteld. Ik moest me natuurlijk aan de wet houden. Maar ik kan je verzekeren dat ik haar de waarheid heb verteld.'

'En wat was die waarheid?'

'Het is de bedoeling dat jij mij dat vertelt, Angel. Jij bent de dader en ik ben de ondervrager, en ergens tussen ons in ligt de waarheid. Het is de bedoeling dat we al pratende in het hart van de waarheid terechtkomen, niet dat ik zeg wat jij hebt gedaan. Dat moet jij doen.'

Stilte. Zarrías keek naar de opnameapparatuur die uit stond. Falcón zag tevreden dat hij in de war was. Hij leunde naar voren, zette de recorder aan en leidde het verhoor in.

'Waarom heb je Tateb Hassani vermoord?' vroeg Falcón terwijl hij achterover leunde.

'En als ik hem nou niet vermoord heb?'

'Misschien vind je het fijn om te weten dat we tijdens dit verhoor geen onderscheid maken tussen moord en samenspannen met moord tot gevolg,' zei Falcón. 'Maakt dat het eenvoudiger voor je?'

'En als ik nou zeg dat ik niets met de moord op Tateb Hassani te maken heb?'

'Rivero, de gastheer, heeft al gezegd dat jij en Agustín Cárdenas er bij waren toen Hassani zijn laatste avondmaal gebruikte. Een werkneemster uit het huishouden daar heeft bevestigd dat je op de plaats delict aanwezig was. Dan wordt het wel heel erg lastig om de stelling te verdedigen dat je er helemaal niets mee te maken had.'

Angel Zarrías keek Falcón diep in de ogen. Falcón was wel vaker zo aangekeken. Zijn oude techniek, van vóór zijn inzinking in 2001, was om zo'n blik van een verdachte met een blik van gewapend beton te beantwoorden. Zijn nieuwe techniek was zich open te stellen, de verdachte naar de rand van zijn diepe put te leiden en hem uit te dagen in de diepte te kijken. Dat deed hij ook met Angel Zarrías. Maar Angel kwam niet. Hij keek voor wat hij waard was, maar hij kwam niet naar de rand. Hij maakte een pas op de plaats en liet zijn blik door de kamer dwalen.

'Laten we ons niet in details verliezen,' zei Falcón. 'Het interesseert me niet wie het cyanide in het eten heeft gedaan of wie erbij was toen Agustín Cárdenas zijn gruwelijke werk deed. Hoewel ik wél nieuwsgierig ben wie op het idee is gekomen om Tateb Hassani in een doodskleed te naaien. Hebben jullie ook nog een paar toepasselijke gebeden voor hem uitgesproken? Hebben jullie hem gewassen voordat jullie hem innaaiden? Dat was voor ons niet eenvoudig te zeggen, toen wij hem op de vuilstortplaats buiten Sevilla vonden. Hij was opgezwollen en hij stonk, en zijn doodskleed was gescheurd. Ik zag het als een mooi eerbetoon van de ene religie voor de andere. Was dat jouw idee?'

Angel Zarrías had zijn stoel achteruitgeschoven en liep geagiteerd heen en weer.

'Je praat nu al niet meer tegen me, Angel, en we zijn net begonnen.'

'Wat dacht je verdomme dat ik tegen je zou zeggen?'

'Goed,' zei Falcón. 'Ik snap het. Het is moeilijk. Je bent altijd een goed katholiek geweest, een man met een diepgeworteld vertrouwen in het geloof. Je bent er zelfs in geslaagd Manuela mee naar de mis te krijgen, en ze moet van je gehouden hebben, anders had ze dat niet gedaan. Schuldgevoel sloopt een goed mens zoals jij. Je zult er wel kapot van zijn dat je een doodzonde hebt begaan, maar daar staat tegenover dat het ontzagwekkend is als je jezelf zover kunt brengen de grootste der menselijke misdaden te bekennen. Ik zal het gemakkelijker voor je maken. Laten we Tateb Hassani even vergeten en ons bezighouden met iets waarin je meer thuis bent, waar je gemakkelijker over zou moeten kunnen praten, waar je stembanden zo door worden opgewarmd dat je na een tijdje in staat zult zijn onthullingen te doen die je meer moeite kosten.'

Zarrías bleef staan en keek Falcón aan. Zijn schouders hingen af, zijn borstkast zag eruit als het dak van een kathedraal dat op instorten staat.

'Goed, stel je vraag maar.'

'Waar was je woensdagmiddag 7 juni tussen halftwee en drie uur?'

'Dat weet ik niet meer. Meestal lunch ik rond die tijd.'

'Ga zitten en probeer het je te herinneren,' zei Falcón. 'Het is de dag na de explosie. Je moet een telefoontje hebben gehad van iemand die wanhopig was. Dat moet je je wel kunnen herinneren: een medemens was in grote nood en wilde met je praten.'

'Jij weet wie het is, dus zeg jij het maar,' zei Angel, die weer op zijn geagiteerde manier op en neer liep.

'ANGEL! GA ZITTEN!' brulde Falcón.

Zarrías had Falcón nooit eerder horen schreeuwen. Hij schrok van de woede die onder het onbewogen uiterlijk bleek te flikkeren. Hij liep onmiddellijk naar de stoel, ging zitten en staarde met samengebalde handen naar het tafelblad.

'Je bent gezien en geïdentificeerd door een suppoost,' zei Falcón.

'Ik ben naar het archeologisch museum gegaan en heb daar een man ontmoet die Ricardo Gamero heet.'

'En je weet wat Ricardo Gamero ongeveer een halfuur nadat jij hem had gesproken, heeft gedaan?'

'Hij heeft zelfmoord gepleegd.'

'Jij bent de laatste persoon die hem heeft gezien. Waar hebben jullie het over gehad?'

'Hij vertelde me dat hij gevoelens voor een andere man koesterde. Hij schaamde zich en was nerveus.'

'Je liegt tegen me, Angel. Waarom zou een toegewijde CGI-agent tijdens het grootste antiterreuronderzoek dat ooit in deze stad heeft plaatsgevonden zijn kamer verlaten om het met jou over zijn seksuele angstgevoelens te gaan hebben?'

'Je hebt me een vraag gesteld, ik heb hem beantwoord,' zei Zarrías zonder zijn ogen van het tafelblad te halen.

Falcón bewerkte Zarrías drie kwartier met vragen over Ricardo Gamero, maar hij week geen duimbreedte van zijn verhaal. Hij beschuldigde Zarrías ervan dat hij Marco Barreda, van Informáticalidad, opdracht had gegeven met hetzelfde verhaal op de proppen te komen. Zarrías gunde Falcón zelfs niet het genoegen bij het horen van deze nieuwe naam een blijk van herkenning te geven. Falcón liet Barreda met veel vertoon naar de Jefatura halen om ook hem te ondervragen. Zarrías volhardde, wetende dat nu het verschil werd gemaakt tussen leven en levend dood zijn.

Het was dik tien uur toen Falcón weer op de moord op Tateb Hassani terugkwam. Zarrías was bleek en zag eruit alsof het hem veel moeite kostte de muur van bedrog overeind te houden. Eén oog was bloeddoorlopen, en de huid onder zijn ogen zakte zover door dat het rauwe, glinsterende, dooraderde vlees blootlag.

'Laten we het nog even over Tateb Hassani hebben,' zei Falcón. 'Een personeelslid van Rivero, ene Mario Gómez, heeft gezien dat jij met Rivero en Hassani naar het kantoor van Fuerza Andalucía op de eerste verdieping van Rivero's huis liep. Hij had daar net een buffet voor jullie klaargezet, omdat jullie er gingen eten. Het was kwart voor tien. Rivero heeft ons verteld dat Agustín Cárdenas even later zijn auto onder de boog van de ingang parkeerde. Vertel eens wat er is gebeurd tussen het moment dat jullie naar boven liepen en het moment dat het lijk van Tateb Hassani naar beneden werd gebracht en in de Mercedes E500 van Agustín Cárdenas werd geladen.'

'We hebben een glas koele manzanilla gedronken en wat olijven gegeten. Agustín kwam iets na tienen binnen. We hebben onszelf van het buffet opgeschept. Eduardo trok een speciale fles wijn open, een van zijn Vega Sicilia's. We hebben gegeten, gedronken en gepraat.'

'Hoe laat arriveerden Lucrecio Arenas en César Benito?'

'Die arriveerden helemaal niet. Ze zijn er niet geweest.'

'Volgens Mario Gómez was er genoeg eten voor acht mensen.'

'Eduardo is altijd genereus geweest met zijn porties.'

'Op welk moment hebben jullie het cyanide in het eten van Tateb Hassani gestopt?'

'Denk maar niet dat ik ga verklaren dat ik schuldig ben,' zei Angel. 'Dat oordeel laat ik aan de rechtbank over.'

'Hoe heb je Tateb Hassani leren kennen?'

'We hebben elkaar in de Kamer van Koophandel ontmoet.'

'Wat heeft Tateb Hassani voor jullie gedaan?'

'Hij hielp ons onze immigratiepolitiek op te stellen.'

'Volgens Jesús Alarcón is dat maanden geleden al gedaan.'

'Tateb Hassani wist heel veel van Noord-Afrika. Hij had VN-rapporten gelezen over de bestorming van de enclaves Ceuta en Melilla door illegale immigranten. We wilden nieuwe ideeën in onze politiek opnemen. We wisten natuurlijk niet dat de timing van zijn hulp, in het licht van wat er op 6 juni is gebeurd, zo goed zou zijn.'

Falcón meldde dat het verhoor werd beëindigd en zette de recorder uit. Het was nu belangrijk Zarrías voor het volgende verhoor klaar te stomen. Het stond op zijn gezicht te lezen dat hij doodop was, maar hij had zich in zichzelf teruggetrokken en balde zijn krachten samen tot een defensieve kern. Falcón had alleen schade aan de buitenkant aangericht; het was tijd om hem kwetsbaar te maken.

'Ik moest het Manuela wel vertellen,' zei Falcón. 'Je weet hoe ze is. Ik heb haar verteld dat jullie Tateb Hassani wel moesten vermoorden omdat hij de enige buitenstaander in de samenzwering was, en in die zin het enige gevaar. Zolang hij in leven bleef, was Fuerza Andalucía kwetsbaar. Manuela is niet gewend aan zulke generalisaties, dus ik heb het iets concreter voor haar moeten maken: dat jullie hem hebben ingehuurd, en waar het bewijs van zijn handschrift werd gevonden. Ze kent je, natuurlijk, Angel. Ze kent je zelfs heel goed. Maar ze had niet beseft dat je zo geobsedeerd was. Ze had niet beseft dat je radicale ideeën extremistisch waren geworden. Ze bewonderde je zo, Angel. Dat weet je toch? Je hebt haar enorm geholpen met je positieve energie. Je hebt mij ook geholpen. Je hebt mijn relatie met haar gered, en die was heel belangrijk voor me. Ik denk dat ze je deze dwaze poging om eindelijk bruikbare macht te krijgen had kunnen vergeven, ook al ging ze niet mee in jouw overtuigingen. Ze vond je in ieder geval wel integer. Maar één ding kan ze je niet vergeven.'

Zarrías keek nu op, alsof hij net aan zijn eigen oppervlak was komen drijven. De vermoeide, gekwetste en uitgezakte ogen stonden plotseling weer vol leven. Op dat moment realiseerde Falcón zich iets waarvan hij nooit volledig overtuigd was geweest: Angel hield van Manuela. Falcón wist dat zijn zus knap was en genoeg mensen hadden tegen hem gezegd dat ze haar grappig vonden en dat ze levenslust uitstraalde. Hij had gezien hoe ze mannen aandoenlijk wist te treffen door zowel de rol van het kleine meisje als die van de volwassen vrouw te spelen. Maar Falcón kende haar zo goed dat hij zich niet kon voorstellen dat iemand die geen familie van Manuela was voor de volle honderd procent van haar kon houden: ze had te veel slechte eigenschappen en onhebbelijkheden en die kwamen voortdurend aan het licht. Maar ze had Angel onmiskenbaar iets gegeven wat hij in zijn huwelijk had gemist, want het leed geen twijfel dat hij móest weten waarom ze hem haatte.

'Ik luister,' zei Zarrías.

'Ze heeft je niet vergeven hoe je die ochtend met haar hebt gesproken terwijl je wist dat de bom zou ontploffen voordat haar huizen waren verkocht.'

39

Rabat, vrijdag 9 juni 2006, 08.45 uur

Yacoub zat in de bibliotheek van het huis van de beweging in de medina. Plotseling, zonder waarschuwing vooraf, waren ze er, de vier mannen die om hem heen gingen staan. Ze trokken een zwarte kap over zijn hoofd en bonden zijn handen met plastic boeien achter zijn rug. Niemand zei iets. Ze namen hem mee door het huis de straat op en duwden hem op de beenruimte voor de achterbank van een auto. Daarna stapten drie mannen in die hun voeten op zijn buik en benen zetten. De auto reed weg.

Ze reden uren. Yacoub lag oncomfortabel, maar ze reden gelukkig wel over asfalt. Hij hield zijn angst onder controle door in zichzelf te herhalen dat dit bij het initiatieritueel hoorde. Uiteindelijk reden ze de weg af en de auto zwoegde verder over een hobbelig karrenspoor. Het was heet. Er was geen airco in de auto. De ramen stonden open. Het moest stoffig zijn – dat proefde hij ondanks de kap over zijn hoofd. Ze reden nog een uur schommelend over het karrenspoor. Toen kwam de auto tot stilstand. Yacoub hoorde het mechanisme van een geweer, gevolgd door een intense stilte, alsof ieder gezicht in de auto zorgvuldig werd bekeken. Ze kregen te horen dat ze door mochten rijden.

De auto reed nog een kwartier en stopte opnieuw. De portieren gingen open en Yacoub werd naar buiten getrokken, waarbij hij zijn oosterse muiltjes verloor. Ze renden zo hard over de rotsachtige bodem dat hij struikelde. Hij verloor zijn evenwicht, maar daar besteedden ze geen aandacht aan, ze sleepten hem voort. Er ging een deur open. Hij werd over een vloer van aangestampte aarde getrokken. Toen een paar treden naar beneden. Hij sloeg tegen een muur. Viel op de grond. De deur ging dicht. Voetstappen verwijderden zich. Er kwam geen licht door de dichte stof van de kap. Hij luisterde geconcentreerd en hoorde een geluid dat niet uit dezelfde ruimte leek te komen. Het was een menselijk geluid. Het kwam uit de keel van een man die kreunde en naar adem snakte, alsof hij hevige pijn leed. Hij riep naar de man, maar er gebeurde niets behalve dat hij ophield met kreunen en alleen nog zacht snikte.

Het geluid van naderende voetstappen zette Yacoubs hartslag in de hoogste versnelling. De deur ging open. Zijn mond werd kurkdroog. Het leek alsof de kamer volstond met mensen die schreeuwden en hem duwden. In de andere ruimte werd geschreeuwd en klonk de smekende stem van de man. Ze tilden Yacoub horizontaal op en namen hem, het gezicht naar beneden, mee terug de trap op, naar buiten, de ruwe bodem over. Ze lieten hem vallen en deden een stap achteruit. Wie er beneden ook in een van de andere cellen gelegen mocht hebben, was nu buiten, vlak bij hem, kermend van de pijn. Naast Yacoubs oor klikte het mechanisme van een geweer. Zijn hoofd werd omhooggetrokken, iemand rukte de kap eraf. Hij zag de voeten van een man, een bloederige brij. Hij werd van achteren bij zijn haar gegrepen en in de richting van de man die voor hem op de grond lag geduwd. Een geweerschot, hard, vlak bij hem. Er ging een schok door het hoofd van de man en er spoot een substantie uit. Zijn bloederige voeten bewogen krampachtig. Ze trokken de kap weer over Yacoubs hoofd. De loop van een geweer werd in zijn nek gezet. Zijn hart bonsde in zijn oren. Hij hield zijn ogen stijf dicht. Achter zijn hoofd ging de trekker over.

Ze tilden hem weer op. Het leek alsof ze nu zachtaardiger waren. Ze voerden hem af. Er was geen haast meer. Hij werd een huis binnengeleid en op een stoel gezet. Ze verwijderden de plastic handboeien en de kap. Het zweet stroomde over zijn nek in de kraag van zijn djellaba. Een jongen zette zijn muiltjes bij zijn voeten. Iemand schonk een glas muntthee voor hem in. Hij was zo gedesoriënteerd dat hij er niet eens in slaagde de gezichten om hem heen in zich op te nemen. Ze verlieten de kamer. Hij liet zijn hoofd op het tafelblad zakken, hapte naar lucht en huilde.

Door de kap hadden zijn ogen geen moeite met het schemerduister in de kamer. In een hoek stond een eenpersoonsbed. Eén wand ging schuil achter boeken. De luiken voor de ramen waren gesloten. Hij nipte van de thee. Zijn hartslag zakte onder de honderd slagen per minuut. Zijn keel, die van paniek was dichtgeknepen, ontspande. Hij liep naar de boeken en bekeek de titels stuk voor stuk. De meeste gingen over architectuur en techniek, dikke boekdelen over gebouwen en machines. Er waren zelfs een paar handboeken over autotechniek en dikke werkplaatshandboeken voor terreinwagens. Ze waren allemaal in het Engels, Frans of Duits. De enige Arabischtalige boeken waren acht dichtbundels. Hij ging weer zitten.

Er kwamen twee mannen binnen die hem formeel maar warm welkom heetten. De een noemde zich Mohamed, de andere Abu. Ze werden gevolgd door een jongen die een dienblad met thee, glazen en een bord met een plat brood droeg. Beide mannen hadden een volle baard en droegen een donkerbruine boernoes en legerlaarzen. Ze gingen aan tafel zitten. De jongen schonk thee in en vertrok. Abu en Mohamed namen Yacoub zorgvuldig op.

'Dit is normaalgesproken geen onderdeel van onze initiatieprocedure,' zei Mohamed.

'Een lid van onze raad vond dat je een speciaal geval was omdat je zo veel contacten in het buitenland hebt,' zei Abu.

'Hij vond het nodig om je duidelijk te maken hoe verraders worden gestraft.'

'We waren het niet met hem eens,' zei Abu. 'Volgens ons heeft iemand die de naam van Abdullah Diouri draagt zo'n demonstratie niet nodig.'

Yacoub beantwoordde de eer die zijn vader werd bewezen. Er werd weer thee ingeschonken, er werd genipt. Het brood werd gebroken en rondgedeeld.

'Woensdag kwam een vriend van je bij je op bezoek,' zei Mohamed.

'Javier Falcón,' zei Yacoub.

'Waar wilde hij je over spreken?'

'Hij doet het onderzoek naar de aanslag in Sevilla,' zei Yacoub.

'We weten precies wie hij is,' zei Abu. 'We willen alleen weten waar jullie het over hebben gehad.'

'De Spaanse inlichtingendienst heeft hem gevraagd mij voor hen te benaderen,' zei Yacoub. 'Hij vroeg of ik hun informant wilde worden.'

'En wat heb je tegen hem gezegd?'

'Ik heb tegen hem gezegd wat ik ook tegen de Amerikanen en de Engelsen heb gezegd toen die me met hetzelfde voorstel benaderden,' zei Yacoub. 'Daarom ben ik nu hier.'

'Hoezo?'

'Doordat ik al deze mensen, die mij zonder eerbied hebben bejegend omdat ze me geld voor mijn diensten aanboden, heb afgewezen, besefte ik dat ik stelling moest nemen. Als ik zo zeker was dat ik niet bij hen wilde horen, lagen mijn loyaliteiten dus elders. Ik wees hen af omdat ik anders alles waar mijn vader voor stond, zou verraden. Als de zaken er zo voor stonden, moest ik stelling nemen: vóór waarin ik geloof, tegen de decadentie die hij verachtte. Daarom ging ik, zodra mijn vriend was vertrokken, regelrecht naar de moskee in Salé, en liet ik weten dat ik waar mogelijk wilde helpen.'

'Beschouw je Javier Falcón nog steeds als een vriend?'

'Ja. Hij deed het niet voor zichzelf. Ik zie hem nog steeds als een man van eer.'

'We hebben de nasleep van de aanslag in Sevilla met belangstelling gevolgd,' zei Mohamed. 'Zoals je waarschijnlijk weet, heeft de ontwrichting van de bom onze plannen flink door elkaar gegooid, wat veel reorganisatie heeft gevergd. We hebben begrepen dat er vannacht een aantal arrestaties is verricht. Er worden drie mannen vastgehouden. Ze zijn alle drie lid van Fuerza Andalucía, een politieke partij met anti-islamitische opvattingen die ze in de regionale politiek willen verwezenlijken. We hebben ze nauwlettend in de gaten gehouden. Onlangs hebben ze een nieuwe leider gekozen, van wie we weinig weten. We weten wel dat de drie mannen worden verdacht van moord. Ze zouden een afvallige verrader hebben vermoord, Tateb Hassani. Dat is voor ons niet belangrijk. De drie mannen zijn, denken wij, ook onbelangrijk. We willen graag weten – en we denken dat je vriend, Javier Falcón, daarbij kan helpen – wie opdracht hebben gegeven om de moskee op te blazen.'

'Als hij dat wist, zouden de daders gearresteerd zijn.'

'Dat denken wij niet,' zei Abu. 'Wij denken dat ze zo veel macht hebben dat je vriend ze niets kan maken.'

Sevilla, vrijdag 9 juni 2006, 10.00 uur

Falcón wist dat het ontstemmen van Angel Zarrías niet direct resultaat zou opleveren; hij hoopte er onzichtbare structurele schade mee aan te richten die later aan zijn ineenstorting zou bijdragen. Angel Zarrías had zich blootgegeven – natuurlijk, hoe kon het ook anders? Terwijl hij orde op zaken probeerde te stellen en tegen de corrumperende krachten van het materialisme en de meedogenloze energie van de radicale islam ten strijde trok, werd zijn partner, de vrouw van wie hij hield, verteerd door haar pathetische behoeften en zorgen, en had ze een driftbui gekregen alsof ze een verwende kleuter was. In de ogen van Zarrías was dat tekenend voor alles wat er aan het moderne bestaan, dat hij was gaan verachten, mankeerde. En met zijn verachting rechtvaardigde hij dat hij dezelfde corrupte krachten en radicale energie aanwendde om de zinloze wereld weer in het gareel te krijgen.

Falcón was bang dat de woede die door zijn onthulling van Manuela's verhoudingsgewijs onbeduidende chagrijn was gewekt, een fatale embolie of een dodelijk hartinfarct zou kunnen veroorzaken. Vijfenveertig jaar politieke frustratie was tot uitbarsting gekomen. Dat had weliswaar tot wat gehakkelde bekentenissen geleid die bewezen dat hij en Fuerza Andalucía bij de samenzwering waren betrokken, maar het hielp het onderzoek niet over de grens naar vooralsnog onbekende gebieden.

Zoals afgesproken deed Falcón tussen halfelf en twaalf uur geen verhoor. Hij ging naar de begrafenis van Inés Conde de Tejada. Hij reed naar begraafplaats San Fernando in het noorden van de stad. Toen hij dichterbij kwam, telde hij drie televisiebusjes en zeven cameraploegen.

Iedereen van het Edificio de los Juzgados en het Palacio de Justicia was op de begraafplaats aanwezig. Tegen de tweehonderd mensen dromden samen bij de hekken. De meesten van hen rookten. Falcón kende iedereen en het duurde even voordat hij zich een weg door de mensen had gebaand en de ouders van Inés had bereikt.

Haar ouders waren toch al niet groot, maar de dood van hun dochter had hen nog kleiner gemaakt. De gruwelijkheid ervan had hen ineen doen krimpen, en bovendien waren ze overweldigd door het aantal mensen om hen heen. Falcón condoleerde hen en de moeder van Inés kuste hem en klampte zich zo stevig aan hem vast dat het leek alsof hij haar reddingsboei op de zee van het mensdom was. De handdruk van haar man was krachteloos. Zijn gezicht was willoos, zijn ogen waren vochtig. Hij was in één nacht tien jaar ouder geworden. Hij sprak alsof hij Falcón niet herkende. Falcón wilde net weglopen toen Inés' moeder zijn arm greep en hem met hese stem toefluisterde: 'Ze had bij jou moeten blijven, Javier.' Wat moest je daar op zeggen?

Falcón voegde zich bij de mensen die over het door bomen omzoomde pad naar het mausoleum van de familie liepen. De cameraploegen waren in de buurt, maar bewaarden afstand. De kist werd de trap op gedragen en verschillende vrouwen weeklaagden luid. Gelegenheden als deze maakten, vooral als de betreurde te jong was overleden, zo veel verdriet los dat ook veel mannen hun zakdoek tevoorschijn haalden. Toen een oudere vrouw, op het moment dat de kist door de duisternis werd opgeslokt, 'Inés, Inés!' riep, ging er een golf van verdriet door de menigte.

Na de ceremonie gingen de mensen uiteen. Falcón liep terug naar zijn auto, het hoofd gebogen en de keel dichtgesnoerd, waardoor hij de mensen die hem probeerden aan te spreken niet te woord kon staan. Hij was opgelucht dat hij in zijn eentje terugreed en zijn verstikte emoties de vrije loop kon laten. Toen hij bij de Jefatura was aangekomen, huilde hij even, zijn voorhoofd op het stuur. Toen vermande hij zich en ging naar binnen voor de volgende verhoorronde.

Rond lunchtijd wist iedereen wat het fundamentele probleem was. Zelfs Rivero, de zwakste van de drie, weigerde zijn ondervragers de noodzakelijke link tussen Fuerza Andalucía en de bommenleggers te geven. Zelfs de connectie met Informáticalidad werd door geen van hen bekend, laat staan die met Lucrecio Arenas en César Benito.

Tijdens een overleg tussen Elvira, Del Rey en Falcón over de vraag wat de zwaarst haalbare aanklachten waren om de drie langer vast te houden, opperde Elvira dat ze de connectie niet boven water kregen omdat hij niet bestond.

'Ze moeten het werk van Hassani aan iemand anders hebben overhandigd,' zei Del Rey.

'Volgens mij gaan we er inmiddels allemaal van uit dat het kaartje van de elektricien, dat via Botín in handen van de imam is gekomen, Ricardo Gamero het gevoel heeft gegeven dat hij verantwoordelijk was,' zei Falcón. 'Mark Flowers vertelde me dat de imam op zwaardere surveillance had gerekend. Sterker nog, hij wilde dat het microfoontje in zijn kamer geplaatst zou worden, zodat de antiterreureenheid van de CGI zou ontdekken wat Hammad en Saoudi van plan waren. Vanzelfsprekend wist niemand dat er naast het microfoontje ook een bom geplaatst zou worden. Het gaat erom dat Gamero voor uitleg terugging naar de persoon die hem het kaartje had gegeven. Wie heeft het kaartje aan Zarrías gegeven?'

'Het is niet ondenkbaar dat Zarrías ook niets van de bom afwist,' zei Elvira. 'Hij kan hebben gedacht dat de surveillance door Informáticalidad werd uitgebreid.'

'De man die ik hier echt graag zou willen zien, is Lucrecio Arenas,' zei Falcón. 'Hij manoeuvreerde zijn protégé, Jesús Alarcón, in een positie om het leiderschap van Rivero over te kunnen nemen. Hij is een oude vriend van Angel Zarrías en hij was betrokken bij de Horizonte-groep, de werkgever van Benito en Cárdenas, het moederbedrijf van Informáticalidad.'

'Maar zolang deze kerels hem er niet bij lappen, resteert ons niets anders dan met hem te gaan praten,' zei Del Rey. 'Je kunt hem niet onder druk zetten. Dat we zo ver zijn gekomen is te danken aan het feit dat Tateb Hassani zaterdagavond laat in Rivero's huis is gezien, en aan het feit dat

Rivero het hoofd verloor en nerveus werd toen Inspector Ramírez hem de eerste keer onder handen nam.'

Falcón zat in de observatieruimte klaar voor de volgende verhoren die om vier uur zouden beginnen. Tegen vijven stond Gregorio opeens naast hem.

'Yacoub wil je spreken,' zei hij.

'Ik dacht dat we vanavond pas zouden chatten.'

'We hebben Yacoub de mogelijkheid gegeven in noodgevallen contact te leggen,' zei Gregorio. 'Het heeft met de initiatierite te maken.'

'Ik heb het boek van Javier Marías niet bij me.'

Gregorio haalde een reserve-exemplaar uit zijn aktetas. Ze liepen naar de kamer van Falcón, waar Gregorio achter de computer ging zitten.

'Misschien is er deze keer een grotere vertraging tussen de verschillende chatregels,' zei Gregorio. 'Voor de decodering gebruiken we verschillende soorten software, en deze is wat trager.'

Gregorio stond Falcóns stoel af en liep naar het raam. Falcón ging achter de computer zitten en startte de chatsessie met Yacoub, die opende met de opmerking dat hij weinig tijd had, waarna hij kort verslag deed van wat er die ochtend was gebeurd. Hij beschreef de executie waar hij getuige van was geweest, maar zijn eigen schijnexecutie niet. Falcón draaide weg van het computerscherm.

'Dit gaat veel te ver,' zei hij. Gregorio las over Falcóns schouder wat Yacoub hem had geschreven.

'Kalmeer hem, zorg dat hij rustig blijft,' zei Gregorio. 'Ze waarschuwen hem alleen maar.'

Falcón begon net te tikken toen er een nieuwe paragraaf van Yacoub doorkwam.

'Belangrijke dingen in willekeurige volgorde. 1) Ik werd om ongeveer kwart voor negen 's ochtends uit het huis in de medina meegenomen. We zijn ongeveer drieënhalf uur onderweg geweest, en daarna duurde het nog ongeveer veertig minuten voor ik twee mannen ontmoette die zich voorstelden als Mohamed en Abu. Ze vertelden me dat ze de aanslag in Sevilla nauwgezet volgen. 2) Ze vertelden dat de "ontwrichting" van de bom hun plannen flink door elkaar heeft gegooid, wat veel reorganisatie heeft gevergd. 3) Ik werd achtergelaten in een kamer met veel boeken langs een muur. Ze gingen allemaal over architectuur of over techniek. Er stond ook een aantal werkplaatshandboeken voor terreinwagens. 4) Ze wisten dat er drie mannen van de politieke partij Fuerza Andalucía zijn gearresteerd en dat ze worden verdacht van de moord op een “afvallige verrader” die Tateb Hassani heet. Ze weten ook dat die moord op de een of andere manier met de aanslag in Sevilla in verband staat. Volgens hen zijn deze mannen “onbelangrijk”. 5) Van jou willen ze de volgende informatie, Javier: de identiteit van de mannen die verantwoordelijk waren voor het beramen van de aanslag op de moskee in Sevilla. Ze weten van de drie arrestaties, en ze denken dat je weet wie de echte daders zijn maar dat die zo machtig zijn dat jij ze niets kunt maken.

Ik verwacht niet direct antwoord. Ik begrijp dat je eerst moet overleggen. Ik heb je antwoorden zo snel mogelijk nodig. Als ik hen deze informatie kan geven, stijg ik enorm in het aanzien van de raad.’

‘Dat laatste hoef ik niet eens in overweging te nemen,’ zei Falcón. ‘Dat kan ik niet doen.’

‘Wacht even, Javier,’ zei Gregorio, maar Falcón typte zijn antwoord al:

‘Yacoub, het is volstrekt uitgesloten dat ik je die informatie kan geven. We hebben wel verdenkingen, maar we kunnen niets bewijzen. Ik neem aan dat de leiders van de raad wraak willen nemen voor de aanslag op de moskee, en daar wil ik niet medeverantwoordelijk voor zijn.’

Falcón moest Gregorio wegduwen toen hij de verzendtoets indrukte. Vlak daarna flikkerde het scherm en maakte de beveiligde site van het CNI plaats voor de home page van msn. Gregorio rommelde nog wel even met het toetsenbord om de website terug te krijgen, maar hij kreeg geen toegang. Hij liep naar het raam en belde iemand.

‘We zijn de verbinding kwijt,’ zei hij.

Na een tijdje te hebben geluisterd en geknikt, klapte hij zijn mobiele telefoon dicht.

‘Het ligt aan de decoderingssoftware. Ze hebben het contact uit voorzorg verbroken.’

‘Is mijn laatste paragraaf nog wel doorgekomen?’

‘Ze zeiden van wel.’

‘Tot bij Yacoub?’

‘Dat weet ik nog niet,’ zei Gregorio. ‘We komen vanavond om elf uur bij jou thuis opnieuw bij elkaar. Dan heb ik tijd gehad om met Juan en Pablo te bespreken wat Yacoub schreef en wat we daarmee aan moeten.’

40

Sevilla, vrijdag 9 juni 2006, 17.45 uur

Toen Falcón over de gang naar de verhoorkamers liep, kwam hij Elvira en Del Rey tegen. Ze hadden hem lopen zoeken. De computerspecialisten van de technische recherche hadden de harde schijf van de computers van Fuerza Andalucía gekraakt. Uit artikelen en foto's die op een van de computers waren gevonden, bleek dat de gebruiker ruw materiaal verzamelde voor webpagina's van VOMIT. Uit andere bestanden op dezelfde computer bleek onmiskenbaar dat die gebruiker Angel Zarrías was. Zo te zien ergerde het Elvira dat Falcón niet van dit nieuws onder de indruk was, maar Falcón was in gedachten nog met Yacoub bezig.

'Hiermee kunnen we de druk op hem opvoeren,' zei Elvira. 'Het brengt Zarrías en Fuerza Andalucía dichter bij het hart van de samenzwering.'

Daar had Falcón geen kant-en-klare mening over.

'Dat weet ik nog niet zo net,' zei Del Rey. 'Het kan ook als een aparte entiteit zijn geconstrueerd. Zarrías kan best zeggen dat het een persoonlijke veldtocht is. Het enige wat hij heeft gedaan is de computer van Fuerza Andalucía gebruiken om de artikelen op te stellen, ze op cd te branden en aan een of andere sukkel te geven die hem anoniem op de website van VOMIT zet. Ik zou niet weten hoe dat ons een pressiemiddel moet opleveren.'

Falcón keek van de ene man naar de andere, nog steeds zonder iets te zeggen. Elvira werd op zijn mobiele telefoon gebeld en nam op. Falcón liep de gang in.

'Dat was Comisario Lobo,' zei Elvira. 'De media worden erg ongeduldig.'

'Wat is de media tot nog toe over de mannen hier verteld?' vroeg Falcón, die naar Elvira terugliep.

'Dat ze worden verdacht van moord en van samenzwering met moord tot gevolg,' zei Elvira.

'Is de naam van Tateb Hassani naar buiten gebracht?'

'Nog niet. Als zijn naam bekend wordt, onthullen we te veel over waar we op dit moment in ons onderzoek staan,' zei Elvira. 'We hebben nog steeds oog voor de verwachtingen van het publiek.'

'Ik ga weer aan de slag,' zei Falcón. Hij keek op zijn horloge. 'Ik moet Eduardo Rivero zo verhoren. Zeg eens, hebben de forensische experts al bloedsporen in de burelen van Fuerza Andalucía gevonden? En speciaal in de badkamer?'

'Daar heb ik nog niets over gehoord,' zei Elvira, terwijl hij met Del Rey wegliep.

Alle ondervragers stonden op de gang waaraan de verhoorkamers lagen. Een ambulancemedewerker in een fluorescerend groen pak praatte met Ramírez, die over zijn schouder Falcón zag.

'Rivero is ingestort,' zei hij. 'Hij hapte naar lucht, werd duizelig en viel van zijn stoel.'

Rivero lag op de grond, met aan weerszijden een ambulancebroeder die hem zuurstof toedienden.

'Wat is er aan de hand?' vroeg Falcón.

'Hartritmestoornissen en een te hoge bloeddruk,' zei de broeder. 'We nemen hem mee naar het ziekenhuis en houden hem in observatie. Zijn hartslag ligt in de buurt van de honderdzestig en is volstrekt onregelmatig. Als we dat niet omlaag krijgen, loopt hij gevaar dat het bloed in zijn hart een plas vormt en gaat klonteren. Als zo'n prop losschiet, kan hij een hartaanval krijgen.'

'Verdomme,' zei Ramírez. 'God weet hoe de media dit gaan brengen. Zo meteen zeggen ze dat het hier een Abu Graib is.'

Alle ondervragers dachten dat Rivero van de drie verdachten degene was die het minst met de eigenlijke samenzwering had te maken. Zijn rol was beperkt tot die van partijleider, en omdat het de bedoeling was geweest hem af te zetten en zijn positie aan Jesús Alarcón over te dragen, lag het voor de hand dat hij niet over alle informatie beschikte. Hij was ingestort tijdens een niet aflatende stroom vragen van Inspector Jefe Ramón Barros over de ware reden voor het afstand doen van het leiderschap. Het had hem te veel moeite gekost vast te houden aan het verhaal dat hij te oud werd terwijl de waarheid langzaam tot hem door begon te dringen.

Even na zeven uur werd Marco Barreda, de vertegenwoordiger van Informáticalidad, binnen gebracht. Hij kwam net uit Barcelona en was meteen na de landing op het vliegveld gearresteerd. Ze hadden de gegevens van zijn mobiele telefoon, maar hij had geen enkel telefoonnummer van Angel Zarrías gedraaid. Falcón zorgde ervoor dat Zarrías kreeg te horen dat Barreda ook naar de Jefatura was gebracht. Zarrías was er niet van onder de indruk. Barreda werd anderhalf uur ondervraagd over zijn relatie tot Ricardo Gamero, maar week niet af van het verhaal dat hij in eerste instantie had verteld. Ze lieten hem om halfnegen gaan en logen tegen Zarrías dat Barreda had gezegd dat Gamero helemaal niet had verteld dat hij verliefd op hem was en dat hij niet eens homo was. Zarrías geloofde er niets van.

Om negen uur hield Falcón het niet meer uit. Hij liep naar buiten voor wat frisse lucht, maar als je vanuit de gekoelde Jefatura buitenkwam, was het er heet en benauwd. Hij dronk een café solo in de bar aan de overkant van de straat. Zijn hoofd liep over, de situatie met Yacoub en het verhoor van de drie verdachten werden hem te veel. Hij nam een paar slokken water om de bittere smaak van de koffie weg te spoelen en dacht aan wat Zorrita de avond ervoor had gezegd.

Hij liep terug naar de Jefatura, ging naar de cellen beneden en vroeg de dienstdoende agent of hij Esteban Calderón kon spreken. Esteban lag in de laatste cel op zijn rug naar de bovenkant van zijn handen te kijken. De bewaker sloot Falcón in. Calderón ging rechtop op zijn brits zitten.

'Ik had niet gedacht dat je zou komen,' zei hij.

'Ik dacht dat het niet veel zin zou hebben,' antwoordde Falcón. 'Ik kan je niet helpen en ik kan je zaak niet met je bespreken. Ik ben hier alleen maar uit nieuwsgierigheid.'

'Ik lag over ontkenning na te denken,' zei Calderón.

Falcón knikte.

'Ik weet dat jij dat in je werk vaak tegenkomt.'

'Niemand voelt zich zo schuldig als een moordenaar,' zei Falcón, 'en ontkenning is de sterkste verdediging die het menselijke brein te bieden heeft.'

'Wou je het proces vast met me doornemen?' vroeg Calderón. 'De theorie is altijd anders dan de praktijk.'

'Het motief voor een desastreuze maatregel als moord staat pas ná het misdrijf in een absurde en onevenredige verhouding tot de ernst van het misdrijf,' zei Falcón. 'Iemand vermoorden om iets onbetekenends als jaloezie lijkt gekkenwerk, een belediging van het intellect. De efficiëntste manier om daarmee om te gaan, is het te ontkennen. En als je eenmaal met ontkennen bent begonnen, duurt het niet lang voordat de geest een versie van de gebeurtenissen heeft gecreëerd die de hersens voor de absolute waarheid aanzien.'

'Ik probeer zo zorgvuldig mogelijk te zijn,' zei Calderón.

'Soms volstaat zorgvuldigheid niet om een diepgewortelde wens uit te roeien,' zei Falcón.

'Dat is het hem nou juist, Javier,' zei Calderón. 'Ik snap niet dat het brein aan de genade van de ziel is overgeleverd. Ik begrijp niet dat informatie, feiten en andere dingen die we hebben gezien en gehoord, zo eenvoudig getransformeerd, opnieuw gerangschikt en gemanipuleerd kunnen worden. En waardoor? Wat is het? Wat is de ziel?'

'Misschien is het niet zo'n goed idee om jezelf, als je in een gevangeniscel ligt, met onbeantwoordbare vragen te kwellen,' zei Falcón.

'Iets anders heb ik niet te doen,' zei Calderón. 'Ik kan mijn hersensactiviteiten niet stilleggen. Mijn hersens stellen me die vragen.'

'Het vervullen van een droom is een sterke menselijke behoefte, zowel op individueel als op collectief niveau.'

'Dat weet ik. Daarom neem ik mezelf ook zo zorgvuldig onder de loep,' zei Calderón. 'Ik ben bij het begin begonnen en heb al een paar moeilijke dingen toegegeven.'

'Ik ben je biechtvader niet en evenmin je psycholoog, Esteban.'

'Maar na Inés ben jij wel degene die ik het meeste onrecht heb aangedaan.'

'Je hebt *míj* niets misdaan, Esteban. En als je dat wel had gedaan, zou ik het niet hoeven weten.'

'Maar ik wil dat je het weet.'

'Ik kan je geen absolutie geven,' zei Falcón. 'Daar ben ik niet de juiste persoon voor.'

'Ik wil je alleen laten zien met hoeveel zorgvuldigheid ik mezelf onderzoek.'

Falcón moest toegeven dat hij nieuwsgierig was. Hij leunde achterover tegen de muur en haalde zijn schouders op. Calderón zocht even naar de juiste formulering.

'Ik heb Inés verleid,' zei hij. 'Ik nam me willens en wetens voor haar te verleiden. Niet omdat ze zo mooi of intelligent was, en ook niet om de vrouw die ze was. Ik nam me voor haar te verleiden omdat ze met jou ging.'

'Met mij?'

'Niet om wie je was, de zoon van de beroemde Francisco Falcón, wat jou in de ogen van Inés interessant maakte. Het had meer te maken met... Ik weet niet hoe ik dit moet zeggen... Jouw anderszijn. Je was niet erg geliefd in die tijd. De meeste mensen vonden je kil en afstandelijk, en dus arrogant en uit de hoogte. Ik zag iets wat ik niet begreep. En de meest voor de hand liggende manier, de meest vanzelfsprekende manier voor míj om jou te begrijpen, was je vrouw te versieren. Wat zag die prachtige, bewonderde vrouw in jou dat ik niet had? Daarom begon ik haar te verleiden. Maar ironisch genoeg heeft ze me daar geen enkel inzicht in gegeven. En voordat ik het wist was het niet langer de affaire die me voor ogen had gestaan: we werden een publiek geheim. En als het om public relations ging, lag ze altijd een straatlengte op me voor. Ze manipuleerde mensen en situaties met volmaakt gemak. Dus werden wij het gouden koppel en jij de hoorndrager om wie mensen achter zijn rug grappen maakten. En ik beken nu, Javier, zodat je weet wie je voor je hebt, dat ik ervan genoot. Want dat ik je niet begreep, gaf me het gevoel zwak te zijn. Nu was ik je de baas, en daardoor voelde ik me sterk.'

'Weet je wel zeker dat je me dit allemaal wilt vertellen?' vroeg Falcón.

'Het volgende gaat niet zo over jou persoonlijk,' zei Calderón terwijl hij hem vastpakte, alsof hij bang was dat Falcón weg zou gaan. 'Het is belangrijk dat je weet wat voor... Ik wilde zeggen "man" ik ben, maar dat woord is niet echt op mij van toepassing. Herinner je je Maddy Krugman?'

'Ik mocht haar niet,' zei Falcón. 'Ze gaf me een onheilspellend gevoel.'

'Zij is waarschijnlijk de mooiste vrouw met wie ik nooit naar bed ben geweest.'

'Ben je niet met haar naar bed geweest?'

'Ze was niet in me geïnteresseerd,' zei Calderón. 'Schoonheid, en dan bedoel ik grote schoonheid, is zowel een groot bezit als een grote vloek voor een vrouw. Iedereen voelt zich tot haar aangetrokken. Het is voor gewone mensen moeilijk voor te stellen hoeveel druk dat geeft. Iedereen probeert een mooie vrouw te behagen. Bij iedereen slaat een vonk over, niet alleen bij mannen. En omdat die druk voortdurend aanwezig is, heeft ze geen flauw idee wie goede bedoelingen heeft, wie ze moet uitkiezen. Natuurlijk pikt ze de arme, karakterloze drommel bij wie het kwijl op de revers druipt er nog wel uit. Maar er zijn er honderden, zo niet duizenden, met geld, charme en charisma, die nog briljant zijn ook. Maddy mocht jou omdat je haar schoonheid negeerde...'

'Dat klopt niet helemaal. Ik was net zo onder de indruk van haar schoonheid als ieder ander.'

'Maar je liet je beeldvorming er niet door beïnvloeden, Javier. Dat merkte Maddy, en dat vond ze fijn. Ze was door jou geobsedeerd. En ik moest haar natuurlijk veroveren. Ze plaagde me. Ze speelde met me. Ik amuseerde haar. Meer niet. En het ergste van alles was dat ik met haar over jou moest praten. Dat was onverdraaglijk. Volgens mij wist je wel dat het me van binnen opvrat.'

Falcón knikte.

'Toen we in dat finale en fatale scenario met Maddy en haar echtgenoot terechtkwamen... moest ik daar achteraf over liegen. Ik pleegde meineed omdat ik niet tegen jouw moed kon. De houding waarmee je de situatie tegemoet trad, verdroeg ik niet. '

'Ik kan je melden dat ik me niet echt moedig vóelde.'

'Dan kon ik er niet tegen dat jij je angst overwon en dat ik als verlamd op de sofa werd achtergelaten,' zei Calderón.

'Ik ben erop getraind om met zulke situaties om te kunnen gaan,' zei Falcón. 'Jouw reactie was volkomen natuurlijk en begrijpelijk.'

'Maar zo zag ik mezelf niet,' zei Calderón.

'Dan leg je de lat te hoog,' zei Falcón.

'Na die toestand met Maddy Krugman was Inés geweldig voor me,' zei Calderón. 'Een betere reactie kun je van je verloofde niet wensen. Ik had haar vernederd. Ik geloof dat ons huwelijk was aangekondigd op de dag dat ik er met Maddy Krugman vandoor ging. En toch liet ze me niet vallen. Ze raapte de scherven van mijn carrière en gevoel voor eigenwaarde op en... ik haatte haar erom.

Ik sloeg al haar goedheid in me op en mengde die met mijn verbittering tot een wraakzuchtige stoofpot van diepe haat. Ik strafte haar met affaires. Ik deed het zelfs met haar beste vriendin toen we een weekend op de finca van de ouders van Inés waren. Maar het bleef niet bij affaires. Ik weigerde naar een huis te gaan kijken. Ik liet haar haar eigen appartement verkopen, maar ik stond niet toe dat ze het huis kocht dat ze zo dolgraag wilde. Ik stond niet toe dat ze mijn appartement zo inrichtte dat het ook haar aanstond. Toen ik haar begon te slaan – en dat is pas vier dagen geleden – was dat de fysieke uiting van iets wat ik al jaren met haar psyche deed. Het ergste was dat ze zich steviger aan me vastklampte naarmate ik haar harder sloeg. Als dat geen ontkenning is, Javier... Inés was een heel goede openbaar aanklager. Ze overtuigde iedereen. Inclusief zichzelf. Helemaal.'

'Je had haar moeten verlaten.'

'Daar was het al te laat voor,' zei Calderón. 'We zaten al vast in onze dodelijke omhelzing. We verdroegen elkaar niet meer, maar we konden ons ook niet van elkaar losmaken.'

De sleutel kraakte in het slot. De bewaker stak zijn hoofd om de hoek.

'Comisario Elvira wil u spreken, in zijn kamer. Hij zei dat het dringend is.'

Falcón ging staan. Ook Calderón kwam overeind, moeizaam, alsof hij stijf was of een zware last torste.

'Nog één ding, Javier,' zei Calderón. 'Na wat ik je net allemaal heb verteld, komt het natuurlijk ongeloofwaardig over, en ik ben bereid om de straf die ik voor de moord op haar zal krijgen te ondergaan, want het is mijn verdiende loon. Maar ik wil dat jij weet dat ik het niet heb gedaan. Als je die Inspector Jefe uit Madrid hebt gesproken, zal hij wel verteld hebben dat ik een verward relaas van de gebeurtenissen op die avond heb gegeven. Ik was inderdaad volledig doorgedraaid. Maar ik weet zeker dat ik Inés niet heb vermoord.'

De Comisario was niet alleen in zijn kamer. Zijn secretaresse knikte naar Falcón dat hij door kon lopen. Pablo en Gregorio zaten er ook, samen met de hoogste patholoog-anatoom. Ze waren allemaal op een willekeurige plek gaan zitten, behalve de patholoog, die bij het raam stond. Elvira stelde Falcón aan hem voor en vroeg hem hen in te lichten.

'Al het puin, alle brokstukken en alle flarden van kleren en lichaamsresten zijn uit de moskee verwijderd. We hebben alle lichaamsdelen, lichaamssappen en bloedsporen op DNA getest. Dat wil zeggen dat we iedere vierkante centimeter van het beschikbare deel van de moskee hebben onderzocht. We hebben de resultaten van alle onderzoeken, behalve van de laatste twee vierkante meter het dichtst bij de ingang. In dat deel hebben we het minst materiaal met DNA gevonden, dus hebben we dat als laatste opgestuurd. We zijn erin geslaagd DNA op te sporen van alle mannen die in de moskee aanwezig geweest zouden zijn. Ook het DNA van de imam, waar we een monster van hadden uit zijn appartement, is in de moskee teruggevonden. Maar we zijn er niet in geslaagd DNA op te sporen dat overeenkomt met DNA dat we in het Madrileense appartement van Hammad en Saoudi hebben gevonden. Onze conclusie is dan ook dat beide mannen ten tijde van de explosie niet in de moskee waren.'

41

Sevilla, zaterdag 10 juni 2006, 07.00 uur

Falcón werd vroeg wakker, met hernieuwde vastberadenheid. Toen de patholoog de vorige avond na het doen van zijn bizarre onthulling was vertrokken, hadden ze gediscussieerd over de vraag wat er met Hammad en Saoudi gebeurd kon zijn. Pablo gaf Comisario Elvira de laatste informatie die ze van Yacoub hadden ontvangen: volgens de groep van Yacoub zou er in totaal zo'n driehonderd kilo hexogeen naar Spanje zijn gestuurd. De man van de explosievenopruimingsdienst dacht dat er op 6 juni in El Cerezo, conservatief geschat, zo'n honderd kilo hexogeen ontploft moest zijn. Er bleef dus zeg maar tussen de honderdvijftig en tweehonderd kilo over. Iedereen was het erover eens dat Hammad en Saoudi het resterende hexogeen veilig hadden opgeborgen en dat ze daarna waren ondergedoken of het land hadden verlaten.

Elvira belde de Guardia Civil over de route van de Peugeot Partner, die zondagmiddag om vier uur voor het laatst was gezien bij een benzinetank in de buurt van Valdepeñas. Er was nog steeds niemand die het busje op een van de grotere wegen in de driehoek Sevilla, Córdoba en Granada had gezien. Er werd nu een enorme operatie opgezet om op alle routes over kleinere wegen naar getuigen te zoeken, maar het was een onmogelijke missie: de Peugeot Partner was onopvallend en de reis was al bijna een week geleden gemaakt. Falcón stuurde Pérez en Ferrera terug naar El Cerezo om te vragen of iemand de Peugeot Partner daar vóór maandag 5 juni had gezien.

Ze braken de bijeenkomst op nadat Elvira een persbericht had opgesteld over de verdwijning van Hammad en Saoudi en de aankondiging dat auto's die de stad in kwamen steekproefsgewijs zouden worden onderzocht. Dit moest op het tienuurjournaal van TVE en op Canal Sur worden uitgezonden. Gregorio ging met Falcón mee naar zijn huis in de Calle Bailén, waar opnieuw tevergeefs werd geprobeerd contact te maken met Yacoub. Ze stelden een bericht op over Hammad en Saoudi, inclusief foto's, en Gregorio plaatste dat op de clipboard van de CNI-website zodat het later naar Yacoub gestuurd kon worden. Misschien kon hij achterhalen of ze zich in Marokko bevonden.

Om de een of andere reden had Falcón Agustín Cárdenas nog niet verhoord. Ze hadden besloten dat hij dat 's ochtends vroeg zou doen en dat Ramírez tegelijkertijd Zarrías voor de tweede keer onder handen zou nemen. De rest van het team zou 's ochtends vroeg in de straten van El Cerezo getuigen zoeken die Hammad en Saoudi op zondagavond of maandagochtend, of na de explosie op dinsdag hadden gezien.

Om halfacht belde Falcón naar de Jefatura om zeker te weten dat Agustín Cárdenas klaar zou zitten en meteen als hij aankwam verhoord kon worden. Hij stopte onderweg voor een café solo en wat toast en zat om tien voor acht tegenover een nog wat suffige Agustín Cárdenas.

Op de foto bij het dossier zag Agustín Cárdenas eruit als een man van rond de vijfendertig, terwijl in zijn cv stond dat hij zesenveertig was. Die zaterdagochtend ging hij richting de zestig – zo had hij er nog nooit uitgezien.

'Je ziet er niet best uit, Agustín,' zei Falcón. 'Je zou nu zelf ook wel wat knip- en plakwerk kunnen gebruiken.'

'Ik ben geen ochtendmens,' zei hij.

'Hoe lang ken je César Benito al?'

'Een jaar of acht.'

'Hoe heb je hem ontmoet?'

'Ik heb eerst wat aan zijn vrouw gewerkt. Toen kwam hij zelf ook langs.'

'Om bewerkt te worden?'

'Ik heb zijn wallen verwijderd en zijn hals en wangen een beetje bijgetrokken.'

'En was hij tevreden?'

'Hij was zo tevreden dat hij een minnares kreeg.'

'Vielen je klinieken toen al onder Horizonte?'

'Nee. César Benito kwam op het idee dat Horizonte mijn bedrijf moest kopen.'

'Wat jou een hoop geld heeft opgeleverd,' zei Falcón. 'Hebben ze je aandelen Horizonte gegeven?'

Cárdenas knikte.

'En toen je bij de groep hoorde, had je de beschikking over kapitaal,' zei Falcón.

'Ik breidde de onderneming uit naar negen klinieken, in Barcelona, Madrid, Sevilla en Nerja. Er wordt er ook nog één in Valencia geopend.'

'Toch zonde dat je zo'n succesvol bedrijf opricht en nooit de vruchten van je werk zult kunnen plukken,' zei Falcón. 'Het is toch niet zo dat je César Benito beschermt omdat hij je aan een fortuin heeft geholpen waarvan jij nooit zelf zult kunnen genieten?'

Cárdenas ademde diep in en staarde in gedachten naar de tafel.

'Nee,' zei Falcón. 'Het gaat verder dan dat, nietwaar? Je hebt tenslotte de eed van Hippocratus gezworen. César moet behoorlijk veel invloed op je hebben. Hij heeft je niet alleen overgehaald Hassani bij zijn laatste avondmaal te vergiftigen, maar ook je operatievaardigheid aan te wenden om zijn handen en hoofdhuid te verwijderen en zijn gezicht weg te branden. Dat heb je toch niet alleen voor César gedaan omdat hij je rijk heeft gemaakt?'

Cárdenas zweeg nog steeds. Er vrat iets aan hem. Hier zat een man die een nacht met veel gepieker en weinig slaap achter de rug had.

Na een paar minuten die een eeuwigheid leken, vroeg Cárdenas: 'Wat kunnen jullie me aanbieden?'

'In de zin van een deal?' vroeg Falcón. 'Niets.'

Cárdenas knikte en schommelde heen en weer in zijn stoel. Falcón wist wat vanuit het innerlijk van Cárdenas een weg naar buiten zocht: rancune.

'Ik kan je alleen César Benito geven,' zei Cárdenas. 'Hij is de enige met wie ik contact heb gehad.'

'Daar zouden we blij mee zijn,' zei Falcón. 'Wat kun je over hem vertellen?'

'Een van de redenen dat ik, toen ik César voor het eerst tegenkwam, niet zo rijk was als ik had moeten zijn, is dat ik al bijna tien jaar aan een gokverslaving leed,' zei Cárdenas.

'Was César Benito daar al van op de hoogte toen hij de overname van je klinieken regelde?'

'Nee, maar hij kwam er wel snel daarna achter,' zei Cárdenas. 'Ik heb het dankzij hem onder controle weten te krijgen.'

'Hoe komt het dan dat je weer in je oude gewoonte bent teruggevallen?'

'Ik ging in maart met César op zakenreis naar de Costa del Sol. Daar zette hij me er weer toe aan.'

'Hij?'

Cárdenas knikte en keek Falcón met vaste blik aan.

'Daar ben ik weer begonnen. Maar dit keer werd het erger dan ooit tevoren. Ik was veel rijker dan ik ooit was geweest. Vergeleken met vroeger leek ik over een grenzeloos vermogen te beschikken. Begin mei had ik meer dan een miljoen euro schuld en moest ik dingen verkopen om de rente op mijn schulden te kunnen betalen.'

'Hoe is César erachter gekomen?'

'Ik heb het tegen hem gezegd,' zei Cárdenas. 'Ik had bezoek van iemand die ik geld verschuldigd was. Ze namen me mee naar de badkamer van het appartement dat ik in Madrid huur en gaven me de behandeling met de natte handdoek. Je denkt echt dat je verdrinkt. Ze zeiden dat ze over vier dagen terug zouden komen. Ik was zo bang dat ik naar César ging om hem om hulp te vragen. We spraken af in zijn appartement in Barcelona. Hij was geschokt door wat ik hem vertelde, maar hij zei ook dat hij het begreep. Na drie dagen in grote angst te hebben gezeten, was ik opgelucht. Toen vertelde hij me hoe ik uit de problemen kon komen.'

'Bent u religieus, señor Cárdenas?'

'Ja. Onze gezinnen gaan naar dezelfde kerk.'

'Hoe zou u uw relatie met César Benito omschrijven?'

'Hij was een goede vriend geworden. Daarom ging ik naar hem toe.'

'Toen Benito tegen u zei dat u een moord zou moeten plegen en iemand ernstig zou moeten verminken, heeft u hem natuurlijk naar ieder detail van de samenzwering gevraagd?'

'Ja, maar niet op dat moment,' zei Cárdenas. 'Toen ik goed en wel besefte wat hij van me vroeg, besloot ik het op safe te spelen. De volgende keer dat ik hem in mijn appartement in Madrid ontmoette, heb ik zonder dat hij het wist ons hele gesprek opgenomen.'

'En waar is die opname?'

'Die ligt nog in het appartement,' zei hij. Hij schreef het adres en telefoonnummer op. 'Ik heb de cassette aan de achterkant van een van de keukenlades vastgeplakt.'

Als Lucrecio Arenas in zijn villa in Marbella was, stond hij graag vroeg op, voordat het personeel er was, dat op zaterdagen niet voor negen uur arriveerde. Arenas trok zijn zwembroek aan, gooide zijn witte badjas over zijn schouders en gleed in zijn slippers. Onderweg naar buiten pakte hij een grote witte badhanddoek en zijn zwembrilletje. Chloor in zijn ogen vond hij irritant, en hij wilde alles scherp kunnen zien, ook onder water. Hij liep in de ochtendwarmte door de glooiende tuin en bleef staan om naar het magnifieke uitzicht op de groene heuvels en de Middellandse Zee te kijken. De zee was op dit moment van de dag, nu de hitte nog geen nevel had veroorzaakt, zo intens blauw dat zelfs zíjn onaantastbare hart er even van ineenkromp.

Het zwembad lag onder in de tuin en was omgeven door dichte begroeiing van oleander, bougainville en jasmijn. Zijn vrouw had er sterk op aangedrongen dat die daar zouden worden geplant, want Lucrecio wilde een enorm twintigmeterbad hebben. Om ervoor te zorgen dat hij zijn dagelijkse kilometer in vijftig baantjes kon zwemmen en niet iedere keer dat hij de slag te pakken had moest keren, hadden ze met dynamiet driehonderd ton rots uit de bergwand opgeblazen. Hij kwam bij de rand van het zwembad, gooide zijn handdoek over een bankje en liet zijn badjas erbovenop glijden. Hij stapte uit zijn slippers, liep naar de kop van het zwembad en zette het zwembrilletje op.

Hij stak zijn handen in de lucht en zag door de roze getinte brillenglazen dat er op het uiteinde van de duikplank iets lag wat op een ansichtkaart leek. Hij liet zijn armen zakken en voelde twee harde klappen op zijn rug, alsof hij met een sloophamer werd geraakt, maar dan indringender. De derde klap kwam in zijn nek en trof hem als een kapmes. Zijn benen droegen hem niet meer en hij viel slordig in het water. De dichte begroeiing achter hem bracht zichzelf weer op orde. Er werd een scooter gestart. De prachtige dag bleef prachtig. Rondom het lijk in het ijsblauwe zwembadwater vormde zich een rode wolk. Een speedboat voer met gesteven neus de ochtend tegemoet, achtervolgd door zijn witte, schuimende kielzog.

Het Holiday Inn op Plaza Carlos Triana Bertrán in Madrid behoorde niet tot de favoriete hotels van César Benito, maar het had zijn voordelen. Het lag vlak bij het congrescentrum waar hij de avond ervoor een toespraak had gehouden voor de belangrijkste bouwbedrijven van Spanje. Het lag bovendien dicht bij het Bernabeu, en zelfs als Real Madrid niet speelde, vond hij het fijn om zo dicht bij het kloppende hart van het Spaanse voetbal te zijn. Deze zaterdagochtend had het hotel nog een derde voordeel, namelijk dat het op maar twintig minuten van het vliegveld lag – hij vloog om elf uur naar Lissabon. Hij liet zijn ontbijt naar zijn kamer brengen, want hij had er een hekel aan om 's ochtends vroeg naar mensen te moeten kijken die niet tot zijn gezin behoorden. De jongen van de roomservice had net zijn wagentje naar binnen gereden en Benito zat kauwend op een croissantje in de zaterdageditie van de ABC te bladeren, toen er opnieuw op de deur werd geklopt. De jongen van de roomservice was nog maar net vertrokken, dus Benito ging ervan uit dat hij iets was vergeten. Hij keek niet door het spionnetje. Als hij dat wel had gedaan, had hij niemand gezien.

Hij deed de deur open, maar zag niemand staan. Op het moment dat hij zijn hoofd naar voren stak om de gang in te kunnen kijken, plaatste iemand een snelle, dodelijke klap op zijn adamsappel en luchtpijp. Het maakt een hard, krakend geluid. Hij viel achterover zijn kamer in en spetterde stukjes croissant op zijn kamerjas. Zijn hielen trokken voren in het tapijt terwijl hij probeerde lucht in zijn longen te zuigen. De deur ging dicht. Na een tijdje bewogen Benito's voeten trager, tot ze stil lagen. Er kwam nog wat gereutel en gerochel uit zijn verbrijzelde keel en zijn handen verloren hun grip. Van de vingers die in zijn nek voelden of hij nog een hartslag had en van de kaart die op zijn borst werd gelegd, was hij zich niet meer bewust.

De hotelkamerdeur ging weer open en dicht. Het kaartje met NIET STOREN erop slingerde heen en weer aan de deurknop. De airco blies bedaard koele lucht in de stille lege gang en aan deurknoppen van andere, onverschillige deuren bungelden plastic zakken met niet afgenomen kranten.

Om halftien 's ochtends had Falcón zijn verhoor met Agustín Cárdenas even onderbroken voor een pauze, waarin hij Ramírez had gebeld om te vertellen dat Cárdenas een opname had gemaakt. Hij hoopte dat Ramírez Angel Zarrías daarmee onder druk zou kunnen zetten. Nu werd Cárdenas naar zijn cel teruggebracht. Falcón liep naar zijn kamer en belde Elvira. Die moest de Madrileense politie inschakelen om de cassette uit het door Cárdenas gehuurde appartement te halen en om César Benito in het Holiday Inn te arresteren.

Ferrera, die vanuit een bar in de Avenida de San Lázaro belde, was degene die hem vertelde dat hij naar het nieuws op Canal Sur moest kijken. Falcón rende door de Jefatura, stormde de communicatiekamer binnen en zag nog net een shot van Marbella van het televisiescherm verdwijnen. De nieuwslezer die ervoor in de plaats kwam, herhaalde het laatste nieuws: Lucrecio Arenas was om vijf over negen 's ochtends met zijn gezicht naar beneden door de huishoudster in het zwembad gevonden. Hij was drie keer in zijn rug en nek geschoten.

Zijn mobiele telefoon trilde. Het was Elvira.

'Ik heb het net gezien,' zei hij. 'Lucrecio Arenas in zijn zwembad.'

'Ze hebben César Benito ook te pakken gehad, in zijn hotel in Madrid,' zei Elvira. 'Dat wordt over een paar minuten bekend gemaakt.'

Vijf minuten later was het nieuws over Benito op de tv. De cameraploeg van TVE was nog eerder in het Holiday Inn dan dat die van Canal Sur de villa van Arenas in Marbella had bereikt. Het duurde alles bij elkaar nog een halfuur voordat de cameraploeg een lens in het gezicht van de huishoudster kon duwen; ze was nauwelijks bekomen van de schok, want zij had haar baas dood in het zwembad gevonden. De nieuwslezers schakelden tussen de twee drama's heen en weer. Falcón riep Ramírez uit de verhoorkamer en lichtte hem in; daarna liep hij naar zijn kamer en liet zich in zijn stoel zakken. Het enthousiasme van die ochtend was verdwenen.

In eerste instantie dacht hij dat dit het einde betekende. Het maakte niet meer uit wat ze over Cárdenas en Zarrías zouden ontdekken; bewijzen zouden ze niet vinden. Zijn spiegelbeeld in het ontzielde grijze computerscherm bracht zijn gedachten over de gebeurtenissen op een enigszins minder rechtlijnig spoor. Hij maakte minder gelukkige gedachtesprongetjes die hem woest maakten, en toen bedacht hij iets waarvan hij zo schrok dat hij weer kalmeerde. Hij belde de communicatiekamer en liet een patrouillewagen naar Alarcóns huis in El Porvenir sturen. Daarna belde hij Jesús Alarcón. Zijn vrouw, Mónica, nam op.

'Jullie hebben het nieuws gehoord,' zei hij.

'Hij kan nu niet praten,' zei Mónica. 'Hij is te verdrietig. Je weet dat Lucrecio als een vader voor hem was.'

'Om te beginnen gaat niemand van jullie naar buiten,' zei Falcón. 'Doe de deuren en ramen dicht en ga naar boven. Doe voor niemand open. Er is nu een patrouillewagen naar jullie onderweg.'

Mónica zweeg.

'Als ik ben gearriveerd, vertel ik jullie waarom dat allemaal noodzakelijk is,' zei Falcón. 'Heeft Jesús gisteren nog met Lucrecio Arenas gesproken?'

'Ja, ze hebben elkaar ontmoet.'

'Ik kom er nu aan. Doe de deuren dicht, laat niemand binnen.'

Onderweg naar El Porvenir belde Falcón Elvira en vroeg hij agenten om het huis van de familie Alarcón te bewaken. Het verzoek werd onmiddellijk ingewilligd.

'Er komt steeds meer bij,' zei Elvira. 'Maar over de telefoon kan ik er niet over spreken. Ik ben er net.'

'Ik ben op weg naar Alarcón,' zei Falcón.

'Weten we waar Alarcón was op de avond dat Tateb Hassani werd vermoord?'

'Hij was op een bruiloft in Madrid.'

'Dus jij denkt dat hij er niets mee te maken heeft?'

'Ik weet het zeker,' zei Falcón. 'Ik heb er van binnenuit kijk op.'

'Er van binnenuit kijk op hebben doet het niet altijd even goed in een politierapport,' zei Elvira. 'Zelfs niet in jouw geval.'

De straat was verlaten en Falcón parkeerde achter de patrouillewagen die al bij het metalen schuifhek voor Alarcóns huis stond. Mónica liet hem met de zoemer binnen. Voordat hij door de voordeur naar binnen ging, keek Falcón goed om zich heen; daarna trok hij de deur dicht en draaide alle drie de sloten dicht. Hij liep naar de achterkant van het huis en controleerde alle ramen en deuren.

'We zijn gewoon op onze hoede,' zei Falcón. 'We weten nog niet met wie we van doen hebben, en we weten niet of Jesús ook op hun lijst staat. Tot we dat wel weten, worden jullie bewaakt.'

'Hij zit in de keuken,' zei ze. Ze zag eruit alsof ze misselijk van angst was.

Ze ging naar boven, naar de kinderen.

Alarcón zat aan de keukentafel met een onaangeroerde espresso voor zich. Hij staarde met zijn armen op de tafel en zijn vuisten gebald voor zich uit, en kwam pas uit zijn trance toen Falcón in zijn blikveld verscheen en hem condoleerde.

'Ik weet hoe belangrijk hij voor je was,' zei Falcón.

Alarcón knikte. Hij zag eruit alsof hij nauwelijks had geslapen. Hij tikte met zijn knokkels op het tafelblad.

'Heb je Arenas gisteren gesproken?' vroeg Falcón.

Alarcón knikte.

'Hoe reageerde hij op de informatie die ik je heb gegeven?'

'Lucrecio had het punt in zijn leven en carrière bereikt waarop hij zich niet meer met details hoefde te bemoeien,' zei Alarcón. 'Daar had hij mensen voor. Ik denk dat hij de afgelopen vijfentwintig jaar geen rekening heeft gezien en geen contract heeft gelezen. Waarschijnlijk was hij zich niet eens bewust van de tonnen papierwerk die tegenwoordig met fusies en overnames zijn gemoeid. Zijn bureau was altijd leeg. Sinds hij besefte dat hij die mensen die hij wilde spreken allemaal in zijn mobiele telefoon had opgeslagen, staat er zelfs geen telefoon meer op. Hij heeft nooit geleerd met een computer te werken.'

'Wat bedoel je daarmee, Jesús?' vroeg Falcón, nu ongeduldig. 'Dat de diensten die Tateb Hassani heeft verleend en de moord op hem "details" waren waar Lucrecio Arenas zich niet mee bemoeide?'

'Ik zeg alleen dat hij zo'n man is die moet lachen om het zakennieuws, met zijn verbazingwekkende, super actuele details. Zelfs om een zender als Bloomberg, die er echt bovenop zit,' zei Alarcón. 'En als het nieuws is afgelopen, vertelt hij wat er écht gebeurt. Want hij spreekt de mensen die ervoor zórgen dat het gebeurt. Dan besef je dat je op het zogenaamde nieuws alleen maar een paar details hoort die de een of andere journalist heeft opgepikt of krijgt toegespeeld.'

'En waar hebben jullie over gesproken?'

'Over macht.'

'Dat klinkt niet alsof het mij verder gaat helpen.'

'Nee,' zei Alarcón. 'Maar mij heeft het wel geholpen. Heel erg zelfs. Ik ga afstand doen van het leiderschap van Fuerza Andalucía en me weer aan mijn zakelijke carrière wijden. Om elf uur leg ik een verklaring af aan de pers. Er is niets overgebleven, Javier. Het is gedaan met Fuerza Andalucía.'

'En wat heeft hij je over macht verteld?'

'Dat alles wat ik in de politiek belangrijk vind, zoals de mensen, de gezondheidszorg, het onderwijs, de religie, dat dat allemaal details zijn, en dat je zonder macht niets voor elkaar krijgt.'

'Ik geloof dat ik me daar wel iets bij voor kan stellen.'

'In het bedrijfsleven zegt men weleens dat alles wat nu in de Verenigde Staten gebeurt, over vijf jaar hier is,' zei Alarcón. 'Lucrecio zei tegen me dat ik naar de regering-Bush moest kijken en dat ik moest begrijpen dat je, als je in een democratie aan de macht komt, een enorme schuldenlast hebt.'

'Omdat je bij iedereen die het mogelijk heeft gemaakt dat je op die plek zit in het krijt staat,' zei Falcón.

'Je bent hun zo veel verschuldigd dat je vroeg of laat ontdekt dat wat zij nodig hebben bepaalt welk beleid jij voert.'

Op het moment dat Falcón vertrok, arriveerden er drie bewapende agenten. Hij reed terug naar de Jefatura en verbaasde zich erover dat hij zo naïef was geweest te denken dat Jesús Alarcón van een beest als Lucrecio

Arenas iets had los gekregen wat ook maar in de buurt van een bekentenis kwam.

Elvira was alleen in zijn kamer. Hij stond bij het raam en gluurde tussen de luxaflex door alsof hij verwachtte dat er op straat oproer zou uitbreken. Zonder zich om te draaien zei hij tegen Falcón dat hij zich moest voorbereiden op een grote persconferentie, waarvan het tijdstip op dat moment nog niet precies vaststond.

'Het CNI is hier zo,' zei hij. 'Heeft Jesús Alarcón je nog iets opgeleverd?'

'Niets,' zei Falcón. 'Hij maakt later op de ochtend bekend dat hij zich terugtrekt. Zijn oude leermeester heeft hem een erg onaangenaam lesje over de aard van macht gegeven.'

'En de leermeester heeft zijn wreker ontmoet,' zei Elvira. 'Op de duikplank van zijn zwembad lag een ansichtkaart. Op het lijk van César Benito in zijn hotelkamer lag net zo'n kaart. De tekst is Arabisch. Het is een citaat uit de koran over de vijanden van God.'

Elvira draaide zich uiteindelijk om omdat hij voelde dat zich achter hem een donderwolk vormde.

'Gaat het, Javier?'

'Nee,' zei hij, de tanden op elkaar geklemd. 'Het gaat niet.'

'Ben je kwaad?' vroeg Elvira verbaasd. 'Het is verbijsterend, maar...'

'Ik ben verraden,' zei hij. 'Die klootzakken van het CNI hebben me verraden. En daarmee is ons de mogelijkheid ontnomen om dit hele onderzoek tot een goed einde te brengen.'

Er werd geklopt en de deur ging open. Pablo en Gregorio kwamen binnen. Falcón had geen zin hun een hand te geven. Hij stond op en liep naar het raam.

'Vertel, wat is hier aan de hand?' vroeg Elvira.

Pablo haalde zijn schouders op.

'Ik heb een Marokkaanse vriend van me gerekruteerd...' begon Falcón. Gregorio probeerde hem het zwijgen op te leggen omdat het allemaal topgeheime CNI-zaken waren die niet in de openbaarheid mochten komen. Pablo zei tegen Gregorio dat hij moest gaan zitten en zijn mond moest houden.

'Mijn Marokkaanse vriend is geïnfiltreerd in de groep die Hammad en Saoudi met het hexogeen naar Sevilla heeft gestuurd. Om zijn loyaliteit aan de groep te bewijzen, is hij aan een initiatierite onderworpen. Onderdeel daarvan was dat hij mij vroeg wie er achter de samenzwering van Fuerza

Andalucía zit. Daar weigerde ik antwoord op te geven. Op dat moment was er een wel heel erg goed getimede storing in de verbinding, "door een probleem met de decoderingssoftware". Sindsdien heb ik mijn vriend niet meer kunnen bereiken. Ik geloof niet dat er geen verband is tussen dit voorval en de dood van César Benito en Lucrecio Arenas. Ik denk dat mijn weigering is onderschept en is vervangen door de informatie die mijn vriend vroeg. Het feit dat deze twee mannen dood zijn aangetroffen met een citaat uit de koran op of bij hun lijk, wijst in de richting van een succesvolle wraakoefening.'

Elvira keek de CNI-mannen aan.

'Klopt niet,' zei Pablo. 'Het bewijst helemaal niets, maar we kunnen de decodering laten zien. Het is waar dat je weigering om te helpen niet is verzonden voordat het systeem faalde, maar we hebben je bericht niet vervangen door iets anders. Het probleem met de software is nog steeds niet verholpen, en we overwegen nu terug te gaan naar de oorspronkelijke software, zodat we in ieder geval weer contact met je vriend kunnen maken. Wat de dood van Arenas en Benito betreft: de rechercheurs en forensische experts die in Madrid en Marbella ter plekke zijn, hebben ons onafhankelijk van elkaar verteld dat ze denken dat dit het werk van huurmoordenaars is. Ze zeggen dat islamitische jihadisten nooit moordaanslagen op individuen plegen en dat deze methoden al eerder door huurmoordenaars zijn toegepast.'

'Agustín Cárdenas had me net César Benito gegeven,' zei Falcón langzaam.

'Dat weten we,' zei Pablo. 'We hebben Madrid gesproken. Ze hebben de opname waar hij het in zijn verhoor met jou over had opgehaald.'

'Dankzij jou hangt hij,' zei Gregorio.

'Voor de moord op Tateb Hassani,' zei Falcón. 'Vinden jullie niet dat we de families van de mensen die in El Cerezo zijn gestorven meer verschuldigd zijn?'

'Misschien krijgen ze dat ook, in de rechtbank,' zei Elvira.

'Je hebt het dinsdagavond zelf gezegd,' zei Pablo. 'Terreuraanslagen zitten ingewikkeld in elkaar. De kans dat een zaak wordt opgelost is gering. In dit geval hebben alle daders geleden.'

'Afgezien van de elektriciens die de Goma 2 Eco hebben geplaatst,' zei Falcón. 'En van de mensen die zich buiten het bereik van het gezag bevinden en die iedereen die hen kwetsbaar maakt laten vermoorden.'

'Je moet tevreden zijn met wat je bereikt hebt,' zei Pablo. 'Je hebt voorkomen dat een gevaarlijke groep invloedrijke katholieken een politieke machtsbasis in Andalucía opbouwt. En via Hammad en Saoudi is er tegelijkertijd een islamitisch jihadistisch complot ontmaskerd. Juan vindt het geen slecht resultaat.'

'Wat ons terugbrengt bij de lopende zaken,' zei Elvira. 'Hammad en Saoudi. Hun gezicht is op alle journaals geweest, en we hebben ontzettend veel reacties gekregen. Helaas zijn ze overal in Spanje waargenomen. Ze zijn op één dag rond hetzelfde tijdstip in La Coruña, Almeria, Barcelona en Cádiz gezien.'

Elvira beantwoordde een oproep op zijn mobiele telefoon.

'We verdoen onze tijd als we achter Hammad en Saoudi aan gaan,' zei Pablo. 'Het is al vier dagen geleden. Ze hebben allang gezorgd dat alles is afgerond en dat ze het land uit zijn. Alleen de geheime dienst kan ons nu nog helpen.'

Elvira nam weer deel aan het gesprek.

'Dat was de Guardia Civil. Hammad en Saoudi zijn maandagochtend 5 juni gezien, en het is door een andere getuige bevestigd. Ze stonden op een landweggetje in de buurt van El Saucejo. Dat is een dorpje op zo'n vijfentwintig kilometer van Osuna.'

'En hoe weten we zeker dat zij het waren?' vroeg Pablo.

'Ze waren een band aan het verwisselen,' zei Elvira. 'Linksachter. Van een witte Peugeot Partner.'

42

Sevilla, zaterdag 10 juni 2006, 10.00 uur

'We dachten even dat we je kwijt waren,' zei Pablo.

'Dat dacht ik zelf ook,' zei Falcón.

'Maar je doet nog met ons mee?'

'Ik ben doodop, ik vind het vreselijk dat de partner van mijn zus hier zo diep bij betrokken is, ik maak me zorgen over Yacoub en dankzij de twee moorden kan ik het wel vergeten dat ik mijn onderzoek nog kan afronden. Misschien is dat voor jullie allemaal doodnormaal, maar ik vind het huiveringwekkend.'

'Toen we met het idee kwamen om jou in te schakelen, heb ik Juan gewaarschuwd er niet te veel van te verwachten,' zei Pablo. 'Als je tegelijkertijd in twee werelden actief bent, in de echte en in de geheime, loop je het risico paranoïde te worden.'

'Hoe dan ook, uit die wereld ben ik weg,' zei Falcón. 'Volgens mij moeten we naar El Saucejo gaan.'

'Ik kan niet,' zei Pablo. 'Juan heeft me opdracht gegeven naar Madrid terug te komen. Er wordt veel gechat op internet en er zijn nieuwe ontwikkelingen. Hij kan me daar niet missen, dus ik kan jullie niet helpen.'

'Wat ga je dan doen aan Hammad en Saoudi, aan de rest van het hexogeen, aan de "hardware" die nooit is gearriveerd en de "ontwrichting van de bom die hun plannen flink door elkaar heeft gegooid, wat veel reorganisatie heeft gevergd"?' vroeg Falcón. 'Is de geheime dienst daar dan niet in geïnteresseerd? Yacoub heeft doodsangsten uitgestaan om daar voor jullie achter te komen.'

'Ik weet niet wat je in El Saucejo denkt te vinden,' zei Pablo. 'Dat Hammad en Saoudi daar met een zak hexogeen zitten, dat ze dat hexogeen daar in die hardware zitten te verpakken en dat ze doorgaan met het plan? Dat lijkt me niet.'

Falcón ijsbeerde door de kamer en beet op de nagel van zijn duim.

'Die hardware...,' zei Falcón. 'Daar wordt steeds aan gerefereerd. Ik heb niet het idee dat dat spullen zijn waar je gemakkelijk aan komt. Je kunt het niet zomaar even in de winkel kopen. Om de een of andere reden krijg ik het idee dat ze voor iedere aanslag op maat gemaakt moeten worden.'

'Dat zou kunnen. Blijf openstaan voor ideeën. Geef ze door aan Yacoub en kijk of hij relevante informatie terug kan sturen. Meer kunnen we niet doen.'

'Je hebt gezegd dat jullie alleen echt in ons onderzoek geïnteresseerd zouden zijn als we ontdekten dat de imam, of Hammad en Saoudi, niet tijdens de explosie in de moskee aanwezig waren,' zei Falcón. 'En nu kan dat jullie opeens niets meer schelen.'

'Er zijn nieuwe ontwikkelingen. Ik word naar Madrid teruggeroepen. Ik heb opdracht andere scenario's te bestuderen.'

'Maar het interesseert je niet dat het hexogeen oorspronkelijk naar Sevilla is gebracht, dat er ergens meer hexogeen ligt, dat Hammad en Saoudi springlevend zijn en dat er plannen zijn voor een nieuwe aanslag. Als je dat bij elkaar optelt, denk je toch... iets?'

'Gezien de veiligheidsmaatregelen rondom de belangrijkste gebouwen, de aankondiging van gisteravond dat er weer steekproeven onder auto's gehouden worden en de aanwezigheid van politie op straat, lijkt het me onwaarschijnlijk dat ze een aanslag in Sevilla zullen plegen.'

'Dat klinkt als een officieel communiqué,' zei Falcón.

'Dat is het ook,' zei Pablo. 'De waarheid is dat we geen idee hebben. Dinsdagmiddag werden alle auto's die Sevilla in en uit gingen gecontroleerd. Woensdagavond hielden ze steekproeven omdat de mensen over verkeersopstoppingen klaagden. Vrijdag stopten ze met de steekproeven omdat de mensen nog steeds klaagden. Nu zijn ze weer ingevoerd. We zien wel wat daarvan komt. Het leven gaat door, Javier.'

'Dat klinkt alsof je vindt dat wij ons geen zorgen moeten maken omdat de mensen zich geen zorgen maken,' zei Falcón. 'Maar zij weten niet wat wij weten – dat er nog meer hexogeen is, dat ze meer aanslagen willen plegen en dat er gedurende vierentwintig uur geen enkele auto is gecontroleerd.'

'Juan is van al die informatie op de hoogte,' zei Pablo. 'Toch heeft hij me naar Madrid teruggeroepen. Wat daar nu speelt is van meer "belang" dan wat hier nog kan gebeuren.'

Ze gingen naar El Saucejo: Gregorio en Falcón voorin, forensisch expert Felipe en een officier van de explosievenopruimingsdienst met zijn hond achterin. In Osuna werden ze opgevangen door de Guardia Civil, die hen met hun Nissan Patrol naar El Saucejo bracht. Ze stopten in het dorp, pikten twee mannen op en reden verder in de richting van Campillos. Op de glooiende heuvels rondom El Saucejo lagen uitgestrekte olijfgaarden, afgewisseld door akkers die net waren omgeploegd, waardoor de grijsbruine aarde met kalkwitte vlekken erin was blootgelegd. De Nissan Patrol stopte voor een vervallen huis aan de rechterkant van de weg, met uitzicht op het glinsterende kopergroen van de olijfbomen, dat doorliep tot aan de bergen in de verte. De toegang tot het huis en een deel van de berm aan de andere kant van de weg, zo'n vijfentwintig meter heuvelafwaarts naar El Saucejo, waren in verband met mogelijk bewijsmateriaal door de politie met tape afgezet.

De Guardia Civil stelde iedereen voor aan de eigenaar van het huis en de man die had gezien dat Hammad en Saoudi vroeg op die maandagmorgen een achterband van de Peugeot Partner hadden verwisseld. Felipe ging aan de slag met de bandensporen in de bermen en bevestigde dat ze overeenkwamen met de Peugeot Partner die in het depot van de politie stond. Daarna bekeek hij de bandensporen op het binnenhof links van het vervallen huis.

Een halfuur later kon Felipe hun vertellen dat de Peugeot Partner vanuit het oosten uit de richting van Campillos was gekomen. Hij was het binnenhof opgereden en weggegaan met een lekke band, die vijfentwintig meter verderop langs de weg was verwisseld.

De man van de explosievenopruimingsdienst liet de hond los op het binnenhof. Hij rende een tijdje heen en weer en bleef toen onder een afdakje staan. De officier deed wat proeven op de droge, aangestampte grond onder het afdakje en bevestigde dat er sporen van hexogeen lagen.

De eigenaar van het huis vertelde dat het al dertig jaar niet meer was bewoond omdat het de meeste mensen te afgelegen lag en er problemen met de watervoorziening waren. Hij had het voor zes maanden aan een Spanjaard met een Madrileens accent verhuurd. Er was geen contract, de man had hem zeshonderd euro gegeven en gezegd dat hij er alleen af en toe wat spullen op zou slaan. De man die Hammad en Saoudi de band had zien verwisselen, zei dat hij elke dag langs het huis reed en nooit had gezien dat iemand er gebruik van maakte. Hij had de Peugeot Partner niet uit het binnenhof zien rijden. Het busje had al langs de weg gestaan, en een van de twee mannen had een band gewisseld.

'Het is van groot belang,' zei Falcón, 'of iemand sinds dinsdagochtend nog een auto uit het binnenhof heeft zien komen.'

De mannen schudden hun hoofd. Falcón reed terug naar El Saucejo. Ze spraken iedereen aan die ze in het dorp konden vinden, maar niemand had een auto bij het vervallen huis zien staan. Ze lieten de zaak over aan de Guardia Civil.

Op de weg terug naar Sevilla kreeg Gregorio een telefoontje van het communicatiecentrum van het CNI. De oude decoderingssoftware was opnieuw geïnstalleerd en het systeem draaide weer. Ze hadden het dossier van Hammad en Saoudi naar Yacoub gemaild, maar hij had het nog niet geopend.

Om halfdrie 's middags waren ze terug in de Jefatura, achter de computer. Ze zagen onmiddellijk dat Yacoub het dossier inmiddels had geopend. Ze stuurden hem een bericht en hij kwam online.

'De mannen die jullie als Hammad en Saoudi kennen zijn terug in Afrika,' schreef hij. 'Ze zijn hier sinds dinsdagochtend. Ik weet dat omdat er luid werd gejuicht en geklapt toen op het satellietnieuws bekend werd gemaakt dat ze zich op het moment van de explosie niet in de moskee hadden bevonden.'

'We hebben de plek gevonden waar ze de rest van het hexogeen hadden opgeslagen, maar we hebben geen idee wanneer het is opgehaald of waar het naartoe is gegaan.'

'Daar is hier niets over gezegd.'

'De twee mannen die eerder vandaag zijn vermoord, Lucrecio Arenas en César Benito, waren het antwoord op de vraag die jou bij je initiatie werd voorgelegd. Hun dood moest er als het werk van militante moslims uitzien.'

'Al-Jazeera heeft al bericht ontvangen dat dat niet klopt.'

'Heb je nog iets opgevangen over de "hardware" die voor de eerste lading hexogeen beschikbaar was gesteld?'

'Daar heb ik niemand over horen praten.'

'Gisteren en vandaag werd er meer dan gemiddeld gechat en er was ook sprake van dat hier in Spanje cellen in beweging zouden zijn. Wat is daar je mening over?'

'Er is niets bijzonders aan de hand. Er heerst een wat opgewonden stemming en er is sprake van dat er een of meer cellen geactiveerd zouden kunnen worden, maar het is nog vaag. Niets van wat de groep die hier in het huis in de medina samenkomt aan mij vertelt, kan vertrouwd worden.'

'Zou je willen nadenken over de vraag wat je hebt gezien toen je voor je initiatietest uit Rabat werd weggevoerd? Je had het al over de architectuur- en bouwkundeboeken en boeken over auto-onderhoud.'

'Ik zal erover nadenken. Ik moet nu gaan.'

Na de lunch liet Falcón Zarrías naar de verhoorkamer brengen.

'Ik neem dit gesprek niet op,' zei Falcón. 'Wat we nu tegen elkaar zeggen, zal niet in de rechtszaal worden gebruikt.'

Zarrías gaf geen antwoord, hij keek de persoon die zijn zwager had kunnen worden alleen maar aan.

'Mijn Inspector heeft je al verteld dat Lucrecio Arenas drie keer in de rug is geschoten,' zei Falcón. 'Zijn huishoudster zag hem met het gezicht naar beneden in het zwembad liggen. Wil je dat de mensen die dat Lucrecio hebben aangedaan, ermee wegkomen?'

'Nee,' zei Zarrías. 'Maar ik kan je niet helpen, Javier. Ik weet namelijk niet waarin hij verstrikt is geraakt.'

'Waarom was César Benito hier belangrijk in?' vroeg Falcón. 'Denk je dat het iets met zijn bouwbedrijf heeft te maken?'

Zarrías trok een moeilijk gezicht, alsof deze vraag een mogelijkheid had geopend die hij niet in overweging had genomen.

'Ik denk niet dat dit over geld ging, Javier,' zei Zarrías.

'Voor jou misschien niet,' zei Falcón. 'Maar in een gesprek dat Lucrecio gisteren met Alarcón voerde, zei jouw oude vriend dat in een democratie macht altijd met een groot gevoel van schuldplichtigheid gepaard gaat.'

Het hoofd van Zarrías sloeg achterover, alsof hij er een schop tegen had gekregen.

'Misschien diende jij tegenstrijdige belangen, Angel,' zei Falcón. 'Terwijl jij en Jesús in het complot zaten om de wereld te veranderen in wat jullie een betere wereld lijkt, streefden Lucrecio en César alleen maar naar meer macht en naar het geld dat je daarmee kunt verdienen.'

Stilte.

'Dat gebeurde in de kruistochten ook, dus waarom nu niet?' vroeg Falcón. 'Terwijl de een erop uittrok om voor het christendom te vechten, wilde de ander gewoon moorden, plunderen en nieuwe gebieden veroveren.'

'Ik geloof niet dat Lucrecio zo was.'

'Misschien moet ik Jesús hier brengen,' zei Falcón. 'Dan kan hij je over zijn teleurstelling vertellen. Ik heb het niet gezien, maar hij zei dat hij vandaag om elf uur zou aankondigen dat hij zich uit de politiek terugtrekt en weer naar het zakenleven terugkeert. Ik heb nog nooit eerder meegemaakt dat iemands idealisme zo is weggevaagd.'

Angel Zarrías schudde zijn hoofd, in ontkenning.

'Dacht je dan niet na over het krachtveld waaraan je deelnam, Angel?' vroeg Falcón. 'Was er, toen jullie Tateb Hassani hadden vergiftigd en je wist dat Agustín Cárdenas zijn handen amputeerde, zijn gezicht wegbrandde en zijn hoofdhuid verwijderde, dan geen enkel moment waarop je dacht: "Moet je zo ver gaan om te doen wat goed voor de wereld is?" En als je dat toen nog niet dacht, dacht je het dan wel toen je het vernielde gebouw en de vier kinderlijkjes onder die kinderschortjes zag? Toen is het toch wel in je opgekomen dat je je onbedoeld met iets heel duisters had ingelaten?'

'Als ik dat al had gedaan,' zei Zarrías rustig, 'zou het te laat zijn geweest.'

De persconferentie werd om zes uur 's middags in het Andalusische parlementsgebouw gehouden. Falcón had een verklaring over zijn onderzoek geschreven die in het officiële communiqué was opgenomen. Comisario Elvira zou het woord voeren. Falcón en Juez del Rey woonden de conferentie wel bij, maar zouden alleen antwoord geven op vragen als Elvira niet over de juiste informatie beschikte. Ze kregen te horen dat ze zich bij hun antwoorden tot een absoluut minimum moesten beperken.

De persconferentie duurde een uur en was ingetogen. Elvira wilde er juist een punt achter zetten, toen er achter in de zaal een journalist opstond.

'Een laatste vraag aan Inspector Jefe Falcón,' zei hij. 'Bent u tevreden met het resultaat?'

Er viel even een stilte. Elvira wierp een waarschuwende blik. Een vrouw op de eerste rij leunde voorover om hem beter te kunnen zien.

'Mijn ervaring zegt me dat ik dat wel zou moeten zijn,' zei Falcón. 'Het is inherent aan een onderzoek naar moord dat de kans op nieuwe ontdekkingen afneemt naarmate de tijd verstrijkt. Toch wil ik de inwoners van Sevilla zeggen dat ík, persoonlijk, niet tevreden ben met het resultaat. Met iedere daad bereikt de terreur een nieuw dieptepunt van billijkheid. De mensheid moet nu in een wereld leven waarin individuen worden klaargestoomd om de kwetsbaarheid van een volk te misbruiken met terreur, teneinde macht te verkrijgen. Ik had er graag voor gezorgd dat deze misdaad zijn ultieme ontknoping had gekregen, namelijk dat iedereen berecht was, van de planners tot en met de man die de bom heeft geplaatst. We zijn daar maar ten dele in geslaagd. Maar voor mij is de strijd met deze persconferentie nog niet ten einde. Ik wil alle Sevillanos ervan overtuigen dat ik en mijn eenheid er binnen onze mogelijkheden alles aan zullen doen om alle daders op te sporen, waar ze ook zijn. Al doe ik er de rest van mijn leven over.'

Na de persconferentie zat Falcón tot halfelf 's avonds in de Jefatura om in te lopen op zijn achterstand op de enorme papierwinkel die zich in de vijf dagen dat het onderzoek liep, had opgestapeld. Daarna ging hij naar huis, nam een douche en kleedde zich om, zodat hij, toen Gregorio tegen elf uur kwam, klaar was voor het e-mailcontact van die avond.

Gregorio was zenuwachtig en opgewonden.

'Verschillende bronnen hebben bevestigd dat drie verschillende cellen geactiveerd zijn. Afgelopen nacht is een groep met de auto uit Valencia vertrokken, een getrouwd stel verliet Madrid vanmorgen vroeg met een bestelbusje en een andere groep ging weg uit Barcelona, sommigen samen, anderen alleen, op verschillende tijdstippen tussen vrijdag na lunchtijd en vanochtend vroeg. Het lijkt erop dat ze allemaal naar Parijs gaan.'

'Eens zien wat Yacoub daarover zegt,' zei Falcón.

Ze maakten contact en begroetten elkaar.

'Ik heb weinig tijd,' zei Yacoub. 'Ik vlieg om halftien naar Parijs en het kost me meer dan een uur om op het vliegveld te komen.'

'Wat ga je in Parijs doen?'

'Geen idee. Ze zeiden dat ik mijn vaste hotel in de Marais moest boeken en dat ik, als ik daar ben, instructies krijg.'

Falcón vroeg naar de drie Spaanse cellen die sinds die vrijdag waren geactiveerd en die allemaal naar Parijs gingen.

'Daar heb ik niets over gehoord. Ik heb geen idee of mijn reis daar iets mee te maken heeft.'

'En de "hardware"?'

'Nog steeds niets. Heb je verder nog vragen? Ik moet gaan.'

Gregorio schudde zijn hoofd.

'Toen je voor je initiatierite werd meegenomen naar het GICM-kamp, schreef je over een wand vol boeken – de autohandboeken. Kun je je daar iets over herinneren? Het is toch vreemd om die in huis te hebben.'

'Ze waren allemaal voor terreinwagens. Ik herinner me een VW en een Mercedes. Het derde boek was voor Range Rover, en voor de laatste heb ik op internet mijn geheugen moeten opfrissen om het insigne te herkennen. Het was Porsche. Dat is alles. Ik probeer contact op te nemen als ik in Parijs ben.'

Gregorio stond op om weg te gaan, alsof hij zijn tijd had zitten verdoen.

'Wat denk je daarvan?' vroeg Falcón.

'Ik zal het met Pablo en Juan bespreken, kijken wat zij ervan denken.'

Gregorio wist inmiddels hoe hij eruit moest komen. Falcón leunde achterover in zijn stoel. Hij vond het werk voor de inlichtingendienst maar niets. Alles bewoog zich in een gekmakend tempo om hem heen, en alles leek even belangrijk, maar het waren allemaal reacties op elektronische knikjes en wenkjes. Hij begreep heel goed waarom mensen in dit wereldje doordraaiden: de realiteit werd je voorgehouden in de vorm van 'informatie' van 'bronnen' en agenten kregen te horen dat ze naar een hotel moesten gaan en daar wel zouden horen wat ze moesten doen. Het was hem te onzichtbaar. Hij had niet gedacht dat hij het zichzelf ooit zou horen zeggen, maar hij gaf de voorkeur aan zijn eigen wereld, waar je een lijk had, een patholoog, een forensische expert, bewijsmateriaal en gesprekken van man tot man. Het werk voor de inlichtingendienst vergde van hem dezelfde gedachtesprong als een religieus geloof, en in dat opzicht had hij zich altijd in een schemergebied bevonden, waarin zijn geloof de vorm had van een spiritualiteit die zich niet zo ver uitstrekte dat hij een opperwezen erkende.

Op zijn bureau lagen de drie notitieboekjes die hij in de loop van het onderzoek had volgeschreven naast een stapel papierwerk die hij mee naar huis had genomen. Hij haalde een vel papier uit de printer en opende het eerste notitieboekje. Dat begon op 5 juni, de dag waarop hij was gebeld om het lijk van Tateb Hassani op de vuilnisbelt buiten Sevilla te komen bekijken. Hij zag dat hij achter de datum halfbewust *El Rocío* had geschreven. Misschien was er op de radio over gesproken. Als de Virgen del Rocío op Pinkstermaandag met goed gevolg uit de kerk was gedragen en rond was geparadeerd, werd dat altijd gemeld. Terwijl hij een van de beschilderde huifkarren tekende die zo typisch waren voor de pelgrimstocht, besefte hij dat El Rocío bijna net zo'n belangrijke toeristische trekpleister was geworden als Semana Santa en de Feria. Het had altijd al duizenden Andalusiërs aangetrokken, en daar waren nu honderden toeristen bijgekomen die een andere Sevilliaanse ervaring zochten. Zijn broer Paco stelde zelfs paarden en accommodatie beschikbaar op zijn stierenfokkerij. Dat deed hij voor een agentschap dat zich specialiseerde in luxueuzere vormen van pelgrimstochten: schitterende tenten, champagnediners en iedere avond flamenco. Je had tegenwoordig overal een luxe versie van. Waarschijnlijk bestond er zelfs een kaviaarversie van de voettocht naar Santiago de Compostela. De decadentie was zelfs in de pelgrimstochtenhandel doorgedrongen. Onder de tekening van de huifkar schreef hij: *El Rocío. Toeristen. Sevilla.*

Hij bladerde verder door de lukraak neergeschreven aantekeningen en krabbels. Als hij dat deed, dacht hij altijd aan kunstenaars en schrijvers met hun aantekeningenboekjes. Hij vond het geweldig als een museum bij een overzichtstentoonstelling van een kunstenaar de schetsboekjes met tekeningen liet zien die uiteindelijk tot een prachtig, door velen gewaardeerd schilderij hadden geleid.

Op een pagina stond maar één zin, die hem onmiddellijk in het oog sprong: *Ze willen het Westen economisch verzwakken door ze te dwingen enorme bedragen aan antiterreurmaatregelen te spenderen. Ze bedreigen de economische stabiliteit met aanslagen op toeristische trekpleisters in het zuiden van Europa en op financiële centra in het noorden: Londen, Frankfurt, Parijs en Milaan.* Wie had dat gezegd? Juan? Of had Yacoub hem dat geschreven?

Aan de muur naast zijn bureau hing een kaart van Spanje. Hij ging er, in zijn bureaustoel, als een krab op af. Was Sevilla de logische plek om explosieven te verzamelen en van daaruit aanslagen te plegen op de toeristische infrastructuur van Andalucía? Granada lag centraler. De Costa del Sol was veel beter bereikbaar vanuit Málaga. Toen herinnerde hij zich de 'hardware'. Om onder toeristen paniek te zaaien volstond een zelfgemaakte bom met moeren, bouten en spijkers, dus waarom zou je moeite doen voor speciale hardware en hexogeen? Terug naar het bureau. Een ander krabbeltje: *hexogeen – licht ontvlambaar = explosieve kracht, vernietigend effect.* Precies. Ze hadden voor hexogeen gekozen omdat het zo krachtig is. Een kleine hoeveelheid richt veel schade aan. En met die gedachte ging zijn brein terug naar de belangrijke gebouwen van Andalucía: het regionale parlement in Sevilla, de kathedralen van Sevilla en Córdoba, het Alhambra en de Generalife in Granada. Pablo had gelijk, het was onmogelijk een bom in de buurt van een van die gebouwen te krijgen nu er in de hele regio een terreuralarm gold.

Op zijn computer zag hij dat het middernacht was. Hij had nog niet gegeten. Hij wilde buiten zijn, onder de mensen. Normaal gesproken zou hij voor de invulling van de zaterdagavond op Laura hebben vertrouwd, maar die tijd was voorbij. De sombere gedachte die hij zichzelf toestond, voerde hem terug naar de begrafenis van Inés. Haar ouders waren in de mensenzee net verdwaalde kinderen geweest. Hij zette een punt achter die gedachten en liep doelloos van zijn werkkamer naar de patio. Toen herinnerde hij zich het telefoontje van Consuelo. Hij had niet gedacht dat ze zo attent zou zijn. Ze was de enige die hem over Inés had gebeld. Dat had zelfs Manuela niet gedaan. Hij haalde zijn mobiele telefoon uit zijn zak. Was dit een geschikt tijdstip? Hij zocht haar nummer op, drukte de beltoets in, liet hem twee keer overgaan en verbrak de verbinding. Het was zaterdagavond. Ze was in het restaurant of bij haar kinderen. Er schoten twee, drie beelden van hun seksuele rendez-vous door zijn hoofd. Wat waren die heftig en bevredigend geweest. Er ging een golf van verlangen naar fysiek contact en passie door hem heen. Hij drukte de beltoets opnieuw in, maar nog voor hij kon overgaan hoorde hij zichzelf zijn verlangens al met onbetekenend geklets de kop indrukken. Hij verbrak de verbinding weer. Het was ook te veel voor één week: hij had het uitgemaakt met zijn vriendin, zijn ex-vrouw was vermoord, en nu wilde hij een oude liefdesgeschiedenis die bijna vier jaar geleden al na een paar dagen was doodgebloed nieuw leven inblazen. Consuelo had hem gebeld over Inés, als een vriend. Meer was het niet.

Buiten was het warm en de straten waren vol leven. De mens was veerkrachtig. Hij liep naar El Arenal en ging naar een Galicische bar, waar je verrukkelijke octopus kon eten en waar ze de wijn in witte porseleinen schaaltjes serveerden. Terwijl hij at, zag hij zichzelf op het nieuws. In het uitgezonden fragment beantwoordde hij de laatste vraag, van die journalist, op de persconferentie. Ze zonden zijn hele antwoord uit. De ober herkende hem en wilde geen geld aannemen; daarvoor in de plaats schonk hij met een royaal gebaar meer wijn in zijn witte porseleinen schaaltje.

Weer op straat was hij plotseling bekaf. De lange werkdagen met veel adrenaline deden zich gelden. Hij kocht nog een *pringá* – een pittig, met vlees gevuld loempiaatje – die hij op weg naar huis opat. Thuis ging hij meteen naar bed en droomde dat Francisco Falcón, die terug was in zijn huis, een muur neerhaalde om een geheime kamer bloot te leggen. Hij werd er wakker van, in de intense duisternis van zijn slaapkamer, en zijn hartslag bonsde in zijn oren. Hij wist dat hij minstens twee uur niet zou kunnen slapen.

Beneden zapte hij langs de eindeloze hoeveelheid satellietkanalen, op zoek naar een film of iets anders dat de activiteit van zijn hersenen zou doen afnemen. Hij wist waarom hij klaarwakker was: hij had zichzelf op het journaal die belofte aan de inwoners van Sevilla horen doen. Hammad en Saoudi waren nog steeds in zijn gedachten. Net als het hexogeen dat ze in het vervallen huis buiten El Saucejo hadden opgeslagen. En de 'reorganisatie' van de plannen van de GICM die de 'ontwrichting' van de bom had veroorzaakt.

Het tv-scherm werd gevuld door de confrontatie tussen twee gigantische legers in een nieuwe versie van een epos waarin de mannen op sandalen liepen en met zwaarden vochten. Hij had de film eerder gezien, maar hij had geen blijvende indruk op hem gemaakt, al was de visie van de ontwerper van het houten paard hem wel bijgebleven. Volgens deze ontwerper hadden de Grieken het paard van kapotte triremen gebouwd. Hij moest ruim een uur wachten voor ze het paard naar binnen rolden. Terwijl hij op de bank lag en zich met het plot liet meevoeren, bedacht hij hoe verbazingwekkend veel kracht een mythe bezat. Hoe een idee, zelfs een idee waarvan de logica rammelde, zich in de ziel van de westerse wereld had weten te wurmen. Waarom haalden die Trojanen dat vervloekte ding binnen hun stadsmuren? Waarom waren ze na alles wat ze hadden meegemaakt niet een klein beetje argwanend?

Net toen hij zich zat af te vragen of er ooit een generatie kinderen zou zijn die het houten paard níet leerde kennen, werd het beest op het scherm in beeld getrokken. De aanblik ervan veroorzaakte iets in zijn hersens waardoor alle willekeurige gedachten, ideeën, aantekeningen en notities van de voorbije vijf dagen samenvielen. Hij sprong van de bank en haastte zich naar zijn werkkamer.

43

Sevilla, zondag 11 juni 2006, 08.00 uur

Hotel Alfonso XIII was, als je van groot houdt, Sevilla's mooiste logeeradres. Het was gebouwd om indruk te maken tijdens de Expo van 1929. Het interieur was een imitatie van de *mudejar*-stijl, met geometrische tegels en Arabische bogen rondom een centraal gelegen patio. De duisternis in de ontvangsthal en de sterke geur van de lelies in een enorm boeket gaven het geheel iets begrafenisachtigs.

Iets na achten kwam de manager binnen die door Falcón uit zijn bed was getrommeld. De manager ging hem voor naar zijn kantoor en wierp een korte blik op het insigne, alsof hij er iedere dag een zag.

'Ik dacht dat het om een hartaanval ging,' zei hij. 'Dat komt vaak voor.'

'Nee, daar heeft het niets mee te maken,' zei Falcón.

'Ik weet het,' zei de manager. 'U doet onderzoek naar de bom. Ik zag u op het journaal. Wat kan ik voor u doen? We hebben geen Marokkaanse gasten.'

Mensen kijken naar het journaal, dacht Falcón, maar ze horen alleen wat ze willen horen.

'Ik weet niet precies wat ik zoek. Misschien een boeking voor minimaal vier kamers door een groepje buitenlandse toeristen, mogelijk Fransen, misschien uit Parijs. De kamers zouden dan zijn geboekt rondom El Rocío. Het kan ook om meer kamers gaan. Ze zouden terreinwagens moeten hebben waarmee ze vanuit Noord-Europa zijn gekomen, geen auto's die hier zijn gehuurd.'

De manager zat een tijdje achter zijn computer en schudde zijn hoofd toen hij alle variaties op Falcóns gegevens had ingevoerd.

'Rondom El Rocío heb ik wel grote groepen in touringcars,' zei hij. 'In de boekingen voor kleinere groepen heb ik niets tussen de vier en de acht kamers.'

Omdat er een nieuwe metro werd aangelegd was de straat voor Hotel Alfonso XIII opgebroken, en Falcón besloot dat dit niet het soort hotel was waar ze zouden logeren. Hij had op internet naar de Porsche Cayenne gekeken en ging ervan uit dat de eigenaar van zo'n auto exclusiviteit zocht. De grandeur van het Alfonso XIII was op de een of andere manier passé. Het was een hotel voor conservatieve mensen.

Hij probeerde Hotel Imperial. Het lag een beetje achteraf in een stil straatje en keek uit op de tuinen van Casa Pilatos. Maar daar had hij evenmin geluk. De epifanie van de voorbije nacht begon te verbleken en maakte in het koude daglicht een absurde indruk.

De eerste indicatie dat zijn creatieve instinct de plank niet volledig missloeg, kwam van een boetiekhotel waarvan de receptioniste zich wist te herinneren dat ze in maart was gebeld door een vrouw uit Londen die voor en na El Rocío vier kamers met parkeerruimte voor vier auto's zocht. Het hotel had geen parkeerruimte, en voor de gevraagde dagen waren nog maar twee kamers beschikbaar geweest. De vrouw had gevraagd of ze de twee kamers vierentwintig uur voor haar wilde vasthouden, zodat ze kon uitzoeken of er in de buurt nog twee kamers te huur waren. De receptioniste liet een e-mailtje van een Engels bedrijf zien, dat ze na het telefoontje had ontvangen. Het was verstuurd door een vrouw met de naam Mouna Chedadi, die had gereserveerd voor Amanda Turner. Falcón wist zeker dat hij had gevonden wat hij zocht.

Hij belde een hele lijst Sevilliaanse hotels met de vraag of Amanda Turner er kamers had geboekt. Vijfendertig minuten later zat hij in de kamer van de manager van Hotel Las Casas de la Judería.

'Ze had geluk,' zei hij. 'Tien minuten voordat ze belde, had een groep zijn reservering geannuleerd. Ze kreeg haar vier luxe suites bij elkaar.'

'En hun auto's?' vroeg Falcón. Hij gaf hem de naam van Mouna Chedadi, zodat hij haar in de e-mailgegevens van het hotel kon opzoeken.

'Ze hadden vier auto's bij zich,' zei de manager. 'En ik zie hier dat ze heeft gevraagd of die in het hotel konden blijven terwijl zij op pelgrimstocht naar El Rocío gingen.'

'En daar stemde u mee in?'

'De garage is niet groot genoeg om er op dat moment van het jaar vier auto's neer te zetten van mensen die niet in ons hotel logeren. We hebben geschreven dat er in Sevilla voldoende parkeergarages zijn waar ze de auto's kunnen achterlaten.'

'Heeft u enig idee wat er met die auto's is gebeurd?'

De manager liet de receptioniste komen en vroeg haar de registratieformulieren van de betreffende vier kamers te halen. Zij bevestigde dat de acht mensen met taxi's waren gekomen nadat ze hun auto's hadden geparkeerd.

'Ze kwamen hier 31 mei aan,' zei de manager. 'De volgende dag gingen ze op pelgrimstocht. Ze kwamen 5 juni terug en zijn 8 juni weer vertrokken.'

'Ik herinner me dat ze voor één nacht naar Granada gingen,' zei de receptioniste.

'Ze kwamen weer terug op 9 juni en vertrokken... Zijn ze al vertrokken?'

'Ze hebben gisteravond afgerekend en zijn vanmorgen om halfacht weggegaan, toen de garage openging.'

'Dus ze hebben hun auto hier wel geparkeerd toen ze uit Granada terugkwamen,' zei Falcón. 'Weet u wat voor auto's het waren?'

'We hebben alleen de kentekennummers.'

'Welk beroep gaven ze op?'

'Fondsbeheerder, alle vier.'

'Hebben ze het nummer van hun mobiele telefoon achtergelaten?'

Falcón vroeg fotokopieën van de registratieformulieren. Buiten belde hij Gregorio. Hij gaf hem de Engelse kentekennummers en vroeg hem uit te zoeken bij wat voor auto's ze hoorden. Terug in het hotel vroeg hij of hij het barpersoneel kon spreken dat de avond ervoor had gewerkt. Hij wist hoe Engelsen waren.

Het barpersoneel kon zich de groep herinneren. Ze gaven goede fooien, meer zoals Amerikanen dan als Engelsen. De mannen dronken bier, de vrouwen eerst manzanilla, daarna gin-tonic. Niemand van het barpersoneel sprak voldoende Engels om ook maar iets van hun gesprek begrepen te hebben. Ze herinnerden zich een man die even met hen had gesproken en kort daarna was weggegaan, en een ander stel, ook buitenlanders, was bij hen komen zitten en had iets met hen gedronken. Daarna waren ze met z'n allen gaan eten.

Het andere stel bleek Nederlands, en werd beneden ontboden. Ondertussen zocht Falcón uit wie de man was die even met het groepje had gesproken en toen was vertrokken. Volgens het barpersoneel zag hij er Spaans uit en had hij eerder een Castellaans dan een Andalusisch accent. De receptioniste kon hem zich herinneren en zei dat ook hij zijn rekening de vorige avond had voldaan. Ze haalde zijn registratieformulier tevoorschijn. Hij had een Spaanse naam en een Spaans identiteitsbewijs. Hij was op 6 juni gearriveerd en ook hij had zijn auto in de garage van het hotel gezet. Falcón vroeg hun het identiteitsbewijs en registratieformulier in te scannen, in een e-mail te zetten en naar Gregorio te sturen.

De Nederlander kwam binnen. Hij zag eruit alsof hij een kater had. Ze waren uit geweest met de Engelsen, die ze hadden leren kennen op hun pelgrimstocht naar El Rocío. Ze waren pas om twee uur 's ochtends naar bed gegaan, hoewel de Engelsen hadden gezegd dat ze vroeg zouden vertrekken.

'Zeiden ze waar ze naartoe gingen?'

'Terug naar Engeland.'

'Via welke route?'

'Ze slapen in *paradores* en rijden dan via Biarritz en de Loire naar de kanaaltunnel. Ze moeten morgen over een week weer aan het werk.'

Falcón ijsbeerde over de patio. Zijn mobiele telefoon trilde. Gregorio belde terug. Het was iets voor tien uur.

'Om te beginnen is dat Spaanse identiteitsbewijs vorig jaar gestolen. Zijn gezicht wordt door geen enkel bestand herkend. Hij reed in een Mercedes, die heeft hij maandagmiddag 5 juni in Jerez de la Frontera gehuurd. Hij heeft hem vanmorgen om kwart over negen teruggebracht. Ik heb tegen ze gezegd dat ze voorlopig van die auto af moeten blijven. Krijg ik nog te horen waar dit over gaat?'

'Welke merken horen bij die Engelse kentekennummers?'

'Ik krijg ze net binnen,' zei Gregorio. Hij las op: 'Een VW Touareg, een Porsche Cayenne, een Mercedes M270 en een Range Rover.'

'Herinner je je die autoboeken die Yacoub zag?'

'Laten we in jouw werkkamer verder praten. Ik kan hier geen beveiligde lijn krijgen.'

Drie kwartier later zat Falcón nog in zijn kamer te wachten. Ondertussen maakte hij aantekeningen, want de complicaties van het scenario dat in zijn hoofd vorm kreeg, stapelden zich op. Gregorio belde vanuit de kamer van Elvira en zei dat hij een telefonische vergadering aanvroeg met Juan en Pablo, die in Madrid waren.

'Ik wil eerst weten hoe dit verhaal logisch gezien in elkaar zit,' zei Juan. 'Gregorio heeft ons ingelicht, maar ik wil het van jou horen, Javier.'

Falcón aarzelde; er waren belangrijkere dingen dan de werking van zijn brein.

'We hebben haast,' zei Juan, 'maar we zijn niet in paniek. Deze mensen nemen de tijd voor hun terugreis, en dat geeft ons de tijd uit te zoeken met wie we te maken krijgen. Ik heb een paar mensen van de explosievenopruimingsdienst naar de Mercedes in het autoverhuurbedrijf in Jerez gestuurd. We wachten hun informatie af en plannen daarna wat voor actie we ondernemen. Zeg het maar, Javier.'

Falcón informeerde hem over de gedachten die zich de nacht daarvoor in zijn hoofd genesteld hadden, over de uitwisselingen met Yacoub, over de handboeken, zijn aantekening van El Rocío, de grote brisantie van hexogeen en het idee om de Europese Unie te verzwakken met aanslagen op toeristische trekpleisters en financiële centra. Toen Falcón zei dat hij zichzelf op tv had gezien, reageerde Juan sarcastisch.

'Dat hebben we hier ook gezien,' zei hij. 'Alleraardigst, Javier. Maar bij het CNI vinden we dat we niet te sentimenteel moeten worden.'

'Mensen hebben hoop nodig, Juan,' zei Pablo.

'De politici duwen de mensen al genoeg gelul door de strot, daar hebben ze niet ook nog eens een versie van de politie voor nodig.'

'Laat hem maar praten,' zei Gregorio tegen Falcón terwijl hij met zijn ogen rolde.

'Ik ben gaan slapen, maar werd een paar uur later wakker,' zei Falcón. 'Toen heb ik een tijdje naar de film *Troy* zitten kijken.' Hij gaf Juan een schimpscheut. 'Je kent het verhaal van Troje toch, of niet, Juan?'

Gregorio schudde zijn hand heen en weer, alsof het er warmpjes aan toe ging.

'De Grieken stopten een houten paard vol soldaten, lieten het achter voor de poort van Troje en deden alsof ze zich terugtrokken,' zei Juan snel. 'De Trojanen trokken het paard naar binnen en bezegelden daarmee hun lot.'

'Het eerste wat me te binnen schoot, was: hoe krijgt, in dit tijdperk van beveiliging, een groep moslimterroristen een bom in een belangrijk gebouw in het financiële hart van een grote stad?'

'Ah!' zei Pablo. 'Je zorgt ervoor dat de mensen die daar werken het voor je naar binnen brengen.'

'En hoe wou je dat doen?' vroeg Juan.

'Op een moment dat niemand het doorheeft, stop je explosieven in auto's,' zei Falcón. 'In auto's van toeristen die naar El Rocío gaan en voor en na de happening in Sevilla logeren. Het hoogtepunt van de pelgrimstocht is op 5 juni afgelopen. Hammad en Saoudi brachten het hexogeen op 6 juni naar Sevilla met de bedoeling het in de hardware te plaatsen en het in de auto's van deze mensen te stoppen, zodat zij ermee naar Engeland rijden, naar het hart van de City in Londen.'

'Het eerste en mogelijkerwijs belangrijkste punt van dit scenario,' zei Juan, die de controle over het telefoongesprek terug wilde, 'is dat de terroristen over inlichtingen beschikken. De vier mannen van wie de auto's zijn, werken allemaal voor hetzelfde bedrijf: Kraus Maitland Powers. Zij beheren een van de grootste hedgefondsen van de City. Ze zijn gespecialiseerd in Japan, China en Zuidoost-Azië. Dat is relevant omdat ze steenrijk zijn. Ze wonen in grote huizen buiten Londen, dus ze gaan iedere dag met de auto naar hun werk. Ze hebben geen last van het drukke verkeer, want hun werkdag begint om drie uur 's ochtends en eindigt rond lunchtijd. Tijdens de ochtendspits staan hun auto's gegarandeerd midden in het hart van de City. Hun bedrijf zit in een opvallend gebouw, dat bekend staat als de Augurk.'

'Waar haal je al die informatie vandaan?' vroeg Falcón.

'MI5 en MI6 zijn al op de hoogte,' zei Juan. 'Ze zijn op zoek naar kandidaten die de terroristen van de inlichtingen hebben voorzien.'

'Hoe zit het met Mouna Chedadi – die vrouw die voor Amanda Turner heeft geboekt?' vroeg Falcón.

'Haar gegevens worden nu bekeken,' zei Juan. 'Ze komt niet voor op de lijsten van terreurverdachten. Ze woont in Braintree in Essex, vlak bij Londen. Ze is moslima, maar niet streng en zeker niet radicaal. Ze werkt pas sinds maart voor het reclamebureau van Amanda Turner. Vanzelfsprekend weet ze precies wat er voor hun vakantie is geregeld.'

'Maar misschien weet ze niet dat de vriend van Amanda Turner en zijn collega's voor een hedgefonds werken,' zei Pablo. 'En dat zou betekenen dat de inlichtingen van de terroristen uit twee of meer bronnen komen.'

'We weten nog niet wie ze zijn, dus we kunnen niet gaan praten met mensen uit bedrijven die met deze acht mensen in verband staan,' zei Juan.

'We hebben met de Engelsen overlegd en die zijn het met ons eens dat we niet met de mensen in de auto's kunnen praten,' zei Pablo. 'Alleen een goed getrainde soldaat is in staat zich normaal te gedragen terwijl hij rondrijdt in een auto die is volgepakt met explosieven.'

'Wat ons op het laatste probleem brengt,' zei Juan. 'Omdat de "hardware" al die tijd gescheiden is gehouden van de springstof en een andere herkomst lijkt te hebben, vrezen de Engelsen dat de hardware iets giftigs bevat, kernafval bijvoorbeeld. Ze gaan er bovendien van uit dat de auto's op weg naar hun bestemming in de gaten worden gehouden. Dat betekent dat de optie om de mensen uit hun auto te halen niet uitvoerbaar is.'

'Er is telefoon voor je op lijn vier, Juan,' zei Pablo in Madrid.

'Wacht even,' zei Juan. 'En niet praten zolang ik weg ben. We moeten allemaal weten wat er wordt gezegd.'

Gregorio zocht een asbak, maar er mocht in de kamer niet gerookt worden. Hij liep de gang op. Falcón staarde naar de vloerbedekking. Een van de voordelen van de wereld van inlichtingendiensten was dat het voor hen geen realiteit was. Als een van hen Amanda Turner letterlijk in de Porsche Cayenne door het Spaanse platteland zag rijden, zou het toch een ander verhaal zijn. Nu had ze meer weg van een personage uit een videospel.

Juan keerde terug in het overleg. Gregorio drukte zijn sigaret uit.

'Dat was de explosievenopruimingsdienst uit Jerez de la Frontera,' zei Juan. 'Ze hebben in de kofferbak van de gehuurde Mercedes sporen van een mengsel van hexogeen en plastic gevonden. Er zijn twee ventilatiegaten van de kofferbak naar de achterbank geboord, en er zijn sporen van eten en drinken aangetroffen. Het lijkt erop alsof hij de garage van het hotel binnen is gereden met de bommen en een of twee technici in de kofferbak. Die zijn daar 's nachts gebleven om de bommen in de wagens van de Engelse toeristen te plaatsen.'

'Dat lijkt me wel voldoende bewijs,' zei Pablo.

'Nu moeten we die toeristen nog zien te vinden,' zei Juan. 'Zonder dat de nationale politie alarm slaat.'

'Ze zijn om iets na halfacht uit Sevilla vertrokken,' zei Falcón. 'Het is nu kwart voor elf. Het Nederlandse stel zei dat de Engelsen naar het noorden reden om nog een paar nachten in paradores te overnachten.'

'De tijdrovende route gaat via Mérida en Salamanca,' zei Gregorio. 'De snelle route loopt via Córdoba, Valdepeñas en Madrid.'

'We moeten het hoofdkantoor van de Paradores de España bellen en uitzoeken waar ze overnachten,' zei Pablo. 'We kunnen ervoor zorgen dat ze door de explosievenopruimingsdienst worden opgewacht. Dan moet die de bommen vannacht ontmantelen en kunnen de toeristen hun weg vervolgen zonder dat ze ergens iets van weten.'

'Dan weten we meteen wat hun route is,' zei Gregorio.

'Goed, daar beginnen we mee,' zei Juan. 'Is er nog nieuws van Yacoub?'

'Nog niet,' zei Gregorio.

'Hebben jullie mij hierbij nodig?' vroeg Falcón.

'Op het vliegveld van Sevilla staat een militair vliegtuig klaar om jullie naar Madrid te brengen,' zei Juan. 'We zien elkaar over twee uur op Barajas.'

'Ik heb hier nog een hoop te doen,' zei Falcón.

'Ik heb er met Comisario Elvira over gesproken.'

'Hebben jullie iemand op Yacoub in Parijs gezet?' vroeg Gregorio.

'Nee, we hebben besloten dat niet te doen,' zei Juan.

'En de drie geactiveerde cellen die op weg zijn naar Parijs?' vroeg Falcón.

'Het ziet ernaar uit dat dat lokaas is,' zei Pablo. 'Het DGSE, de Franse geheime dienst, is gewaarschuwd. Ze houden hen in de gaten.'

Ze beëindigden de telefonische vergadering. Gregorio en Falcón gingen meteen naar het vliegveld.

'Ik begrijp niet waarom jullie mij erbij halen,' zei Falcón.

'Zo werkt Juan altijd,' zei Gregorio. 'Dit was jouw idee. Dan blijf je er tot het einde bij. Hij baalt ervan dat een van ons niet aan de informatie heeft gedacht die het scenario kan ontsluiten, maar hij levert altijd beter werk als hij iets heeft te bewijzen.'

'Maar het was puur geluk dat ik een onlogisch stukje informatie oppikte.'

'Dat is het bij inlichtingenwerk altijd,' antwoordde Gregorio. 'Je brengt iemand als Yacoub in een gevaarlijke positie. Niemand heeft enig idee waar hij naar moet zoeken. Wij hebben een beeld van een scenario waar we langzaam maar zeker verder in komen, maar hij kent het scenario niet eens. Hij vertelt ons wat hij kan vertellen. Het is aan ons dat in iets wat betekenis heeft om te zetten. Jij bent daar in geslaagd. Juan baalt omdat hij naar het lokaas zat te kijken, maar hij kon het zich niet veroorloven dat te negeren.'

'Vind je het zorgwekkend dat Yacoub naar Parijs is gestuurd?' vroeg Falcón. 'Als hij onderdeel is van een afleidingsmanoeuvre, weet de GICM dat hij voor ons spioneert. Op z'n minst vermoeden ze het.'

'Daarom laat Juan hem ook met rust,' zei Gregorio. 'Hij heeft zelfs niets tegen het DGSE gezegd. Als de GICM hem in de gaten houdt, zien ze iemand op wie niets aan te merken. Dat is zo mooi aan wat er nu gebeurt. Ze hebben Yacoub zelf in de positie gebracht waarin hij de informatie vond, terwijl hij niet eens wist waar die handleidingen toe dienden. Daardoor heeft hij zich niet hoeven blootgeven. Als hun operatie mislukt, zullen ze hem niet als de schuldige kunnen aanwijzen. Yacoub zit daar perfect.'

'Is het dom om te vragen waarom jullie, als jullie zoveel over ze weten, de GICM niet gewoon arresteren?' vroeg Falcón.

'Omdat we het hele netwerk willen uitschakelen,' zei Gregorio.

Ze landden om kwart over één op vliegveld Barrajas in Madrid. Het was bloedheet, de lucht boven het asfalt trilde. Er kwam een auto naar het vliegtuig en ze werden naar een kantoor aan het einde van de terminal gebracht. Daar zaten Juan en Pablo op hen te wachten.

'Wij zijn hier intussen weer iets verder,' zei Juan. 'Het hoofdkantoor van de paradores heeft gegevens van reserveringen in Zamora voor vanavond en in Santillana del Mar morgenavond. Pablo heeft beide hotels gebeld. De Engelsen hebben hun reserveringen vier uur geleden afgezegd.'

'M15 probeert te achterhalen waarom ze hun plannen hebben gewijzigd,' zei Pablo. 'Misschien is het een familieaangelegenheid. Twee van de vrouwen zijn zussen. Of het is werk. Het probleem is alleen dat binnen het hedgefonds nog niemand grondig is doorgelicht. Maar er zijn op de beurzen in het Verre Oosten geen grote schommelingen geweest. Ze praten nu met mensen uit de City om te horen of er geruchten zijn over een overname of een fusie.'

'Hebben jullie de auto's al gevonden?' vroeg Falcón.

'Als ze hun reservering vier uur geleden hebben ingetrokken, waren ze al een flink eind onderweg, dus we hebben geen idee of ze via Madrid of via Salamanca naar het noorden gaan.'

'En de veerboten?' vroeg Gregorio.

'We hebben zowel Bilbao-Portsmouth als Santander-Plymouth gecheckt,' zei Pablo. 'Er zijn geen reserveringen gemaakt. De boeking voor de kanaaltunnel staat nog steeds, en de datum is niet veranderd.' De telefoon ging. 'Dat is de minister van Binnenlandse Zaken, Juan.'

Juan nam op en maakte aantekeningen. Daarna gooide hij de hoorn met een klap op de haak.

'De Engelse geheime dienst heeft nu contact gehad met de Franse geheime dienst,' zei Juan. 'Amanda Turner heeft de boeking voor de kanaaltunnel net veranderd naar maandag, dat is dus morgen. Het ziet er dus naar uit dat ze non-stop naar Noord-Frankrijk doorrijden. De Franse en Engelse ministeries van Buitenlandse Zaken zijn niet van plan de auto's door de kanaaltunnel te laten gaan. De Fransen zeggen zelfs dat ze de auto's niet in Frankrijk willen hebben. Hun route naar het noorden voert langs kernreactoren en door dichtbevolkt gebied. De auto's bevinden zich nu nog op Spaans grondgebied. Wij hebben gebieden die dun bevolkt zijn. We zullen het hier moeten oplossen. De minister heeft een directe telefoonverbinding met de commando's geregeld.'

'Het is zo'n vijfhonderdvijftig kilometer van Sevilla naar Madrid,' zei

Gregorio. 'En het is tweehonderd kilometer van Sevilla naar Mérida. Als ze hun plannen vier uur geleden hebben gewijzigd, zullen ze de snelle route naar het noorden hebben genomen, via Madrid.'

'Als ze direct naar Madrid zijn gegaan, zijn ze hier al voorbij. Als ze hun route hebben gewijzigd, zijn ze hier nu in de buurt.'

Pablo belde de Guardia Civil en gaf hen opdracht om de NI/E5 in de richting van Burgos in het noorden en de NII/E90 in de richting van Zaragoza in het noordoosten in de gaten te houden. Hij benadrukte dat hij alleen wilde horen of de auto's er reden, en dat ze niet moesten worden achtervolgd en er geen alarm geslagen mocht worden.

Juan en Gregorio liepen naar de kaart van Spanje en bestudeerden de twee mogelijke routes. Pablo nam contact op met de commando's en vroeg hen twee onopvallende auto's gereed te houden, met in beide auto's een bestuurder en twee schutters.

Om twee uur belde de Guardia Civil met de mededeling dat het konvooi was gezien op de weg van Madrid naar Zaragoza, net voorbij Guadalajara. Pablo vroeg hun bij ieder benzinestation langs de route een motoragent neer te zetten en te melden wanneer het konvooi van de weg ging. Hij nam weer contact op met de commando's, gaf hun de route en vroeg hen erop te letten of het konvooi vanuit een andere auto in de gaten werd gehouden. De twee auto's verlieten Madrid om vijf over twee.

Om vijf voor halfdrie meldde de Guardia Civil dat het konvooi van de weg was gegaan bij een benzinestation bij kilometerpaaltje 103. Ze hadden ook een zilverkleurige VW Golf GTI gezien. Uit het kentekennummer maakten ze op dat die, rond de tijd dat het konvooi vertrok, was gehuurd in Sevilla. Er waren twee mannen uitgestapt. Geen van beiden was het benzinestation in gegaan. Ze leunden allebei tegen de achterkant van de Golf – een van hen belde met zijn mobiele telefoon.

Terwijl Pablo die informatie doorgaf aan de auto's van de commando's, belde Gregorio het autoverhuurbedrijf in Sevilla. Het was gesloten. Falcón belde Ramírez en gaf hem opdracht het autoverhuurbedrijf zo snel mogelijk open te laten gaan. Juan bestelde een helikopter, die moest klaarstaan om op te stijgen. Hij lichtte de minister van Binnenlandse Zaken in over de stand van zaken en zei tegen hem dat ze het mobieletelefoonnetwerk op de weg van Madrid naar Zaragoza tussen Calatayud en Zaragoza op een gegeven moment plat zouden leggen.

'Op het moment dat ze over een van de bergpassen gaan, schakelen de commando's de volgauto uit,' zei hij. 'Op die manier kunnen ze, als ze voor het ontsteken van de bom mobieletelefoontechnologie gebruiken, niets uitrichten. Gebruiken ze een directe zender, dan is er minder kans op een goede verbinding.'

Om drie uur belde Ramírez vanuit het autoverhuurbedrijf. Gregorio gaf hem het kentekennummer van de zilverkleurige Golf GTI. Het autoverhuurbedrijf gaf hen het nummer van het identiteitsbewijs van de bestuurder. Gregorio controleerde het op de computer. Het identiteitsbewijs was een week eerder in Granada gestolen.

De helikopter helde naar voren en steeg op in de wolkenloze hemel boven vliegveld Barrajas. Falcón had niet op de bevoorrechte plek naast de piloot plaats willen nemen. Hij had tien jaar geleden voor het laatst in een helikopter gezeten. Hij voelde zich blootgesteld aan de elementen en had een zenuwachtig makende sensatie van gewichtloosheid.

Ze vonden autopista NII/E90 van Madrid naar Zaragoza en waren binnen een uur boven de bergen rond Calatayud.

'Dit maken we niet vaak mee,' zei Juan over de koptelefoons. 'Dat we de ontknoping van een operatie van de inlichtingendienst bijwonen, bedoel ik.'

Zelfs op dat moment, op het hoogtepunt van maanden werk die waren gevolgd door een aantal zeer intense dagen, was het nauwelijks voor te stellen dat dit echt was. Spanje raasde onder zijn voeten door en ergens daar beneden troffen mannen de laatste voorbereidingen terwijl de echte, levende personen in het konvooi naar het noorden jakkerde zonder iets te weten, zonder zich zorgen te maken over het uitgebreide, gecompliceerde mechanisme achter hen dat op het punt stond in actie te komen.

De piloot gaf hem een verrekijker en wees naar een deel van de snelweg. Hij keek en zag dat een zilverkleurige Golf GTI door een donkerblauwe BMW werd ingehaald. De BMW remde zo hard dat er rookwolkjes uit de spatborden kwamen. De Golf GTI ramde hem van achteren, maar de soldaten waren er al uit, hielden hun wapens in de aanslag, en vingen met hun arm de terugslag op. De helikopter dook op de scène neer. Twee mannen werden uit de auto gesleept. De voorruit lag aan diggelen, de voorkant was verkreukeld, er kwam stoom onder de motorkap vandaan.

De helikopter steeg weer op en vloog naar de andere kant van de berg, waar het toeristenkonvooi naar de kant was gehaald door een ander commandoteam in een vooruitgeschoven auto. De helikoper zwenkte en cirkelde rond terwijl de vier stellen uitstapten en van de auto's wegrenden.

Er getuige van te zijn zonder iets te kunnen horen – of, eigenlijk, met het lawaai van de dreunende wieken die de lucht in mootjes hakten – droeg verder bij aan het surreële karakter. Falcón kreeg een slap gevoel bij het idee dat deze afrondende operatie plaatsvond dankzij zijn intuïtie. Als er nou geen bommen in de auto's bleken te zitten en de twee mannen uit de Golf GTI onschuldig waren? Waarschijnlijk zag hij er verdwaasd uit, want de stem van Juan kwam door de koptelefoon.

'Dat denken we wel vaker,' zei hij. 'Is dit echt gebeurd?'

De helikopter zwenkte weg van de nabije stad Zaragoza, die met opgezette stekels onder de hitte en de stilstaande smog lag. De piloot mompelde zijn positie en richting door en de bruine, hardgebakken bergen kwamen weer tot rust in de namiddag.

Coda

Sevilla, maandag 10 juli 2006

Falcón zat aan een tafeltje bij het eind van de bar in restaurant Casa Ricardo. Het was bijna vier jaar geleden dat hij daar voor het laatst was geweest, en dat was geen toeval. Hij nam een slok bier en at een olijf. Hij zat nog bij te komen van de wandeling vanaf zijn huis door de vreselijke hitte.

Hij had de afgelopen maand nergens tijd voor gehad. Het papierwerk had absurde dimensies aangenomen. Toen hij dat had afgerond en op aarde terugkeerde, had hij verwacht dat de wereld zou zijn veranderd. Maar de bom was net een aanval van vallende ziekte geweest. De stad had een afschuwelijke stuiptrekking gehad en men had zich ernstig zorgen gemaakt over zijn toekomstige gezondheid, maar toen de dagen verstreken en er geen nieuwe aanvallen kwamen, keerde alles terug naar het oude. Het had wel een wond achtergelaten. Er waren gezinnen met een niet te vullen lege plek aan tafel. Anderen moesten moed verzamelen, omdat ze de mensen die ze altijd in de ogen hadden gekeken nu op middelhoogte zagen. Er waren er honderden die werden vergeten maar die iedere ochtend in de spiegel keken en om een litteken heen moesten scheren of een laagje basiscrème op een onvolkomenheid moesten die ze vroeger niet hadden smeren. Maar één kracht was sterker dan de ontwrichtende kracht van terroristen, en dat was de kracht waarmee de mens terugkeert naar zijn gewoonten.

De debriefing van de geheime opdracht had vier dagen geduurd. Falcón was erg opgelucht geweest toen er vier bommen in de Engelse terreinwagens werden gevonden. Iedere bom was een klein wonder van techniek, want de aluminium huls van iedere bom was zo gemaakt dat hij in de auto paste alsof het er een integraal onderdeel van was. Falcón moest er steeds aan denken dat de bommen net zo waren als het terrorisme zelf, omdat het onzichtbaar in zijn omgeving opging, in de maatschappij, als een niet te onderscheiden, duister element ervan. Hij was opgelucht omdat ze er echt waren. Ze waren geen spook van zijn verbeelding, of van de verbeelding van de inlichtingendiensten. En er had geen kernafval in gezeten, zoals de Engelsen hadden gevreesd.

Na zijn terugkeer uit Madrid had Falcón met Juez del Rey aan de zaak tegen Rivero, Cárdenas en Zarrías gewerkt, alhoewel het, sinds Rivero een beroerte had gehad en niet meer kon praten, eigenlijk een zaak tegen de laatste twee was. De voorbereiding van de zaak vond ook weer in een bizarre context plaats. Del Rey had besloten de twee mannen eerst voor de moord op Tateb Hassani te vervolgen, want hij wilde het bewijs voor hun aandeel in de grotere samenzwering in alle rust kunnen verzamelen. Over Hassani wisten de mensen dat hij de afschuwwekkende instructies had geschreven bij de plattegronden van de scholen en de biologiefaculteit. Op de een of andere manier was men deze instructies door een vorm van collectieve blindheid los gaan zien van de verzinsels die door de samenzwering geloofwaardig gemaakt hadden moeten worden. Het resultaat daarvan was dat een groot deel van de mensen Cárdenas en Zarrías als volkshelden zag.

Yacoub had bij zijn terugkeer uit Parijs weer contact gelegd. Het opperbevel van de GICM had hem geen instructies gegeven. Hij had het gevoel gehad dat ze hem verdachten en daarom geen contact met het CNI gezocht. Hij had zich op publieke plaatsen opgehouden; hij was bang dat er, als hij op zijn hotelkamer was, op de deur zou worden geklopt en hij niet zou durven opendoen. Hij keerde terug naar Rabat en bezocht de samenkomsten van de groep in het huis in de medina. Er werd niets over de mislukte missie gezegd.

Calderón zou in september voorkomen. Inspector Jefe Luis Zorrita en de rechter van instructie Juan Romero waren overtuigd van zijn schuld. Hun zaak stond als een huis. Falcón had Calderón niet meer gezien, maar had gehoord dat hij zich schikte in zin lot, en dat was dat hij waarschijnlijk vijftien jaar zou krijgen voor de moord op zijn vrouw.

Manuela was een grote zorg geweest voor Falcón. Hij had verwacht dat de leegte die de verdwijning van Angel bij haar achterliet, haar in eenzaamheid en een depressie zou storten, maar hij had haar onderschat. Toen de schok, de woede en de wanhoop over zijn misdaad waren uitgebrand, vond ze een hernieuwde vitaliteit. Angels lessen over positieve energie betaalden zich uit. Ze verkocht de villa in El Puerto de Santa María niet; de Duitse koper kwam weer bij haar terug en ze vond een Zweed die haar andere huis in Sevilla wilde kopen. Ze had ook geen gebrek aan uitnodigingen voor etentjes. Iedereen wilde alles over haar leven met Angel Zarrías weten.

Er waren meer positieve ontwikkelingen in de nasleep van de explosie. Toen Falcón een week eerder op zondag in de schaduw van een paar bomen in het Parque María Luisa op een bankje zat, werd zijn aandacht getrokken door een gezin. De man duwde een rolstoel waar een jong meisje in zat. Hij praatte met een kleine, blonde vrouw in een turkooizen topje en een witte rok. Pas toen twee kinderen naar hen toe renden en zich bij hen voegden, zag Falcón dat het de kinderen van Cristina Ferrera waren. Ze sloeg een arm om de schouder van haar zoon, terwijl haar dochter de man hielp met het duwen van de rolstoel. Op dat moment besefte hij dat hij naar Fernando Alanis keek.

Falcón was te vroeg in Casa Ricardo. Hij nam de laatste slok van zijn bier en vroeg de langslopende kelner om een gekoelde manzanilla. De kelner kwam terug met een fles La Guita en de menukaart. Toen hij de droge sherry inschonk, besloeg het glas. Hij wuifde zich koelte toe met het menu. Hij zat aan een ander tafeltje dan vier jaar geleden. Hiervandaan had hij perfect zicht op de deur, waar hij iedere keer dat er iemand binnenkwam naar keek. Hij kon niet tegen de tienerspanning die hem bekroop. Op dit soort momenten keerde zijn verstand zich tegen hem en dacht hij aan iets anders wat hem nerveus maakte: zijn belofte aan de inwoners van Sevilla dat hij ook de overige daders van de bomaanslag zou vinden. Hij dacht steeds weer terug aan die keer dat hij zichzelf in de Galicische bar op de tv had gezien, gevolgd door het sarcastische commentaar van Juan. Was het gekkenwerk geweest of was het, zoals Juan had gezegd, gewoon sentimenteel? Nee, dat was het niet, dat wist hij zeker. Hij had zijn ideeën. Hij wist waar hij moest beginnen te zoeken als hij weer meer tijd had.

Het is altijd zo dat de persoon op wie je al die tijd hebt zitten wachten verschijnt als je gedachten even elders zijn. Voor hij het wist was ze bij hem.

'De in gepeins verzonken Inspector Jefe,' zei ze.

Zijn hart bonsde zo wild in zijn borstkas dat hij overeind sprong.

'Zoals altijd,' zei hij, 'zie je er prachtig uit, Consuelo.'

Dankwoord

Dit boek had nooit geschreven kunnen worden als ik geen uitgebreid onderzoek in Marokko had gedaan. Daar heb ik gehoord hoe de verschillende lagen van de bevolking op de frictie tussen de islam en het Westen reageren. Ik wil Laila bedanken omdat ze me zo gastvrij heeft ontvangen en me heeft voorgesteld aan mensen uit alle rangen en standen. Zij gaven me inzichten van onschatbare waarde in de standpunten van de Arabische wereld. Ik wil benadrukken dat, hoewel alle meningen getrouw zijn weergegeven, geen van de personages ook maar in de verste verte op levende of overleden personen lijkt. Alle personages zijn het product van mijn verbeelding, tot leven gewekt om een bepaalde functie in mijn verhaal te vervullen.

Zoals altijd wil ik mijn vrienden Mick Lawson en José Manuel Blanco bedanken omdat ze me zowel verdragen als verder dragen. Ze hebben het Sevilliaanse deel van mijn research veel eenvoudiger gemaakt. Verder bedank ik de Linc Talenschool in Sevilla, in het bijzonder mijn lerares Lourdes Martinez, omdat ze erg haar best heeft gedaan mijn Spaans te verbeteren.

Inmiddels word ik al tien jaar uitgegeven door HarperCollins. Het lijkt me na een decennium hard werken toepasselijk mijn redacteur Julia Wisdom te bedanken. Zij heeft mij al die jaren van verstandige adviezen voorzien en mijn boeken met succes in de markt gezet, en is een van mijn grootste steunpilaren.

Ten slotte wil ik mijn vrouw Jane bedanken. Zij heeft me geholpen bij mijn research en me tijdens de lange schrijfdagen aangemoedigd. Bovendien is zij de eerste die mijn teksten leest en becommentarieert, en dat doet ze onvermoeibaar. Mensen denken weleens dat het zwaar is om schrijver te zijn, maar denk ook maar eens aan de vrouw van de schrijver. Zij helpt en steunt haar man en moet zijn worsteling en foltering aanzien. Voor die ellende wordt zij beloond met te geringe lof en te bescheiden compensatie. Dat doe je alleen uit liefde. Daar dank ik haar voor, en ik beantwoord haar dubbel en dwars.